Die grossen Meyersons

Stephen Birmingham

Die grossen Meyersons

Roman

Scherz

Erste Auflage 1990
Einzig berechtigte Übersetzung
aus dem Amerikanischen von Alfred Hans.
Titel der Originalausgabe: «Shades of Fortune».

Schutzumschlag von Manfred Waller
unter Verwendung eines Gemäldes
von Image Bank, München.

I

»Wenn du auf andere einen guten Eindruck machen möchtest», pflegte mein Vater zu sagen, «hör zu und sag selbst nichts. Es ist nicht schwer, die Leute auszuquetschen. Die meisten sprechen gern über sich selbst und sind selig, wenn sie jemanden finden, der ihnen zuhört. Wenn du dich daran hältst, mögen sie dich sofort.»

Kaum jemand achtet auf elterliche Ratschläge, dieser aber hat sich mir eingeprägt. Nachdem ich ein Leben lang anderen zugehört habe und einiges davon auch aufschrieb – mache ich mir einen Spaß daraus zu überlegen, worüber die Menschen wohl reden, wenn ich nicht dabei sein kann – das ist für mich inzwischen schon ein Steckenpferd geworden.

Angefangen hat die Sache, als ich eines frühen Augustabends vor dem Haus an der Fifth Avenue, in dem Mimi Meyerson wohnt, ein auffälliges junges Paar aus einem Taxi steigen sah. Ich saß auf einer Bank zum Central Park hin und löste Kreuzworträtsel.

Obwohl ich die beiden nicht kannte, wußte ich doch, wer sie sein mußten.

Ich stellte mir vor, wie die junge Frau, kaum daß sie den walnußgetäfelten und blattgoldverzierten Aufzug betreten hatte, im Spiegel an dessen Rückwand aufmerksam ihr Gesicht betrachtete, mit einem Stielkamm eine verrutschte Strähne ihres dunklen Haars zurechtrückte und zu ihrem Begleiter sagte: «Ich bin auf sie gespannt. Sie soll ja ein ziemliches Miststück sein.»

Der junge Mann, der ruhiger und weltläufiger wirkte, sagte darauf: «Hast du vorher nicht mit ihr gesprochen? Ich schon.»

«Die haben mich nach Katalog ausgesucht», gibt die junge Frau zur Antwort, ohne den Blick von ihrem Spiegelbild zu lösen. «In der Endrunde waren wir noch hundert. Hab ich zu viel Augen-Make-up? Sei ehrlich.»

«Regel Nummer eins», sagt der junge Mann, «wenn eine Frau fragen muß, ob sie von etwas zu viel hat, ist es zu viel.»

«Das Miststück bist du», sagt die junge Frau.

Die beiden, Sheila Shearson und Dirk Gordon, gehörten zu Mimis Gästen jenes Abends. Er hieß tatsächlich Dirk Gordon, der Name Sheila Shearson hingegen war eine Erfindung der Modellagentur Ford; die junge Frau war als Irene Godowski zur Welt gekommen. Soviel wußte ich, und ich konnte mir gut vorstellen, wie der Fahrstuhlführer Buddy, den ich schon recht gut kannte, ihrem Gespräch mit teilnahmslosem Gesicht zuhörte, während der Lift geräuschlos zu Mimis Wohnung im 14. Stock emporglitt. Das Gebäude mit der Nummer 1107 ist eins der wenigen in New York, dessen beide Aufzüge nach wie vor von Männern in Livree mit goldenen Epauletten und weißen Handschuhen bedient werden. In der Eingangshalle wacht ein Portier, und den ganzen Tag lang sitzt jemand an einer Theke am Eingang hinter einem Schild, auf dem es heißt *Besuche nur nach Anmeldung*. Es ist ein eindrucksvoller Bau aus den zwanziger Jahren, die Art Gebäude, von der Mimi Meyerson einmal im Spaß gesagt hat: «Wer hier lebt, gehört schlagartig zum alten Geldadel.»

Auf der Parkbank saß ich, weil ich für Mimis Abendeinladung zu früh gekommen war, denn der Verkehr von Greenwich Village her war nicht so schlimm gewesen wie erwartet. Damals kannte ich Mimi noch nicht gut, aber ich wußte, daß sie als eine Gastgeberin galt, bei der alles bis aufs I-Tüpfelchen stimmen mußte, und so konnte ich mir denken, daß im letzten Augenblick noch dies und jenes ihrer Aufmerksamkeit bedurfte. Es war unerheblich, daß Dirk Gordon und Sheila Shearson volle zehn Minuten zu früh kamen. Sie gehörten mehr oder weniger zum Dekor, waren für Mimi im Moment nicht wichtiger als eins ihrer Blumenarrangements.

Ganz stimmte das nicht, denn vom geschäftlichen Standpunkt aus waren sie wichtig für sie, wenn auch nicht so wichtig, wie sie ihrem Auftreten nach anzunehmen schienen. Beide umgab eine gewisse gesuchte Eleganz – er trug einen makellos sitzenden Smoking, sie ein lippenstiftrotes Modellkleid, das sie vermutlich von einer finanziell bessergestellten Freundin ausgeliehen hatte. Als sie aus der Taxe stiegen, blieben sie einen Augenblick lang unter der Markise vor dem Gebäude stehen und ließen den Blick nach links und rechts gleiten, so, als rechneten sie damit, daß Kameras auf sie gerichtet seien und Blitzlichter aufflammten, und als wollten sie den Reportern Gelegenheit geben, in Ruhe ihrer Arbeit nachzugehen. Natürlich gab es nichts dergleichen. Doch sollten diese beiden nur wenige Wochen später – so zumindest sah Mimis Plan es vor – im Mittelpunkt der Aufmerksamkeit des ganzen Landes stehen.

Sheila Shearsons und Dirk Gordons Gesicht sollten von Amerikas Bildschirmen und den Farbseiten der Modemagazine lächeln, sie waren von Mimi dazu ausersehen, die Mireille-Frau und den Mireille-Mann zu verkörpern, und sofern Mimis Werbekampagne den gewünschten Erfolg hatte, würden die beiden dabei um die zwei Millionen Dollar verdienen. Und dann? Obwohl diese beiden Schönen es noch nicht wußten, war es möglich, daß sie nach der aufwendigen Werbekampagne keine Arbeit mehr fanden. Es ist eins der trüben Paradoxe dieses Geschäfts, daß auf großen Ruhm ebenso großes Vergessen folgen kann, wenn ein Gesicht durch eine Werbekampagne «verschlissen» ist. Wenn die beiden nicht sehr aufpassen, dachte ich, muß sie in ein paar Jahren möglicherweise wieder Schuhe vorführen und er vielleicht als Tanzlehrer arbeiten.

Aber wer kann so etwas im voraus wissen? An jenem Abend waren sie zwei Unbekannte, die, wenn auch für sehr kurze Zeit, Berühmtheiten sein würden – eine dunkelhaarige junge Frau von neunzehn Jahren, die mit ihrem Augen-Make-up und dem Modellkleid zwei oder drei Jahre älter aussah, und ein junger Mann von fünfundzwanzig, den man aus Berufsgründen als zweiundzwanzig ausgab und dessen Haar die Farbe von Kanarienvogelfedern hatte.

«Ich möchte einen blonden Mann und eine brünette Frau», hatte Mimi gesagt, und diese Anforderung erfüllten die beiden. Dabei war es unerheblich, daß sie einander nicht ausstehen konnten.

Wichtig an der ganzen Geschichte ist, daß alles bei Mimis Abendgesellschaft anfing und die beiden als erste eintrafen.

Ich stellte mir vor, daß Sheila, während sie in den Aufzug traten – nicht zu Dirk, sondern zu ihrem Spiegelbild – sagte: «So. Wenn du sie schon kennst, wie sieht sie aus?»

Seine Antwort kam von oben herab: «Das wirst du schon sehen, Schätzchen.»

Daraufhin mochte sie sich dem Fahrstuhlführer zuwenden, um ihn gebieterisch zu fragen: «Sie arbeiten doch hier. Wie ist sie denn?»

Buddy, der derlei Gespräche in seinem Lift ganz und gar nicht schätzt, könnte dann höflich, aber vorwurfsvoll geantwortet haben: «Sie werden feststellen, daß Mrs. Moore eine richtige Dame ist, Ma'am.»

Jetzt haben sie den vierzehnten Stock erreicht. Buddy hält ihnen mit seinen weißbehandschuhten Händen die Außentür auf, sie steigen aus, und die Fahrstuhltüren schließen sich hinter ihnen.

«Regel Nummer zwei, Schätzchen. Man spricht vor dem Fahrstuhlführer nicht von seiner Gastgeberin», sagt der junge Mann. «Das ist ganz schlechter Stil.»

Der ovale Vorraum zu Mimis Wohnung ist klein, und seine Wände sind mit blaßgelber Seidentapete bespannt. Neben der Eingangstür stehen zwei Rokokokommoden mit ovalen, silbergerahmten Spiegelaufsätzen. Ich sah förmlich, wie die junge Frau, den Lippenstift in der Hand, sogleich zu einem davon trat. «Und was soll der Quatsch mit Mrs. Moore?», fragt sie, während sie dem Spiegel einen Schmollmund macht. «Ich dachte, diese Mimi heißt Meyerson?»

«Regel Nummer drei», sagt der junge Mann. «In der Firma ist sie Miss Meyerson, zu Hause Mrs. Bradford Moore.»

«Zum Teufel mit deinen Regeln», sagt sie.

Der junge Mann lehnt sich lässig gegen den Türrahmen, zupft ein unsichtbares Fusselchen vom Ärmel seines Smokings und meint: «Was für eine böse Zunge in dem hübschen leeren Köpfchen. Sag Bescheid, wenn du mit der Fassadenrenovierung fertig bist, ich klingle dann. Bis dahin überleg dir ruhig mal, ob nicht die Beherrschung von ein paar Anstandsregeln eine Erklärung dafür sein könnte, daß ich fünfhundert die Stunde bekomme, während du nie über zweihundertfünfzig hinausgekommen bist.»

«Damit ist es jetzt vorbei, Schlappsack», sagt sie.

«Wie wär's mit ein wenig Damenhaftigkeit?» fragt er. «Probier's heut abend einfach mal. Wer weiß – vielleicht hättest du damit sogar eine Zukunft, Schätzchen.»

«Immerhin hab ich den Vertrag, oder nicht?»

«Sie kann es sich jederzeit anders überlegen», sagt er. «Das ist schon vorgekommen.»

Durch den Spiegel wirft sie ihm einen kurzen, fragenden Blick zu, und er tippt mit der Spitze seines Zeigefingers sacht auf den Klingelknopf.

Von der gegenüberliegenden Straßenseite aus sah ich im Schatten des Laubdachs der Bäume zu Mimis Wohnung empor. «Ich will zwei unbekannte, unverbrauchte nagelneue Gesichter, die ausschließlich mir gehören», hatte Mimi gesagt. Ich sah, wie in einem Raum nach dem anderen Licht anging, dann erkannte ich in einem plötzlich schräg einfallenden Strahl der Nachmittagssonne durch ein geöffnetes Fenster ihres Schlafzimmers, auch wenn ich vierzehn Stockwerke weiter unten saß, verblüfft ihren unverkennbaren Umriß und glaubte einen Augenblick lang ihr perlendes Lachen zu hören. Ein Mann trat zu ihr, sie wandte ihm den Rücken zu, er beugte sich über sie, und ich begriff, daß er den Reißverschluß ihres Kleides zuzog. Ihr Gatte Brad Moore war das nicht, denn er hatte, das wußte ich, noch im Büro zu tun und würde etwas später kommen. Der Mann, der ihr half, konnte der Statur und Haltung nach nur ihr Butler Felix sein.

Daran war nichts Ungewöhnliches. Dann aber sah ich etwas, das mich verblüffte. Felix beugte sich noch tiefer und küßte sie auf die bloße Schulter. Kein Zweifel. Er hatte sie geküßt. Dann entfernten sich beide Schatten vom Fenster.

Der Kuß gab mir zu denken. Von Mimi Meyerson Moore konnte ich mir nicht vorstellen, daß sie ein Verhältnis mit ihrem Diener hatte. Es paßte einfach nicht zu ihr. Trotzdem – dieser Kuß auf die Schulter verriet ein großes Maß an Vertrautheit und Zärtlichkeit. Ich wußte nicht, was ich davon halten sollte.

Später erfuhr ich die Bedeutung jenes Kusses. Zu gegebener Zeit würde Mimi auch mich auffordern, sie auf die Schulter zu küssen. Damals aber verblüffte mich meine Beobachtung, und ich hatte das unangenehme Gefühl, daß mich mein zufälliger und unbeabsichtigter Blick hinauf zu ihrem Fenster aus meiner gewohnten Rolle als Zuhörer herausgerissen hatte und ich jetzt ein Voyeur war – was ich nie hatte sein wollen.

Unterdessen machen sich weitere Gäste auf den Weg. Mimis Onkel Edwin Meyerson, der jüngere Bruder ihres Vaters, den alle Verwandten nur «Edwee» rufen, ist in seiner Chauffeur-Limousine pünktlich um Viertel nach sieben von seinem Haus am Sutton Square aufgebrochen. Er bekleidete nie eine Position in der Firma Miray, sondern ist ein angesehener Kunsthistoriker und -kritiker sowie ein Feinschmekker, Hobby-Koch und Restaurant-Kritiker, dessen Rezepte bisweilen in Zeitschriften wie *Vogue* und *Town & Country* abgedruckt werden. Seine Kunstkritiken, oft schwerer verständlich als seine Anweisungen für die Herstellung eines *Soufflés*, erscheinen von Zeit zu Zeit in *Art & Antiques* oder *Connoisseur*. Er ist ein Lebemann und Dandy, und er freut sich, daß sein trotz seiner 55 Jahre noch volles Haar, das er recht lang trägt, an genau den richtigen Stellen ergraut. Kaum je verläßt er das Haus ohne eine rote Nelke im Knopfloch; sie ist geradezu sein Markenzeichen.

Neben ihm hat auf dem Rücksitz seine junge Frau Gloria mit dem pfirsichfarbenen Haar Platz genommen. Sie sind erst seit wenigen Monaten verheiratet, und die Ehe ist ein neues Experiment für ihn, das ihm recht angenehm erscheint. «Du siehst aus wie eine Redouté-Rose», hat er gerade zu Gloria gesagt, denn ihr Kleid – er selbst hat es ihr in einer kleinen, exquisiten Boutique an der Madison Avenue gekauft – hat dieselbe Farbe wie ihr Haar.

«*Was* für eine Rose?» fragt sie und fährt fort: «Worum geht es bei dieser Gesellschaft heute abend überhaupt?»

«Es wird wohl wieder eine von M-M-Mimis kleinen Schrullen sein.» Edwee Meyerson stottert mitunter, vor allem, wenn ihm etwas nahegeht oder zu schaffen macht. Gloria zielt mit ihren lackierten Fingerspitzen auf die Stelle zwischen seinen Hosenbeinen und kitzelt ihn. «Ungezogenes kleines Kätzchen», flüstert er.

Vor dem Gebäude mit der Nummer 200 an der East 66. Straße hält der Wagen zum erstenmal, um Edwees ältere Schwester Naomi Meyerson aufzunehmen, die von Mimi «Tante Nonie» genannt wird, sowie deren Begleiter für den Abend, einen deutlich jüngeren Mann namens Roger Williams, den Edwee noch nicht kennt. Er begrüßt ihn kühl und distanziert, wie er das bei allen Unbekannten tut, vor allem, wenn es sich um Freunde von Nonie handelt.

Während der Chauffeur ihr in den Wagen hilft, verbreitet sich im Inneren sogleich eine aufdringliche Wolke eines aggressiven, leidenschaftlich wirkenden Parfüms, und sie murmelt: «Ich möchte euch meinen wahnsinnig klugen neuen Freund Roger Williams vorstellen. Roger, das ist mein Bruder Edwee und seine Frau Gloria.»

«Hallo», sagt Edwee und reicht ihm halbherzig die Hand.

«Angenehm», sagt Gloria.

Der Wagen schiebt sich nordwärts in den Verkehr.

Im schmeichelnden Abendlicht, das durch die getönten Scheiben fällt, wirkt Naomi Meyerson beinahe schön. Sie ist nicht mehr jung, doch nur wenige Angehörige kennen ihr wahres Alter, denn sie macht sich schon seit so vielen Jahren immer wieder jünger, daß selbst sie, wenn sie ihr Alter einmal nennen wollte, dazu wahrscheinlich nicht mehr in der Lage wäre. Nur ihre Mutter könnte das, würde es aber nie wagen, da sie Nonies Haltung in dieser Sache kennt. Nicht einmal ihr Bruder Edwee weiß genau, wie alt seine Schwester ist, er weiß nur, daß sie bereits verheiratet und geschieden war, als er zehn Jahre alt war. Rechnen Sie es sich selbst aus. Es ist ein Geheimnis, das sie mit ins Grab nehmen wird.

Sagen wir also einfach, daß Nonie Meyerson (sie hat ihren Mädchennamen über alle – kinderlosen – Ehen hinweg behalten) jünger aussieht, als sie ist. Sie pflegt sich, macht immer wieder Abmagerungskuren, ist stolz auf ihre schlanken Beine und Fesseln und darauf, daß sie noch dieselbe Kleidergröße trägt wie mit neunzehn. Statt Fältchen im Gesicht hat sie winzige, kaum sichtbare Narben hinter dem Ansatz ihres Haares, das noch immer denselben glänzenden Haselnußschimmer wie eh und je hat und dank der Bemühungen eines geschickten Friseurs beim Gehen wie bei einem jungen Mädchen wippt. Heute wirkt sie in dem kurzen schwarzen Dior-Kleid, das ihrer Figur schmeichelt, mit einer schlichten Perlenkette, diamantenbesetzten Perlenohrringen und einem Solitär am Ringfinger, «bemerkenswert gut erhalten», wie ihre Freundinnen bisweilen hinter ihrem Rücken tuscheln.

Im Sitzen reckt sie gewöhnlich das Kinn in die Luft, als balanciere sie eine Vogelfeder auf der Spitze ihrer vollkommen geschnittenen Nase – so auch jetzt im Wagen ihres Bruders.

«Worum geht es bei dieser Gesellschaft heute abend überhaupt?» fragt Gloria noch einmal, diesmal an ihre Schwägerin gewendet.

«Ich denke, die kleine Mimi will eine Art von Ankündigung machen», gibt Nonie zur Antwort. «Irgendwas mit der Firma. Sie hat gesagt, es würden in erster Linie Verwandte da sein, aber auch ein oder zwei Überraschungsgäste. Sind dir Überraschungen nicht zuwider?»

«Eine scheußliche Branche», sagt Edwee. «Wie hält die arme Mimi den Umgang mit solchen Menschen nur aus? Das Kosmetikgeschäft ist so ordinär.»

«Ich habe dich deine Dividendenschecks aber noch nie zerreißen sehen, lieber Edwee», meint Nonie trocken.

«Das Ganze ist so *jüdisch*.»

«Nun, lieber Edwee, wir *sind* Juden», sagt Nonie.

Gloria kreischt ein wenig auf. «Stimmt das, Edwee? Davon hast du mir aber nichts gesagt!»

Er tätschelt ihr Knie. «Kaum der Rede wert. Zerbrich dir dein Köpfchen nicht darüber, Kätzchen.»

«Aber ich finde, ich hätte es meiner Mutter vorher sagen müssen, daß ich einen Juden heirate.»

«Mag denn deine Mutti Juden nicht, Kätzchen?»

«Ich glaub nicht, daß sie je welche gekannt hat.»

«Nun, jetzt kennt sie mich», sagt er.

«Bin ich jetzt auch Jüdin?»

Um das Thema zu wechseln, wendet sich Edwee an seine Schwester, die nach wie vor zur Wagendecke hinaufschaut, und sagt: «Hauptsächlich Familie. Bedeutet das, daß auch die arme Alice da sein wird?»

«Ich glaube, ja.»

«Dann gibt es ein Debakel», prophezeit Edwee düster.

«Nicht unbedingt. Sie hat sich in letzter Zeit anständig benommen. Du weißt ja, ihre Kur im Betty-Ford-Center.»

«Aber wie lange hält so was vor? Denk an die früheren Behandlungen!»

«Ich finde, wir sollten uns Mühe geben, ihr zu zeigen, daß wir zu ihr stehen», sagt Nonie.

«Bis zum nächsten Fiasko», seufzt Edwee.

«Wer ist Alice?» fragt der junge Mann namens Roger Williams mit angenehmer Stimme.

«Ah», sagt Edwee, während er sich zurücklehnt und sorgsam seine Pfeife anzündet. «Eine sehr gute Frage, Mr. Windsor. Wer ist Alice?»

«Williams.»

«Also, Mr. Williams. Was würdest du sagen, liebe Nonie?» Ohne ihre Antwort abzuwarten, fährt er fort: «Alice ist in keiner Weise mit uns verwandt, außer durch einen winzigen zufälligen Umstand, den man Ehe nennt. Sie ist Mimis Mutter, die Witwe unseres Bruders Henry mit dem tragischen Lebenslauf, der Mimis Vater war. Alice ist unsere Kameliendame, die verwunschene Vergangenheit, unsere tragische Schwägerin.»

«Aha», sagt Williams trocken. «Jetzt weiß ich alles, was ich wissen muß.»

«Alice bedeutet für diese Familie wenig, außer daß Mimi ihren Lenden entsprungen ist wie Pallas Athene dem Kopf des Zeus. In Cincinnati gibt es ein paar Williams, eine erstklassige alte Familie. Ihre Leute?»

«Ich fürchte, nein.»

Noch einmal muß der Wagen unterwegs halten. Am Hotel Carlyle nimmt er Fleurette Guggenheim Meyerson auf, Edwees und Nonies Mutter, Mimis Großmutter und Witwe des großen Adolph Meyerson, der hinter allem steht. Als der Portier die elegante schwarze Limousine erkennt, tritt er in die Halle des Hotels, um Mrs. Meyerson hinauszubegleiten.

Fleurette Meyerson, von Mimi und den jüngeren Familienmitgliedern Oma Flo genannt, ist 89 Jahre alt, ein wenig gebrechlich und nahezu blind, aber sie nimmt durchaus noch am Leben um sich herum teil. Um sich auf keinen Fall zu verspäten, wenn ihr Sohn sie abholt, sitzt die zierliche Dame schon seit einer halben Stunde im Foyer des Carlyle. Während der Wagen vorfährt, tritt sie auf den Gehsteig, mit einer Hand beim Portier eingehängt, der ihr die Tür offenhält, die andere um den Griff eines Stocks geklammert. Edwees Chauffeur springt mit ungewohnter Eile aus dem Wagen, denn drei Männer sind nötig, um die alte Dame sicher und ohne Zwischenfall in den Fond zu bugsieren und dafür zu sorgen, daß sie dort bequem sitzt, ihren Stock in Reichweite. Da thront sie, das Täschchen im Schoß und einer Karakuldecke über die Knie gebreitet, eine weiche Krone aus blaß-purpurfarbenem Haar auf dem Kopf.

«Danke, Harry», sagt sie zum Portier, als alles erledigt ist. «Harry», teilt sie den anderen im Wagen mit, «macht Nachtschicht. Er ist ein guter Junge und stellt mir den Fernsehsender ein, auf dem mein Lieblingsprogramm kommt.» Jetzt fahren ihre kleinen behandschuhten Hände im Wageninneren umher, tasten nach den anderen, erkennen sie an der Form einer Kniescheibe, eines Handgelenks, einer Schulter. «Da ist noch jemand!» ruft sie mit durchdringender Stimme. «Ich erkenne Edwee und seine kleine Freundin, ich erkenne Nonie – aber wer ist der andere?»

«Mein Freund Roger Williams, Mutter», sagt Nonie und führt ihre ausgestreckte Hand zu seiner. «Erinnerst du dich, daß ich dir von ihm erzählt habe? Wie klug er ist?»

«Ich bin nicht mehr Edwees kleine Freundin, sondern seine Frau. Weißt du das nicht mehr?» fragt Gloria kichernd.

«Doch, doch.»

«Du hast uns das silberne Kerzending zur Hochzeit geschickt.»

«Einen Tafelaufsatz», verbesserte Edwee.

«Von mir aus.»

«Wohin fahren wir eigentlich?» erkundigt sich Fleurette Meyerson, während der Wagen anfährt. «Ich habe es ganz vergessen.»

«Zu Mimi, zum Abendessen», sagt Nonie, «eine Familieneinladung, weißt du nicht mehr?»

«Es wird bestimmt atemberaubend langweilig werden», sagt Edwee.

«Ach ja? Warum fahren wir dann hin?» Dann lacht sie auf. «Das ist ja nur einer von deinen kleinen Scherzen, nicht wahr, Edwee? Ich vergesse immer, daß du so gern scherzt.»

Eine kurze Stille tritt ein. Als der Wagen an einer Ampel hält, sagt sie: «Heute nachmittag war Mr. Monticello bei mir.»

«Wer ist das?»

«Jemand vom Metropolitan Museum. Er wollte sich meine Bilder ansehen. Ich hab ihm gesagt: ‹Meinem Sohn Edwee wird wahrscheinlich nicht gefallen, was ich tue, ich tue es aber trotzdem.›»

«Und was hast du vor, was mir nicht gefallen wird?» fragt Edwee mit leichter Spannung in der Stimme, während die Limousine wieder anfährt.

«Ich will meine Gemäldesammlung dem Museum schenken. Jedenfalls einen Teil. Vielleicht lasse ich die Leute aussuchen, was sie haben wollen. Mr. Monticello schien mir sehr interessiert.»

«Meinst du etwa Philippe de Montebello?»

«Möglich. Monticello – Montebello, wo ist da der Unterschied?»

«Deine Absicht ist äußerst töricht», sagt Edwee. «Hast du mit den Anwälten gesprochen, M-M-Mutter? Deine Sammlung ist unb-b-bezahlbar, sie ist –»

«Siehst du? Ich hab ja gleich gesagt, es würde dir nicht gefallen, Edwee. Warum sollte ich es nicht tun? Ich habe diese Bilder immer als meine Freunde angesehen und mit ihnen gesprochen. Aber was nützen sie mir jetzt, wo ich sie nicht mehr sehen kann? Sollen sich doch andere daran erfreuen.»

«Du willst doch nicht etwa die Cézannes fortgeben ... die B-B-Bentons ... den G-G-Goya ...»

«Hör sofort auf zu stottern, Edwee, es macht mich nervös. Du hast doch vorhin auch nicht gestottert. Ich denke, Mr. Monticello will sie alle.»

«Ich verbiete dir, das zu tun, ohne dich vorher beraten zu lassen.»

«Und von wem?»

«Von *m-m-mir*.»

«Ich dachte, du würdest die Bilder zuerst der Sammlung Guggenheim anbieten», sagt Nonie besänftigend. «Dann würden sie doch sozusagen in der Familie bleiben.»

«Ich habe Onkel Sol nie gemocht. Er hat deinen Vater und mich von oben herab behandelt. Außerdem hatte er es mit anderen Frauen. Das eine kann ich von eurem Vater sagen – er hatte es nie mit anderen Frauen. Nicht, soweit ich weiß. Onkel Sols Frau wußte davon und ist an gebrochenem Herzen gestorben.»

«Mutter, m-m-muß ich dir als erster sagen, daß du senil geworden bist?» Edwee brüllte es fast heraus. «Ich laß dir die Geschäftsfähigkeit absprechen und dich unter Vormundschaft stellen –»

Der Wagen fährt jetzt vor dem Gebäude 1107 an der Fifth Avenue vor, und der Portier tritt heran. «Fahren wir etwa zu Mimi?» erkundigt sich Fleurette Meyerson erneut. «Sind wir jetzt an ihrem Haus?»

«Ja, Mutter», murmelt Nonie.

Fleurette Meyerson sitzt sehr ruhig, die Hände im Schoß, als sitze sie einem Maler Modell. Doch als sie jetzt zu ihrem Sohn spricht, liegt in ihrer Stimme stählerne Entschlossenheit. «Vor Mimi werden wir uns nicht streiten», sagt sie. «Hörst du? Sie will das nicht und ich auch nicht. Vergiß nicht, daß ich dies und jenes über dich weiß, was du nicht morgen in der Zeitung lesen möchtest!» Sie rückt mühsam näher zur Tür, schiebt sich vorwärts und läßt sich hinaushelfen.

Noch ein Wagen strebt auf Mimis Haus zu. Mimi hat ihn gemietet, und in ihm sitzt nur ein Fahrgast: Alice Bloch Meyerson, Mimis Mutter und Oma Flos zweite Schwiegertochter. Sie hatte nicht kommen wollen. «Laß mich doch zu Hause bleiben», hatte sie ihre Tochter am Telefon gebeten.

«Ich möchte dich hierhaben, Mutter. Es ist zwar in erster Linie eine Firmenangelegenheit, aber sie betrifft auch die Familie. Ich möchte alle dahaben.»

«Ich bin einfach noch nicht so weit», sagte Alice, «ich kann das noch nicht vertragen.»

«Ach was – natürlich kannst du.»

«Ich kann Nonie, Edwee und Flo noch nicht ertragen, Mimi. Du weißt doch, daß sie mich immer behandeln, als müsse man bei mir mit allem rechnen.»

«Unsinn, Mutter.»

«Doch, Mimi. Bei denen hab ich immer das Gefühl, eine Außenseiterin zu sein. Ich gehöre nicht wirklich zur Familie, Mimi.»

«Du bist meine Mutter, oder etwa nicht?»

«Aber keine echte Meyerson. Ich bin ja nur angeheiratet, und das lassen sie mich stets spüren. Bei dir ist es was anderes. Du bist eine geborene Meyerson.»

«Außerdem möchte ich dich vorzeigen», sagte Mimi. «Ich bin so stolz auf dich und möchte, daß die anderen dein neues Ich sehen.»

«Aber das ist noch so neu», sagte sie. «Ich kenne es selbst noch gar nicht richtig. Außerdem hat es im Lauf der Jahre so viele neue Ichs gegeben, daß ich sie nicht mehr auseinanderhalten kann. Ich lebe immer noch mit dem alten.»

«Das sind Gespenster aus der Vergangenheit, Mutter.»

«Gespenster stimmt. Aber Vergangenheit sind die nicht. Ich lebe täglich mit ihnen. Das Gespenst bin ich selbst», sagte sie.

«Mutter, du würdest mich sehr betrüben, wenn du am nächsten Donnerstag abend nicht kämest.»

Alice hatte gezögert. «Nun, wenn du es so sagst, muß ich natürlich kommen – nach allem, was du für mich getan hast.»

«Dann komm. Ich schick dir einen Wagen.»

Und so hat Alice zögernd für den Abend ein schlichtes eierschalenfarbenes Crêpekleid angezogen, damit Nonie nicht etwa glaubt, sie wolle sie ausstechen, und Flo, sie habe die Absicht, sich in den Vordergrund zu spielen. Der Wagen hat sie an ihrem Haus in Turtle Bay abgeholt, das sie allein bewohnt, und jetzt fährt auch sie durch den Verkehr auf der Third Avenue nordwärts.

Kurz vor dem Weggang von zu Hause hat sie ein Valium genommen. Es beginnt sie ein wenig zu beruhigen.

Noch jemand ist nordwärts unterwegs, sitzt nur einige Nebenstraßen hinter Alices Wagen in einer Taxe. Es ist der Gastgeber, Bradford Moore junior, Mimis Mann. Auch er ist unglücklich, aber nicht, weil er zur Abendeinladung seiner Frau nach Hause fährt. Er fühlt sich bei solchen Anlässen wohl. Seit dem Studium in Harvard ist es ihm zur Gewohnheit geworden, im Smoking als Gast oder Gastgeber aufzutreten, mit allem, was dazugehört.

Er ist unglücklich, weil er sich des Ortes schämt, von dem er gerade kommt, und der Lüge, die er seiner Frau aufgetischt hat. «Wenn du Kummer hast», hatte ihm seine Mutter immer gesagt, «denk daran, wer du bist. Du bist ein Moore aus Boston. Die Moores sind nichts Gewöhnliches. Vergiß nie, daß William Bradford, an den dich dein Vorname erinnern soll, mit der Mayflower ins Land gekommen ist und der zweite Gouverneur der Kolonie um Plymouth war.»

Doch all das kann das Gefühl der Erniedrigung nicht tilgen, das er jetzt empfindet.

Mit einem Mal sieht Brad Moore auf der Straße ein wohlbekanntes Gesicht. Es gehört seinem 26jährigen Sohn Brad Moore III, genannt Badger. Der gutaussehende junge Mann wirkt energisch, wenn auch etwas windzerzaust. Die schwarze Fliege hängt noch locker und der Kragen steht noch offen. Obwohl er offensichtlich munter versucht, eine Taxe anzuhalten, läßt sich sein Vater, statt dem Fahrer zu sagen, er möge anhalten, so tief wie möglich in seinen Sitz sinken und wendet sich ab.

Wie kann man nur! Schließlich weiß er, daß auch Badger zum Haus Fifth Avenue 1107 will. In wenigen Minuten werden sie einander ohnehin die Hand schütteln und, gute Freunde, die sie sind, munter auf die Schulter klopfen. Warum also läßt Bradford Moore den Wagen nicht anhalten, macht die Tür auf und ruft seinem Sohn zu, er solle einsteigen? Was stimmt mit einem Vater nicht, der vermeiden will, daß sein Sohn sieht, wie er in einem ganz normalen Taxi nach Hause fährt? Während ihm diese Gedanken durch den Kopf gehen, ist die Gelegenheit vorüber. Der Wagen ist schon ein paar hundert Meter weiter und Badger nicht mehr zu sehen.

Bradford Moores sonderbares Verhalten hängt mit dem Ort zusammen, von dem er kommt. Er kann förmlich hören, wie ihn sein Sohn fragt, kaum daß er sich neben ihn gesetzt hat: «He, Paps, ich dachte, du fährst mit der U-Bahn? Sag bloß nicht, du hast dich endlich dazu entschlossen, wie der reiche Mann zu leben, der du bist!»

Das Taxameter würde ihn verraten. Unmöglich konnte er für drei Dollar aus der Wall Street bis hierher gekommen sein. Eine weitere Lüge wäre nötig.

«Es kommen also», sagt Mimi den zuerst eingetroffenen Gästen Sheila Shearson und Dirk Gordon, «meine liebe Mutter, meine Tante Nonie, mein Onkel Edwee und mein liebes Großmütterchen. Die alte Dame ist fast blind und» – sie tippt sich an die Stirn – «ein ganz kleines bißchen gaga. Manchmal. Sie kann aber auch klar sein wie der helle Tag. Natürlich kommt auch mein Mann, Brad, er wird sich allerdings ein wenig verspäten, und mein Sohn. Er heißt auch Brad, aber alle nennen ihn Badger. Er ist Junggeselle, und er fliegt bestimmt auf Sie, Sheila – ich darf Sie doch Sheila nennen? Er wollte Sie gleich als Mireille-Frau haben, als er Ihre Bilder und Unterlagen gesehen hatte. Wer noch? Ach ja, Tante Nonie bringt einen Herrn mit, den ich noch nicht kenne, einen gewissen Williams, und außerdem kommt Onkel Edwees Frau Gloria. Sie sind frisch verheiratet. Haben wir jetzt zwölf?» Sie zählt an ihren Fingern nach. «Ach, fast hätte ich's vergessen. Wir erwarten noch einen jungen Mann namens Jim Greenway. Zu ihm müssen wir alle ganz besonders nett sein. Er arbeitet für *Fortune* und will über unsere Firma und die Familie Meyerson schreiben. Ich dachte, der heutige Abend wäre eine gute Gelegenheit für ihn, alle Familienmitglieder kennenzulernen und sich zugleich einen Eindruck von unserem Unternehmen zu verschaffen. Sie wissen ja, daß ich immer sage, Miray ist nicht einfach eine Firma, sondern auch eine Familie, und ihr beide sollt Teil dieser Familie sein – zumindest in den nächsten Monaten.

Machen Sie sich über diesen Mr. Greenway keine Gedanken – ich glaube nicht, daß er allzu viel von Ihnen wissen will. Er fragt vielleicht, wie es ist, für mich zu arbeiten oder dergleichen, und das sagen Sie ihm dann einfach. Ich bin immer gut damit gefahren, Journalisten die Wahrheit zu sagen. Wer sie nicht ernst nimmt, den nehmen sie auch nicht ernst. Wenn Sie also glauben, ich werde eine fordernde, meckernde Arbeitgeberin sein, sagen Sie das einfach...»

Dirk Gordon wirft Sheila einen verstohlenen Blick zu.

«Hübsch haben Sie es hier, Mrs. Moore», sagt Sheila ablenkend.

«Vielen Dank», gibt Mimi zurück. «Und nennen Sie mich bitte Mimi. Das tun alle. Was darf Ihnen Felix bringen?» erkundigt sie sich dann.

«Ich hätte gern einen Tequila Sunrise», sagt Sheila.

«Einen Tequila Sunrise. Ach je, ich weiß nicht recht, ob wir...»

Dirk Gordon räuspert sich vernehmlich. «Wir sind doch hier nicht in einer Mexikanerkneipe, Schätzchen», sagt er. «Vielleicht könntest du dich für etwas weniger... Exotisches entscheiden? Mir bitte ein Perrier mit Limone», sagt er mit einem leichten Nicken zu Felix hinüber.

«Ach so», sagt Sheila beschämt. «Nun, in dem Fall –»

«Aber wissen Sie, was Felix machen kann», sagt Mimi munter, um die Situation zu retten. «Absolut fabelhafte Bananen-Daiquiris – mit weißem und braunem Rum. Warum nehmen Sie nicht einen?»

«Mhm... in Ordnung», sagt die junge Frau.

«Und was ich möchte, wissen Sie ja, Felix», ruft Mimi ihm nach.

Das ist die Mimi Meyerson, von der Sie in *Vogue*, *Harper's Bazaar*, *Town & Country* und auch im *Wall Street Journal* gelesen haben.

Viel hat man über ihre fesselnde Schönheit geschrieben, über ihr blondes Haar, das heute abend von einer kleinen weißen Satinschleife zu einem Pferdeschwanz zusammengefaßt wird, über ihre wunderbare Haut, die auch mit neunundvierzig Jahren kaum der Erzeugnisse ihrer eigenen Firma zu bedürfen scheint. Sie gehört zu den beneidenswerten Frauen, denen jede Farbe steht. Heute abend hat sie sich für Weiß entschieden, trägt ein mattes Chiffonkleid von Jimmy Galanos, das in der Art, wie die Falten um ihren Körper drapiert sind, beinahe antik griechisch wirkt. Sie ist zudem eine der wenigen Frauen, die durch Schmuck nicht unbedingt gewinnen. An diesem Abend begnügt sie sich mit kleinen Diamant-Ohrclips und dem mit Rubinen und Diamanten besetzten Ring, den ihr Brad 1958 zur Verlobung geschenkt hat.

Mimi ist eine Frau, nach der sich die Leute auf der Straße umsehen. Liegt es an ihrer Haltung, an ihrem Stil? Eine gewisse geheimnisvolle Aura umgibt sie, die nichts mit ihrer Schönheit zu tun hat. Mich beeindrucken vor allem ihre großen Augen, die vielleicht eine Spur zu weit auseinanderstehen und von einem ungewöhnlichen Blaßgrau sind. Bisweilen scherzt sie über «meine beigen Augen», aber damit wird sie ihnen nicht gerecht. Dann ist da ihr tief aus der Kehle kommendes Lachen, das leicht perlt, wie Bachwasser, das über glatte runde Kiesel fließt. Lasse ich mich bei ihrer Beschreibung zu gewagten Vergleichen hinreißen?

Man hat ihr schon eine ganze Reihe von speziellen Eigenschaften zugeschrieben, um den ungewöhnlichen Erfolg zu erklären, mit dem sie in den vergangenen 25 Jahren beinahe ganz auf sich allein gestellt das Unternehmen vom Rande des Bankrotts – denn dort befand es sich zu der Zeit, als ihr Vater auf tragische Weise ums Leben kam – zu seiner heutigen Position geführt hat. Immerhin ist es eines der 500 bedeutendsten Unternehmen in der Liste der Wirtschaftszeitschrift *Fortune*. Visionärin hat man sie genannt, Organisationsgenie, Arbeitstier, Eiserne Jungfrau im Seidenkleid, Mata Hari der Kosmetik, Lippenstift-Drachen und noch vieles mehr. Man hat ihr zahlreiche weitere weniger schmeichelhafte Bezeichnungen zugedacht, denn in diesem Geschäft ist die Konkurrenz rücksichtslos und gibt sich keine Mühe, das zu verhehlen.

Doch nichts davon beschreibt sie hinlänglich. Sie ist unter anderem eine Spielernatur, und sie hat den Mut, den Spieler brauchen. Welches

Geschäft wäre gefährlicher als das mit der Schönheit? Wo ist der Einsatz höher, die Gefahr eines Scheiterns größer? Selbst das Diner des heutigen Abends ist letztlich nichts als der Eröffnungszug für ein weiteres gewaltiges Spiel, das Mimi plant: Millionen Dollar aus ihrem Werbeetat sind bereits ausgegeben worden, um ihren ersten Schritt auf den Parfümmarkt vorzubereiten, wo sie mit einem neuen Duft namens «Mireille» Fuß fassen will. Obwohl sie erst Anfang September Anzeigen und Fernsehspots einsetzen wird, die dann den Herbst hindurch immer häufiger erscheinen sollen, denn Mimi möchte ihren Teil vom Weihnachtsgeschäft abbekommen, so kennt doch jeder ihrer Konkurrenten – Lauder, Revlon, Arden und die übrigen in der Branche – ihre Pläne und hofft natürlich, daß ihr Vorhaben fehlschlägt. Sie schließen Wetten darauf ab, aber Mimi ist überzeugt, daß es gelingt. Mit ihren beiden letzten Produkteinführungen hatte sie Erfolg, und sie sagt sich, daß aller guten Dinge drei sind.

Außerdem hat Mimi Talent für das Showgeschäft. Was ist die Schönheitsindustrie, wenn nicht eine Art Schaugeschäft? Wie dort hängt viel von der Ausstrahlung der Stars ab, und ganz bewußt hat Mimi für ihre Werbung zwei gänzlich Unbekannte als Stars ausersehen: Sheila und Dirk. Zwar sind sie offenkundig schön – aber strahlen sie auch das gewisse Etwas aus, das die Menschen dazu bringt, sich in Dreierreihen vor der Ladenkasse zu drängen? Beim New Yorker Publikum mögen sie ja ankommen, was aber ist mit der Provinz? Noch weiß niemand eine Antwort auf diese Fragen.

Der heutige Abend ist als eine Art Theaterereignis mit einem besonderen dramatischen Effekt geplant. Zu einem bestimmten Zeitpunkt, wenn die Gäste vollzählig anwesend sind, wird aus hinter den Büchern in der Bibliothek verborgenen Düsen der Mireille-Duft in den Raum gesprüht. Neben jedem Gedeck steht als kleine Überraschung ein reichlich bemessener Probeflakon – «Mireille Man» für den Herrn, «Mireille» für die Dame. Selbst Mimis Wohnung ist mit Absicht als eine Art Bühne für das hergerichtet, was sie plant. Die Wandvertäfelung der Bibliothek ist im Farbton «Tiger Lily» lackiert, einer ihrer erfolgreichsten Nagellacke, und alle Bücher in den Regalen mit Spiegeln sind identisch in dazu passendes Leder gebunden. Hinter ihnen sorgt indirekte Beleuchtung für einen geheimnisvollen Schimmer.

Aber der bühnenwirksamste Raum in ihrer über drei Stockwerke gehenden Maisonettewohnung ist wohl doch das Eßzimmer am Ende des mittleren Ganges. Seine Wände sind in einem dunklen Rosaton gehalten, der zu einem ihrer Miray-Gesichtspuder paßt, und sie hat – in der zweiten Augusthälfte! – frische Tulpen von genau diesem Farbton aufgetrieben. Sie stehen in drei über den langen Rosenholz-Eßtisch verteilten Tafelaufsätzen aus dem frühen 18. Jahrhundert. Dieser Raum enthält auch Mimis berühmte Boulle-Stühle. Die mit Blattgold vergoldeten Kartuschen und Voluten verzierten Rückenlehnen dieses Dutzends gleicher Stühle aus der Epoche Louis XIV sind mit Schildpatt eingelegt und ihre Sitzflächen mit einem altrosa Fortuny-Stoff bezogen. Aus dem gleichen Material sind die Vorhänge an den drei Fenstern, die auf den Park gehen. Ein Paar wunderschöne achtteilige Wandschirme in Koromandel-Lackarbeit steht links und rechts des Kamins, auf dessen Umrandung zwei zusammengehörige Sèvres-Vasen aus der gleichen Zeit wie die Tafelaufsätze prangen – im selben Rosa wie der Fortuny-Stoff. Es ist eine ungewöhnliche Farbe für Sèvres, das man meist in dem als *sang du roi* bezeichneten Blau findet. In den Vasen stehen weitere dunkelrosa Tulpen sowie Schleierkraut und dünne Büschel von Bartgras.

Hier wird Gästen häufig auf Tellern aus der Porzellansammlung mit verschiedenen Motiven serviert, die Mimi und Brad im Lauf der Jahre zusammengetragen haben. Sie umfaßt inzwischen Teller für nahezu alles, was man auf den Tisch bringen kann. Soll es beispielsweise als Hauptgang Lammkoteletts geben, kann Mimi auf Wedgwood-Geschirr mit Schafen, die auf einer englischen Wiese grasen, zurückgreifen. Das Dessert des heutigen Abends, pochierte Birnen in Crème fraîche, wird auf Tellern serviert, die mit Birnen sowie Birnbaum-Laub und -Blüten geschmückt sind. Sie besitzt auch solche mit Trauben-, Erdbeer-, Pflaumen-, Apfelmotiven und so weiter. Seit Jahren schenken Mimi und Brad einander diese Art Porzellan zu Weihnachten sowie zu Geburts- und Jahrestagen, und es ist ein bevorzugter Zeitvertreib von beiden, an Samstagen Antiquitätenläden an der Second und der York Avenue aufzusuchen und nach solchem Geschirr Ausschau zu halten, ganz gleich, wie ausgefallen das Motiv darauf ist, um die Sammlung zu vergrößern. Niemand in New York besitzt eine vergleichbare Kollektion.

Man hat Mimi eine Perfektionistin genannt, aber wer ganz genau hinsieht, erkennt, daß die Vase zur Linken restauriert worden ist. Als ihr Sohn, Badger Moore, neun Jahre alt war, hat er in den Ferien mit seinem Internatsfreund Alex in einem unbeobachteten Augenblick beschlossen, in der Wohnung zwei Forts zu errichten. Sie holten sich Sofakissen aus Wohnzimmer und Bibliothek, stürzten Boulle-Stühle um und funktionierten in einem Anfall militärischer Erfindungsgabe die beiden Vasen zu Kanonen um. Die zur Linken war eins der ersten Opfer jener Schlacht.

«Deine Mutter wird toben!» dröhnte Felix, der auf das Klirren hin aus der Küche herbeigelaufen kam. «Sie bringt dich um!»

Aber ganz so schlimm wurde es natürlich nicht. Und Mimi hängt nach wie vor an beiden Vasen, obwohl die eine mal zerbrochen und restauriert worden ist.

Ja, Mimi und Brad Moore haben es hübsch, wie Sheila gesagt hat. Die Wohnung dient gleichzeitig als Auslage für Mimis beachtliche Talente und als Zuhause. Viele Gegenstände der Einrichtung haben eine Geschichte. So haben auf dem Bösendorfer-Flügel im Wohnzimmer bereits Cole Porter, Noël Coward und Richard Rodgers gespielt, und als Sir Noël es fertigbrachte, mitten in einem vergeistigten Arpeggio den Elfenbeinbelag der höchsten C-Taste zu beschädigen, sagte ihm Mimi, er solle sich keine Sorgen darum machen. «Das wird uns immer daran erinnern», sagte sie, «daß wir das Vergnügen hatten, Sie in diesem Raum spielen zu hören.» Und als Andy Warhol die Zigarette vom Aschenbecher glitt und ein Loch in eine Tischplatte aus Stuckmarmor brannte, sagte sie auf sein Anerbieten, sie reparieren zu lassen: «Kommt überhaupt nicht in Frage! Das ist ein echtes Warhol-Brandloch.»

An Abenden wie dem heutigen aber dient die Wohnung als Auslage. Dann ist sie so für eine Gesellschaft hergerichtet, daß hinter Wandvorsprüngen und in Bücherregalen verborgene Lampen und kunstvoll angebrachte Kerzen die Wohnung erhellen und Spiegel das Licht zurückwerfen, so daß alle Zimmer voll Licht und Schatten wie auf einer Puderkissenwolke hoch über dem See des Central Park zu treiben scheinen, eine an unsichtbaren Drähten aufgehängte Theaterkulisse.

Und dazu gehört natürlich, sozusagen als Theaterdonner, Mimis Plan, ihre Angehörigen – die zugleich Mitaktionäre im Unternehmen sind – damit zu überraschen, daß sie nicht nur ihr neues Parfüm vorstellt, sondern auch die hübschen jungen Fotomodelle, die ihr Erzeugnis verkaufen helfen sollen. Damit bekommt der Abend etwas von einer Aktionärs-Hauptversammlung. Das Ganze ist selbstverständlich ein Spiel mit hohem Risiko. Immerhin wirkt Sheila Shearson, eine noch junge Frau, ziemlich töricht und der junge Mann, Dirk Gordon, recht naßforsch. Aber wir werden sehen.

«Ist das ein echtes Ölbild?» fragt Sheila.

«Ja. Es zeigt den Firmengründer, meinen Großvater Adolph Meyerson.»

«Sieht er nicht ein bißchen ... boshaft aus?»

«Er scheint ein wenig, nun ja, streng zu sein, nicht wahr? Als Kind hatte ich immer Angst vor ihm. Er hat sein Geschäft immer sehr ernst genommen. Ganz so ernst kann ich es nicht nehmen. Für mich geht es in dieser Branche ausschließlich um Phantasien – Hoffnungen, Wünsche und den Traum, besser, jünger, gesünder, glücklicher, reicher auszusehen – und sich vielleicht sogar besser zu fühlen, wenn man träumen kann, daß man so aussieht. Finden Sie nicht auch?»

«Ich habe mir ehrlich gesagt nie besonders viel Gedanken darüber gemacht», sagt Sheila und fährt dann fort: «Ist das Bild nicht irgendwie ... schief?»

«Sie meinen, die abgebildete Person befindet sich nicht in der Mitte des Rahmens. Sie haben recht. Dazu gehört eine Geschichte, aber ich habe jetzt leider nicht Zeit, sie Ihnen zu erzählen.»

Mimi muß sich ihren anderen Gästen widmen und tritt zu ihnen.

«Die Bemerkung mit der Mexikanerkneipe fand ich gar nicht witzig», sagt die junge Frau. «Wenn das feine Leute sein sollen, muß ich sagen, daß das verdammt ungehobelt war.»

«Du verlierst gleich 'nen Ohrring, Schätzchen», sagt der junge Mann. «Nein, den anderen.»

«Die Bücher haben hier alle dieselbe Farbe. Wie kann man die denn auseinanderhalten?»

«Indem man die Titel liest, Schätzchen. Lesen kannst du doch, oder?»

2

Während weitere Gäste eintreffen, begrüßt Mimi einen nach dem anderen an der Tür zur Bibliothek und stellt sie dem Mireille-Paar vor. Die beiden schütteln unzählige Hände und haben ihr verführerisches Mireille-Lächeln aufgesetzt, das schon bald berühmt sein wird. Es handelt sich natürlich um ein sorgfältig vor Spiegeln und Kameras einstudiertes Lächeln, zu dem Zahnärzte, Kieferorthopäden und Lehrer an Mannequin-Schulen ihr gerüttelt Maß beigetragen haben. Ein Wort über Mimis eigenes Lächeln ist hier am Platz, das von ganz anderer Art ist. Auch ihm ist viel Übung vorausgegangen, aber es ist ein merkwürdig vertrautes, kommunizierendes Lächeln. Wenn Mimi lächelt, kommt es einem vor, als nehme sie das Gegenüber ganz in sich auf und sage diesem Menschen zugleich, er habe nie besser, gesünder und selbstbewußter ausgesehen. Natürlich gibt es auch die gegenteilige Wirkung, und sobald Mimi dem Gegenüber ihr Lächeln entzieht, was irgendwann unvermeidlich ist, kommt man sich vor wie in einer Art Vorhölle.

«Tante Nonie», sagt Mimi, «ich möchte dir unsere besonderen Ehrengäste Sheila Shearson und Dirk Gordon vorstellen. Sobald wir vollzählig sind, sage ich euch, warum sie für uns so besonders sind... ach, und da ist ja auch Jim Greenway, ebenfalls ein besonderer Gast. Er wird über uns in der Zeitschrift *Fortune* schreiben, und daher habt ihr jetzt alle die strengste Anweisung, über uns nichts als die nettesten Sachen zu sagen. Familienskandale interessieren ihn nicht.»

«Im Gegenteil», meint dieser, «sogar sehr.»

«Nun», sagt Mimi gespielt betrübt. «Dann werden Sie bestimmt eine unangenehme Überraschung erleben. In dieser Familie gibt es keine.»

«Von wegen!» kreischt Oma Flo.

Sich von Greenway abwendend, sagt Mimi: «Und Sie sind bestimmt Mr. Williams, Tante Nonies Freund.»

«Geschäftspartner», sagt der Angesprochene.

«Wie aufregend! Das müssen Sie uns später genau erzählen.»

Felix bewegt sich unter den Gästen, nimmt Getränkewünsche entgegen, und ein Mädchen in schwarzem Kleid erscheint mit einem Tablett voller Häppchen.

«Was ist denn das?» flüstert Sheila Dirk zu.

«Sieht aus wie mit Kaviar gefüllte Artischockenböden.»

«Oh, Kaviar!» Sie nimmt sich eins und beißt hinein. «Pfui Teufel, das Zeug ist ja salzig.»

«Das soll es auch sein.»

Mit ihren stumpfen Augen vor sich hinblickend, sagt Oma Flo ganz allgemein zu jedem, der in Hörweite ist: «Meine Tochter heißt in Wirklichkeit Naomi, nach der Naomi aus der Bibel, aber alle haben sie immer Nonie gerufen. Als kleines Mädchen war sie so eigensinnig, daß ich immer zu ihr sagen mußte: ‹Naomi, no, no, no, no, no, *no*.› Und nach einer Weile hat sie mich angesehen, bevor sie etwas tat, und gefragt: ‹Darf ich das tun, Mama, oder ist das ein Nonie?› Und ich habe gesagt: ‹Nein, das ist kein Nonie›, oder: ‹Ja, das ist ein Nonie›, je nachdem, und so bin ich darauf gekommen, sie Nonie zu rufen. Meine jüngste Tochter ist übrigens erst zwei Jahre alt. Sie heißt Itty-Bitty. Das stimmt tatsächlich, ich bin neunundachtzig und hab ein zweijähriges Töchterchen! Sie ist ganz winzig, wiegt kaum mehr als ein Kilo. Sie folgt mir auf Schritt und Tritt, und weil ich nicht mehr sehen kann, muß ich aufpassen, daß ich nicht auf sie trete. Aber sie scheint das zu verstehen, denn sie bleibt immer hinter mir und gibt kleine Geräusche von sich, um zu zeigen, wo sie ist – wuff – wuff – wuff. Ich habe schon überlegt, ob ich sie nicht Wuffy nennen soll, aber Itty-Bitty ist mir doch lieber. Früher haben wir ja in einem großen Haus gewohnt, jetzt lebe ich im Hotel Carlyle, und Itty-Bitty ist der einzige Hund, der da mit rein darf.»

«Mutter, hör doch bitte auf!» sagt Edwee.

Jetzt sind sie alle da, außer Brad und Badger, und kleine Gesprächsgruppen haben sich an verschiedenen Stellen des Raumes gebildet. Alice ist allein. Sie blickt ängstlich und nervös um sich, während sie darauf wartet, daß ihr das Valium genug Mut verleiht, um sich einem der Grüppchen anzuschließen. Mimi sieht das Unbehagen ihrer Mutter, will auf sie zugehen, unterdrückt dann aber ihren Impuls. Einer der Grundsätze des Betty-Ford-Center heißt, daß Menschen wie ihre Mutter lernen müssen, mit allen Situationen im Leben selbst fertig zu werden. Also begnügt sich Mimi damit, ihr aufmunternd zuzulächeln, was ihr einen gehetzten Blick ihrer Mutter einträgt.

«Gelbe Tulpen!» ruft Oma Flo aus, die Augen ins Leere gerichtet. «Mimi? Woher hast du im August gelbe Tulpen?»

«Deine Augen werden ja wieder besser, Mutter», sagt Nonie. «Oder woher sonst weißt du, daß sie gelb sind?»

«Bei Blinden schärfen sich die anderen Sinne», sagt Oma Flo. «Ich muß zwar ohne mein Augenlicht auskommen, aber ich habe gelernt, mit meiner Nase zu sehen! Ich rieche Tulpen, und ich rieche, daß sie gelb sind.»

«Ich wußte gar nicht, daß Tulpen überhaupt riechen.»

«Jetzt weißt du es.»

Mimi nimmt all das in sich auf. Ein weiterer bemerkenswerter Zug an ihr ist die Fähigkeit, selbst in einem Raum, in dem sich weit mehr Menschen aufhalten als in diesem, auch aus der Entfernung verschiedenen Gesprächen zu folgen, ihre Bedeutung abzuschätzen und das Wesentliche herauszufiltern. Daher kann sie bei ihren Abendgesellschaften geschickt eingreifen und das Thema wechseln, sobald eine heikle Situation entsteht.

In einer Ecke des Raumes hat Roger Williams Nonie beiseite genommen und fragt sie: «Was sollte das im Wagen zwischen deiner Mutter und deinem Bruder?»

«So sind die beiden schon seit Jahren zueinander», sagt sie. «Es hat nichts zu bedeuten.»

«Er mag mich nicht.»

«Ist doch egal. Edwee spielt in unseren Plänen überhaupt keine Rolle. Wie ich dir schon sagte, ist Mutter der einzige Mensch, auf den du einen guten Eindruck machen mußt.»

«Stimmt es, daß sie eine bedeutende Kunstsammlung hat?»

«Ich denke schon. Es ist ein ziemlicher Mischmasch. Sie hat ein paar Thomas Hart Bentons, eine Handvoll Impressionisten – zwei, drei Cézannes, einen Utrillo, einige Monets, und ein Goya-Porträt einer spanischen Herzogin. Vieles davon hat sie in der Wirtschaftskrise Anfang der dreißiger Jahre zusammengekauft, als es spottbillig war. Ihre vier Picassos stammen noch aus der Zeit, als Picasso ein Gemälde hergab, wenn man ihm das Abendessen bezahlte.»

Roger pfeift leise vor sich hin. «Das klingt ja, als ob manches davon heute ziemlich wertvoll wäre.»

Sie zuckt die Schultern. «Möglich. Kunst ist das einzige Gebiet, von dem ich nicht viel verstehe.»

Er nickt, die Brauen leicht zusammengezogen; ihm ist nicht entgangen, wie sie «das einzige Gebiet» betont hat.

«Ich hab mich vorhin ins Eßzimmer geschlichen», flüstert sie, «und die Tischkarten vertauscht. Mimi merkt bestimmt nichts. Ich habe dich neben Mutter gesetzt, damit du sie bearbeiten kannst, wie wir es besprochen haben.»

Er nickt erneut.

«Sie fliegt auf Männer, die jünger sind als sie.»

In einem anderen Teil des Raumes sagt Jim Greenway zu Mimi: «Ich wüßte gern, was der Grund für den berühmten Bruch zwischen Ihrem Großvater Adolph Meyerson und seinem Bruder Leopold war, und warum dieser 1941 aus der Firma ausgeschieden ist. Wissen Sie etwas darüber?»

«Leider nicht. Ich war 1941 erst drei Jahre alt, und die Sache hat schon lange vor meiner Geburt angefangen. An Onkel Leo kann ich mich nur sehr vage erinnern. Natürlich leben noch Verwandte aus der Linie – Kinder, Enkel –, und einige von ihnen sind nach wie vor Miray-Aktionäre. Aber ich kenne keinen persönlich. Da sehen Sie, wie vollständig dieser Bruch war. Wirklich traurig.»

«Wo ist Nonie?» ruft Mimis Großmutter unvermittelt, obwohl niemand in ihrer unmittelbaren Nähe steht. «Ich möchte mit dem jungen Mann reden, den sie mitgebracht hat. Hat sie ein Verhältnis mit ihm, oder was? Weiß jemand was darüber?»

Edwee tritt zu seiner Schwester. «Nun, das war ja ein reizender Ausbruch deiner Mutter, was?» sagt er. »Da gerade von Verhältnissen die Rede ist, willst du das Neueste aus der Gerüchteküche hören?»

«Wieso?» fragt sie.

«Beachte, daß der Herr des Hauses noch nicht aufgetreten ist. Brad Moore hat nämlich, wie es scheint, ein Techtelmechtel.»

«Ein Techtelmechtel?» fragt Nonie verdutzt.

«Ja. Die Frau wohnt auf der West Side. Er hält sie aus. Das Liebchen ist so um Mitte zwanzig, würde ich sagen. Auf jeden Fall jünger als Mimi. Sieht auf eine ordinäre Weise gar nicht schlecht aus.»

«Woher weißt du das alles?»

«Ich hab kürzlich im Le Cirque zu Mittag gegessen, und wen sehe ich in der finstersten Ecke? Brad Moore, in eine äußerst ernsthafte Unterhaltung mit jener Frau vertieft. Sie haben die Köpfe zusammengesteckt, und seine Hand lag auf ihrer. Sie schien unglücklich zu sein, denn sie weinte. Was hältst du davon?»

«Und woher weißt du, daß sie von der West Side ist?»

Er machte eine vage Handbewegung. «Sie sah so aus. Du weißt schon – Ponyfransen.»

«Was haben Ponyfransen damit zu tun?»

«Sie wirken billig. Wer überbringt also unserer lieben Mimi die Hiobsbotschaft – du oder ich?»

«Nun, ich –»

Mit einem Mal legt ihr Bruder den Zeigefinger an die Lippen und flüstert: «Pst! Da rollt er an.»

Tatsächlich ist Brad Moore gerade eingetroffen. Er begrüßt seine Frau mit einem Kuß und geht dann durch den Raum, schüttelt den Herren die Hände und küßt die weibliche Verwandtschaft auf die Wangen. Schon bald folgt ihm sein Sohn Badger, der wie immer lebenslustig und fröhlich dreinblickt und an den Ärmeln seines Smokings zupft, als habe er ihn erst im Aufzug übergestreift.

Da die Gäste jetzt vollzählig sind, gibt Mimi Felix ein unauffälliges Zeichen, und dieser drückt auf einen Knopf neben der Bibliothekstür. Sie wartet einige Augenblicke, damit sich das Parfüm im Raum verbreiten kann, und ist dankbar, daß niemand raucht. Bald wird der Duft «Mireille» die Luft erfüllen. Sie tritt selbstsicher in die Mitte des Raumes, um ihre Ankündigung zu machen.

Noch immer tuschelt Edwee mit seiner Schwester Nonie. «Könntest du nicht nachher deinen Jüngling irgendwie abhängen?» fragt er. «Ich muß mit dir reden, unter vier Augen. So bald wie möglich. Kannst du nicht anschließend kurz bei mir vorbeikommen?»

«Ich glaub schon.»

Jetzt setzt Mimi zu ihrer kleinen Ansprache an und beginnt: «Liebe Angehörige und Freunde... Was ihr hier riecht, weist auf einen aufregend neuen Schritt hin, den die Firma Miray zu tun im Begriff steht. Wir sind dabei, unser erstes Parfüm auf den Markt zu bringen, und ihr seid außerhalb der Direktionsetage die ersten, die es riechen dürfen. Ihr seid meine ganz besonderen Versuchskaninchen. Flakons mit Proben stehen neben jedem Gedeck, aber das hier ist die eigentliche Premiere. Ich möchte jetzt, daß ihr mir ganz aufrichtig sagt, was ihr davon haltet.»

Alle recken die Nase in die Luft, um den Duft zu erhaschen.

«Riecht nach Holz», sagt jemand.
«Ja, Kiefer.»
«Nein, ich würde eher Blumen sagen.»
«Riecht toll.»
Es gibt noch mehr Ahs und Ohs, und dann folgt, von Mimis Gatten angeführt, mit zustimmenden Ausrufen untermischter lauter Applaus.
«Was ist da drin?» fragt jemand.
«Ein bißchen Vetiver, eine Spur Gewürznelke, Verbenen, Zitrone. Die vollständige Formel wird nicht preisgegeben. Sie ist geheim und liegt im Panzerschrank der Firma.»
«Ich finde es aufregender als ‹Giorgio›!»
«Tatsächlich? Nun, das ist eine der großen Festungen auf der anderen Seite, die wir zu überrennen hoffen.»
«Wie soll es heißen, Mimi?»
«Wir haben buchstäblich Hunderte von Namen ausprobiert und uns schließlich für *Mireille* entschieden.»
«Großartig!»
«So heißt nämlich meine Enkelin», sagt Oma Flo, an niemanden gewendet. «Mireille Meyerson, nach der Firma meines Mannes. Mireille wird ja wie Miray ausgesprochen, nicht wahr. Mimi haben wir sie gerufen, weil sie als ganz kleines Kind immer leise gewimmert hat, so: ‹mi-mi-mi-mi-mi›.»
«Das stimmt nicht, Oma», entgegnet Mimi. «Den Namen habe ich mir mit vierzehn selbst zugelegt, nachdem ich *La Bohème* gesehen hatte.»
«Sie lügt», sagt Oma Flo fröhlich. «Sie heißt so, weil sie immerzu ‹mi-mi-mi-mi-mi› gemacht hat.»
«Nun, das ist ja auch unwichtig», sagt Mimi. «Wichtig ist, daß wir – ihr, ich, wir alle, die Aktionäre – jetzt ebenfalls im Parfümgeschäft sind. Dirk und Sheila sind heute abend unsere besonderen Gäste, und sie werden in unserer Werbung, in Zeitschriften wie im Fernsehen, die Mireille-Frau und den Mireille-Mann verkörpern.»
«Ehrlich gesagt, riecht es ein bißchen billig, wenn du mich fragst», flüstert Edwee seiner Schwester zu.
«Wie ich Mimi kenne, wird auf dem Etikett aber ein ganz beachtlicher Preis stehen.»
«Das denke ich auch.»
Die Unterhaltung lebt wieder auf, wobei sich die meisten bemühen, den neuen Duft zu identifizieren.

«Ich riech die Zitrone.»
«Zimt ist auch drin, glaub ich.»
«Und Rosenöl.»

Mimi tritt zu ihrer Mutter, die in gewisser Entfernung von den anderen allein steht, und sagt: «Nun, freust du dich nicht, daß du gekommen bist, Mutter? Ist es nicht ein hübsches Familienfest?»

«Ich hasse Familienfeste», antwortet Alice. «Dieses wie alle anderen. Nicht weniger und nicht mehr.»

Der Reporter Jim Greenway wendet sich Mimi zu und hebt ihr sein Glas entgegen. «Ich wünsche Ihnen Glück mit Ihrem Parfüm – nein, nicht Glück, Erfolg!»

«Danke, Mr. Greenway.»

«Nennen Sie mich doch Jim. Sagen Sie, als Sie vor fünfundzwanzig Jahren nach dem Tod Ihres Vaters die Firma übernahmen, haben Sie da geglaubt, daß Sie je so erfolgreich sein würden?»

«Nein. Ich hatte damals Angst.»

Er lacht. «Dann ist also Angst das Geheimnis Ihres Erfolges?»

«Ganz und gar. Ich bin sogar davon überzeugt, daß sie das Geheimnis aller Erfolge ist. Das Gegenteil von Angst ist Selbstzufriedenheit, und die ist das Geheimnis aller Fehlschläge.»

«Das gefällt mir», sagt er.

«Sie dürfen mich zitieren», sagt sie, berührt ihn am Ellbogen und lacht ihr sympathisches helles Lachen.

Von der Tür her läßt sich Felix vernehmen: «Es ist serviert, Madam.»

Als Mimi ins Eßzimmer tritt, fällt ihr sofort auf, daß die Tischkarten vertauscht worden sind, und sie kann sich auch sogleich denken, wer dahintersteckt. Aber sie beschließt, die Sitzordnung zu lassen, wie sie jetzt ist, obwohl sie einen leichten Zorn auf Tante Nonie nicht unterdrücken kann. Während bald darauf alle im Eßzimmer ihre «Mireille»-Proben zur Hand nehmen, äußern sie sich laut über die Verpackung.

«Elegant.»
«Hübsch.»
«Vornehm. Mir gefallen die Farben. Schwarz und Gold.»
«Und der Flakon, eine vollkommene Tränenform.»
«Sieh nur – er ist von Baccarat!»
«Es sieht auf jeden Fall teuer aus», sagt Edwee.
«Vielen Dank, Onkel Edwee.»

Die Suppe wird aufgetragen, und Felix gießt Wein ein. Vom Kopf der Tafel her wendet sich Bradford Moore seiner Schwiegermutter zu, die rechts von ihm sitzt, und sagt: «Wunderbar, daß du da bist. Du siehst heute abend einfach blühend aus.»

Alice, die sich trotz ihres Valiums nach wie vor etwas unbehaglich fühlt, legt zwei Finger der Rechten auf ihr Glas, um Felix zu zeigen, daß sie keinen Wein möchte, und fragt: «Warum sagen mir die Leute eigentlich immer, wie glänzend ich aussehe, Brad? Wollen sie mir auf diese Weise klarmachen, wie abscheulich ich früher ausgesehen habe?»

«So war es wirklich nicht gemeint, Alice», sagt er. «Du siehst immer glänzend aus.»

«Tu ich nicht. Nie, das weißt du auch.»

«Alice ist so empfindlich», sagt Oma Flo zur Tischrunde. «Das war schon immer die Schwierigkeit mit ihr.»

Mimi hört das vom anderen Ende des Tisches und verkündet munter in die Runde: «Nachdem wir uns für die schwarz-goldene Verpackung entschieden hatten, wollten wir auch die richtigen Fotomodelle haben – eins dunkel, eins blond. Und bitte, da sind sie! Sheila und Dirk!» Sie hebt ihr Glas. «Ich möchte einen Trinkspruch ausbringen: ‹Auf die Mireille-Frau und den Mireille-Mann!›»

Sich halb erhebend, sagt der junge Brad: «Ich möchte mich anschließen, und zwar trinke ich auf meine großartige und schöne Mutter. Auf dich, Mama!»

«Wie lieb, Badger. Ich danke dir.»

Dank Nonies Umplazierung sitzt ihr junger Freund Roger Williams jetzt rechts neben Oma Flo, denn auf dem rechten Ohr hört sie noch gut. «Es ist eine solche Ehre, Ihr Tischnachbar zu sein, Mrs. Meyerson», sagt er. «Ich habe schon so viel über Sie gehört.»

«Tatsächlich? Was?»

«Wie bezaubernd Sie sind, wie liebenswürdig...»

«Hat Ihnen das meine Tochter gesagt?»

«Ja, aber auch andere.»

«Wenn Naomi anfängt, so zu reden, will sie etwas. Gewöhnlich Geld.» Sie wendet sich ihrem anderen Nachbarn zu und fragt: «Wer sind Sie?»

«Ich heiße Jim Greenway, Mrs. Meyerson», sagt er. «Ich sammle für die Zeitschrift *Fortune* Material zu einer Geschichte über die Familie Meyerson.»

«Da ist *Fortune* das falsche Blatt. Die Meyersons hatten keine

Fortüne, uns war Fortuna nicht hold, wußten Sie das nicht? Als mein Mann starb, zeigte sich, daß kein Geld mehr da war. Ich mußte verkaufen, was ich hatte – alles, außer meinen Bildern.»

Sheila Shearson sitzt jetzt zur Rechten von Edwee Meyerson, und er wendet sich ihr, im Bewußtsein dessen, daß sie aus den unteren Volksschichten stammt, ziemlich hochnäsig zu und sagt: «Sie beide sind ein hübsches Paar. Sind Sie miteinander verheiratet?»

Sie kichert: «Soll das ein Witz sein? Dirk ist bisexuell.»

Nickend nimmt Edwee das zur Kenntnis, und sein Blick geht über den Tisch zu dessen Platz. Dirk Gordon löffelt seine Suppe, und Edwee betrachtet ihn lange und abschätzend: «Tatsächlich? Wie interessant.»

Über den Tisch hinweg fängt seine Frau Gloria diesen Blick auf. «Edwee», sagt sie leise, «denk an dein Versprechen!»

Als Antwort zwinkert er ihr kaum wahrnehmbar zu.

«Eins wüßte ich gern», sagt Jim Greenway zu Oma Flo. «Wie ist es zu dem Bruch zwischen Ihrem vor so vielen Jahren verstorbenen Mann und seinem Bruder Leopold gekommen? Können Sie mir etwas darüber erzählen?»

«Das war ganz einfach Eifersucht», sagt Oma Flo. «Leo war groß, dunkel und sah blendend aus. Die Frauen sind auf ihn geflogen. Mein Mann war klein, dick und häßlich. Hast du das Bild von unserem Opa noch in der Bibliothek, Mimi? Sie könnten darauf sehen, wie häßlich er war. Kein Mädchen außer mir wollte ihn ansehen.»

«Es muß aber doch noch mehr dahintergesteckt haben, Oma», sagt Mimi.

«Das war der Kern der Sache. Ich hätte auch viel lieber Leo geheiratet, aber er hatte schon eine Frau, und deshalb mußte ich mich mit Adolph begnügen. ‹Nimm ihn und sei zufrieden›, hat mein Vater gesagt. Er war Morris Guggenheim, der Kupferkönig, falls Sie das nicht gewußt haben sollten.»

«Interessant», sagt Jim Greenway.

Nonies Freund, Roger Williams, bemüht sich immer noch, Omas Aufmerksamkeit von ihrem anderen Nachbarn abzulenken. «Nonie und ich wollen ein aufregendes Unternehmen starten, Mrs. Meyerson», sagt er laut.

«Ach? Was denn?»

«Devisenhandel. Spotgeschäfte mit Auslandswährungen. Wissen Sie –»

«Ausländer», sagt sie, «da muß ich an Präsident Hoover denken.

Mein Mann und ich waren einmal ins Weiße Haus eingeladen. Präsident Hoover war dick und seine Frau Lou auch. Sie waren nicht besonders groß, aber dick. Ich weiß noch, wie wir über all die Ausländer geredet haben. Präsident Hoover hat gesagt, es kämen zu viele davon ins Land. Er wollte Schluß damit machen, und ich glaube, er hat damals an irgendeinem Plan gearbeitet, damit das aufhörte. Wieviel möchte Nonie diesmal von mir haben?»

«Nun, wenn Sie sich an der Sache beteiligen wollen, Mrs. Meyerson, wären wir nur allzu glücklich.»

«Nicht, wenn es mit Ausländern zu tun hat! Es gibt zu viele davon. Präsident Hoover hat das gesagt, und er mußte das wissen.»

«Mutter», beginnt Nonie, «was dir Roger erklären möchte –»

Doch in diesem Augenblick betritt Felix das Eßzimmer und sagt mit gesenkter Stimme etwas zu Bradford Moore. Dieser runzelt leicht die Brauen, legt seine Serviette auf den Tisch, erhebt sich und sagt: «Entschuldigung – ein geschäftlicher Anruf.»

Während er draußen ist, wendet sich Edwee seiner Schwägerin Alice zu, die links von ihm sitzt: «Ist das nicht interessant?» flüstert er ihr zu.

«Was?»

«Brad hat eine Frau auf der West Side. Findest du nicht auch, daß sie ihn nicht ausgerechnet zu Hause anrufen sollte – beim Abendessen?»

«Wie kommst du denn auf solche Sachen?»

«Ich weiß, was ich weiß.»

«Ich glaube dir kein Wort!»

«Ich hab ihn mit der Frau gesehen. Sie haben Händchen gehalten. Wer sagt es Mimi jetzt, du oder ich? Sie muß es ja wohl erfahren, daß ihr Mann eine andere hat.»

«Das ist doch Unsinn.»

«Dieser Bruch Ihres Gatten mit seinem Bruder Leopold», beharrt Jim Greenway. «Ist der plötzlich erfolgt, zum Beispiel 1941, als Leo die Firma verlassen hat, oder ging die Sache auf eine frühere Meinungsverschiedenheit zurück?»

«Das ging schon Jahre so, ja, Jahre. Mein Mann hat Tagebuch geführt, wissen Sie, über all die Jahre hinweg. Es stand alles in seinen Tagebüchern.»

«Tagebücher?» fragt Jim begierig. «Haben Sie die noch? Die würde ich gern sehen.»

«Ach nein», sagt sie betrübt, «sie sind verschwunden, vielleicht vernichtet. Fort, alles ist fort. Aber da hat die ganze Geschichte dringestanden.»

«Tatsächlich, Oma?» sagt Mimi. «Ich wußte gar nicht, daß Opa Tagebuch geführt hat.»

«O doch. Er hat jeden Tag reingeschrieben. Alles. Manchmal hat er mir auch daraus vorgelesen.»

«Es würde Mr. Greenway bei seinen Nachforschungen bestimmt helfen, wenn wir Opas Tagebücher auffinden könnten.»

«Aber sie sind fort, verschwunden.»

Zum ersten Mal meldet sich Alice Meyerson jetzt mit lauter Stimme. «Ich hab noch nie was davon gehört, daß mein Schwiegervater Tagebuch geführt haben soll. Das hätte Henry bestimmt erwähnt.»

«Aber er hat. Wirklich.»

«Ich glaub dir nicht, Flo!»

Oma Flo blickt in die Richtung ihrer Schwiegertochter und sagt dann zu Jim Greenway: «Sie hat mal einen Mann umgebracht, müssen Sie wissen. Das hat auch in Adolphs Tagebuch gestanden.» Sie läßt eine kurze Pause eintreten, damit die Mitteilung wirken kann, und sagt dann: «Ich muß mal raus. Kann mich jemand hinbringen?»

Brad, der gerade ins Eßzimmer zurückkehrt, tritt an ihren Stuhl. «Ich helf dir, Flo», sagt er, und nimmt ihre Hand.

Felix trägt in der Stille, die eingetreten ist, die Suppenteller ab und serviert den Salat.

«Das ist der berühmte *salade niçoise* meiner Köchin», bricht Mimi mit munterer Stimme das Schweigen. «Statt Thunfisch nimmt sie schottischen Räucherlachs.»

«Mr. Greenway», sagt Nonie, sobald Fleurette außer Hörweite ist, «ich muß für meine Mutter um Entschuldigung bitten. Es ist – nun ja, sie hat die Alzheimersche Krankheit und vergißt alles mögliche. Sie bildet sich Dinge ein. Sie dürfen dem, was sie sagt, keine Bedeutung beimessen.»

Doch auf der gegenüberliegenden Seite des Tisches hat Alice Meyerson ihre unnatürlich glänzenden Augen weit aufgerissen, zwei rosa Flecken sind auf ihren Wangen sichtbar. «Was – was – hat – sie – gesagt?» fragt sie. «Was hat sie über mich gesagt?»

Sie schleudert die Serviette auf den Tisch. «Warum hassen mich in dieser Familie alle? Warum versucht mich jeder zu verletzen?»

«Mutter», murmelte Mimi, «liebe Mutter –»

«Sie sagt, daß ich schuld am Tod deines Vaters bin, nicht wahr?

Nun, das stimmt nicht! Ich hab ihm nicht die Kugel durch den Kopf gejagt! Wenn man jemandem Vorwürfe machen kann, dann ihr! Ihr, Adolph, Leo und all den anderen! Schreiben Sie das ruhig, Mr. Greenway: das böse alte Weib hat meinen Mann umgebracht, ihren eigenen Sohn, so, als wäre sie selbst in dem Zimmer gewesen, als er abgedrückt hat! Ja, das können Sie ruhig schreiben!» Jetzt stehen ihr Tränen in den Augen, und sie schiebt den Stuhl vom Tisch zurück.

«Bitte, Mutter –»

«Ihr mit eurem ewigen Bitte! Immer wieder ‹bitte›! Ich müßte ‹bitte› schreien. Laßt mich doch zufrieden! Ihr alle in dieser Familie, in der Menschen gehaßt, gequält und zugrunde gerichtet werden. Wohin kann ich jetzt gehen, was kann ich tun? Wann habt ihr endlich genug auf mir herumgehackt und laßt mich in Frieden sterben? Nie, das ist es! Erst, wenn ich vor Erschöpfung zusammenbreche, weil ich mich bemüht habe, mich gegen diese Familie zu wehren, die alles zugrunde gerichtet hat: meinen Mann ... alles, was mir je lieb war. Du hast es nicht mitbekommen, Mimi, du warst zu klein, aber ich habe es mit angesehen, Tag für Tag, wie Flo und Adolph den eigenen Sohn, meinen Henry, so lange zugrunde gerichtet haben, bis er völlig verzweifelt war. Niemand konnte ihm helfen, nicht mal ich. Oh!» schluchzt sie. «Ich wollte heute nicht herkommen. Ich wußte, daß so etwas geschehen würde. Mimi, ich möchte nach Hause ...» Sie springt von ihrem Stuhl auf und läuft schluchzend hinaus.

Nach einer Weile sagt Mimi gelassen: «Entschuldigung. Meine Mutter ist ... Sie erholt sich gerade von einer Krankheit. Ich dachte, sie sei ... hinreichend gefestigt ... aber das ist offenbar nicht der Fall. Es tut mir leid.»

Edwee flüstert Nonie zu: «Ich habe es ja gleich gesagt – es gibt ein Debakel. Das mußte ja passieren. Warum schleppt Mimi die arme Alice aber auch hierher!»

Mit der Großmutter seiner Frau am Arm kehrt Brad Moore zurück und fragt ganz unschuldig: «Nanu, wo ist Alice?»

«Mutter ... mußte gehen», sagt Mimi.

«Die wären wir los», murmelt Oma. «Die Schlampe, die.»

Die Situation, der Abend muß gerettet, das Stück zu Ende gespielt werden. Mimi vergißt nicht, daß es bei der Firma nicht nur um die Familie und bei der Familie nicht nur um die Firma geht, sondern auch um alte Wunden, die noch nicht vernarbt sind, um Schuld, die nicht vergeben werden kann. Es ist die alte Geschichte der unerwiderten Liebe, die alte Geschichte, wie das Glück, der Gegenspieler der Liebe, den ganzen Gewinn einstreicht und sich grinsend davonmacht.

Mimis Mann entschuldigt sich als erster. «Ich muß im Büro noch was nacharbeiten», sagt er. «Der Fall Sturtevant... da ist vor der Verhandlung noch dies und jenes zusammenzutragen... morgen muß ich früh aus den Federn...»

«Natürlich», sagt Mimi und hält ihm die Wange hin. «Arbeite nicht zu lange, Liebling.»

Edwee verdreht vielsagend die Augen in Nonies Richtung, und natürlich tut Mimi, der das nicht entgeht, so, als habe sie es nicht gesehen.

Die übrigen Gäste begeben sich in den ganz in Weiß gehaltenen Salon, wo auf den Tischen Kerzen brennen und wo Felix den Kaffee serviert.

Vielleicht, dachte ich an jenem Abend, trägt sie Weiß, weil sie zu diesem Raum passen will, denn ihr Kleid war von demselben Farbton wie die geprägte Leinentapete an den Wänden. Es gehörte zu ihrem Sinn für das Theaterspielen. Später habe ich mich natürlich gefragt, ob der Raum ein – möglicherweise unbewußter – Widerhall eines anderen ganz in Weiß gehaltenen Raumes sein sollte, der einst in ihrem Leben eine gewisse Bedeutung hatte.

Doch jetzt herrschen dort Weiß und Kristall vor, Obelisken, Kugeln und Kuben von Baccarat schicken von niedrigen Glastischchen in den Farben des Spektrums gebrochenes Licht in Richtung auf die übergroßen weißen Sofas, Ottomanen und niedrigen Sesseln aus. In diesem ganz weiß in weiß gehaltenen Salon stehen sogar weiße Orchideen in weißen chinesischen Vasen. Und es hängen auch helle Farbflecke an den Wänden: ein riesiger blauweißer Jack Youngerman, ein vielfarbiger Wasserfall von Morris Louis, der hinter einem Sofa herabstürzt. «Ist das ein Jasper Johns?» höre ich Dirk Gordon fragen, während er Mimis Bilder bewundert.

«Ja.»

«Und ist der hier von Imari?» Er weist auf einen grün-orangefarbenen Teller mit Goldfischmotiven.

«Von Kutani. Aber das kann man leicht verwechseln. Sie scheinen eine Menge von Porzellan zu verstehen.»

«Ein wenig.» Ganz offenkundig hat sich Dirk Gordon gut auf den Abend bei Brad und Mimi Moore vorbereitet.

«Mein Mann und ich sind leidenschaftliche Sammler.»

«Und das da müßte ein V'soske-Teppich sein.»
«Stimmt.»
«Es sind die teuersten, aber auch die besten», sagt er. Dann fährt er fort: «Ihr Innenarchitekt hat glänzende Arbeit geleistet.»
Mimi läßt ihr ganz besonderes Lachen ertönen und sagt «danke». Ich aber wußte, daß kein Raum in ihrer Wohnung von einem Innenarchitekten eingerichtet worden ist. Alles in diesem Salon, bis hin zu der kleinen Gruppe von Pilzen aus Steuben-Glas, die in einer antiken Hartstein-Terrine auf Sphagnum-Moos «gepflanzt» sind, hat sie mit Brad selbst ausgesucht, denn auch er hat einen guten Geschmack, zumindest Sinn für schöne Dinge.
Jetzt geht Mimi in ihrem glitzernden Salon hin und her, bemüht, selbst auch zu glitzern. Aber der Ausbruch ihrer Mutter hat einen Schatten auf den Abend geworfen. Kein Wunder also, daß sich nach einer angemessenen Wartezeit ein Gast nach dem anderen bedankt, verabschiedet und davonmacht.
«Bleib doch noch auf einen kurzen Schlummertrunk, Badger», fordert Mimi ihren Sohn auf. Als alle anderen fort sind, geht sie mit ihm in die Bibliothek, wo Felix eine Karaffe mit Armagnac bereitgestellt hat.
«Gern», sagt sie, als ihr Sohn sie fragt, ob er ihr eingießen soll, und wirft sich in ihrem langen weißen Kleid auf ein mit grünem Leder bezogenes Sofa. Erst jetzt läßt sie ihren Zornestränen freien Lauf.
«Scheiße, Scheiße, Scheiße», sagt sie mit zusammengebissenen Zähnen und trommelt mit geballten Fäusten auf die Sofakissen. «So eine Schweinebande! Einer wie der andere! Warum hab ich mir überhaupt so viel Mühe gemacht?» Badger gibt ihr das Glas, sie stürzt es mit einem Zug hinunter und hält es ihm sogleich zum Nachfüllen hin.
«Ist aber doch wirklich wahr... Schweinebande!» kreischt sie. Tränen strömen ihr über die Wangen, aber man hört sie nicht schluchzen.
«Nur zu, Mama», sagt Badger aufmunternd. «Friß es bloß nicht in dich rein.»

In einer Branche, in der es von leicht erregbaren Menschen geradezu wimmelt, hat bei Mimi Meyerson niemand je Gefühlsausbrüche erlebt. Sie hatte im Lauf der Jahre mit verschiedenen der Größen dieser Branche zu tun: der aufbrausenden Helena Rubinstein, die häufig die Telefonschnur aus der Wand riß und den Apparat durch das Zimmer schleuderte, wenn sie Dinge erfuhr, die sie nicht hören wollte; der herrschsüchtigen Elizabeth Arden, die gern überraschend in ihren Kosmetiksalons auftauchte und, da ihr alles mißfiel, was sie sah, durch die Verkaufsräume schreitend kreischte: «Trottel! Halunken! Dummköpfe!», während sich die Verkäuferinnen angstvoll hinter den Tischen duckten; dem zotige Reden führenden Charles Revson, der von seinem Tisch aufzuspringen und zu brüllen pflegte: «Faule Säcke werden bei mir gefeuert! Verpissen Sie sich!»

Mimi war der Ansicht, Unbeherrschtheit könne im Geschäftsleben nie von Nutzen sein, und hatte sich stets um einen gelassenen Führungsstil bemüht. Aber jetzt, in der Zurückgezogenheit ihrer eigenen vier Wände und allein mit ihrem Sohn ist das etwas ganz anderes.

«Diese verfluchte Nonie!» sagt sie. «Sie hat doch tatsächlich meine Tischkarten umgestellt. Wie findest du das? Nur damit ihr schmieriger Gigolo, der mir vorkommt wie ein Gebrauchtwagenhändler, neben Oma sitzen und ihr irgendein neues hirnrissiges Geschäftsprojekt von Nonie einflüstern konnte. Edwee und Nonie haben unaufhörlich miteinander getuschelt und sich überhaupt nicht an der allgemeinen Unterhaltung beteiligt. Und die elende Oma! Könnte sie nicht Mutter nach all den Jahren endlich mal in Ruhe lassen? Arme Mutter – sie wollte gar nicht kommen, ich hab sie dazu gedrängt. Dann die dämlichen Fotomodelle: hast du je solche Dummköpfe gesehen? Der ganze Abend, die ganze Sache war von Anfang an verfahren. Auch dein Vater hat sich nicht mit Ruhm bekleckert, was? Schleicht sich unter einem dämlichen Vorwand raus und läßt mich die Trümmer zusammenfegen.»

«Nun, der Fall Sturtevant beschäftigt ihn schon ziemlich lange –»

«Ha! man lebt nicht neunundzwanzig Jahre mit einem Mann zusammen, ohne zu merken, wann er flunkert. Wenn er jetzt daran arbeitet, bin ich die heilige Johanna!»

«Bei Licht betrachtet», meint Badger, «gibt es da sogar eine gewisse Ähnlichkeit. Aber da du eben etwas Dampf abgelassen hast, ist dein Heiligenschein ein bißchen verbogen.»

«Hör bloß auf», sagt sie, nur halb ärgerlich. «Es ist einfach ... es sollte eben alles ... vollkommen sein. Wenigstens dies eine Mal ... wollte ich mit der ganzen Familie feiern.»

Badger setzt sich neben sie auf das Sofa und legt ihr den Arm um die Schultern. «Du konntest nichts dafür, Mama», sagt er. «Manchmal gehen noch so ausgeklügelte Pläne eben schief ...»

«Und mein exquisites Dinner – die haben mit dem Essen nur

herumgespielt. Dabei war Mr. Greenway von *Fortune* hier. Ich hatte mir solche Mühe gegeben.»

«Schluß mit dem Selbstmitleid. Nichts von dem, was Greenway über uns schreibt, kann uns schaden. Die alten Leute, die *Fortune* lesen, kaufen kein Parfüm. Vielleicht hast du dir zu viel Mühe gegeben. Hast du dir das schon mal überlegt?»

Sie wirft ihm einen raschen Seitenblick zu. «Meinst du, Badger? Hab ich zu viel Zeit in die Firma investiert und nicht gemerkt, wie meine Familie um mich herum zerfällt?»

«Du könntest mich doch mehr tun lassen, Mama. Gib mir eine angemessene Position, und ich zeig's dir.»

«Ach, Badger, du bist wirklich der beste. Das Beste, was es in dieser Familie und in dieser Firma je gegeben hat. Ohne dich wäre ich gar nicht imstande, sie zu leiten.»

«Nun, sofern wir uns einen Augenblick Firmenangelegenheiten zuwenden könnten, hätte ich eine interessante Neuigkeit für dich.»

«Ach ja? Worum geht es?» Jetzt sind die Tränen verschwunden, die Wut verraucht, und sie sitzt kerzengerade.

«Natürlich wollte ich beim Essen nicht davon sprechen, aber ich weiß, wer massenhaft Miray-Aktien aufkauft und damit den Kurs künstlich in die Höhe treibt.»

«Wer?»

«Es ist kein Investment-Fonds, wie wir gedacht hatten, sondern eine einzige Person.»

«Spann mich nicht auf die Folter, Badger. Wer ist es?»

«Michael Horowitz persönlich.»

Sie verkrampft sich ein wenig. «Bist du ganz sicher?»

«Heute nachmittag hab ich es erfahren. Einer seiner Mitarbeiter spielt Squash im Racquet-Club. Er hat es ganz nebenbei erwähnt – als nähme er an, daß ich es schon weiß. Wenn Horowitz erfährt, daß er die Katze aus dem Sack gelassen hat, tut mir der Bursche leid.»

«Behalt es für dich. Ich möchte nicht einmal wissen, wie er heißt.»

«Horowitz hat schon mehr als vier Prozent zusammen.»

«Bei fünf Prozent –»

«– muß er eine öffentliche Absichtserklärung abgeben. Das verlangen die gesetzlichen Vorschriften. Ich frage mich nur, was ein Immobilienhai mit Hotels, Ladenketten und Spielkasinos in Atlantic City in der Kosmetikbranche sucht? Ob er auf Hausse spekuliert und den Kurs unserer Aktien so lange in die Höhe treibt, bis wir seinen Preis zahlen müssen, um sie zurückkaufen zu können? Steckt vielleicht sogar der Versuch einer unfreundlichen Übernahme dahinter? Oder was könnte es sonst noch sein?»

«Also mal wieder Michael Horowitz», sagt sie. «Ich hätte es mir denken sollen.»

«Wieso sagst du ‹mal wieder›?»

«Zuerst war er auf Opas Haus in Florida scharf, und jetzt das.»

«Das Haus haben wir aber doch ganz normal verkauft. Hier liegen die Dinge anders – er schleicht sich hintenrum ran.»

«Er scheint alles in seine Fänge kriegen zu wollen, was den Meyersons gehört. Ist dir das nicht klar?»

«Aber warum?»

Zuerst gibt Mimi ihm keine Antwort, dann sagt sie: «Persönliche Gründe. Eifersucht.»

«Eifersucht?»

«Vielleicht stört es ihn, daß wir Juden sind, die schon lange Geld haben. Er selbst gehört zu den neureichen Juden. Sein Vater war Getränkelieferant in Queens.» Sie lacht kurz auf. «Ist das nicht pikant? Mein Opa Adolph hat als Anstreicher in der Bronx angefangen!»

«Wie gut kennst du den Kerl, Mama?»

«Nun, wie man ihn so kennt. Jeder, der fünf Minuten in New York war, kennt Michael Horowitz.»

«Warum rufst du ihn dann nicht einfach an? Triff dich mit ihm. Krieg raus, was er vorhat. Sag ihm ins Gesicht, was wir wissen. Wenn es darum geht, wer am schnellsten zieht, schießt du immer am besten.»

«Ja», sagt sie, «ich ruf ihn an.»

«Man sagt, daß er zäh ist.»

«*Ich* bin zäh», sagt sie.

Er lacht. «Bravo, Johanna! Dein Heiligenschein sitzt wieder richtig.»

Sie schweigt einen Augenblick und sagt dann leise: «Damit ist klar, daß das Parfüm erst recht ein Erfolg werden muß, nicht wahr?»

«Natürlich. Gegen einen Übernahmeversuch von Horowitz können wir uns nur aus einer Position der Stärke erfolgreich wehren.»

«Mit einem Mal hängt unsere Zukunft wie die der Firma – und deine ist noch wichtiger als meine – vom Erfolg eines albernen Duftwässerchens ab!»

«Sag nicht albernes Duftwässerchen. Es geht um fünfzig Millionen Dollar, das ist eine ganz große Sache.»

«Nun, der Stapellauf heute abend ist auf jeden Fall ganz schön schiefgegangen, was?»

«Das war nur die Familie.»

«Ach, Badger», sagt sie, «es wird sich doch durchsetzen, nicht wahr? Es *kann* kein Mißerfolg werden, oder?»

«Natürlich nicht», beruhigt er sie.

Aber beide wissen, daß es in diesem Geschäft weder eine Erfolgsgarantie noch eine Versicherung gegen Fehlschläge gibt.

Mimi und ihr Sohn sitzen schweigend auf dem grünen Sofa und nippen an ihrem Armagnac. Felix geht leise von Zimmer zu Zimmer, löscht alle überflüssigen Lampen, läßt nur die an, die seinen Herrn und seine Herrin zu ihren Schlafzimmern leiten. In der Bibliothek blickt Adolph Meyersons Porträt auf seine einzige Enkelin und seinen einzigen Urenkel herab.

Spricht das Zimmer?

«Du mußt den Knicks üben, Kind», hört Mimi die Stimme ihrer Mutter. «Den Rücken gerade, das rechte Knie etwas tiefer, den linken Fuß ein bißchen weiter nach hinten. So ist es besser. Jetzt streck die rechte Hand aus, damit du das Gleichgewicht nicht verlierst und sag –»

«Guten Tag, Opa. Guten Tag, liebe Oma.»

«Das ist schon viel besser. Versuch es noch mal: den Rücken gerade, das Kinn etwas mehr nach unten, aber du mußt Opa direkt in die Augen sehen.»

«Warum ist Papa so traurig, Mama?»

«Weil dein Opa unglücklich ist. Aber wenn du und ich deinen Opa und deine Oma glücklich machen können, ist dein Papa wieder froh und alle anderen sind es auch. Jetzt üb den Knicks, Kinn runter, sieh hoch ...»

Doch im Schein der Lampe, die sein Porträt beleuchtet, ist im Gesicht des Großvaters nicht die kleinste Spur von Glück, Freude oder auch nur Billigung auszumachen.

3

Am Sutton Square 3 macht sich Edwee Meyerson mit vier verschiedenen Schlüsseln an der Tür seines Hauses zu schaffen – er öffnet das Hauptschloß, entriegelt den Vorlegebolzen, löst die Kette und schließt zuletzt das Schloß auf, das die schwere Tür von innen an mehreren Punkten im Mauerwerk verankert (New York ist nicht mehr die sichere Stadt, die es einmal war) – und tritt mit Frau und Schwester ins Haus. Es ist ganz still, denn die Dienstboten haben sich bereits für die Nacht zurückgezogen. Er führt die beiden Frauen durch einen schwachbeleuchteten Vorraum mit Orientteppichen, dunklen Walnußpaneelen und Konsolen auf denen seine berühmte Sammlung griechischer Amphoren steht, zu seinem Arbeitszimmer.

Ähnlich den anderen Räumen wirkt es eher wie ein Privatmuseum als wie ein Ort, an dem gearbeitet wird. Vom Fenster aus sieht man die faszinierende Silhouette der Stadt mit ihren Brücken – und auch Edwees kleinen Garten mit seinen Buchsbaumhecken und dem Beet, in dem der Feinschmecker-Koch seine Küchenkräuter zieht. Das Arbeitszimmer enthält weitere Sammlungen: auf den Bücherborden an der einen Wand stehen mehr als tausend Kochbücher, einige davon sind Raritäten und sehr alt. Weitere Regale enthalten seine noch größere Sammlung an Kunstbänden, und vor der Wand zwischen der verglasten Terrassentüre, die auf den Garten hinausgeht, ist seine Sammlung antiker Puppen und winziger Puppenhausmöbel zu sehen, unter anderem eine von Thomas Chippendale signierte vollständige Wohn- und Eßzimmereinrichtung – die einzige, die der Meister selbst hergestellt haben soll und auf die das Smithsonian Institute schon seit Jahren ein Auge geworfen hat. Auf einem Tisch prangt seine Sammlung von Tintenfässern aus Glas und Silber, und über der Tür, durch die man den Raum betritt, hängen zahlreiche antike Pistolen.

Immer weiter könnte man die erlesenen Gegenstände dieses ungewöhnlichen Arbeitszimmers aufzählen. Nebenan befindet sich eine vollständig eingerichtete Küche, Edwees persönliches Reich, die mit der Alltags-Küche des Hauses nichts zu tun hat. Dort probiert er seine Rezepte aus.

In die gewöhnliche Küche des Hauses setzt er kaum je den Fuß, und umgekehrt darf keiner der Dienstboten seine Küche betreten, außer um dort sauberzumachen. Jedes denkbare Küchengerät und Kochgeschirr ist hier in bester Qualität vertreten, denn – wie jeder weiß und Edwee gern ausführt, verlangen bestimmte Lebensmittel für die richtige Zubereitung bestimmte Materialien. Wer verfiele im Traum darauf, beispielsweise eine Bouillabaisse in etwas anderem als Kupfer zuzubereiten oder sie mit etwas anderem als einem Holzlöffel umzurühren? Welcher Trottel würde einen Steinbutt auf etwas anderem als einem Brett aus gebleichter Esche zubereiten? Läßt sich grüner Spargel anders servieren als auf Porzellan, das so dünn ist, daß man den Fuß eines Finken hindurchsehen könnte, und mit einer elfenbeinernen Vorlegezange?

Man könnte mit der Beschreibung endlos fortfahren und hinzufügen, daß alle anderen Räume in Edwee Meyersons Haus auf ähnlich kunstvoll-exzentrische Weise eingerichtet sind. Von Zeit zu Zeit läßt er es gegen Eintritt besichtigen, sofern die Einnahme einem wohltätigen Zweck dient, der ihm würdig erscheint – was bedeutet, daß dieser Zweck gerade in Mode sein muß. Allerdings ist das stets eine sehr lästige Angelegenheit, und in jedem Raum müssen dann zwei Wächter postiert werden, die die wertvolle Einrichtung genauestens im Auge behalten.

Jetzt sagt Edwee vor der Tür des Arbeitszimmers zu seiner Frau: «Solltest du dir nicht die Nase pudern oder so was, Kätzchen? Meine Schwester und ich haben w-w-wichtige F-F-F-amilienangelegenheiten zu besprechen.»

Gloria schmollt. «Bleib aber nicht so lange», sagt sie. «Die Zehlein von deinem kleinen Rehlein werden im Bett kalt, wenn es sich nicht an sein Papilein kuscheln kann.»

«Bestimmt nicht», sagt er und küßt sie auf die Stirn. Sie geht, er schließt hinter ihr die Tür und bleibt einen Augenblick lang mit verträumtem Lächeln stehen. Leise seufzend fragt er Nonie: «Ist sie nicht einfach wundervoll?»

«Du bist ja richtig domestiziert. Hast du etwa deine alten Gewohnheiten aufgegeben?»

«Ach ja, ach ja.» Er setzt sich an seinen großen Schreibtisch, und seine Schwester nimmt im Queen-Anne-Sessel ihm gegenüber Platz. «Weißt du, sie hat mich mit oralem Verkehr vertraut gemacht. Meine Impotenz ist nach all den Jahren buchstäblich wie weggeblasen!»

«Ich muß schon sagen, Edwee», korrigiert ihn seine Schwester, «daß du das aber auch deiner Psychiaterin zu verdanken hast.»

«Sicher. Eins muß ich sagen: die zweiundvierzig Jahre Psychoanalyse fangen endlich an sich auszuzahlen. Endlich habe ich gelernt, mir selbst gegenüber ehrlich zu sein und meine Phantasien auszuleben. Dank Dr. Ida Katz – und Gloria.»

«Nun», sagt Nonie und klopft mit den Fingernägeln auf die Tischplatte. «Sicher hast du mich nicht hergeschleppt, um mir über dein Geschlechtsleben zu berichten, das mich übrigens auch nicht sonderlich interessiert –»

«Und auf Video haben wir uns gegenseitig aufgenommen», fährt Edwee fort. «*Der* Einfall stammt von Frau Dr. Katz. Während wir es miteinander machen, filmen wir uns und spielen beim nächsten Mal die Bänder ab. Wir haben sogar welche, auf denen man sieht, wie wir uns aufnehmen.»

Nonie sagt nichts, hält den Blick zur Decke gerichtet.

«Aber zurück zu den weniger angenehmen Dingen», sagt er. «Das ist ja wirklich ein starkes Stück, was?»

«Meinst du die Sache mit Brad und seiner angeblichen Freundin? Ich hab ihn und Mimi heute abend durchaus entspannt und normal gefunden. Wir sollten uns da nicht einmischen. Wenn die beiden Schwierigkeiten haben, geht das nur sie etwas an. Schließlich ist Mimi nur unsere Nichte.»

«Ach, das», sagt er. «Nein, das meine ich nicht. Eine Marginalie, interessant, aber nicht von Bedeutung.» Er nimmt die Pfeife aus der Smokingtasche und zündet sie sorgsam an. «Ich will mit dir über unsere M-M-Mutter reden, Nonie. Jetzt ist sie ja wohl total übergeschnappt. Sie muß in ein Heim, und unsere – deine und meine – undankbare Aufgabe wird es sein, dafür zu sorgen.»

«Denkst du an ihren Ausbruch gegenüber Alice? Schön, das war... nicht besonders glücklich. Aber Alice hat sich das selbst zuzuschreiben. Sie hätte Mutter nicht widersprechen dürfen.

Schließlich weiß Alice, daß sie das nicht leiden kann. So war Mutter immer schon.»

«Nein, nein!» Edwee stochert mit der Pfeife in der Luft herum. «Das meine ich gar nicht, auch wenn es schon in die Richtung geht. Wie kann sie nur sagen, Alice hat einen Mann umgebracht, wo wir alle wissen, daß der arme Henry durch einen tragischen Unfall ums Leben gekommen ist und Alice zu der Zeit Hunderte von Kilometern von hier weg war. Mutter hat den jungen Reporter ganz konfus damit gemacht, daß sie gesagt hat, unser Vater hätte eine Art Tagebuch geführt. Wir wissen doch genau, daß das nicht stimmt. Aber das meine ich alles nicht. Außerdem war die arme Alice ja stockbetrunken.»

«Das glaube ich nicht, Edwee. Ich hab gesehen, wie sie bei Tisch keinen Wein wollte, und hab gehört, wie sie Felix um Saft statt Cocktails gebeten hat.»

«Auch davon spreche ich nicht, sondern von unserer Mutter. Nenn es von mir aus Alzheimersche Krankheit, für mich ist sie senil geworden, und zwar sehr senil.»

«Ich hab das nur gesagt, weil ich nicht wollte, daß der Reporter ihren Ausbruch zu ernst nahm. Sie ist nicht –»

Edwee erhebt sich langsam, die Pfeife in der Hand, und geht auf die Fenstertüren zu. «Eine arme alte Frau von fast neunzig Jahren», sagt er, «die völlig unfähig ist, sich um ihre Angelegenheiten zu kümmern. Wahrscheinlich ist sie außerdem inkontinent. Ist dir aufgefallen, wie sie dauernd zum Klo gerannt ist?»

«Ich hab es nur einmal gesehen.»

«Sie lebt allein, ist fast vollständig blind –»

«Da bin ich nicht so sicher. Ich glaube, sie sieht besser, als sie zugibt. Denk an die Sache mit den gelben Tulpen. Sie hat gesagt, sie kann riechen, daß sie gelb sind. Hast du so was schon mal gehört? Ich nicht!»

«Nein», sagt Edwee, «entscheidend ist, daß sie sich nicht mehr um ihre eigenen Angelegenheiten kümmern kann. Sie braucht besondere Fürsorge. Ich sage das ungern, aber sie muß in ein Pflegeheim. Dafür ist es keinen Augenblick zu früh. Wir sollen uns möglichst gleich morgen darum kümmern.»

«In ein Pflegeheim! Aber sie fühlt sich doch im Carlyle rundum wohl. Sie kriegt alles aufs Zimmer gebracht, die Bettwäsche wird jeden Tag gewechselt, alle mögen sie da und behandeln sie wie eine Prinzes –»

«Ich hab schon was gefunden, es ist geradezu ideal für sie. Sie hätte ihr eigenes Zimmer, Menschen ihres Alters als Gesellschaft –»

«Aber sie hat doch reichlich Gesellschaft. Ständig besucht jemand sie, und sie telefoniert den halben Tag mit Leuten wie Mrs. Perlman. Die Hotelangestellten gehen bei ihr ein und aus.»

«Und es ist weit genug entfernt, in Great Barrington, so daß sie verstehen wird, wenn du und ich sie nicht so oft besuchen können, wie wir das gern täten. Tiere sind selbstverständlich nicht erlaubt.»

«Sie soll sich von Itty-Bitty trennen? Das wäre ihr Tod, Edwee!»

«Nun, uns bleibt keine andere Wahl», entgegnet er. «Gewiß, es ist betrüblich, aber es muß sein.»

«Aber warum, Edwee? Mutter ist ... Mutter. Sie war schon immer so. Immerhin bin ich ein paar – nun, ein, zwei Jahre älter als du, und so lange ich zurückdenken kann, war Mutter so, wie sie ist. Was wir heute abend erlebt haben, war einfach ... Mutter!»

Er zögert und sagt dann: «Ich will dir was sagen, das du vielleicht nicht weißt. Bevor unser Vater starb, hat er zu mir gesagt: ‹Edwee, ich möchte, daß du dich um deine Mutter kümmerst. Und wenn je die Zeit kommt, sieh zu, daß sie die richtige Pflege erhält. Sorg dafür, daß sie in ein Heim kommt, wenn du den Eindruck hast, daß das nötig ist. Versprich mir das.› Ich habe es ihm auf dem Sterbebett geschworen, Nonie.»

«Aber Edwee, Papa ist in einem Hotel in San Francisco im Schlaf gestorben. Du warst damals in Paris, weißt du das nicht mehr?»

«Wie auch immer, ich hab das Versprechen gegeben, und es ist meine traurige Pflicht, es jetzt einzulösen. Ich werde morgen meine Anwälte anrufen, damit die den juristischen P-P-Papierkram erledigen. Wir müssen Mutter für geschäftsunfähig erklären lassen, unfähig, sich um ihre eigenen Sachen zu kümmern. Das können nur du und ich, denn wir sind die einzigen noch lebenden Nachkommen. Wir unterschreiben einfach alle Papiere, die nötig sind –»

«Nein, Edwee!»

«Was heißt nein?» Seine Stimme ist jetzt wütend.

«Sie ist durchaus imstande, sich so gut wie eh und je um ihre Angelegenheiten zu kümmern.»

«Und ich sage, sie kann es *nicht*! Muß ich es dir vorbuchstabieren, zum Teufel? Hast du nicht gehört, was sie im Auto gesagt hat? Daß sie die Kunstsammlung wegschenken will – *wegschenken*! Nennst du das imstande, sich um seine Angelegenheiten zu kümmern? Die Sammlung ist unbezahlbar! Die G-G-Gemälde von Benton – allein schon der Goya! Sie hat bereits mit Philippe de Montebello gesprochen, Nonie! Gott weiß, was sie dem unterschrieben hat! Nun, falls es sich so verhält, lassen wir aufgrund ihrer Geschäftsunfähigkeit alles für null und nichtig erklären. Die Sammlung ist Teil unseres Erbes, Nonie. Sie gehört uns.»

«Eigentlich nicht, Edwee. Sie gehört ihr, und ich finde, daß sie damit tun und lassen kann, was sie für richtig hält.»

«Heißt das, du hältst es für richtig, wenn sie diese unbezahlbare Gemäldesammlung verschenkt?»

«Mir hat Kunst nie besonders viel bedeutet», antwortet sie kühl.

«Aber mir», sagt er.

«Daß sie ihre Sammlung weggeben will, scheint mir kein ausreichender Grund, sie in ein Pflegeheim zu schicken.»

«Sie braucht einen Vormund.»

«Edwee, du sprichst von unserer Mutter!»

«Kannst du dir einen einzigen Grund denken, warum wir die alte Hexe, die uns nichts als Ärger macht, noch länger frei herumlaufen lassen sollen? Außer ...» Er zögert und seine Augen verengen sich ein wenig. «Außer ... außer –»

«Außer was?»

«Außer», sagt er, «*du* hast persönliche Pläne, für die es wichtig ist, daß sie frei herumläuft. Verhält es sich so, Schwesterherz? Hast du wieder einen Plan, bei dem du Mutter brauchst?»

«Nun», beginnt sie vorsichtig. «Ich muß mein Leben leben und ...» Sie verstummt. Aus Erfahrung weiß sie, daß es unklug ist, ihren Bruder in ihre Pläne einzuweihen. Man kann ihm nicht trauen.

«Ach, ist es das? Wahrscheinlich hängt auch der Halbstarke da mit drin, den du heute abend zu Mimi mit angeschleppt hast, was?»

Im Haus ist nichts zu hören außer dem ganz leisen Summen des Verkehrs, der unaufhörlich durch den Tunnel unter den Fundamenten des Hauses strömt. Edwee ist der festen Überzeugung, daß sich diese beständigen, kaum wahrnehmbaren Schwingungen günstig auf das Wachstum von Pflanzen auswirken, und behauptet, sein Kräutergarten gedeihe davon. Diese Theorie hat er sogar in einem Artikel für *House & Garden* abgehandelt, den ein unerfahrener Redakteur unglücklicherweise ablehnte. Edwee hatte darin geschrieben, daß die vom unablässigen Straßenverkehr hervorgerufenen Schwingungen die Wurzeln seiner Kräuter «massierten», und diese Wirkung mit einer unterirdischen sexuellen Erregung verglichen, die bis zum Höhepunkt geführt wird.

«Natürlich», sagt er schließlich. «Hätte ich mir denken können. Du hast wieder mal 'nen Plan in petto und widersetzt dich deshalb meinem Vorschlag, Mutter in ein Heim zu geben. Was ist es diesmal, Nonie?»

«Ich wüßte nicht, was dich das angeht.»

«Bei wie vielen solcher Projekte habt ihr schon zugebuttert? Wollen doch mal sehen: Da war dein Kleiderladen an der M-M-Madison Avenue. Dann das schnuckelige Restaurant. Die Schmuckboutique. Der lächerliche Versuch, ein neues M-M-Modemagazin zu lancieren. Und all diese Unternehmungen mußte natürlich M-M-Mama finanziell stützen. Wer sonst hätte für solche von vornherein zum Scheitern verurteilte Projekte Geld gegeben?»

«Du nicht!» kreischt Nonie. «Mir ist schon lange klar, daß es sinnlos ist, sich an dich zu wenden, wenn man Hilfe braucht.»

«Du warst immer so hinter dem Geld her. Warum eigentlich? Wieso bist du so scharf auf Geld? Mich langweilt es.»

«Du bist ja auch reich! Ich nicht, ich bin die arme Verwandte. Mich hat Papa in seinem Testament ganz mies behandelt, weißt du das nicht mehr?»

«Weil er dir kein Verantwortungsgefühl zugebilligt hat, im Unterschied zu Henry und mir.»

Sie greift nach Tasche und Handschuhen, um zu gehen. «Das könnte dir so passen», sagt sie. «Aber es stimmt nicht. Er hatte für Mädchen nichts übrig und wollte lauter Söhne. Er hat es mir übelgenommen, daß ich ein Mädchen war, und wollte vom Augenblick meiner Geburt an nichts von mir wissen.»

«Ach, weißt du, ich glaube, er hatte erst etwas gegen dich, als du älter wurdest.»

Sie steht auf und sieht ihn an. «Dafür hatte er hochfliegende Pläne mit seinen beiden Söhnen», sagt sie. «Weißt du noch? Henry sollte die Firma leiten. Und was ist aus ihm geworden? Du solltest der erste jüdische Präsident der Vereinigten Staaten werden. ‹Edwee wird der erste Jude im Weißen Haus›, hat er immer gesagt. Nun, jetzt bist du zwar Nancy Reagans Schoßhündchen – du prahlst doch immer damit, wie gut du sie kennst – aber näher wirst du dem Sitz der Macht wohl nicht kommen.»

Langsam senkt er den Blick. Seine rechte Hand, mit der er die Pfeife hält, zuckt sichtbar nach oben, als wolle er seine Schwester schlagen, aber es gelingt ihm, sich zusammenzunehmen, und er läßt die Hand sinken.

«Gute Nacht, Bruderherz», sagt sie und fügt hämisch hinzu: «Viel Spaß, wenn du's mit deiner Gloria treibst.»

Dann ist sie fort.

Allein im Arbeitszimmer, inmitten seiner angehäuften Schätze, kehrt Edwee Meyerson zum Stuhl hinter seinem Schreibtisch zurück und entzündet die Pfeife erneut. Gewöhnlich ist sie nur ein Versatzstück. Er benutzt sie hauptsächlich, um Wirkung zu erzielen, indem er mit dem Stiel auf einen Gesprächspartner deutet, um zu bekräftigen, was er sagt, oder eine seiner wohldurchdachten Ansichten klarzumachen. Jetzt aber zieht er wie wild daran, saugt den Atem tief ein, als seien Pfeife und Tabak Bestandteil einer unbeherrschbaren Sucht.

Seine Augen wandern zu einer Stelle an der nußbaumgetäfelten Wand, die wunderbarerweise inmitten all dieses wohlgeordneten Durcheinanders von keinerlei Schmuck oder Verzierung bedeckt ist. Er hat diese Stelle schon seit langem dem Goya seiner Mutter vorbehalten.

Zwei Dinge gibt es in ihrem Besitz, die er stets entschlossen war, eines Tages an sich zu bringen: den mit Diamanten besetzten großen, quadratisch geschliffenen Smaragdsolitär und den Goya. Natürlich will er den Ring nicht tragen. Es genügt, ihn in der Hand zu halten, zu liebkosen, die Facetten des grünen Steins mit den Fingerspitzen nachzufahren. Er will den Ring besitzen, wie man eine Geliebte, einen Liebhaber besitzt. Seine Leidenschaft für den Goya ist ebenso mächtig, ebenso sinnlich-erotisch und ebenso verzehrend. Eines Tages, das war ihm immer klar, müssen diese beiden Gegenstände ihm gehören. Ohne sie klafft in seinem Leben eine Lücke, die nichts sonst füllen kann, ein tiefer Brunnen des Verlangens, ein schwarzes Loch wilden Begehrens, das ebenso schmerzhaft leer ist wie der wartende leere Fleck an der Nußbaumtäfelung.

Er hat immer gewußt, daß es sinnlos und töricht sein würde, seine Mutter um das eine oder andere zu bitten. Dazu kennt er sie zu gut. Sie ist eine ausgebuffte Spielerin, niemand vermag besser als sie, Aufforderungen abprallen zu lassen, Schnorrer zu übersehen, sich Bittenden gegenüber zugleich blind und taub zu stellen. Ihre einzige schwache Stelle ist ihre Affenliebe zu ihrer einzigen Tochter Nonie. Dennoch hat er versucht, durchblicken zu lassen, daß ihm einige Dinge in ihrem Besitz gut gefallen, und beispielsweise über den Smaragd gesagt: «Wenn ich den Ring hätte, würde ich ihn in einer kleinen beleuchteten Vitrine ausstellen, die an einer unglaublich dünnen Platinkette von der Decke hängt.» Und mit Bezug auf den Goya hat er sich – als sie noch sehen konnte – bemüht, Signale an ihr Unterbewußtsein auszusenden, wenn er bei ihr war. Beispielsweise stellte er sich einfach lange vor das Gemälde und betrachtete es andachtsvoll. Jetzt ist ihm klar, daß diese seelischen Botschaften nie in das eingedrungen sind, was von ihrem Gehirn geblieben sein mag, denn sie plant, seinen Goya zu verschenken.

Sein Blick wandert zu den Steinschloßpistolen oberhalb der Tür, dann weiter zu den tödlichen Klingen im Elefantenfuß. Gibt es einen Weg, seine Mutter beiseite zu schaffen? Eine Möglichkeit, das Leben Philippe de Montebellos auszulöschen, der mit ihr im Bunde steht?

Undeutlich beginnt sich in seinem Gehirn ein Plan zu entwickeln. Zuerst passen die einzelnen Stücke nicht zueinander. Er schiebt sie hin und her, ordnet sie neu an, probiert es so, dann so. Als erstes muß er dafür sorgen, auf möglichst gutem Fuß mit Mimi zu stehen, beschließt er. Ein Brief ist am Platz.

Der mittleren Schublade seines Schreibtisches entnimmt er einen Bogen des mit seinem reichverzierten Monogramm geprägten elfenbeinfarbigen Briefpapiers, greift dann zu einem antiken Gänsekiel, mit dem er seine Aufsätze verfaßt, taucht ihn in ein silbernes Tintenfaß und beginnt zu schreiben.

Meine liebste Mimi,
vielen Dank für Dein wirklich glänzendes Dinner. Die Speisen, die Blumen und die übrige Dekoration waren wie immer vollkommen, und ich dachte bei mir, als ich Dich von meinem Platz aus sah: Hat Mimi je hinreißender ausgesehen? Nein! Nie! *Jamais de sa vie!*
Mit Deiner Schönheit messen, fand ich, konnte sich nur Dein neues Parfüm, das Du so treffend – wirklich brillant! – Mireille genannt hast. Ich habe mich gerade ein wenig mit dem Eau de Toilette betupft. Der Duft ist einfach aufregend – wollüstig, faszinierend und ganz anders als alles, was ich von Herren-Parfüms kenne. Ich bin sicher, daß Dir damit ein glänzender Erfolg beschieden sein wird, Mimi, und daß «Mireille» ein weiterer leuchtender Stern in Deinem bereits jetzt strahlenden Ruhmesdiadem sein wird.
Darf ich es sagen, liebe Mimi? Dein lieber Vater wäre wirklich stolz auf Dich!
Natürlich muß ich mich auch für das entsetzliche Verhalten der liebe alten Mama entschuldigen. Mir ist klar, daß Dich das mitgenommen haben muß, aber Du bist ja

Er sucht nach dem richtigen Ausdruck. Ein tapferes Mädchen? Nein, das kann man heutzutage nicht mehr sagen. Geschöpf? Auch nicht.

eine tapfere Frau und hast Dir nichts anmerken lassen. Ich muß sagen, nach Mamas Auftritt heute abend habe ich die betrübliche Gewißheit gewonnen, daß sie jetzt endgültig nicht mehr für das verantwortlich sein darf, was sie sagt und tut. Gerade heute abend habe ich mich mit Deiner Tante Nonie ausführlich darüber unterhalten, ob es ratsam und möglich ist, sie

Das Wort *Pflegeheim* hat einen unangenehmen Beigeschmack. Wie ließe sich die Sache umschreiben? Er entschließt sich für:

anderweitig unterzubringen.
Noch einmal herzlichen Dank für den gediegenen Abend, liebe Mimi. Ich brauche Dir für «Mireille» nicht Erfolg zu wünschen, denn den kann ich an der Probe «riechen», die Du mir gegeben hast. Glückwunsch im voraus! In Liebe,

Dein Onkel Edwee

Gerade als er den Federkiel hinlegt, summt die Haussprechanlage. Er nimmt den Hörer auf und sagt: «Ja, Kätzchen?»

«Kommst du denn heute überhaupt nicht mehr ins Bett, Papilein? Es ist gleich eins!»

«Sofort», sagt er. «Ich hab einen Redaktionstermin für einen Artikel in *Art & Antiques*. Du weißt ja, wie schwierig es für einen kreativ Schreibenden ist, unter Zeitdruck zu arbeiten!»

«Ich hab schon alles fix und fertig und kann es gar nicht erwarten.»

«Noch fünf Minuten, Kätzchen.»

Er fügt hastig eine Nachschrift an.

P. S. Mir fällt gerade ein, daß der nette junge Mann, den Du für Deine Werbung als Fotomodell ausersehen hast, gesagt hat, er hätte einige Rezepte, die ich vielleicht gerne ausprobieren möchte. Wenn Deine Sekretärin mal eine freie Minute hat – es eilt nicht –, bitte sie doch, mir seinen Namen mit Anschrift und Telefonnummer mitzuteilen. Auch dafür vielen Dank! E.

Er faltet den Brief (immerhin drei Seiten), steckt ihn in einen Umschlag, adressiert ihn und klebt ihn zu.

Während draußen der Wachmann einer privaten Sicherheitsfirma, den die Bewohner von Sutton Square beschäftigen, auf seiner stündlichen Runde an Türknäufen rüttelt, um zu sehen, ob alles seine Ordnung hat, geht drinnen Edwee zu Gloria hinauf und löscht dabei die Lichter.

In ihrem Schlafzimmer sitzt Mimi allein vor der Frisierkommode, entfernt mit Hilfe zahlreicher Papiertaschentücher ihr Make-up und cremt sich das Gesicht ein. Beim Anblick ihres Spiegelbildes denkt sie: nicht schlecht. Nein, für neunundvierzig ganz und gar nicht schlecht. Ich kann noch mindestens fünf Jahre warten, bis ich mir um das Gesicht Sorgen machen muß. Das gehört in diesem Geschäft zum Betriebskapital. Sieh dir ihr Gesicht an, sagen die Leute. Bestimmt liegt es an ihren Reinigungs- und Feuchtigkeitscremes, ihren Tönungen, daß sie so gut aussieht, und sie merken sich das, wenn sie in der Kosmetikabteilung Proben auftragen, den Namen Mireille sehen, erinnern sich daran, daß dahinter eine Frau steht und hinter dem Namen ein Gesicht. Dieses hat Tausende von Tiegeln mit Nachtcreme von Miray auf den Markt gebracht, für Tausende von Frauen, die davon träumen, nur ein wenig besser und ein wenig jünger auszusehen, wenn ihr Mann oder ihr Liebhaber sie abends ansieht und sagt, du siehst so jung aus, du fühlst dich so jung an.

«Ich mag dein Gesicht», hatte ihr einmal jemand gesagt, «es ist so lustig.» Er hatte auch gesagt, ihm gefalle die Farbe ihrer Augen. Ihre Augen hatte sie immer am wenigsten geschätzt: zu grau, zu blaß. Sie betrachtet jetzt ihr Gesicht im Spiegel. Heutzutage kann man mit Hilfe getönter Kontaktlinsen sogar die Augenfarbe verändern, aber sie hat es nie getan. Er hatte gesagt, ihm gefielen ihre Augen. «Sie sind wie altes Silber, das jeden Tag poliert wird», sagte er. «Sie passen zu deinem lustigen Gesicht.»

Schluß mit der Träumerei. Tatsachen. Tatsache eins: er hat eine andere. Ich weiß es. Natürlich. Sinnlos, es zu leugnen, er hat eine. Wer sie sein mag? Ich will es nicht wissen. Damit wäre nichts gewonnen. Sie braucht keinen Namen zu haben, nicht einmal ein Gesicht. Dreht er sich im Schlaf zu ihr um und ruft sie mit meinem Namen? Das wäre hübsch. Ach ja, Brad, alter Junge, alter Freund, das kannst du mir nicht vorenthalten. Früher haben wir gesagt, wir seien wie eine Seele. Wir kannten einer die Gedanken des anderen. Wenn ich an den Text eines Liedes dachte, fingst du an, es zu pfeifen. Es wird Zeit, daß er anruft, dachte ich, und dann klingelte das Telefon. Ich muß meine

Tennisshorts waschen, sagtest du, und ich sagte, sie trocknen schon, und kam mir ganz großartig vor. So nah waren wir einander, als wir jung waren. Am Strand von St. Jean de Luz hast du mich von den Füßen an aufwärts in den Sand eingegraben, weil du wußtest, daß ich mir das wünschte.

Deine Mutter hat gesagt, «Brad ist nicht besonders leidenschaftlich. Das liegt nicht im Wesen der Moores. Es hängt mit unserer puritanischen Neuengland-Herkunft zusammen.» – «Warum sollte er leidenschaftlich sein?» fragte ich. Sie hat so unbehaglich dreingesehen, die Arme. Sie sagte, «ich meine... ich meine... ich denke, ich will sagen, die Juden, die ich kenne, meine jüdischen Freunde, sie scheinen ihre Gefühle so offen zur Schau zu tragen mit Umarmungen, Küssen und so. Wir sind anders.» Die Arme. So wenig kannte sie dich, so wenig kannte sie die Juden, die sogenannten leidenschaftlichen Menschen. Ach, sie hätte es viel lieber gehabt, wenn du eine Moore geheiratet hättest, das hat sie durchaus deutlich gemacht, aber sie hat sich nicht gegen mich ausgesprochen, hat uns keine Hindernisse in den Weg zu legen versucht.

Nun, wirkliche Leidenschaft war es nicht, oder? Nicht, weil Leidenschaft das wäre, was Leiden schafft, sondern weil sie – wie das Leiden selbst – eines Tages endet. Es war eher Zuneigung, Freundschaft, der Wunsch, einander zu Gefallen zu sein, eines des anderen Freude, die Gesellschaft des anderen zu genießen, gemeinsam etwas zu sammeln, Dinge, die überdauern, die nicht enden. Mit derlei kann eine Ehe neunundzwanzig Jahre alt werden. So dachte ich damals.

Vermutlich findet er sie verführerisch, wer auch immer sie ist, diese namen- und gesichtlose Frau. Von mir aus, in Ordnung. Oder etwa nicht? Es ist für mich ein neuer Gedanke, etwas, worüber ich früher nicht nachgedacht habe, nie nachdenken mußte, weil es mir jetzt zum erstenmal widerfährt, obwohl ich kaum die erste Frau auf der Welt sein dürfte, die diese Erfahrung macht. Es ist zahllosen Frauen so ergangen. Ich bin nicht allein auf der Welt, hier ist die Mitgliedskarte für den Klub, altes Mädchen.

Aber eins sag ich dir, Brad, alter Kumpel, glücklich macht sie dich nicht, wer sie auch sein mag. Ich seh es deinen Augen an. Ich seh da neue Sorgenfalten, jedenfalls habe ich sie heute abend gesehen. Vermutlich ist sie die Art Frau, die sagt, nein, nein, erst mußt du dich scheiden lassen. Aber Männer mögen solche Ultimatums-Typen nicht, du schon gar nicht. Und du bist auch nicht der Mann, der sich von seiner Frau scheiden läßt, nicht jetzt, nicht nach all den Jahren –

oder doch? Wieso bin ich meiner Sache plötzlich nicht mehr sicher, glaube plötzlich nicht mehr, daß ich dich so gut kenne, wie ich dachte? Kenne ich dich überhaupt? Ich weiß es selbst nicht mehr.

Liegt es daran, daß du die Späße zu dem Thema satt hast? Wir haben gemeinsam darüber gewitzelt, du und ich. Die Vorstellungen bei geschäftlichen Anlässen: und das ist Mimi Meyersons Mann, Bradford Moore. Wir haben uns darüber lustig gemacht, daß du für meine Geschäftspartner Mr. Mimi Meyerson bist. Wir sind einfach ein Ehepaar, bei dem beide im Beruf Erfolg haben, hast du immer gesagt, aus geschäftlichen Gründen mit zwei verschiedenen Namen und mit getrennten Einträgen im *Who's Who*. Findest du das nach all den Jahren nicht mehr spaßig, sondern abgedroschen? Bietet dir diese Person – die ich nicht kenne – endlich eine eigene Persönlichkeit als Mann, eine Gelegenheit, mehr zu sein als das Anhängsel einer Frau? «Jetzt weiß ich, wie sich Prinz Philip vorkommen muß», hast du einmal bei einem Firmenempfang gesagt. «Immer einen Schritt hinter der Königin.» Ein Scherz? Hattest du bei mir keine Gelegenheit, deine überlegene Männlichkeit und Individualität auszuleben? Hab ich mir keine Mühe gegeben? Komm zurück, Brad, komm zurück. Ich geb mir noch mehr Mühe. Komm zurück, und du wirst sehen, wie ich mich bemühe.

Ich will nicht das Wort verzeihen benutzen. Ich bin nicht in der Position, ein solches Angebot zu machen. Wer ohne Sünde ist, werfe den ersten Stein, heißt es, und das bin ich nicht. Auch ich habe es dir angetan, noch dazu als erste. Es ist lange her, aber das ist unerheblich, denn die Zeit liefert kein Alibi für Untreue und Verrat. Könnte ich hier sitzen, in den Spiegel schauen und sagen, ich habe unsere Ehe nie verraten, ohne den Blick zu senken, wäre das etwas anderes, aber das kann ich nicht. Auch wenn du es nie erfahren, nie geahnt hast, ist es dennoch geschehen. Ich wußte, was ich tat, und habe es trotzdem getan. Zwar nur mit einem, aber das hat genügt, um die Linie zu überschreiten von einer Frau, die ihren Mann nie betrogen hat, zu einer, die ihn betrogen hat. Womöglich wußtest du es aber doch, hast es vielleicht geahnt. Ist es ein Fall von «wie du mir, so ich dir, geschieht dir ganz recht, altes Mädchen, jetzt zahle ich es dir mit gleicher Münze heim, na, wie gefällt dir das?»?

Damals war es Leidenschaft – etwas, das Leiden schafft.

Es hat auch andere Gelegenheiten gegeben, da ich es hätte tun können. Dein Sozius aus der Anwaltskanzlei, Harry Walthers – er wollte gern. Dein eigener Sozius, mit dem du jeweils am Donnerstag abend Tennis spielst, dein lieber Freund hat mich gefragt: «Bietet dir Brad eigentlich im Bett genug?» Ich habe ihm ins Gesicht gelacht und dir nichts gesagt. Dann war da der Einkäufer von Bendels, der erklärt hat, er würde Miray-Kosmetik ins Programm nehmen, wenn ich mit ihm ins St. Regis ginge, und zwei Jahre lang hat niemand verstanden, warum Bendels bei uns nichts kaufte. Ich könnte eine ziemlich lange Liste von Männern herunterbeten – eine Frau wäre auch dabei –, die mir Angebote gemacht haben, aber auch eine solche Liste würde aus mir keine Frau machen, die ihren Mann nie betrogen hat, oder? Nie im Leben, altes Mädchen. Nie im Leben.

Lieber Brad, schreibt sie ihm in Gedanken und diktiert sich selbst, so wie sie die ausführlichen Aktennotizen diktiert, mit denen sie ihre Mitarbeiter so gern eindeckt. Lieber Brad. Mein Liebling. Liebster, Schatz, liebster Mann, lieber Brad. Liegt es daran, daß Du die Branche, in der ich arbeite, nie geschätzt hast? Damals, als ich damit angefangen habe, hast Du mich unterstützt – als einziger. Du hast gesagt, ich hätte Aussichten, aber vielleicht hast Du da noch nicht geahnt, daß ich so viel Erfolg haben, mein kleines Unternehmen so sehr wachsen, einen so großen Teil meiner Zeit und meines Lebens in Anspruch nehmen würde. Vielleicht hast Du gedacht, es wäre eine Nebenbeschäftigung wie das Geigenspiel des Malers Ingres, eine Freizeitbeschäftigung wie unsere samstäglichen Streifzüge durch Antiquitätenläden, auf der Suche nach ausgefallenen Tellern. Aber jetzt nennt man mich «Herrscherin im Reich der Schönheit». Ich habe viel Geld in der Branche verdient, bin wahrscheinlich reicher, als Opa es je war, und vielleicht hast Du vor Jahren nie wirklich damit gerechnet, daß es so weit kommen würde. Verdiene ich mehr als Du? Vermutlich, aber darüber haben wir nie gesprochen; das hatten wir Gott sei Dank nie nötig.

Und dann sind da die Menschen, mit denen ich zwangsläufig zu tun habe, die Groß- und Einzelhändler, die Firmeneinkäufer, Leute mit obszönen Reden wie Charlie Revson, die Modejournalistinnen mit ihren Bleistiftabsätzen und ihren Turbanen, die New-Yorker-Typen, die Medien-Tanten und Anzeigenvertreter; die liegen Dir alle nicht, was? Wahrscheinlich langweilen sie Dich, und wahrscheinlich findest Du sie sogar ein wenig ordinär. Es ist nicht die Art Leute, mit denen Du in Deinem Club zu Mittag ißt. Sie heißen Bernstein, Lifschitz, Goldbogen und Livingstone – einst Löwenstein, oder Robbins, einst Rubin. Ich will damit nicht sagen, daß Du ein Snob bist, aber das sind eben nicht die Menschen, an die Du gewöhnt bist, in deren Gesellschaft Du Dich wirklich wohl fühlst, mit denen Du Dich leicht tust. Ich stelle mich Dir in Deiner Kanzlei vor, harter Sisal-Teppichboden und schokoladenfarbene Ledersessel, gutes, rissiges altes Leder. Lampen mit Pergamentschirmen, alles so grundsolide wie die Stiche an den Wänden. Sie zeigen das New York von früher, das ganz anders ist als meins. Ich kenne Deinen heimlichen Ehrgeiz – Richter am Obersten Gericht der Vereinigten Staaten wolltest Du immer werden. Aber hat es dort je einen Richter gegeben, dessen Frau eine Herrscherin im Reich der Schönheit war? Wird es je einen geben? Ist es das? Ist mein Erfolg mit Deinem Ehrgeiz zusammengeprallt? Ich wollte, daß Du stolz auf mich sein kannst, aber ich nehme an, daß ich Dir statt Stolz Enttäuschung eingetragen habe.

Vielleicht, wenn wir noch ein Kind gehabt hätten. In dem Fall aber...

Dein Ziel heißt Ansehen – meins... Parfüm.

Ich kann nicht die ganze Nacht hier sitzen und solchen Gedanken nachhängen. Morgen früh ist eine Besprechung über die Werbekampagne angesetzt. Irgendwann wird er nach Hause kommen. Zumindest hat er das bis jetzt immer getan.

Ihr Mädchen hat bereits die Decke aufgeschlagen, die Vorhänge zugezogen und ihr einen Teller mit etwas Obst auf den Nachttisch gestellt: einen Apfel, eine Banane und eine Pflaume. Mit einem Obstmesser schneidet sie ein Stückchen aus dem Apfel und steckt es in den Mund. Dann gleitet sie zwischen die Laken und ordnet eine Vielzahl spitzenbesetzter Porthault-Kissen um Kopf, Nacken und Schultern herum an. Anschließend knipst sie die Nachttischlampe aus. Mach die Augen zu und denk an was Schönes, pflegte ihre Mutter zu sagen, dann schläfst du auch gut.

Doch nicht Gedanken an etwas Schönes kommen ihr. Statt ihrer schwirren böse Vorzeichen aller Art in der Dunkelheit um sie herum. Heute abend sollte die ganz besondere, ausschließlich für die Familie vorgesehene Einführung von «Mireille» stattfinden, als Generalprobe, und die war ganz und gar nicht gutgegangen. Ist das ein schlechtes Omen für die Zukunft ihres Parfüms? Mimi bemüht sich, nicht an solche Vorzeichen zu glauben. Andererseits gründet sich ihr ganzes Geschäft auf Aberglauben, Vermutungen, Instinkt und Annahmen. Elizabeth Arden hat nie eine geschäftliche Entscheidung getroffen, ohne zuvor ihr Horoskop zu befragen, Charles Revson ging regelmäßig zu einer Handliniendeuterin und war nicht bereit, mit einem Mann Geschäfte abzuschließen, dessen Autonummernschild die Zahl dreizehn enthielt. Selbst Mimis Verwaltungsgebäude glaubt an Zauberei – es gibt darin keine dreizehnte Etage. Wer nach bösen Vorzeichen Ausschau hält, findet sie überall. Mimi tastet unter ihren Kissen nach ihrer Schlafmaske. Mit ihrer Hilfe erreicht sie, daß sich ihre wachen Augen wieder schließen.

Viel später hat sie einen Traum, von dem sie noch träumend weiß, daß es ein Traum ist, sie aus ihm erwachen wird, und zwar an derselben Stelle wie immer. Sie hatte ihn schon oft, wenn auch nicht in letzter Zeit. In diesem Traum ist sie ein kleines Mädchen und sitzt neben ihrer Mutter im Auto. Plötzlich quietschen die Bremsen entsetzlich, es kracht dumpf, und ein großer dunkler Schatten fliegt quer über den Himmel. Überall schreien Leute auf, und dann hört man nur noch ihre Mutter kreischen und schluchzen. Davon erwacht sie jedesmal, ohne je zu verstehen, warum die Mutter schluchzt oder was geschehen ist.

Dann merkt sie, daß das Geräusch der Schlafzimmertür ihres Mannes sie geweckt hat, die sich auf der anderen Seite der Diele geschlossen hat. Die Digitaluhr neben dem Bett zeigt ihr, daß es zehn vor drei ist. Er ist nicht wie sonst in ihr Zimmer gekommen, um ihr einen Gutenachtkuß zu geben.

Am Strand von St. Jean de Luz hast du erst meine Füße mit Sand bedeckt, dann meine Beine, schließlich meinen Unterleib, meine Arme und zum Schluß meine Brüste, so daß ich bis zum Hals im Sand steckte und nur noch der Kopf heraussah. Du hast gesagt, ich hätte jetzt eine Figur wie Mae West, hast mich auf den Mund geküßt und gesagt, selbst wenn ich so alt und dick würde wie Mae West und so aufgequollen aussähe, würdest du mich noch lieben.

All das hat mir Mimi viel später berichtet.

4

Es ist jetzt zehn Uhr am folgenden Vormittag. Mimi und ihr Werbeleiter Mark Segal sitzen einander im kleinen Besprechungszimmer der Firma Miray im Gebäude Fifth Avenue 666 am Konferenztisch gegenüber. Zwischen ihnen sind die Entwürfe für die Zeitungs- und Zeitschriftenanzeigen sowie für die Fernsehspots ausgebreitet, mit denen die Mireille-Kampagne eröffnet werden soll. In der Nähe sitzt unauffällig Jim Greenway. Mimi hat ihn aufgefordert, sie einen Arbeitstag lang zu begleiten. Der heutige ist eher untypisch, weil nicht alle Tage die letzten Feinheiten eines Werbefeldzugs ausgetüftelt werden, der fünfzig Millionen Dollar kostet und auf dem der bekanntermaßen launenhafte Kosmetikmarkt über Erfolg oder Niederlage einer nagelneuen Produktreihe entscheiden kann.

Spannung liegt in der Luft, als Segal, ein athletisch gebauter junger Rotschopf mit flammend rotem Bart in Jeans und Hemdsärmeln einen Entwurf nach dem anderen emporhält, um Mimis Ansicht dazu zu hören. Auf ihnen ist das Mireille-Paar an verschiedenen romantischen Orten in zärtlichen Posen zu sehen, und sie tragen den von Mark Segal formulierten Slogan: «Mireille – das Parfüm, das verzaubert.» Auch die Fernsehspots enden mit diesem Slogan. Während Segal aufmerksam Mimis bisher wortlose Reaktion verfolgt, zuckt er nervös mit dem rechten Oberarm.

Schließlich sagt er: «Irgendwas stört Sie – das sehe ich. Was ist es?»

Ohne den Blick von den Aufnahmen zu wenden, sagt sie schließlich: «Sheila sieht blendend aus, kein Zweifel. Genauso, wie ich es mir vorgestellt hatte. Natürlich könnte ihr eine Spur Intelligenz nicht schaden – aber man kann von so einem Mädchen nicht alles erwarten. Trotzdem, wirklich bedauerlich. Vor der Kamera kann sie so glänzen, und im wirklichen Leben ist sie eine so trübe Funzel. Aber es spielt keine Rolle. Sie sieht… einfach hinreißend aus.»

«Im wirklichen Leben kommt sie glücklicherweise nur mit ihren Bekannten zusammen», sagt Mark.

«Falls wir sie später bei Werbeveranstaltungen in Warenhäusern einsetzen, müssen wir sie unbedingt dazu vergattern, den Mund zu halten. Ich hatte sie gestern abend zusammen mit Dirk zum Essen bei mir, und Sie hätten sie erleben sollen – sie hat nicht einmal gewußt, welche Gabel sie nehmen sollte. Ist das nicht traurig? Ein solches Mädchen sollte einfach alles haben, aber sie hat nichts als ein zauberhaftes Gesicht.»

«So sind doch die meisten», entgegnet er.

«Um sie mach ich mir eigentlich auch keine Sorgen, Mark. An den Aufnahmen würde ich nichts ändern. Aber er wirkt mir irgendwie zu…»

«Zu schön?»

«Ja, genau. In natura sieht er ansprechend aus – ganz der markige Sportsmann, den man sich auf Skiern, einem Wellenbrett oder im Achter von Yale vorstellen kann. Auf den Fotos aber kommt er mir… ich weiß nicht, irgendwie weich vor.»

«Meinen Sie weibisch?»

«Eigentlich nicht, eher… nun ja, weich. Verstehen Sie, was ich meine, Mark?»

«Ich glaube schon.»

«Können wir den ersten Spot noch mal sehen?»

«Klar», sagt er und dämpft die Beleuchtung. Die Projektionswand kommt aus ihrer Aussparung in der Decke, und der Videoprojektor beginnt zu laufen.

Man sieht den Anleger eines Yachtklubs auf Long Island an einem Sommernachmittag; Sonnenlicht tanzt auf dem Wasser und bricht sich in diamantenen Blitzen. Durch sie hindurch rückt ein majestätisches Segelboot ins Bild, am Ruder steht mit nacktem Oberkörper der Mireille-Mann in dunkelblauen Jeans. Musik ertönt, dann Kamerafahrt auf den Anleger:

Die junge Frau, ganz in Weiß, winkt ihm zu, ihre Röcke flattern im Wind.

SIE: Du hast dich verspätet!

ER: Ich mußte kreuzen.

Wir sehen, wie er das Boot geschickt an den Steg steuert und ihr eine Leine zuwirft. Sie fängt sie auf und schlingt sie um einen Poller. Dann streckt er die Arme aus, sie läßt sich von ihnen fassen, und er hebt sie leicht wie eine Feder an Deck. Er schnuppert an ihrer Schulter, dann Nahaufnahme.

ER: He! Was ist das? Du riechst ja ganz neu!

SIE: Es ist auch ganz neu! Mireille – von Miray!

Wir sehen, wie er erregt und mit erkennbarem Wohlgefallen den Duft einatmet, an ihrer Schulter entlang schnuppert, die Wange hinauf, zum Ohrläppchen und schließlich flüchtig mit den Lippen ihren Mund berührt. Wieder ertönt Musik, ein heller, hoher, einschmeichelnder elektronischer Akkord.

ER: Du riechst wie verzaubert!

Wieder tanzen Diamantenblitze von der auf dem Wasser gespiegelten Sonne über die Leinwand, und zugleich erscheint der Slogan: *Mireille – das Parfüm, das verzaubert.*

Der Spot ist zu Ende, die Lichter flammen wieder auf.

«Sehen Sie, was ich meine?» fragt Mimi nach einem Augenblick. «Zu weich. Was können wir tun, Mark, damit er härter wirkt?»

Er schweigt.

«Sein Gesicht hat weder Ecken noch Kanten. Finden Sie nicht auch?»

Er nickt mit ratlosem Blick.

Mimi nimmt einen Fettstift vom Tisch, zieht sich den Entwurf für den Spot heran, den sie gerade gesehen haben, und fährt mit dem Stift über Dirk Gordons Gesicht. «Ich glaube, ich hab's», sagt sie.

«Was?»

«Wie wäre es mit einer Narbe, Mark?»

«Eine Narbe?»

«Ja – einen richtigen Schmiß quer über die Wange. Damit würde diese verdammte *Symmetrie* gebrochen. Außerdem hätte er dann eine Geschichte, so wie –»

«Wie der Mann mit der Augenklappe in der Reklame für Hathaway-Hemden?»

«Genau», sagt Mimi. «Nur wäre eine Narbe viel aufregender als eine Augenklappe. Die Zuschauer würden sich gleich fragen: Woher hat der gutaussehende Mann die entstellende Narbe? Aus einer Wirtshausschlägerei? Von einem schlimmen Unfall? Hat er die Ehre einer Dame verteidigt oder hatte er einen Sportunfall? Sehen Sie, was ich meine?»

Mark Segal kratzt sich nachdenklich den roten Bart. «Schon, aber –»

«Aber was?»

«Ich weiß nicht, was der schöne Junge dazu sagt, wenn wir ihm das antun», sagt er.

«Ach was», gibt sie mit einem leisen Lachen zurück, «wir dürfen doch laut Vertrag entscheiden, wie er aussieht, oder?»

«Schon. Aber wir müßten alles Material neu aufnehmen.»

«Mal sehen», sagt sie. «Für die Anzeigenwerbung können wir die Narbe vielleicht ins Bild hineinretuschieren. Sollte das nicht klappen, müßten wir tatsächlich neue Aufnahmen machen. Es wäre nicht das erste Mal.»

«Außerdem müssen drei Fernsehfilme von jeweils dreißig Sekunden neu aufgenommen werden. Auf Videobändern kann man nichts nachsprühen. Sie wissen doch, was das kostet?»

«Natürlich, Mark. Aber ich glaube wirklich, daß die Narbe den entscheidenden Unterschied ausmacht – zwischen einer ausgezeichneten und einer aufsehenerregenden Kampagne. Ich meine, wir sollten es probieren. Sie nicht auch?»

Brummig sagt er: «Nun ...»

«Immerhin ist es unsere bisher wichtigste Produkteinführung.»

«Inwiefern?»

«Es ist nun einmal so gekommen – aus Gründen, die ich jetzt nicht im einzelnen erläutern kann. Glauben Sie mir einfach. Diese Kampagne darf nicht einfach erfolgreich sein, sie muß einen überwältigenden Erfolg haben.»

Er zuckt die Schultern. «Wenn Sie das sagen.»

«Wir wollen es zuerst mit dem Retuschieren der Bilder versuchen. Geben Sie sie den Grafikern und lassen Sie die mit verschiedenen Narben experimentieren. Sagen Sie, ich möchte eine, die man wirklich sieht. Sobald die Ergebnisse vorliegen, entscheiden wir, was –»

Die Tür zum Besprechungszimmer öffnet sich, und Mimis Sekretärin, Mrs. Hanna, sagt: «Der Rückruf von Mr. Michael Horowitz, Miss Meyerson.»

«Ach ja», ruft Mimi und springt von der Tischkante herab. «Sofort.» Zu Segal sagt sie: «Also, Sie wissen, was Sie zu tun haben», dann verschwindet sie, ihm eine Kußhand zuwerfend.

Brummig sammelt Segal die Entwürfe ein. Bevor Jim Greenway Mimi folgt, tritt er zu ihm und fragt: «Was halten Sie von diesem Einfall mit der Narbe?»

Zuerst knurrt Segal lediglich, dann gibt er zu: «Glänzend. Wie immer. Einfach glänzend. Was soll ich sonst sagen?»

Alles begann vor mehr als zwei Jahren im Frühjahr 1985 mit einer von Mimis berühmten Aktennotizen. Im Lauf der Jahre hatten Mimis Angestellte begriffen, daß ihre Chefin immer etwas Wichtiges im Sinn hatte, wenn das Kürzel *MM* auf einer Aktennotiz auftauchte. Daß aber der Gegenstand der bewußten Mitteilung je die Bedeutung bekommen sollte, die er jetzt hat, konnten sie nicht ahnen.

MIRAY CORPORATION

Interne Mitteilung

An: Alle Mitarbeiter
Von: MM
Betrifft: Parfüm

Die Kunst des Parfümeurs ist mindestens zehntausend Jahre alt. Das Wort Parfüm geht auf die lateinischen Wörter *per* und *fumus* zurück, was wörtlich «durch Rauch» heißt.
In früheren Zeiten glaubten die Menschen, es sei am besten, den Göttern die wertvollsten Besitztümer zu opfern, und brachten ihnen ein Haustier – oder einen Menschen – dar.
Die ältesten Parfüms waren pflanzliche Harze wie Weihrauch, Myrrhe und dergleichen. Mit ihnen wurde der Körper des Tieres (oder Menschen) bestreut, bevor man ihn verbrannte, um den Geruch des brennenden Fleisches zu überdecken. Im Lauf der Zeit nahm das Verbrennen dieser Harze die Stelle des eigentlichen Opfers ein. Reste davon finden sich noch heute in der katholischen Kirche beim Verbrennen von Weihrauch.
Der nächste Schritt bestand darin, daß sich Männer und Frauen mit diesen Duftharzen einrieben; um 3000 v. Chr. badeten die Sumerer im Zweistromland und die Ägypter im Niltal buchstäblich in allerlei Ölen und Wässerchen. Es heißt beispielsweise, Kleopatra habe für verschiedene Körperteile verschiedene Düfte verwendet.

Auch die Männer im antiken Griechenland pflegten ihren Leib auf diese Weise, doch wurde dort der parfümierte Mann im Lauf der Zeit zu einem Symbol der Dekadenz, so daß der athenische Staatsmann Solon ein Gesetz erließ, das den Verkauf von Duftölen an Männer verbot. Es wurde allerdings beständig übertreten und geriet bald wieder in Vergessenheit.
Aus dem Griechenland der Antike gelangte der Brauch nach Rom. So galt ein Legionär erst dann als zum Kampf gerüstet, wenn er mit Duftölen eingerieben war. Mit der Ausdehnung des römischen Reiches gelangten zahlreiche neue Duftstoffe aus eroberten Ländern nach Rom.
Kaiser Nero soll angeordnet haben, daß beim Leichenbegräbnis seiner Gattin Poppäa mehr Duftwasser versprengt wurde, als ganz Arabien in einem Jahr erzeugen konnte (es heißt, sogar die Tragtiere im Leichenzug seien parfümiert gewesen).
Die Kreuzfahrer brachten im elften Jahrhundert aus dem Orient neben einer Rosenessenz im Abendland bis dahin unbekannte Duftstoffe mit: tierische Öle. Dabei handelt es sich im wesentlichen um die Ausscheidungen von vier Tieren:
Moschus: ein Sexualsekret aus dem Unterleib des Moschusochsen.
Ambra: eine wachsartige Substanz aus dem Magen des Spermwals.
Zibet: ein Genitalsekret der männlichen und weiblichen Zibetkatze.
Bibergeil: ein Sekret aus dem Magen russischer und kanadischer Biber. Es dient ebenso wie Zibet als wichtiges Fixativ.
Anmerkung für Tierfreunde: Während es einfach ist, Zibet von in Gefangenschaft gehaltenen Katzen zu gewinnen, werden Moschusochse, Biber und – in einigen Teilen der Welt – der Spermwal nach wie vor ihrer Produkte wegen gejagt. Die Gesetze unseres Landes verbieten das, und inzwischen ist es möglich, Moschus, Bibergeil und Ambra synthetisch herzustellen.
Die tierischen Öle sowie die aus zahlreichen Blumen, Gräsern und Früchten gewonnenen Essenzen oder ihre chemische Entsprechung dienen heutzutage zur Herstellung exquisiter Parfüms und lassen sich in einer buchstäblich unbegrenzten Zahl von Permutationen und Kombinationen miteinander verbinden.
Gestern kam jemand in mein Büro und brachte mir die Probe einer Blütenessenz, die ich nur als zauberhaft beschreiben kann. Diese

bulgarische Essenz wird aus den Blütenblättern von Rosen gewonnen, die – im Morgengrauen – an gewissen Osthängen des Balkans gepflückt werden. Als ich einen Tropfen davon auf meinem Handgelenk verrieb, konnte ich ungelogen nicht nur bulgarische Rosen riechen, sondern auch bulgarischen Morgentau! Die Essenz ist äußerst kostspielig, denn es müssen buchstäblich Tonnen sich in der Morgendämmerung öffnender Rosenblüten gesammelt werden, will man auch nur eine Unze des Extrakts gewinnen. Ich habe sofort überlegt, wie wir diesen Duftstoff in unseren Erzeugnissen einsetzen können, sei es in unserer bisherigen Produktpalette oder für etwas völlig Neues.

Inzwischen haben Sie zweifellos den Zweck dieser Aktennotiz erraten. Ich habe unsere Chemiker aufgefordert, mit Hilfe dieses Extrakts oder eines ähnlich ungewöhnlichen Stoffes den erregendsten Duft auf der Welt zu entwickeln – für uns.

In ihrem Eckbüro, von wo aus sie die Doppeltürme der St.-Patricks-Kathedrale sehen kann, nimmt Mimi den Hörer auf und sagt: «Michael?»

«Miss Meyerson?»

«Ja.»

«Augenblick bitte, ich verbinde mit Mr. Horowitz.»

Mit einer Handbewegung fordert sie Jim Greenway, der im Gang stehengeblieben ist, zum Eintreten auf, und dieser schließt die Tür hinter sich. Während sie mit der linken Hand die Sprechmuschel zuhält, erklärt sie: «Unsere Sekretärinnen versuchen sich gegenseitig darin auszustechen, wessen Vorgesetzter warten muß, bis er durchgestellt wird. Diesmal hab ich verloren.» Dann sagt sie in die Muschel: «Michael. Wie geht es dir ... Ach, sehr gut, aber wir haben uns schon ewig nicht mehr gesehen ... ich lese nur noch in der Zeitung von dir ... Ich finde, wir sollten einmal miteinander reden. Bestimmt weißt du, worum es geht ... Nein? Ich sag es dir dann. Wann bist du zum Mittagessen frei? ... Donnerstag? Augenblick.» Sie blättert in ihrem Terminkalender. «Ja, paßt großartig. Sagen wir, um eins im Le Cirque? Meine Sekretärin reserviert uns einen Tisch ... Gut, Michael, bis dann.» Sie legt den Hörer behutsam auf die Gabel.

Mimi sitzt an ihrem Schreibtisch, ihre Augen wie matt poliertes Silber auf einen unsichtbaren Punkt in mittlerer Entfernung gerichtet. Auf dem Schreibtisch stehen in Silberrahmen Porträtfotos ihres Mannes Bradford Moore und ihres Sohnes. Badger, im Tennisdreß, hält lächelnd den Schläger in der Hand. Mimi hat ihr großes Büro in hellen, leuchtenden Farben eingerichtet, zeitgenössische Gemälde hängen an den Wänden (einschließlich Andy Warhols Mehrfach-Seidensiebdruck, auf dem sie sich kämmt). Es enthält zahlreiche Pflanzen, unter anderem einen großen Ficus und in Fensterkästen Blumen, die entsprechend der Jahreszeit ausgetauscht werden. Häufig läßt sie sich von den Farben in ihrem Büro zu heiteren Namen für Lippenstift- und Nagellacktöne inspirieren.

Doch jetzt ist ihr Gesichtsausdruck alles andere als heiter. Sie wirkt nachdenklich, ja, bekümmert und scheint sogar vergessen zu haben, daß ein Besucher im Raum ist. Sie, die sonst so selbstsicher auftritt und meist leicht belustigt – wenn nicht voll Selbstironie – wirkt, läßt jetzt jeden Hinweis darauf vermissen. Einen Augenblick lang scheint sie einen leichten Schauder zu unterdrücken, eine Art Ekel. Sie schiebt eine einzelne Haarsträhne beiseite und sagt aufseufzend: «Das war Michael Horowitz. Ein alter Freund, und zugleich ein alter Feind.»

«Und außerdem vermutlich der Mann mit dem größten Ego in ganz New York.»

«Genau da ist er auch verletzlich.» Sie seufzt erneut. «Ich freue mich nicht die Spur auf das Zusammentreffen mit ihm.» Dann nimmt sie sich zusammen und sagt: «Nun, ein paar Minuten habe ich noch. Gibt es etwas Besonderes, über das Sie mit mir reden wollen?»

Jim Greenway setzt sich ihr gegenüber an den Schreibtisch und entnimmt seiner Aktentasche Kugelschreiber und Notizbuch. «Fangen wir doch ganz vorn an», schlägt er vor, «bei Ihrem Großvater. Erzählen Sie mir alles, woran Sie sich erinnern können.»

«Ach je», sagt sie und schüttelt den Kopf, als wolle sie damit alle verstreuten Erinnerungen an Adolph Meyerson aus ihrem Gehirn locken. «Es würde ein ganzes Buch füllen, wenn ich Ihnen alles sagte, was ich über ihn weiß.»

«Fangen Sie doch einfach an.»

«Nun, ich wurde nach seiner Firma Miray Corporation Mireille genannt, wie Ihnen meine Großmutter gestern abend schon erzählt hat – der rührende Versuch meiner Eltern, meinen Großvater günstig zu stimmen. Genützt hat es natürlich nichts ...»

Zur gleichen Zeit verbringt, nur einige Straßen entfernt, Adolph Meyersons Witwe in ihrer Wohnung im Carlyle den Vormittag wie immer am Telefon. Wieder einmal redet sie mit ihrer Freundin, Mrs.

Norman Perlman, da muß sie das Gespräch schnell unterbrechen. «Warte mal, Rose, es klingelt gerade auf meinem anderen Apparat. Hallo? Wer ist da? Ach, Nonie. Ich kann jetzt nicht. Ich habe ein anderes wichtiges Gespräch. Ich ruf dich wieder an. Rose? Das war meine Tochter Nonie. Sie will Geld von mir, das merk ich gleich. Aber ich bin kein Dukatenesel, sondern eine alte Frau, die von einem vorgegebenen Einkommen leben muß, wie du auch. Wo waren wir stehengeblieben? Ach ja, dein Hund, der kleine Fluffy. Rose, du solltest dir sofort Ersatz für ihn schaffen. Ich weiß, es ist nie dasselbe wie das, was man verloren hat. Zwar läßt sich nichts, was man liebt, je wirklich ersetzen, aber du mußt es einfach versuchen. Ein neues Hündchen würde die Lücke füllen. Ich habe im Leben manches verloren, was ich geliebt habe, und weiß, wie es ist. Adolph hat mir doch immer Schmuck gekauft. Ich wollte nie welchen, aber er hat ihn mir gekauft, weil er damit bei meinen Angehörigen Eindruck machen wollte. Einen Diamantring gab es, an dem habe ich richtig gehangen. Der Stein war nicht groß – vielleicht ein halbes Karat – aber ich hab an dem Ring gehangen, weil ich annahm, daß er ihn mir geschenkt hat, weil er mich wirklich liebte und nicht, um meine Angehörigen zu beeindrucken. Und eines Tages, damals wohnten wir noch in dem großen Haus in Maine, bin ich in den Garten gegangen und hab plötzlich gemerkt, daß der Diamant aus seiner Fassung gefallen war. Ich hab gesucht und gesucht, konnte ihn aber nicht finden. Adolph sagte: ‹Macht nichts, du kriegst einen neuen›, aber ich hab gesagt: ‹Nein, nein, ich will genau den Stein wiederhaben›, und hab wochenlang im Gras danach gesucht, auf und ab, hin und her, auf dem kleinen Grasfleck, wo er mir runtergefallen war. Ich hatte kein Glück. Und dann bin ich eines Tages gegen Ende des Sommers – kurz bevor wir wieder alle nach New York zurückmußten – frühmorgens ein letztes Mal in den Garten gegangen, um nach dem Diamanten zu suchen. ‹Wenn ich ihn heute nicht finde›, hab ich mir gesagt, ‹find ich ihn nie.› Und dann hab ich was Winziges, Blitzendes im Gras gesehen: er war es, endlich! Aber wie ich mich dann gebückt hab, um das winzige blitzende, funkelnde Ding aufzuheben, ist es zwischen meinen Fingern verschwunden. Weißt du, was es war, Rose? Ein Tautröpfchen! Ich hab mich ins Gras gesetzt und laut geschluchzt.»

Oma Flo weint jetzt bei der Erinnerung an das Erlebnis. «In dem Augenblick war mir klar, daß ich meinen kostbaren kleinen Diamanten nie wiedersehen würde ... Ach, Rose, wenn ich zugelassen hätte, daß er ihn mir ersetzt, was hätte das genützt? Jetzt ist es zu spät ...»

5

Mit den Worten «Adolph Meyerson hatte mit nichts als einem Traum angefangen. Aber es war ein schöner Traum und ein Traum von Schönheit» beginnt die 1946 veröffentlichte «offizielle» Biographie des Firmengründers von Miray. Weiter heißt es darin: «In diesem Traum des begabten, ehrgeizigen und weitblickenden jungen Mannes ging es nicht um persönliche Macht oder Geld – er träumte einfach davon, der Amerikanerin zu neuem Stolz, neuer Selbstachtung und neuem Selbstwertgefühl zu verhelfen, indem er ihr hübschere Lippen und Fingerspitzen schenkte. Sie würde sich besser fühlen und sich besser verwirklichen, wenn sie der Welt schöner und strahlender entgegenzutreten vermochte. Seiner Zeit um Jahre voraus, beschloß er – und allein er –, eine Palette von Schönheitsprodukten herzustellen, mit deren Hilfe die Amerikanerinnen die schönsten und am glühendsten beneideten Frauen des zwanzigsten Jahrhunderts sein sollten. Der junge Adolph Meyerson hatte nicht seinesgleichen...»

«Das meiste ist ziemlicher Unsinn», sagt Mimi Meyerson zu Jim Greenway, als sie ihm die Firmengeschichte zu lesen gibt. «Die Daten stimmen größtenteils, aber vergessen Sie nicht, daß der Werbeleiter meines Opas das verfaßt hat, während ihm Opa über die Schulter gesehen und ihm alles bis aufs I-Tüpfelchen vorgeschrieben hat.»

Wie Mimi erklärt, bezog sich der Traum ihres Großvaters, sofern dieser 1912, im Gründungsjahr des kleinen Unternehmens, einen hatte – und natürlich hat den jeder –, auf die Bronx. Immerhin war Adolph Meyerson damals, auch wenn ihn sein namentlich nicht bekannter Biograph mit Adjektiven wie «jung» und «jugendlich» gekennzeichnet hat, bereits zweiundvierzig Jahre alt.

«Die Bronx, Lisettlein», schrieb er begeistert an eine junge Kusine in Deutschland, von der er hoffte, sie werde nach Amerika kommen, um ihn zu heiraten, «mußt du sehen, um zu glauben, was sich da abspielt! Sie ist die wahre Stadt der Zukunft! Hier wird gebaut, und wie! Stell es dir vor, wenn du kannst, Lisette, meine Kleine. Erstens läuft eine große, breite Prunkstraße von Norden nach Süden durch den größten Bezirk der größten Stadt der Welt – breiter als die Champs-Élysées in Paris, großartiger als Unter den Linden in Berlin. Sie soll Grand Concourse heißen und ist schon fast fertig. Stattliche Bäume werden sie säumen, und ihren Mittelboulevard werden Gärten zieren, denn die Bronx soll eine ‹Gartenstadt› werden. Ein großes Hotel, das Concourse Plaza, größer und bedeutender als alle, die es je gegeben hat, entsteht hier vor meinen Augen, gewaltiger und glänzender als jeder Kaiserpalast. Riesige Wohntürme werden aus leuchtendem Sandstein, Marmor und gelben Backsteinen errichtet, und in jedem von ihnen wird es geräumige Wohnungen mit den modernsten Bequemlichkeiten geben: Küchen mit elektrischem Strom und Zentralheizung, Speisen- und Personenaufzüge. Bald gibt es hier auch eine U-Bahn, die den Geschäftsmann in wenigen Minuten aus dem Treiben der Großstadt in die reine und klare Luft der vor der Stadt liegenden Bronx transportiert. Natürlich bin ich unbändig stolz darauf, an all dem teilzuhaben. Komm ins Land der unbegrenzten Möglichkeiten, liebe Lisette, ins goldene Medina, laß mich dir dieses Paradies auf Erden zeigen, diesen Garten Eden, denn das ist die Bronx …»

Allem Anschein nach waren Adolphs Bitten auf taube Ohren gestoßen, denn Kusine Lisette blieb in Deutschland, und es ist unklar, wie dieser Brief zu uns gekommen ist. Man entdeckte ihn nach Adolph Meyersons Tod 1959 in einem kleinen Päckchen mit Papieren. Vielleicht hat er ihn nie abgeschickt, möglicherweise hat ihm aber auch Lisette ihre Briefe zurückgesandt, als sie einen anderen heiratete.

«Er hatte ein gewisses journalistisches Gespür», sagt Jim Greenway zu Mimi, nachdem er den Brief gelesen hat. «Sind Sie sicher, daß es keine Tagebücher gab?»

«Ich habe gestern abend zum erstenmal davon gehört», sagt sie. «Oma Flo ist in letzter Zeit oft ziemlich verwirrt. Wie Nonie gesagt hat, dürfen Sie nicht allzu viel auf das geben, woran sie sich zu erinnern meint.»

Aus Adolph Meyersons begeisterter Schilderung der «Gartenstadt», als die man sich in jenen unschuldigen Tagen vor dem Ersten Weltkrieg die Bronx vorstellte, und aus der Art, wie er davon spricht, an dieser Entwicklung beteiligt gewesen zu sein, könnte man schließen, er sei selbst der Bauunternehmer gewesen, der jene Wohntürme errichtete. Weit davon entfernt, war er als Anstreicher tätig und hatte an jenem bedeutungsvollen Tag im April 1912, der dem Leben und Tun der Familie auf immer eine andere Richtung geben sollte, den Auftrag, mit seinem fünf Jahre jüngeren Bruder Leopold die Küche einer gewissen Mrs. Spitzberg in ihrer neuen Wohnung im Gebäude Grand Concourse 3124 in der Bronx zu streichen.

Wäre Lisette nach Amerika gekommen, hätte Adolph es sich unter keinen Umständen leisten können, mit ihr in der Bronx zu wohnen, denn sie war *die* erste Adresse für die Neureichen, und zu ihnen gehörte Adolph Meyerson nicht. Er hätte sie äußerstenfalls in eine Straßenbahn setzen können, damit sie durch die Bronx fahren und die entlang des neuen Grand Concourse entstehenden Gebäude ansehen und bewundern konnte. Alle armen jüdischen Einwanderer, selbst solche, die es geschafft hatten, aus dem Ghetto an der Unteren East Side in die weniger beengten Bezirke Brooklyns oder Harlems zu ziehen, träumten davon, eines Tages in der Bronx zu wohnen. Sie zog die Menschen magnetisch an, denn wer den Harlem River überquerte, konnte meinen, am eigentlichen amerikanischen Leben teilzunehmen. Für arme Einwanderer wie Adolphs Eltern, die sich 1879, als Adolph neun Jahre alt war, auf die lange Reise nach Amerika gemacht hatten, war schon der Weg auf die Insel Manhattan ein großer Sprung gewesen. Wer es aber auf die Bronx schaffte, New Yorks einziger Bezirk, der nicht auf allen Seiten von Wasser umgeben ist, setzte endlich den Fuß auf amerikanisches Festland.

Doch Adolphs und Leopolds Vater, Hermann Meyerson, hatte kein rechtes Glück gehabt. Bei seiner Ankunft in New York hatte er Arbeit als Anstreicher gefunden, und als es ihm sein Rücken unmöglich machte, weiterhin auf Leitern zu steigen, und er 1888 die Arbeit aufgeben mußte, blieb dem achtzehnjährigen Adolph und dem dreizehnjährigen Leopold nichts anderes übrig, als selbst den Beruf des Vaters auszuüben. Als um 1912 wohlhabende Anwälte, Ärzte, Zahnärzte, Apotheker und Hauptbuchhalter in herrliche Wohnungen in der Bronx zogen, lebte Adolph nach wie vor bei seinen Eltern in einer Wohnung in der Henry Street, in der alle Zimmer ohne Gang hintereinander lagen. Leopold, der inzwischen verheiratet war und einen kleinen Sohn hatte, wohnte in der Nähe in einer ähnlichen Behausung an der Pell Street.

Mit Bezug auf das, was tatsächlich an jenem bedeutungsvollen Tag im Jahre 1912 geschah, während die beiden Brüder Mrs. Spitzbergs Küche strichen, sind wir auf mündliche Berichte Adolph Meyersons an seine Familie angewiesen, denn es gibt keinen lebenden Zeugen des Vorfalls. Wie er später berichtete, hatte es, wie so oft bei der Arbeit, Streit zwischen den Brüdern gegeben. Obwohl keiner der beiden Mrs. Spitzberg kannte, war Leopold der Ansicht, sie könne nicht richtig im Kopf sein, sei vielleicht sogar verrückt – sollten sie doch ihre Küche «feuerwehrrot» streichen!

«So ein verrücktes Weibsstück», hatte Leopold (Adolph zufolge) geknurrt. «Warum will sie ihre Küche feuerrot haben, wie eine Feuerspritze? Eine Küche soll sein weiß oder vielleicht gelb. Nicht rot wie eine Feuerspritze!»

«Sie hat Geld, Leo», hatte ihm sein Bruder zu bedenken gegeben. «Eine reiche Frau will die Küche feuerrot gemalt haben, also bekommt sie sie feuerrot gemalt. Ein guter Schneider schneidet das Tuch zu, wie es der Kunde verlangt. Es ist unsere Aufgabe, Mrs. Spitzberg ihren Wunsch zu erfüllen.»

«Warte nur, es wird ihr nicht gefallen», unkte Leopold. «Wenn sie all das Rot sieht, wie in einem Hurenzimmer, werden wir es überstreichen müssen. Du wirst es sehen. Und wie viele Schichten Weiß brauchen wir dann, um das Rot zu überdecken? Drei? Vier? Vielleicht sogar fünf?»

«Mrs. Spitzberg darf bestimmen. Sie bezahlt.»

Und während die Brüder über den Farbwunsch ihrer Auftraggeberin stritten und ein Zwanzig-Liter-Blechfäßchen im genauen Farbton der New Yorker Feuerwehr zurechtmischten, goß Leopold zufällig einen Liter Toluol hinein. Jedenfalls hat Adolph das so erzählt. Es konnte ebenso gut auch er selbst gewesen sein. Aber Adolph schob grundsätzlich jedes Versehen auf seinen jüngeren schwerfälligen Bruder, und so wurde siebzig Jahre später in der Familie berichtet, Leopold sei der Unglücksrabe gewesen, während dank Adolphs raschem Verstand die Sache glimpflich ausgegangen sei.

Toluol läßt Farbe besser am Pinsel haften und rascher trocknen. Gibt man aber so viel hinzu wie in diesem Fall, wird sie zu fest und härtet schon nach Sekunden aus, kaum daß sie aufgestrichen ist. Hätten die Brüder versucht, die Farbe auf Mrs. Spitzbergs Küchenwände aufzutragen, wäre ein gummiartiger Belag dabei herausgekommen.

Wir dürfen sicher sein, daß Adolph Meyerson seinem Bruder die Ungeschicklichkeit ordentlich aufs Brot gestrichen hat. Immerhin bedeutete das einen Verlust von nahezu zwei Dollar, die sie aus ihrer eigenen Tasche vorgelegt hatten. Wie Adolph berichtete, war Leo keine andere Lösung eingefallen, als das Ganze fortzugießen, den Verlust zu tragen und neue Farbe anzurühren. Dann aber kam Adolph – und wir sind für den Bericht auf ihn angewiesen – der rettende Einfall.

Schon seit Jahren lackierten Frauen ihre Fingernägel, gewöhnlich mit klarem Lack oder in einem hellen Rosaton. Nur Schauspielerinnen lackierten sich die Nägel leuchtend rot. Doch setzte bereits damals eine gewisse Freizügigkeit ein, die in den zwanziger Jahren ihren Höhepunkt erreichen sollte, und modebewußte Damen an der Fifth Avenue, die nichts mit dem Theater zu tun hatten, griffen die Sache auf und zeigten sich gleichfalls mit leuchtendroten Nägeln. Der Haken dabei war, daß Nagellack zu jener Zeit langsam trocknete, so daß Frauen häufig zwanzig Minuten oder noch länger bewegungslos mit gespreizten Fingern dasitzen mußten, wollten sie nicht den Nagellack verschmieren. Adolphs Einfall bestand darin, die feuerwehrrote Wandfarbe, die sein Bruder schon verloren gegeben hatte, als neue Art rasch trocknenden Nagellacks anzubieten. Er tauchte eine Fingerspitze in den Eimer und zeigte seinem Bruder, wie rasch der Lack trocknete, hart, schimmernd und glatt wurde.

«Wir verkaufen das als Nagellack», sagte er zu Leo. Jedenfalls hat er das immer behauptet.

Tatsache ist, daß er rasch handelte. Er verschloß das Blechfaß sogleich, damit sich nicht durch Berührung mit der Luft eine Haut obenauf bildete. Noch am selben Tag gelang es ihm, bei einem Großhändler für insgesamt zehn Dollar einen überschüssigen Posten kleiner Medizinfläschchen mit winzigen Pinseln an den Deckeln zu erstehen. Nachdem er die Farbe in sie umgefüllt hatte, zog er am Grand Concourse von Tür zu Tür und bot den neureichen Jüdinnen seinen neuartigen rasch trocknenden Nagellack an. Die zwanzig Liter verdorbener Wandfarbe, die ihn weniger als zwei Dollar gekostet hatten, reichten für tausenddreihundert Fläschchen von jeweils einer halben Unze, die er Stück für Stück zu zehn Cents verkaufte.

Mit einer Gesamtinvestition von zwölf Dollar hatte er also 130 Dollar eingenommen – ein Gewinn von über tausend Prozent. Darüber durfte sich gewiß kein Geschäftsmann beklagen! Überdies waren Adolphs Kundinnen von seinem Erzeugnis entzückt. Die Nachricht verbreitete sich in Windeseile von Mund zu Mund. Neue Aufträge und Nachbestellungen gingen ein, und bald waren die Brüder Meyerson auf dem Weg nach oben. Nach einem Jahr vertrieben sie ihren Nagellack in Kaufhäusern und begannen mit dem Slogan «In Sekunden trocken!» dafür zu werben. Als Markennamen verfiel Adolph auf Miray; er hatte dazu einzelne Buchstaben seines Namens umgestellt.

Als er genug Geld hatte, um in die Bronx ziehen zu können, war er zu reich, um es noch zu wollen.

Der Streit der Brüder aber hörte nie auf. Wer hatte den größeren Anteil an ihrem Erfolg – der, dem das Mißgeschick widerfahren war – oder der es gewinnbringend umzumünzen verstanden hatte?

«Meine erste Erinnerung an ihn?» fragt Mimi. «Da muß ich sechs oder sieben gewesen sein, so um 1944 oder 1945. Meine Großeltern wohnten damals in einem riesigen, häßlichen Haus an der Ecke Madison Avenue 61. Straße, das heute nicht mehr steht. Sie hatten es von Omas Geld gekauft. Wie sich die beiden kennengelernt haben, ist eine sonderbare Geschichte; sie stammen nicht im entferntesten aus denselben Kreisen – immerhin ist Oma eine geborene Guggenheim. Eine große, breite Marmortreppe führte von der Madison Avenue zur Haustür, und ich weiß noch, wie mich meine Mutter an der Hand hinaufgeführt hat und mich auf jeder Stufe hat knicksen üben lassen. Ich mußte es einwandfrei können, bevor sie klingelte. Ich weiß noch, wie gedemütigt ich mich fühlte, während ich auf jeder Stufe knickste, ein kleines Mädchen, das vor einer riesengroßen, geschlossenen Haustür wie eine Marionette immer wieder auf und ab zuckte! Den Leuten, die auf der Straße vorbeikamen, muß ich merkwürdig vorgekommen sein. Bestimmt haben sie gedacht, bei der Kleinen piept's.»

«Noch einmal, Mireille», sagte ihre Mutter. «Noch einmal, bevor wir klingeln.»

«Bitte, Mama», flehte sie und versuchte ihre Tränen zurückzuhalten.

«Nur noch einmal. Bitte. Das war schon viel besser. Jetzt denk an alles, was ich dir gesagt hab. Zuerst machst du einen Knicks vor Opa, dann einen vor Oma. Dann sagst du ‹Guten Tag, Opa, Sir› und

‹Guten Tag, liebe Oma›. Danach warte, bis man das Wort an dich richtet. Vergiß nicht, daß du zu Opa immer ‹Sir› und zu Oma immer ‹Ma'am› sagen mußt. Behalt die Handschuhe an, bis es Tee gibt, und dann zieh nur den rechten aus, damit du die Tasse halten kannst. Nimm ihn in die linke Hand. Wenn etwas zu essen gereicht wird, dann sind das kleine Häppchen, die man Canapés nennt, nimm keinesfalls mehr als eins, und höchstens zweimal. Es ist nicht damenhaft, Hunger zu zeigen. Falls das Mädchen sie ein drittes Mal reicht, schüttle einfach freundlich den Kopf – du brauchst es nicht anzusprechen. Ach ja und – mein Gott, fast hätte ich es vergessen! Wenn du austreten mußt, entschuldige dich einfach höflich und denk immer daran, den Deckel runterzuklappen, wenn du fertig bist. Und noch eins: benutz *nie* eins von Omas kleinen leinenen Gästetüchern! Wenn du dir die Hände gewaschen hast, trockne sie an einem Stück Toilettenpapier ab, wirf es in die Toilette und spül nach. Dann mach den Deckel wieder *runter*. Kannst du dir das alles merken, Mireille?»

«Warum muß man sich so viel merken, Mama?»

«Weil wir wollen, daß dich dein Opa für eine vollkommene junge Dame hält, nicht wahr? Es wäre sehr ärgerlich, wenn er das nicht könnte.» Mit einer behandschuhten Fingerspitze drückte ihre Mutter den Klingelknopf.

Der Diener ihrer Großeltern öffnete und ließ Mutter und Tochter mit einer Verbeugung wortlos eintreten.

Mimi erinnerte sich an die Damasttapeten, mit denen die Wände der großen Diele bedeckt waren, und um die von ihr abgehenden Türen hingen schwere rote Damastportieren mit Goldfransen. Große, schwere, samtbezogene und unbequem aussehende Stühle standen an den Wänden, von denen goldgerahmte Porträts an samtverkleideten Ketten drohend auf sie hinabsahen (später erfuhr sie, daß diese Porträts mit ihrer Familie gar nichts zu tun hatten). Der Diener begleitete Mimi mit ihrer Mutter über den roten Läufer zur Doppeltreppe, die zum Salon führte. Mimi wußte noch, daß die Handläufe gleichfalls mit rotem Samt bezogen waren und daß dort, wo die beiden Windungen des Treppenhauses aufeinandertrafen, die Geländerpfosten identische Merkurstatuen aus Bronze trugen, die flammenförmige Fackeln emporreckten, in denen Glühbirnen leuchteten. Sie wollte nach der in die Luft gestreckten bloßen geflügelten Ferse eines der beiden greifen, doch ihre Mutter zischelte ihr zu: «Untersteh dich!»

Oben führte der Diener die Besucherinnen vor die geschlossene Doppeltür zum Salon, klopfte leicht an, öffnete und trat beiseite, um sie einzulassen.

«Mrs. Henry Meyerson und Miss Mireille Meyerson», meldete er sie an.

Die Großeltern saßen am anderen Ende des langen, dunklen Raumes in einer Art fünfseitigem Erker mit grünen, roten und purpurfarbenen Fensterscheiben so weit wie möglich voneinander entfernt auf einem sonderbaren mit purpurfarbenem Plüsch bezogenen halbkreisförmigen Sofa, wie Mimi bis dahin und auch seither keins gesehen hatte. Die Beine des Möbels hatten die Form von Adlerfüßen und hielten goldene Kugeln. Das Erstaunlichste aber war, daß das Sofa in der Mitte des Halbkreises plötzlich einen Blumentisch zu sein schien, denn in das Holzgestell eingearbeitet war eine asiatische Vase, aus der eine hohe Palme emporwuchs. Später erfuhr Mimi, daß ihr Großvater dies Mehrzweckmöbel speziell für den Erker seines Hauses hatte anfertigen lassen, und sie weiß noch, wie sie damals dachte, daß ihre Großeltern einander von dort, wo sie saßen, durch die Vase und dichten Palmwedel unmöglich sehen konnten. Während Mutter und Tochter näher kamen, erhob sich Mimis Großvater in seinem kastanienbraunen Hausrock aus Samt, während ihre Großmutter, eine Stickarbeit im Schoß, sitzen blieb.

Jetzt war es Zeit für die Knickse. «Guten Tag, Opa, Sir. Guten Tag, liebe Oma.»

Ihr Großvater wies auf zwei Sessel gegenüber dem geschwungenen Sofa, und Mimi erinnert sich, daß sie sich sorgfältig hinsetzte, wie ihre Mutter es ihr geboten hatte, wobei sie ihre Röcke vorsichtig unter sich ordnete, die Beine an den Knöcheln übereinanderschlug und die weißbehandschuhten Hände im Schoß faltete.

Ihr Großvater kehrte zu seinem Sitz am Ende des geschwungenen Sofas zurück. Dann sagte unendlich lange niemand ein Wort. Mimi erschien es wie eine Ewigkeit.

Schließlich sprach ihr Großvater. «Du gehst zur Schule, Mireille?» Es war eine Aussage, keine Frage.

«Ja, Opa, Sir.»

«Und sind deine Leistungen exemplarisch?»

Zwar wußte Mimi nicht so recht, was das Wort bedeutete, vermutete aber, daß er eine Bestätigung erwartete, und sagte: «Ja, Opa, Sir.»

«Sie ist einfach glänzend, Vater!» hatte ihre Mutter eine Spur zu rasch und zu laut gesagt. «Die Lehrer sind mit ihr hochzufrieden!»

Mimi erinnert sich, daß der Großvater ihrer Mutter einen langen, fast unheilverkündenden Blick zuwarf, dann trat erneut Schweigen ein. Die Großmutter hatte ihre Stickerei wieder aufgenommen.

Aus einer dunklen Ecke dieses höhlenartigen Raumes rollte ein Dienstmädchen im schwarzen Kleid mit weißen Spitzenmanschetten, weißem Spitzenkragen und Spitzenhäubchen einen mit einer Spitzendecke belegten Servierwagen, auf dem ein riesiges silbernes Teeservice stand, vor Mimis Großmutter. Diese nahm genau in Augenschein, was er enthielt – eine große silberne Teekanne und was dazugehörte: Teetassen mit Untertassen sowie kleinere Silbergefäße für heißes Wasser, Milch und Zucker. Als ihre Großmutter aus der Silberkanne einzugießen begann, fiel Mimi auf, daß sie kurze schwarze Spitzenhandschuhe trug. Zuerst goß sie ihrem Mann ein, dann Mimis Mutter, und das Dienstmädchen beförderte jeweils die Tasse zu ihrem Empfänger. Mimi wußte, daß sie als nächstes an die Reihe kam, zog, wie es ihr die Mutter beigebracht hatte, den rechten Handschuh, mit dem kleinen Finger beginnend, Finger nach Finger aus und nahm ihn in die Linke.

«Ein Stück, mein Kind, oder zwei?» fragte die Großmutter.

Es war das erstemal, daß sie den Mund auftat.

Voll Panik hatte Mimi rasch zu ihrer Mutter hingesehen. Diesen Teil des Rituals hatten sie nicht einstudiert.

Die Mutter streckte eine behandschuhte Fingerspitze der im Schoß liegenden Hände.

«Eins bitte, Oma, Ma'am», sagte Mimi.

Die silberne Zuckerzange beförderte ein Stück Zucker in die Tasse, die Mimi überreicht wurde. Sie nahm sie entgegen, und wieder herrschte Schweigen. In einem erneuten Anfall von Panik merkte Mimi, daß sie austreten mußte. Da sie nicht wußte, wo in diesem riesigen Haus das Badezimmer war, preßte sie die Beine fest gegeneinander.

Man nahm den Tee in kleinen Schlucken. Das Mädchen kehrte mit einem silbernen Tablett zurück, auf dem winzige Appetithäppchen angeordnet waren. Mimi nahm eins. Es bestand aus dem dünnsten Weißbrot, das sie je gesehen hatte, und war mit einer hauchdünnen Gurkenscheibe belegt, die, wie sich Mimi erinnert, nach nichts schmeckte. Sie hörte ihre Mutter flüstern: «Sitz gerade, Kind.»

Nach einer Weile stellte ihr Großvater seine Tasse hin, erhob sich, durchquerte den Raum und kehrte schließlich aus einer finsteren und fernen Ecke mit einem kleinen ledergebundenen Buch zurück. «Das interessiert euch bestimmt», sagte er, setzte sich erneut und öffnete das Buch an einer mit einem ledernen Lesezeichen gekennzeichneten Stelle.

«Morgen früh, Montag, den dritten», begann er, «habe ich um zehn Uhr eine Verkaufsbesprechung. Sie darf nicht länger als eine halbe Stunde dauern, denn ich muß um halb elf in Paris anrufen, um dort die Leute zu erreichen, bevor sie Büroschluß machen, denn dort ist es dann fünf Uhr. Jetzt, wo der Krieg vorbei ist, will uns Revson auf dem europäischen Markt zuvorkommen, aber das lassen wir nicht zu. Um halb zwölf habe ich einen Termin beim Zahnarzt. Um halb eins esse ich mit Andrew Goodman im Plaza zu Mittag. Bergdorffs haben unsere Erzeugnisse nicht hinreichend herausgestellt, und ich möchte das mit Andrew selbst in Ordnung bringen. Um halb drei habe ich ...»

Er las aus seinem Terminkalender vor und hörte nicht auf, bis er jeden Termin für die ganze folgende Woche heruntergebetet hatte. Nach dem letzten Freitagstermin klappte er das Buch zu, und es war Zeit zu gehen.

Mimis Großvater erhob sich, wandte sich zu ihrer Mutter und sagte: «Komm nächsten Sonntag wieder, Alice. Um vier zum Tee.»

Vor dem Haus rannte Mimis Mutter, ihre Tochter fest an der Hand haltend, die Marmortreppe hinunter. «Wir sollen *wieder*kommen!» rief sie aus. «Ist dir klar, was das bedeutet! Es bedeutet, daß er uns *mag*, Liebling. Er hat uns wieder eingeladen!» Sie winkte erregt einer Taxe.

In der Taxe sagte Alice Meyerson: «Ist das nicht ungeheuer aufregend? Ach, das wird deinen Vater freuen! Ich kann es gar nicht abwarten, ihm das zu sagen! Er wird mit dir so zufrieden sein! Und mit mir auch!» Aus ihrer Tasche nahm sie ein Fläschchen, schraubte den Deckel ab, hob es an die Lippen und tat einen langen Zug daraus. «Meine Medizin», sagte sie.

Doch Mimi, die neben ihr saß, konnte sich nicht länger beherrschen, obwohl sie ihre Beine so fest zusammenquetschte, wie sie nur konnte. Sie spürte die ersten warmen Tropfen, dann gab es kein Halten mehr.

Mit Tränen der Scham in den Augen flüsterte sie ihrer Mutter zu, was geschehen war, doch diese schien davon völlig unbeeindruckt. «Es macht nichts», lachte sie. «Wir haben es geschafft. Man hat uns wieder eingeladen! Ist dir klar, was das heißt, mein Liebling? Es heißt, daß alles gut wird!»

Selbstverständlich ahnte Mimi damals nicht im entferntesten, wovon ihre Mutter sprach.

«Und so», sagt Mimi zu Jim Greenway, «haben meine Mutter und ich uns von da an jeden Sonntagnachmittag herausgeputzt und sind um Punkt vier zum Tee bei den Großeltern gegangen – bis ich mit zwölf Jahren ins Internat kam. Es lief immer völlig gleich ab: stets gab es dieselben kleinen geschmacklosen Gurkenhappen, meine Großmutter saß da, ihre Stickerei auf dem Schoß, und sagte kein Wort. Erst nach Opas Tod wurde sie gesprächig. Ich glaube, sie hatte in seiner Gegenwart Angst, den Mund aufzutun! Und immer hat Opa zum Schluß aus seinem Terminkalender vorgelesen – alles, was er in der folgenden Woche tun würde, die Geschäftsessen mit Industriekapitänen, die Abendeinladungen bei Senatoren, die wöchentlichen Verkaufsbesprechungen, die Termine beim Facharzt für Darmkrankheiten, den er aufsuchen mußte – *alles*. Wissen Sie, ich glaube, Oma meint seinen Terminkalender, wenn sie von einem Tagebuch spricht... Natürlich habe ich schließlich auch herausbekommen, wo das Badezimmer lag. Muß ich hinzufügen, daß die Toilette darin als antiker Korbsessel kaschiert war?

Mir war als Kind zu keiner Zeit klar, was das Ganze sollte. Anschließend sind wir immer in unsere winzige, dunkle Wohnung an der 97. Straße zurückgekehrt, und je häufiger ich zu meinen Großeltern zum Tee ging, desto verwirrter war ich. Es war deutlich zu sehen, daß meine Großeltern reich waren. Wieso waren wir dann nicht auch reich? Ich verstand das nicht. Ich wußte, daß mein Vater in der Firma meines Großvaters arbeitete und als einer der Vizepräsidenten für irgend etwas zuständig war, aber Geld schien es dafür nicht zu geben. Wir hatten keinen Diener, keine Köchin, kein Mädchen – lediglich eine alte Schwarze ist einmal die Woche für ein paar Stunden gekommen und mit dem Staublappen herumgefahren. Meine Mutter hat selbst gekocht, gebügelt, geflickt – alles hat sie allein gemacht. Für mich war das Ganze entsetzlich verwirrend. Mein Onkel Edwee, Papas Bruder, war reich – und dabei arbeitete er nicht einmal! Bei meiner Tante Nonie war es genauso. Nur wir hatten kein Geld, es langte hinten und vorne nicht, und immer wieder ist es wegen Geld zu schrecklichen Auseinandersetzungen gekommen. Ich verstand lediglich so viel, daß Papa bei Opa arbeitete und glücklich sein mußte, Arbeit zu haben. Er hatte zwar einen wohlklingenden Titel, aber kein Geld. Und ich begann zu begreifen, daß hinter diesen sonntäglichen Besuchen zum Tee der Versuch steckte, Opa dazu zu bringen, Papa mehr Geld zu geben. Aber daraus wurde nichts.

In gewisser Hinsicht hatte ich mit meiner Vermutung recht, aber nicht ganz. Jahre später, als Opa schon alt war, sagte er mir, wie sehr meine Großmutter und er sich bemüht hätten, daß Mutter ihr Trinken im Zaum hält. Damals habe ich gedacht: wovon redet er? Was hatten sie je unternommen, um meine Mutter am Trinken zu hindern? Dann begriff ich: sie glaubten, das Trinken meiner Mutter damit eindämmen zu können, daß sie sie Sonntag nachmittags zum Tee einluden! Was für ein Blödsinn! Kaum saßen wir in der Taxe, hat sie ihre Flasche aufgemacht und einen ordentlichen Schluck Whisky genommen – ‹meine Medizin›, wie sie jedesmal sagte...

Wissen Sie, meine Mutter ist Alkoholikerin – angeblich auf dem Weg der Heilung. Nicht *geheilt*, denn es heißt auch, die Alkoholkrankheit sei unheilbar. Meine Mutter hat sich einer Behandlung am Betty-Ford-Center unterzogen, und vielleicht, nun, wir werden sehen...» Mimi drückt fest ihre Daumen und schließt dabei die Augen, wünscht sich etwas. «Der Ausbruch neulich in meiner Wohnung hatte nichts mit ihrem Trinken zu tun. Manchmal frage ich mich, was eigentlich schlimmer ist, nüchtern zu sein oder betrunken? Wenn meine Mutter trank, war sie zumindest manchmal fröhlich. Natürlich nicht immer. Aber zumindest war sie nie... langweilig.»

Mimi fährt sich mit den Fingern durch ihr feines Haar und sagt: «Warum erzähle ich Ihnen das alles? Wieso bin ich Ihnen gegenüber plötzlich so offen? Gewöhnlich traue ich Journalisten nicht. Wer sich im Fernsehen zum Trottel macht, ist selbst schuld. Man tut oder sagt das und jenes, und es klingt lächerlich. Bei einem Zeitungsmenschen hat man keinen Einfluß auf die Sache. Wenn er einen nicht mag, kann er umstellen, was man sagt, und einen ‹ausgewogenen Kommentar› hinzufügen. Gewöhnlich bin ich Zeitungsmenschen gegenüber nicht so offen, wie ich es bei Ihnen war, Mr. Greenway. Woran liegt das?»

«Vielleicht haben Sie gemerkt, daß ich Sie mag und Sie nicht für einen Trottel halte. Vielleicht haben Sie auch gemerkt, daß ich ehrliche Menschen bewundere und mich selbst bemühe, ehrlich zu sein.»

«Wollen Sie damit sagen, daß ich wie der alte Diogenes in Athen durch die Straßen ziehe und mit meiner Laterne nach einem ehrlichen Menschen suche?»

«Ich glaube, von denen haben Sie schon mehrere gefunden.»

«Tatsächlich? Wen?»

«Ihren Mann. Ihren Sohn. Ihren Werbeleiter Mark Segal. Und ich hoffe, mich.»

«Ist das Ihre Überzeugung?»

«Ja», sagte ich.

Es hat wirklich keinen Sinn, weiterhin so zu tun, als seien Jim Greenway und ich nicht ein und dieselbe Person. Es verstößt allerdings gegen alle Grundsätze, die ich während meiner journalistischen Ausbildung gelernt habe. «Halten Sie stets Distanz zu Ihrem Gegenstand» – «Lassen Sie sich nie mit Menschen ein, über die Sie schreiben. Hüten Sie sich vor Aussagen in der ersten Person.» Einer meiner Lehrer an der Journalistenschule hat sogar allen Ernstes die Forderung aufgestellt: «Ein guter Journalist darf keine Freunde haben.»

Wenn ich jetzt den Anschein aufgebe, ein anderer zu sein, ist das dann gleichbedeutend mit dem Eingeständnis, daß ich kein guter Journalist bin?

Zwar hatte ich mich in der kurzen Zeit, die ich Mimi kenne, nicht in dem Sinne mit ihr «eingelassen», der in dem Wort mitschwingt. Aber ich fühlte mich hingezogen, wollte ihr Freund sein und von ihr als Freund betrachtet werden.

Irgend etwas an ihr erweckte in mir den Wunsch, mehr zu erfahren. Wenn sie beispielsweise von ihrem Großvater sprach, zeigte sich auf ihrem Gesicht derselbe nachdenkliche und verwirrte Ausdruck wie nach ihrem Telefonat mit Michael Horowitz. Ihre Augen nahmen eine Art gehetzten Ausdruck an. Gespenster aus der Vergangenheit suchten diese Frau heim, das spürte ich: ihr Großvater, ihr Vater, das Trinken ihrer Mutter. Bei aller Munterkeit – wie sie, die Schultern gerade und das Kinn gereckt, die Hände tief in den Taschen ihrer schwingenden Röcke, mit wippendem Haar durch die Räume ihrer Firma geht – bei aller zur Schau getragenen Selbstbeherrschung, aller Selbstironie und auch gelegentlichen Anflügen von Gewöhnlichkeit in ihrer Ausdrucksweise ist unverkennbar, daß sich hinter all dem das kleine Mädchen verbirgt, das Angst hatte, nach dem Badezimmer zu fragen, und schließlich, von Furcht überwältigt, in einer Taxe Wasser ließ. Aus dem gehetzten und verfolgten Blick schloß ich, daß sie noch immer Angst vor einem Mann hat, der seit fast dreißig Jahren tot ist.

Ist es nicht interessant, dachte ich, wie sich das Leben eines Menschen um ein bestimmtes Ereignis oder eine bestimmte Person in der Vergangenheit drehen kann?

Später merkte ich natürlich, daß der Dreh- und Angelpunkt in Mimi Meyersons Leben ein ganz anderer war.

6

Wie mir Oma Flo später berichtete, mochte sich Adolph Meyerson nicht mit der neuen jüdischen Bourgeoisie abgeben, die in die Bronx zog, als er im Begriff stand, reich zu werden, weil er sich zu diesem Zeitpunkt dafür schon für zu wohlhabend hielt. Er wollte Mitglied der Gemeinde des Tempels Emanu-El werden – zu jener Zeit für einen Juden in New York vermutlich das höchste Statussymbol.

Aus kleinsten Anfängen in einer düsteren einfachen Wohnung an der Unteren East Side und mit einem Anfangskapital von etwa elf Dollar war diese Gemeinde mit ihren Mitgliedern so weit aufgestiegen, daß sie weniger als zwei Generationen nach ihrer Gründung in einem prachtvollen Gebäude an der Fifth Avenue die Synagoge Emanu-El errichten konnte, gleich neben den großen Kirchen und Kathedralen der christlichen Gemeinden. Das war nicht nur ein äußeres Zeichen für ein Ausmaß an Assimilation, wie es Juden in ihrer Geschichte nie zuvor erreicht hatten, und ein Sinnbild für den Triumph der Reformbewegung, den Sieg von Vernunft und Realität über die Barbarei der Alten Welt und deren Provinzialismus, sondern auch ein Symbol für den Erfolg des kapitalistischen Systems in Amerika. Die deutschen Juden, die diese Gemeinde gegründet hatten und ihr mit ihren Familien nach wie vor angehörten, waren nämlich nahezu alle mittellos ins Land der unbegrenzten Möglichkeiten gekommen. Hier war für sie, die sie in Handel, Bankwesen und Industrie einen kometenhaften Aufstieg hinter sich gebracht hatten, der amerikanische Traum in bemerkenswert kurzer Zeit Wirklichkeit geworden. Der bloße Glanz der Synagoge – die herrlichen Buntglasfenster, die kunstvollen Wandmosaike und die mehrstufigen Kandelaber unter der gewölbten Decke – verkündeten stolz aller Welt, daß Amerika zumindest für denjenigen das goldene Jerusalem bedeutete, der hart zu arbeiten verstand, ein ordentliches Leben führte, andere anständig behandelte und dabei auch ein wenig Glück hatte.

Am Sabbat-Gottesdienst in der Synagoge Emanu-El konnte jeder teilnehmen, ob Jude oder Christ, denn dem Gesetz nach darf kein Gotteshaus in Amerika vor einem ordentlich gekleideten und sich anständig benehmenden Menschen seine Türen verschließen. Aber Mitglied dieser Gemeinde zu werden, war ähnlich schwierig wie bei exklusiven Klubs. Sie wurde von einem Aufsichtsrat verwaltet, dessen Mitglieder zur Spitze der New Yorker Gesellschaft gehörten und in den besseren Vierteln der Stadt wohnten. Eine ihrer Aufgaben war die Zuweisung bestimmter Bänke in der Synagoge an bestimmte Familien, und selbstverständlich befanden sich die besten längst im Besitz der Loebs, Lehmans, Lewisohns, Schiffs und Warburgs, die alle untereinander verwandt waren, sowie der mit allen verschwägerten Seligmans. Der Anspruch auf diese wichtigsten Bänke vererbte sich innerhalb der Familien von einer Generation auf die andere.

Da sich aber um 1915 Joseph, der Patriarch der Seligmans, zu den Ansichten von Felix Adler, Sohn eines deutschen Rabbiners, hingezogen fühlte, der eine eher auf ethischen Grundsätzen als auf religiöser Frömmigkeit fußende Gesellschaftslehre befürwortete, wandte er sich vom Judentum ab und Adlers Gesellschaft für Ethische Kultur zu. So wurde in jenem Jahr unvermutet eine Bank in bester Lage frei, und Adolph Meyerson, der sich um die Mitgliedschaft in der Gemeinde bewarb, wobei er nicht unterließ, darauf hinzuweisen, daß er in der Lage sei, reichlich zum Gemeindeschatz beizutragen, wurde nicht nur aufgenommen, sondern bekam auch die Seligman-Bank, unmittelbar hinter der Familie Guggenheim.

Die Situation der Guggenheims war zu jener Zeit in der jüdischen Gesellschaft New Yorks etwas zwiespältig. Einerseits gehörten sie unbestreitbar dazu, in gewisser Hinsicht aber doch nicht. Sie waren nicht wirklich deutscher Herkunft, sondern stammten aus der deutschsprachigen Schweiz, und ihr Reichtum gründete nicht wie bei anderen auf schwerer Arbeit und darauf, daß sie sich einen Ruf als Ehrenmänner erworben hatten, sondern ähnlich wie bei den Brüdern Meyerson eher auf einem glücklichen Umstand. Meyer Guggenheim hatte den größten Teil seines Lebens als mäßig erfolgreicher Hausierer mit Seifen und Ofenpolitur zugebracht, bis man ihm eines Tages in den achtziger Jahren des vorigen Jahrhunderts zur Bezahlung einer offenstehenden Schuld, die er hatte eintreiben wollen, einige Aktien eines aufgegebenen Bergwerks in Leadville im Staat Colorado in die Hand gedrückt hatte. Als er hinreiste, um sich einmal anzusehen, was er da besaß, hatte er einen Schacht voll Wasser entdeckt, doch nachdem er ihn hatte leerpumpen lassen, stellte sich heraus, daß auf dem Gelände eines der reichsten Kupfervorkommen der Welt lag. Das war der Anfang der American Smelting and Refining Company, der Anaconda Copper Company und einer ganzen Anzahl weiterer Unternehmen. Zu Beginn des Jahrhunderts gehörten die Guggenheims zu den reichsten Familien Amerikas, und ihre Firmen waren, hieß es, mehr wert als John D. Rockefellers Ölraffinerien. Zwar hätten die führenden deutsch-jüdischen Familien New Yorks diese Emporkömmlinge am liebsten geschnitten, doch dafür waren die Guggenheims zu reich – eine Situation, in der sich auch Adolph Meyerson zu seiner Freude bald befinden würde.

Von seiner Bank unmittelbar hinter den Guggenheims konnte er beim Sabbat-Gottesdienst und an hohen Feiertagen nicht umhin, die hübsche Fleurette Guggenheim zu bemerken, ein zierliches Persönchen, mit großen blauen Augen und goldenen Locken, und sogleich fühlte er sich zu ihr hingezogen. Es gelang ihm, sie durch Kleinigkeiten auf sich aufmerksam zu machen. Als ihr einmal während des Gottesdienstes das Gebetbuch zu Boden fiel, holte Adolph es unter ihrem Platz hervor und gab es ihr, wofür ihm ein stummer Blick dankte. Ein anderes Mal schien sie den Text eines Segens vergessen zu haben, und er beugte sich leicht über ihre Schulter und flüsterte ihn ihr ins Ohr.

Leider aber saßen in der Bank außer der kleinen Fleurette auch mehrere ihrer stämmigen Brüder, die sie beschützten, eine noch größere Anzahl untersetzter Onkel sowie ihr furchteinflößender Vater, einer von Meyer Guggenheims zahlreichen Söhnen, den die Presse bei seiner Geburt als «reichstes Baby der Welt» tituliert hatte. Die kleinen Aufmerksamkeiten von Adolph blieben den Männern der Familie nicht verborgen, und nachdem es wieder einmal zu einer solchen Gelegenheit gekommen war, beriefen die Guggenheims in ihrem Sommerhaus am Hudsonufer von New Jersey einen Familienrat ein. Vater Morris faßte den Tatbestand knapp zusammen: «Der Nagellack-Fritze» – so pflegte er Adolph zu nennen – «schnüffelt dauernd um unsere Fleurette rum.»

Das Für und Wider der Sache wurde sorgfältig abgewogen. Zwar ließ sich nicht in Abrede stellen, daß der «Nagellack-Fritze» ein erfolgreicher Unternehmer war, der durchaus imstande sein würde, für die kleine Fleurette zu sorgen und ihr den Lebensstandard zu bieten, den sie gewohnt war, doch war der Altersunterschied zwischen ihnen kraß, denn Adolph Meyerson war fünfundvierzig, Fleurette Guggenheim hingegen erst siebzehn Jahre alt.

Andererseits mußte einer besonderen Schwierigkeit in bezug auf Fleurette Rechnung getragen werden, die in der Familie als «schlichtes Gemüt» galt. Die Grundschullehrerin hatte den Eltern geschrieben: «Die kleine Fleurette ist ein liebes Kind, von freundlichem Wesen, und sie läßt andere gelten. In dieser Hinsicht sind wir mit ihr sehr zufrieden. Aber Fleurette ist nicht imstande, dem Unterricht zu folgen. Sie müßte jetzt in der dritten Klasse eigentlich multiplizieren können, ist aber nach wie vor nicht imstande zu addieren. Auch ihre Lese- und Schreibfähigkeit hat sich in keiner Weise verbessert, und es fällt ihr sogar schwer, das Alphabet herzusagen. Wir haben leider auch nicht den Eindruck, daß ihre Lernschwierigkeiten behoben würden, wenn man sie die Klasse wiederholen ließe. Daher empfehlen wir Ihnen, das Kind aus der Schule zu nehmen und zu erwägen, ob Sie es nicht durch Privatlehrer unterrichten lassen ...»

In einer späteren Zeit hätte man Fleurettes Schwierigkeiten möglicherweise als Legasthenie erkannt, doch den Begriff gab es damals noch nicht, und so wurde sie aus der Schule genommen und bekam im elterlichen Haus Unterricht in Musik und Kunst, Hauswirtschaft und Sticken und Stricken.

«Der Nagellack-Fritze kennt sie noch nicht besonders gut», meldete sich Onkel Ben zu Wort. «Er ist also noch nicht dahintergekommen. Vielleicht ist er genau der Mann, den wir suchen.»

«Sie ist viel zu lieb und zu hübsch, um als alte Jungfer zu enden», sagte ihre Tante Hattie. «Aber wer würde sie heiraten?»

«Der Nagellack-Fritze.»

«So eine Gelegenheit bietet sich nicht zweimal, Morris», betonte Tante Hattie.

«Na schön, er soll sie kriegen», stimmte Fleurettes Vater zu.

«Je eher, desto besser. Bevor er ... was merkt.»

So kam es, daß die Guggenheims Adolph Meyerson die Hand ihrer Tochter anboten, während er nicht im entferntesten gewagt hätte, darum zu bitten. Er verlor vor Begeisterung über sein Glück fast den Verstand. Die Mitgift betrug eine Million Dollar.

Jetzt, an einem ruhigen Montagnachmittag, sitzt Fleurette Guggenheim Meyerson mehr als siebzig Jahre später mit ihrer einzigen Tochter Naomi, ihrer Zweitgeborenen, in ihrer Wohnung im Hotel Carlyle. Für eine einzige Person ist das Apartment mehr als großzügig bemessen, denn immerhin besteht es aus einem ungeheuer großen Wohnzimmer, einem großen Eßzimmer, einer «Servierküche», einer kleinen Bibliothek, in der vor allem eine mächtige, durch Fernsteuerung aus- und einfahrbare Fernseh-Projektionswand auffällt, zwei Schlafzimmern mit jeweils eigenem Bad (das zweite bezeichnet sie als «Gastzimmer», obwohl es, soweit bekannt ist, noch nie einen Gast beherbergt hat). Da die Wohnung im zwanzigsten Stock liegt, hat Oma Flo einen ähnlichen Ausblick auf den Central Park wie Mimi, deren Haus einige Straßen weiter nördlich steht, und von ihrem Schlafzimmerfenster aus kann man sogar den East River und dahinter Queens sowie die in La Guardia startenden und landenden Flugzeuge sehen – eine Aussicht, die Oma Flo natürlich nicht mehr genießen kann.

Diese an sich riesige Wohnung wirkt eher klein, weil sie mit Möbeln vollgestopft ist – Möbeln aus dem großen Haus an der Madison Street sowie aus den beiden Landhäusern in Maine und Palm Beach, von denen sich Oma Flo nicht trennen mochte. Man sollte glauben, daß selbst ein sehender Mensch Schwierigkeiten hätte, sich zwischen den Satztischen, Stühlen, Ottomanen, Bänken und Stehlampen durchzuschlängeln, die dort versammelt sind. Doch Oma Flo erklärt, sie kenne die gewundenen Trampelpfade, die zwischen den Möbelstücken von einem Zimmer zum anderen führen, und sie bewältigt sie, indem sie hier nach einer Sessellinie und dort nach den Fransen eines Lampenschirms tastet. Noch drangvoller wird die Enge ihrer Wohnung durch ihre Kunstsammlung, denn in allen Räumen bedecken Bilder jede freie Wandfläche vom Boden bis zur Decke, wobei zwei eher unbedeutenden Bentons ein ebenso guter Platz eingeräumt wurde wie dem exquisiten Goya-Porträt, das sich Philippe de Montebello vom Metropolitan Museum neulich so gründlich und nachdenklich angesehen hat und in das Edwee vernarrt ist.

Oma Flo sitzt jetzt ihrer Tochter gegenüber und hat ihren kleinen schwarzen Yorkshire-Terrier Itty-Bitty im Schoß. Die Schnauze des Hündchens ruht auf dem Knie seiner Herrin, und seine runden schwarzen Knopfaugen betrachten Nonie aufmerksam, wenn nicht sogar mißtrauisch, während der Blick seiner Herrin stumpf und ziellos wirkt. Oma Flo versucht erneut ihrer Tochter zu erklären, daß Adolph Meyerson sie keineswegs einfach deswegen abgelehnt habe, weil sie ein Mädchen war.

«Dein Papa mochte dich ebenso wie die Jungen», sagt sie. «Aber er hatte nun einmal in deiner Kinderzeit alle Hände voll damit zu tun, das Unternehmen aufzubauen. Ihm fehlte einfach die Zeit, für dich der Vater zu sein, der er gern gewesen wäre – das darfst du nicht vergessen.»

«Jedenfalls bin ich in seinem Testament zu kurz gekommen.»

«Er wollte den Jungen genug hinterlassen, damit sie die Firma weiterführen konnten.»

«Und ich hab so gut wie nichts gekriegt. Nichts, um mir eine Existenz aufzubauen.»

«Ich bin kein Dukatenesel, Nonie», sagt ihre Mutter erneut.

«Es sind doch bloß fünf Millionen, Mutter. Mehr brauch ich nicht. Was sind für dich schon fünf Millionen – nichts.»

«Du sagst das, als wolltest du bloß Geld für einen Straßenbahnfahrschein! Fünf Millionen sind entsetzlich viel Geld, auch für mich.»

«Und deine Familienstiftungen? Jeder deiner Guggenheim-Onkel hat dir doch –»

«Du sagst selbst, es sind Stiftungen! Ich weiß zwar nicht, wie so etwas funktioniert, Nonie, aber Mr. Dingskirchen von der Bank hat es mir neulich erklärt. Das Geld ist an verschiedenen Stellen investiert, und ich bekomme die Zinserträge. Das Kapital wird aber erst fällig, wenn ich einmal nicht mehr bin. Dann bekommt ihr es, du, Henry, Edwee und Mimi, wieder in Form einer Stiftung.»

«Henry ist tot, Mutter», sagt Nonie.

Ihre Mutter zögert. «Ach?» sagt sie. «Wann ist er gestorben? Warum hat mir das keiner gesagt?»

Nachdenklich streichelt sie Itty-Bitty. Das Tier schließt die Augen und läßt es sich voll Wohlbehagen gefallen. Es hat im Lauf der Jahre schon mehrere Itty-Bittys gegeben. Die wievielte ist das? Nonie versucht sich zu erinnern. Bestimmt die dritte, wenn nicht sogar die vierte.

«Könntest du denn nicht auf eine dieser Stiftungen etwas aufnehmen, Mutter, und mir ein kurzfristiges Darlehen geben? Ich würde dir in ein paar Monaten alles zurückzahlen – vielleicht sogar schon früher.»

«Ich begreife nicht, wofür du das viele Geld brauchst, Nonie», sagt ihre Mutter. «Ich weiß zwar, daß dein junger Mann gesagt hat, es hätte was mit Ausländern zu tun, und ich hab ihm gesagt, Präsident Hoover ist gegen Ausländer. Er schien ganz beeindruckt zu sein, wie gut ich die Hoovers kenne.»

Nonie seufzt. «Hoover ist länger tot als Henry», sagt sie. «Und mit Ausländern hat die Sache überhaupt nichts zu tun. Es geht um Devisengeschäfte. Wenn du mir doch zuhören wolltest, Mutter. Ich versuch noch einmal, dir zu erklären, wie es funktioniert.»

«Tu das, Nonie.»

«Bitte, hör mir gut zu, Mutter. Es geht so. Der Kurs des Dollars gegenüber anderen Währungen schwankt, nicht nur von einem Tag zum anderen, sondern von einer Minute zur nächsten. Ob er nun steigt oder fällt, immer läßt sich Geld damit verdienen, und mein Freund Roger ist ein Fachmann in dieser Branche – ein absolutes As.»

«Also doch. Geld von Ausländern. Ich wußte es.»

«Hör mir bitte zu, Mutter. Es ist nichts Verbotenes daran. Die größten Banken im Lande tun es, und es ist ganz einfach! Roger hat mir neulich in meiner Wohnung gezeigt, wie es funktioniert. Er hat in Zürich angerufen und gesagt, er würde gern fünf Millionen Dollar kaufen. Man hat ihm den Kurs gesagt, der war fünfundsechzig Komma einunddreißig. Ich weiß das so genau, weil ich am zweiten Apparat mitgehört habe. Eine Minute später – eine einzige Minute, Mutter! – war der Kurs um fünfzehn Hundertstel eines Cent gestiegen. Sofort hat Roger die Bank in Chicago angerufen und ihr fünf Millionen Dollar zum *Verkauf* angeboten. Hätte er das Geschäft gemacht, wäre er allein dabei um zwölftausendfünfhundert Schweizer Franken reicher geworden, das sind fast achttausend Dollar – in einer *Minute*, Mutter! Natürlich nur theoretisch, er wollte mir vorführen, wie es geht. Aber das wäre sein Gewinn gewesen, wenn er das Geschäft gemacht hätte. Überleg mal, Mutter! Achttausend Dollar die Minute, und Roger kann jeden Tag hundert solche Abschlüsse machen. Ist das nicht aufregend? Ich wußte gleich, daß du es auch so sehen würdest.»

Ihre Mutter sagt nichts. Das Hündchen hüpft jetzt vom Schoß seiner Herrin und setzt sich neben ihren Füßen auf den Boden. «Wohin geht Itty-Bitty?» fragt Oma Flo. «Ach, da bist du ja, mein Liebling», sagt sie und stupst das Tier mit dem Zeh an.

«Wir wollen klein anfangen», fährt Nonie fort, «in meiner Wohnung. Wir müßten viele zusätzliche Telefonleitungen legen lassen, weil man bei diesem Geschäft den ganzen Tag lang mit der ganzen

Welt verbunden sein muß – bei manchen Märkten sogar bis in die Nacht – und viele Gespräche gleichzeitig führt. Natürlich werden wir im Lauf der Zeit Leute einstellen und ein Büro beziehen, wahrscheinlich in der Nähe der Wall Street, wo sich ja doch das ganze Wirtschaftsleben abspielt. Aber wir würden von Anfang an Tag für Tag Hunderttausende verdienen, Mutter. Und du bekämst dein Geld in Zeit von nichts zurück. Wenn du es uns lieber als Darlehen geben willst, zahlen wir dir auch Zinsen. Falls du statt dessen lieber Anteile an unserer Firma kaufen möchtest, bekommst du Dividenden. Du kannst dabei überhaupt keinen Verlust machen, Mutter!»

Wieder sagt ihre Mutter nichts, dann fragt sie: «Wenn der Mann so klug ist, wieso ist er dann nicht längst reich?»

«Er braucht ein Startkapital, Mutter. Er braucht jemand, der ihn fördert.» Sie sieht zu den Wänden voller Gemälde hoch und hat eine Eingebung, eine kleine, aber passende. «Jedes Genie ist auf einen Förderer angewiesen. Nicht mal Michelangelo hätte ohne Mäzen malen können.»

«Und bei deinem Roger sollst du die Mäzenin spielen, beziehungsweise ich.»

«Nur für den Anfang, Mutter. Und es ist doch auch nur ein kleiner Betrag. Soll ich Roger mitbringen, damit er dir zeigt, wie einfach das alles ist?»

«Offen gestanden gefällt mir sein Gesicht nicht, Nonie», sagt ihre Mutter.

«Dir gefällt sein *Gesicht* nicht? Wie kannst du das sagen, wenn du doch bl –»

«Ich kann riechen, wie ein Mann aussieht», sagt ihre Mutter rasch.

«Was du an ihm gerochen hast, war Mimis neues Eau de Cologne! Ich hab gesehen, wie er sich vor Tisch was auf die Hände getan hat.»

«Ich hab ihn *vorher* gerochen», sagt Oma Flo mit fester Stimme. «Er roch schmierig. Dein Vater hätte gesagt, er riecht wie ein Maschinenschmierer.»

«Aber das ist er nicht! Er hat in Harvard studiert.»

«Tatsächlich? Merkwürdig. Gesprochen hat er nicht so. Edwee war in Harvard, und Edwee spricht nicht wie er. Wahrscheinlich heißt er nicht mal wirklich Roger Williams. Das kommt mir ganz wie ein falscher Name vor. Roger Williams klingt wie der Name eines Hotels.»

«Aber er heißt so.»

Wieder sagt Oma Flo nichts, starrt vor sich hin und streichelt mit der Zehenspitze Itty-Bittys Rücken.

«Das ist meine große Chance, Mutter.»

Freundlich beginnt ihre Muttter: «Für wie viele große Chancen hab ich dir schon Geld gegeben, Nonie? Laß mal sehen: da war der Kleiderladen, das Restaurant, dann ... was noch? – Ach ja, die Modezeitschrift. All diese großen Chancen haben mich Geld gekostet. Ich bin kein Dukatenesel, mein Kind.»

«Bei den Projekten hatte ich Pech, das geb ich zu. Man hatte mich schlecht beraten, meine Teilhaber haben mich hintergangen. Glaub nur nicht, daß ich aus meinen Fehlern nichts gelernt hätte.»

«Tatsächlich?»

«Aber ja! Ich hab mich durchzusetzen gelernt. Ich hab gelernt, wie ... Mimi zu sein, und sieh nur, was sie geschafft hat! Ach bitte, Mutter – gib mir eine letzte Chance! Edwee hat Geld bekommen und durfte damit tun, was er wollte. Sogar Henry hatte so eine Chance! Mutter, ich werde nicht jünger. Bitte gib mir eine letzte Chance, damit ich der Mensch werden kann, der zu sein ich verdiene!» Mit einem Mal wirft sie sich vor ihrer Mutter zu Boden, obwohl sie weiß, daß ihr der Anblick nicht gefallen würde, wenn sie sehen könnte, und umschlingt Oma Flos Knie mit den Armen. «Mutter, siehst du, was ich tu? Ich fleh dich an. Gib mir eine letzte Chance!»

«Steh auf, Nonie», sagt ihre Mutter ganz ruhig. «Das ist unwürdig und nicht damenhaft. Gehst du mit diesem Mann ins Bett?»

«Nein!»

«Steh auf und benimm dich nicht wie ein kleines Kind.»

Nonie erhebt sich schluchzend. «Nur das ... ich möchte es ... so sehr.»

«Warum gehst du nicht zu Edwee oder zu Mimi? Sie haben genug Geld.»

«Ich kann mich vor Mimi nicht so tief ... demütigen. Sie ist meine *Nichte*. Und Edwee trau ich nicht. Er ist ein Heimtücker.»

Ihre Mutter nickt. «Da hast du recht», sagt sie. «Ich sag das zwar ungern über meinen eigenen Sohn, aber es stimmt. Edwee ist ein Heimtücker und war es immer schon.»

«Und an wen könnte ich mich sonst wenden?» Nonie nimmt ein Taschentuch aus ihrer Hermès-Tasche und schneuzt sich laut, obwohl ihr klar ist, daß das Geräusch vulgär wirkt.

Ihre Mutter richtet den leeren Blick in die Ferne. Als sie zu sprechen beginnt, ist ihre sonst melodische Stimme hart und fest. «Wieviel hab ich im Lauf der Jahre in deine verschiedenen Unternehmungen gepumpt, Nonie? Dreißig Millionen? Kommt das hin? Dabei habe ich noch nicht gerechnet, was mich allein deine drei Ehen gekostet haben. Früher hieß es immer, ich könnte nicht mit Zahlen umgehen, aber solche Beträge merke sogar ich mir. Ist dir eigentlich klar, daß das mehr ist, als Edwee oder Henry von deinem Vater in Miray-Aktien bekommen haben? Und trotzdem behauptest du, du bist zu kurz gekommen. Ich sag es dir zum letzten Mal – ich bin kein Dukatenesel.»

Nonie betupft sich schweigend die Augen. Dann sagt sie:

«Wenn dir fünf Millionen zu viel sind, Mutter, wieviel könntest du mir leihen? Ich brauche es wirklich dringend.»

«Fünftausend.»

«Fünf*tausend*? Das ist eine Beleidigung, Mutter! Damit kann ich überhaupt nichts anfangen. Ich brauche –»

«Außerdem möchte ich dich gern was fragen. Weißt du, wo mein Jade-Elefant hingekommen ist?»

Nonie sagt mit angehaltenem Atem: «Wovon redest du eigentlich?»

«Von meinem Jade-Elefanten. Han-Dynastie, erstes Jahrhundert.»

«Davon weiß ich nichts.»

«Er hat immer da drüben gestanden», zeigt ihre Mutter, «auf dem Chippendale-Tischchen, bis zu deinem letzten Besuch im Juli. Anschließend war er weg. Niemand sonst war hier in meiner Wohnung. Bestiehlst du jetzt auch deine eigene Mutter, Nonie?»

«Wie – wie – was für eine abscheuliche Beschuldigung! Ich bin dein Fleisch und Blut, und du glaubst –»

«Bist du sicher, daß du ihn nicht beim Rausgehen einfach in die Handtasche gesteckt hast?»

«Natürlich nicht. Bestimmt hat einer von den Hotelangestellten –»

«Ich wohne seit fünfzehn Jahren hier, Nonie, und ich kenne alle Angestellten. Noch nie hat was gefehlt.»

«Ein Kellner oder ein –»

«Unsinn! Versuch dich nicht herauszureden.»

«Wie kannst du mir nur so einen unglaublichen Vorwurf machen, Mutter!»

«Laß mich dir eins sagen, Nonie. Es ist eine Sache, wenn du kommst, mich um Geld zu bitten, aber es ist eine andere, wenn du anfängst, mich zu bestehlen.»

«Ich kann nicht glauben, daß du mir das ins Gesicht sagst! Ich –»

«Laß es gut sein», sagt Oma Flo. «Falls du ihn verkaufen willst, geh damit nicht zu irgendeinem Pfandleiher an der Third Avenue, sondern zu John Marion von Sotheby's. Da müßte der Elefant einen guten Preis bringen. Sollte er dir Fragen stellen, verweise ihn an mich. Ich werd ihm sagen, daß ich ihn dir geschenkt hab.» Dann erkundigt sie sich: «Wie spät ist es?»

Zögernd und ihre Nase betupfend, schnieft Nonie: «Halb fünf.»

«Dann muß ich dich fortschicken, Nonie. Um fünf kommt der junge Greenway, um sich mit mir zu unterhalten. Er sagt, ich bin ein lebendes Bindeglied zur Vergangenheit. Wie findest du das? Ein lebendes Bindeglied zur Vergangenheit!»

«Du schickst mich mit einem so abscheulichen Vorwurf fort? Behauptest, ich stehle –»

«Edwee mag ein Heimtücker sein, aber zumindest hat er mich noch nie bestohlen.»

Mit einem Mal beugt sich Nonie dicht zum Gesicht ihrer Mutter vor und sagt: «Wo wir gerade von Edwee sprechen. Du weißt wohl noch gar nicht, was dein reizender Sohn mit dir vorhat.»

Oma Flos Augen haben plötzlich ein Ziel. «Und was wäre das?»

«Er will dich in ein Pflegeheim in Massachusetts schicken und dich entmündigen lassen. Er sucht schon Zeugen zusammen, die erklären sollen, daß du vergreist und nicht mehr imstande bist, dich um deine Angelegenheiten zu kümmern. Du lebst dann in einer winzigen Zelle und mußt deine Wohnung und allen Besitz aufgeben. Auch Itty-Bitty.»

Erschreckt faßt sich Oma Flo an die Kehle, nimmt dann rasch ihr Hündchen auf und drückt es beschützend an sich. «Was?» kreischt sie. «Das kann er nicht. Er kann mir Itty-Bitty nicht fortnehmen!»

«Was weißt du, was er alles kann? Jedenfalls ist er bereits eifrig mit den Vorbereitungen beschäftigt. Er hat das Pflegeheim schon ausgesucht und dein Zimmer vorbestellt.»

«Du würdest so etwas doch nicht zulassen, Nonie!»

«Was könnte ich dagegen unternehmen? Er ist dein ältester lebender Sohn, und ein Dutzend Anwälte bei Dewey und Ballantine arbeiten schon an der Sache. Wenn er will, daß du beiseite geschafft wirst, ist er ohne weiteres imstande, drei Dutzend Anwälte zu bezahlen. Ich kann es mir nicht leisten, dagegen anzugehen.»

«Mimi würde nicht zulassen, daß er mir das antut! Sie ist jetzt Chefin, nicht wahr?»

«Mimi!» kreischt Nonie. «Weißt du nicht, daß sie dich *haßt*, weil

um eine Freistelle bitten und betteln müssen? Warum kommt nie Geld, Henry? Was ist mit denen los? Was ist mit dir los?»

«Bist du auf eine Scheidung aus, Alice?» hörte sie ihren Vater fragen.

Mimi hatte das Wort *Scheidung* inzwischen so oft gehört, daß es sie nicht mehr schrecken konnte. Sie versuchte nicht hinzuhören und konzentrierte sich statt dessen auf Miss Emily, die an ihrem neuen Eßtisch saß und zu Abend essen wollte.

«Würden Sie bitte die Suppe servieren, Matilda?» sagte Miss Emily.

«Gewiß, Madam.» Die Puppen verkehrten stets sehr förmlich und höflich miteinander.

«Ist es das, Alice? Willst du dich scheiden lassen? Das kannst du haben!»

«Und was wird dann aus mir?» schluchzte ihre Mutter. «Und mit dem Kind?»

Immer, wenn sich Mimis Eltern stritten, hieß Mimi einfach «das Kind». Bei solchen Gelegenheiten hatte sie keinen Namen.

«Die Suppe ist delikat, Matilda», sagte Miss Emily.

«Vielen Dank, Miss Emily. Ich hab dafür Lerchenzungen und Wachteleier genommen, winzige goldene Äpfel aus dem sonnigen Spanien, Gewürze von den Feeninseln, Kräuter aus dem fernen Kathay, Honig, Hibiskus und Himbeerblüten, und gesalzen hab ich mit Mutters Tränen...»

«Wissen Sie, Mr. Greenway», sagt Oma Flo, «der Unterschied zwischen meinem Mann und seinem Bruder Leo war, daß er Einfälle hatte. Zum Beispiel hat er seinen Farben *Namen* gegeben. Das hat niemand vor ihm getan. Da hieß ein rosa Nagellack einfach rosa, und wenn er rot war, stand ‹rot› auf dem Etikett. Aber Adolph war pfiffig. Ich hab Ihnen, glaube ich, schon gesagt, daß der erste Nagellack feuerwehrrot war. Und wie hat ihn Adolph genannt? ‹Feueralarm›. War das nicht pfiffig? Der Name hat sofort eingeschlagen. Den Frauen gefiel die Farbe und der Name. All die anderen, die nach ihm kamen, Revlon, Arden, Rubinstein und wer nicht noch alles – sie haben mit ihren ausgefallenen Namen für Farben Adolph nachgeäfft. Er war der erste mit seinem ‹Feueralarm›.» Oma Flo spreizte die Finger. «Ich weiß noch, wie ich zum erstenmal *meine* Nägel damit lackiert hab. Er hatte es gern, wenn ich seinen Nagellack trug. Er mochte es, wenn ich die kurzen Spitzenhandschuhe ohne Fingerlinge trug, damit man meine Finger – und natürlich seinen Nagellack – sah! Vielleicht fällt Ihnen auf, daß ich jetzt keinen mehr trage. Das richtet sich nicht etwa gegen meinen Mann. Aber ich kann meine Nägel und meine hübschen Hände nicht mehr sehen, wozu also?»

«Ihre Enkelin hat gesagt, Ihr Mann habe regelmäßig aus seinem Terminkalender vorgelesen, Mrs. Meyerson.»

«Ach ja. Sein Terminkalender. Jeden Sonntag nachmittag.»

«Meinten Sie den, als Sie neulich von einem Tagebuch sprachen?»

«Keineswegs. Der Terminkalender war ein Terminkalender, und das Tagebuch ein Tagebuch. Darin hat er alles eingetragen, das Gute und das Schlechte. Den Terminkalender hat er uns vorgelesen, damit wir nie vergaßen, wieviel er zu tun hatte und wie schwer er arbeiten mußte, aber auch, um sich die vielen Termine besser einzuprägen, die er in der kommenden Woche hatte. Am Ende der Woche hat er dann die erledigten Blätter fortgeworfen. Die Tagebücher aber hat er aufgehoben, bis der Stapel so hoch war» – sie hebt eine Hand. «Er hat mir oft aus ihnen vorgelesen, keinem Menschen sonst. Ich selbst hab nie viel gelesen, aber ich hab Adolph gern zugehört, wenn er mir aus seinen Tagebüchern vorgelesen hat. Offen gesagt, Mr. Greenway, es stand eine Menge darin, was vertraulich war. Familienangelegenheiten. Nicht für die Öffentlichkeit bestimmt.»

«Und diese Tagebücher existieren nicht mehr?»

«Nein, sie sind verschwunden. Wenn Sie mich fragen, hat Leo sie genommen, aber beweisen kann ich das nicht. Er ist jetzt tot, und es gibt keine Möglichkeit, das zu beweisen. Leo war ein Verbrecher.»

«Ein Verbrecher?»

Sie hebt die Hand. «Nein, schreiben Sie nicht, daß ich das gesagt habe. Er ist tot, und über die Toten nichts Böses, sag ich immer. Schreiben Sie einfach, daß Adolph und Leo ... unterschiedliche Ansichten über das Geschäft hatten. Ja, das klingt gut. Unterschiedliche Ansichten über das Geschäft. Und mein Mann war der klügere von den beiden, das sieht man schon an dem Einfall mit den Namen.»

«Können Sie sich an Einzelheiten aus den Tagebüchern erinnern, Mrs. Meyerson?»

«Ha!» sagt sie. «Ich könnte mich ja an ein paar von den guten Dingen erinnern, Mr. Greenway. Aber Sie kriegen mich nicht dazu, daß mir die schlechten wieder einfallen. Sie haben gehört, was Mimi Donnerstag abend bei ihrer Gesellschaft gesagt hat: ‹Sagt Mr. Greenway über uns nichts als die nettesten Sachen.› Ich habe mir schon überlegt, bevor Sie gekommen sind, daß es ein paar nicht so nette

Sachen gibt, die ich über meinen Sohn Edwee sagen könnte – Dinge, die nicht mal meine Tochter weiß. Aber ich tu es nicht, denn sie sind nicht für die Öffenlichkeit bestimmt – jedenfalls noch nicht. Wir werden sehen. Im übrigen sind die meisten der schlimmen Dinge jetzt tot und begraben. Sie sind mit meinem Mann und mit Leo gestorben, und, so denke ich, mit dem armen Henry. Aber wo war ich? Ach ja, die guten Dinge, die guten ...»

«Was zum Beispiel, Mrs. Meyerson?»

«Zum Beispiel, daß wir heute anerkanntermaßen an der Spitze der amerikanischen Kosmetikindustrie stehen!» sagt sie triumphierend. «Das können Sie zitieren. Das darf die Öffentlichkeit wissen. ‹Die prachtvollen Meyersons› hat man uns in den Dreißigern genannt. Das war die Überschrift eines Artikels, der in *Town & Country* über uns erschienen ist. Ich könnte ihn für Sie wahrscheinlich heraussuchen, wenn Sie ihn haben wollen. Die Prachtvollen hat man uns damals genannt. Dann kamen schwere Zeiten, jetzt aber sind wir wieder ‹die prachtvollen Meyersons›, und das Verdienst daran gebührt einzig und allein Mimi.»

Während ich mein Material zusammenstelle, merke ich, daß mit mir etwas Seltsames vorgegangen ist. Obwohl ich seit weniger als einem Monat an dieser Geschichte arbeite, kommt es mir vor, als versuche mich jedes Mitglied der Familie Meyerson für seine persönlichen Zwecke einzuspannen. Es ist so, als sollte ich eine Art privater Bote sein, Mittler persönlicher Empfindungen zwischen ihnen. Da die eigentliche Familie (und dazu zähle ich Edwees Frau Gloria nicht) nur sieben Mitglieder umfaßt, ist das keine besonders schwierige Aufgabe. Aber selbst in dieser Familie scheint die Verständigung zwischen den einzelnen häufig gestört zu sein, und ich soll dann die Störungen beseitigen.

Als ich beispielsweise gestern mit Brad Moore in seiner Kanzlei in der Wall Street über die Schwierigkeiten – oder auch Vorzüge – einer Ehe sprach, in der beide ihrem Beruf nachgehen, hat er mir etwas Merkwürdiges gesagt. In meinen Augen ist Brad ein anständiger, intelligenter und eher zurückhaltender Mann, der als Anwalt gelernt hat, seine Gefühle nicht auszuposaunen. Hinter der glatten Fassade des Mannes liegt eine gewisse würdige Zurückhaltung, und es ist leicht zu verstehen, warum mehrfach sein Name genannt wurde, als es um die Nachfolge des kürzlich verstorbenen Armitage Miller im Senat der Vereinigten Staaten ging. Gelegentlich aber gibt er diese

Zurückhaltung auf, und so hat er gestern unvermittelt zu mir gesagt: «Wissen Sie, Jim, Sie sollten bei allem, was Sie über uns schreiben, deutlich herausstellen, daß meine Frau für mich der wichtigste Mensch auf der Welt ist. Nicht einfach die wichtigste Frau, sondern der wichtigste Mensch. Was auch immer Sie in dem klatschsüchtigen Gewerbe, das Sie betreiben, über sie hören, für mich ist sie der wichtigste Mensch auf der Welt.»

Erst dachte ich, nun ja. Dann überlegte ich: Er hat ‹meine Frau› gesagt. Nicht ‹Mimi›. Und eine Frage drängte sich mir auf: wenn er deutlich herausgestellt haben will, daß seine Frau für ihn der wichtigste Mensch auf der Welt ist, warum sagt er es dann mir? Soll ich es ihr weitersagen? Hat er es ihr je selbst gesagt?

7

Es ist Mittwoch, und Mimi und Brad Moore essen in ihrer Wohnung an der Fifth Avenue 1107 allein zu Abend. «Das wird ein seltenes Vergnügen!» sagte sie erfreut am Telefon, als er anrief, um ihr mitzuteilen, daß er an diesem Abend ausnahmsweise nicht noch spät arbeiten müsse.

«Wieso ein seltenes Vergnügen?»

«Es kommt mir vor, als hätten wir schon ewig nicht mehr zur üblichen Zeit und am üblichen Ort miteinander zu Abend gegessen.»

«Es ist erst dreieinhalb Wochen her.»

«Auf jeden Fall können wir miteinander reden, Liebling. Ich hab dir unheimlich viel zu erzählen.» Und sie denkt: interessant, daß auch er die Tage und Wochen gezählt hat. Vielleicht aus einem anderen Grund?

Sie teilt ihm ihren Einfall mit, Dirks Gesicht mit einer Narbe zu verändern, aber es scheint ihn kaum zu interessieren. «Nun ja», räumt sie ein, «wer weiß, ob es die gewünschte Wirkung hat? Hoffentlich langweile ich dich nicht damit.»

«Das ist es nicht», sagt er, während er den Nachtisch – frische Himbeeren – von einem Teller mit Himbeerdekor in sein Schälchen löffelt. «Ich kann es mir einfach nicht so richtig vorstellen.»

«Du meinst, ich sehe die Dinge bildhaft? Vielleicht. Du als Anwalt bist eher darauf geschult, mit Tatsachen umzugehen. Deswegen beherrschst du dein Metier ja auch so gut. Ich hab den ganzen Tag mit einer Scheinwelt zu tun, in der es in erster Linie um die Wünsche von Frauen geht, nicht um harte männliche Tatsachen.»

«Heißt das, daß du Tatsachen ausschließlich für männlich hältst?»
«Die meisten schon. Findest du nicht, daß sich Frauen mehr mit Wunschvorstellungen beschäftigen als Männer?»
«Darüber habe ich noch nie nachgedacht», sagt er.
«Na bitte. Da hast du es. Genau das ist der Unterschied.»
Sie sitzen über Eck an einem Ende des langen, von Kerzen erleuchteten Eßtischs, und sie denkt: Erpreßt sie dich, mein Schatz, die namen- und gesichtslose Frau? Bestimmt kannst du als der brillante Anwalt, der du bist, mit Erpressern fertig werden. Aber falls sie dich erpreßt, hasse ich sie, diese andere, die ich so gern hassen würde. Sie sagt: «Bedrückt dich etwas, Liebling? Du siehst aus, als ob dich etwas beschäftigte. Ist es immer noch der Fall Sturtevant?»
Er betupft sich die Lippen mit der Serviette. «Möglich. Er ist ja noch nicht abgeschlossen. Selbstverständlich geht es um Geld. Sturtevant *père* gegen Sturtevant *fils*. Ich hab mir heute nachmittag eine Stunde lang von Sturtevant *père* anhören müssen, was für ein Trottel sein Sohn ist. Kannst du dir das vorstellen? Vater und Sohn streiten sich um Geld?»
Sie lacht leise. «Ach ja», sagt sie, «das kann ich mir tatsächlich vorstellen.»
«Entschuldige. Hatte ich ganz vergessen.»
«Und so viel ist es ja gar nicht, oder?»
«Lächerliche dreißigtausend Dollar. Ich hab übrigens Leonard Lauder kennengelernt.»
«Ah, mein schärfster Konkurrent.»
«Irgend jemand hat ihn beim Mittagessen an meinen Tisch gebracht und ihn mir vorgestellt. Er hat gesagt: ‹Ich weiß, wer Sie sind – Mimi Meyersons Mann.›»
«Ehrlich gesagt, hätte ich von Leonard erwartet, daß ihm was Originelleres eingefallen wäre.» Sie denkt: Ich hatte also doch recht mit meiner Vermutung. Es macht ihm zu schaffen. Es ist zwar schon seit Jahren so, aber allmählich regt es ihn auf. Wer kann ihm das übelnehmen? Laut sagt sie: «Und was hast du gesagt?»
«Bestimmt sind Sie einer von Estée Lauders Jungs.»
«Ah!» ruft sie aus. «Gut gegeben, Brad. Herrlich. Ich kann mir vorstellen, was für ein dummes Gesicht er gemacht hat!»
«Ja, er hat ein bißchen ausgesehen – nun ja, als ob er nicht wüßte, was er sagen sollte.»
«Ärgert dich so was, Brad? Sei ehrlich. Ich meine, mir geht es nicht anders. Bei eurem Kanzleifest, als ihr damals das Boot für die Fahrt

zur Freiheitsstatue gechartert habt, waren lauter Anwälte an Bord, lauter Männer, und keinem ist was Besseres eingefallen als: ‹Sie müssen Brad Moores Frau sein.› Die meisten von denen hatten garantiert noch nie von Mimi Meyerson gehört.»

«Ach, weißt du, man gewöhnt sich daran», sagt er.

«Es ist ja nicht immer Leonard Lauder – und du hast nicht bei allen Gelegenheit, es ihnen so heimzuzahlen wie ihm. Glückwunsch, Liebling. Das hast du gut gemacht.»

Über sein Gesicht läuft bei der Erinnerung daran ein Lächeln, und Mimi denkt: Aha, der Eispanzer beginnt zu schmelzen.

Sie stellt zufrieden fest, daß Brad mit seinen einundfünfzig Jahren noch immer gut aussieht. Die Haare, die genau an den richtigen Stellen grau werden, sind ihm noch nicht ausgegangen, und was vielleicht das Beste von allem ist, er hat noch immer seine schlanke Figur. Ein ansehnlicher Mann bist du, sagt sie ihm wortlos. Ich kann verstehen, was sie an dir findet, wer sie auch sein mag, wo sie auch wohnt und was auch immer sie für dich tut. In dem Punkt bin ich ganz ihrer Ansicht.

Das Mädchen kommt, um abzuräumen, und fragt: «Wollen Sie den Kaffee hier oder in der Bibliothek, Mrs. Moore?»

«Hier, Edna, es ist einfacher so.» Zu Brad sagt sie: «Der einzige Grund, warum ich im Geschäftsleben nicht unseren Familiennamen benutze, ist der, daß viele unserer Kunden nach wie vor die Miray-Erzeugnisse mit Opa in Verbindung bringen. Ich hab selbst gehört, wie eine Verkäuferin in Chicago zu einer Kundin gesagt hat: ‹Wissen Sie, es gibt wirklich eine Mireille Meyerson, die diese Nachtcremes herstellt; sie ist die Enkelin des Firmengründers.› Ich glaube, das gibt unseren Kundinnen das gute Gefühl zu wissen, hinter dem Namen steht ein lebendiger Mensch.»

«Natürlich. Klingt sehr vernünftig.» Der Kaffee kommt.

«Es macht dir also nicht viel aus.»

«Es würde mir überhaupt nichts ausmachen, wenn es jedesmal Leonard Lauder wäre.»

«Weißt du, daß wir in der Branche die einzige Firma sind, bei der in der dritten Generation ein Familienmitglied an der Spitze steht? Die anderen – Revlon, Rubinstein, Arden, und wie sie alle heißen – sind ausnahmslos von Großkonzernen geschluckt worden, kaum daß der Gründer gestorben war. Da fällt mir ein, daß ich heute von Onkel Edwee einen maßlos lächerlichen Brief bekommen habe.»

«Ach ja? Was will er denn?»

«Nun, unter anderem – also wirklich, er ist vermutlich der albernste Mann unter Gottes Sonne, möchte er die Telefonnummer von – hörst du gut zu, Liebling? – von Dirk Gordon.»

Brad Moore scheint am ersten Schluck Kaffee fast zu ersticken. «Großer Gott», sagt er. «Ich hätte gedacht, seit er mit Gloria verheiratet ist, läuft er nicht mehr hinter den kleinen Jungen her.»

«Es macht mir ein bißchen Sorge. Wenn es um unseren angeblich so maskulinen Mireille-Mann und Onkel Edwee zu einem Skandal käme – auch, wenn nur über etwas in der Art gemunkelt würde –, könnte unsere Werbekampagne zu Ende sein, bevor sie richtig angefangen hat.»

«Enthalten eure Verträge denn keine Wohlverhaltensklauseln?»

«Natürlich. Aber gegen Gerüchte sind die machtlos. Der leiseste Verdacht könnte die Kampagne platzen lassen.»

«Und was ist mit der kleinen Gloria?»

«Deswegen mach ich mir ja solche Sorgen. Wenn sie vermutete, daß sich da was abspielt, dann läßt sich gar nicht absehen, was für ein Theater sie machen würde. Mit einem Mal wird Gloria zum Stolperstein meines Unternehmens. Der blöde Onkel Edwee.»

«Gloria ist eine dumme Gans.»

«Das ist es ja gerade. Mit klugen Menschen kann man zurechtkommen, aber bei den Dummen muß man vorsichtig sein.»

Er lächelt wieder. «Und in welche Kategorie falle ich?» fragt er.

Sie lacht. «Mit dir bin ich doch all die Jahre zurechtgekommen, oder nicht?»

«Und wirst du Edwee die Nummer des jungen Mannes geben?»

«Ich betreibe doch keine Partnerschaftsvermittlung für ausgefallene Wünsche. Falls er nicht lockerläßt – und damit ist zu rechnen –, sag ich einfach, ich kenne sie nicht, und verweise ihn an die Agentur. Die rücken auch keine Telefonnummern raus.»

«Meinst du, es könnte nützen, wenn ich mir Edwee mal vorknöpfe, so unter vier Augen?»

«Was würdest du ihm sagen, Brad?»

«Daß ich weiß, was er vorhat. Ich könnte ja durchblicken lassen, daß er mit dem Feuer spielt, wenn er die Sache weiterverfolgt. Vielleicht würde ihn das einschüchtern.»

«Laß uns abwarten, ob er sich noch mal meldet. Immerhin besteht die Möglichkeit, daß es nur ein ... Strohfeuer war. Allerdings wäre mir wohler, wenn ich es genau wüßte. Manchmal lösen sich Probleme von selbst, wenn man nicht über sie nachdenkt –»

«– und manchmal werden sie auch größer. Vielleicht sollte ich mich doch mal mit Edwee unterhalten.»

«Tu das, Brad.» Unvermittelt legt sie die Hand auf seine und fragt: «Hab ich dir eigentlich in letzter Zeit schon gesagt, wie großartig ich es finde, daß du meine verrückte Familie so klaglos erträgst? Meine verrückte Familie und das verrückte Geschäft, das wir betreiben?»

«Jedenfalls ist es nie langweilig.»

«Wie das Leben in einer Irrenanstalt. Morgen bin ich beispielsweise mit Michael Horowitz zum Mittagessen verabredet.»

Seine Augen blitzen interessiert auf. «Ach ja? Worum geht es da?»

«Ich weiß noch nicht genau. Aber ist dir die Kursentwicklung unserer Aktien aufgefallen? Fast das ganze Jahr über sind sie zwischen zweiundfünfzig und fünfundfünfzig hin und her gependelt, und heute hat der Schlußkurs bei siebenundsechzig fünfachtel gelegen.»

«Hat das vielleicht mit Gerüchten über das neue Parfüm zu tun?»

«Wir haben zuerst vermutet, daß möglicherweise irgendwelche Investmentfonds kaufen, aber Badger hat herausbekommen, daß Michael dahintersteckt.»

«Wieso das? Der ist doch im Immobiliengeschäft.»

«Das kommt mir eben auch seltsam vor, und deshalb möchte ich feststellen, was er vorhat. Badger und ich nehmen an, daß er etwas im Schilde führt – vielleicht eine Art von feindseliger Übernahme.»

«Aber warum? War er nicht immer eine Art Freund der Familie?»

«In gewisser Hinsicht. Er scheint ein sonderbares Interesse an allem zu haben, was mit den Meyersons zu tun hat. Du weißt ja, wie es war: Als nach Opas Tod nirgendwo Geld zu sein schien, ist Michael auf der Bildfläche erschienen und hat Oma geholfen – erst beim Verkauf ihres Hauses an der Madison Avenue und dann beim Verkauf des Grundstücks in Bar Harbor. Er hat sogar eine Teilungsgenehmigung dafür besorgt.»

«Das war aber doch in beiden Fällen ein gutes Geschäft!»

«Sogar ein sehr gutes. Für Oma als Verkäuferin, und für ihn als Makler. Eine Zeitlang haben wir nichts mehr von ihm gehört. Vor zwei Jahren hat er dann plötzlich Opas Haus in Palm Beach gekauft und ist da eingezogen.»

«Das war aber doch auch ein gutes Geschäft. Der Besitz war ein wahrer Klotz am Bein, den niemand wollte, nicht mal geschenkt.»

«Nun, niemand hat uns ein besseres Angebot gemacht als Michael. Andererseits war es wie ein Notverkauf, nachdem er das Anwesen jahrelang wie Sauerbier angeboten hatte.»

«Immer noch besser als zwanzig Jahre lang weiter Steuern auf den alten Kasten zu zahlen.»

«Und jetzt das. Siehst du nicht, wie sich da ein Muster herausbildet, Brad? Ich schon.»

Er zögert. Dann fragt er: «War er nicht ein alter Verehrer von dir, Mimi?»

«Vor Urzeiten.»

«Vielleicht ist es das», sagt er.

«Ach was», entgegnet sie. «Er verhält sich nicht wie ein alter Verehrer. Er hat unsere Aktien über Dutzende von Börsenmaklern klammheimlich aufgekauft. Es riecht verdächtig nach einer feindseligen Handlungsweise. Badger findet das auch.»

«Weißt du was? Wahrscheinlich ist er noch immer in dich verliebt.»

«Sei nicht albern», sagt sie, vielleicht ein wenig zu rasch. «Bestimmt nicht. Er war – ach, es ist so lange her, daß ich es selbst nicht mehr weiß. Was ich dich fragen wollte – meinst du, McSwain, Moore und Hollowell würde im Fall eines Übernahmekampfes für uns tätig werden? Oder wäre das für euch ein Interessenkonflikt?»

Einen Augenblick lang denkt er nach und sagt dann: «Da dürfte es wohl keine Schwierigkeiten geben. Natürlich muß ich mit meinen Partnern darüber sprechen. Aber ich denke, daß wir das übernehmen könnten. Schließlich hat einer unserer jungen Leute Bob Hollowells Scheidung durchgeboxt.»

Scheidung, denkt sie. Wieso fällt ihm Scheidung ein, wenn wir von einer Geschäftsübernahme sprechen, immerhin sein Spezialgebiet? Munter sagt sie: «Ich finde, wenn ich mit jemandem wie Michael Horowitz in den Ring steigen muß, sollte ich die besten Anwälte in der Stadt beauftragen.»

«Das Kompliment ist zur Kenntnis genommen», sagt er.

«Ich will die Firma nicht für mich allein», sagt sie, «sondern sie in ein paar Jahren an Badger weitergeben. Ich will nicht den Rest meines Lebens da versauern, und du weißt so gut wie ich, daß Badger gern voll einsteigen würde. Er hat das nötige Rüstzeug. Immerhin sind wir in dieser Branche einzigartig. Badger wäre die vierte Generation.»

«Und was würdest *du* dann tun?»

Sie lacht. «Ich latsche faul und zufrieden in abscheulichen Schlappen und einem kaffeefleckigen Morgenrock durchs Haus und seh mir die Vormittags-Fernsehsendungen für Hausfrauen an.»

«Irgendwie», sagt er, «seh ich dich nicht so recht in dieser Rolle», und dann: «Ich würde es auch tun.»

«Was? Rumschlurfen und dir die Hausfrauensendungen ansehen?»
«Für dich kämpfen. Nach all den Jahren.»
«Aber Liebling! Wie herrlich romantisch von dir!»
«Es ist mir so rausgerutscht.»
Sie schweigen jetzt, sitzen über Eck am Eßzimmertisch, die Kerzen in den silbernen Kerzenhaltern flackern in der Brise, die vom Central Park herüberweht. Wer sie so sitzen sieht, könnte sie für Verschwörer halten, die an einem Spätsommerabend eine Intrige schmieden.
Sie muß an einen anderen Sommerabend denken. Sie war im New York Hospital allmählich aus der Narkose erwacht, und als sie die Augen öffnete, begriff sie nicht, was Brad auf einem Krankenhausbett neben ihr tat, das genauso aussah wie ihres. Sein rechter Hemdärmel war aufgerollt, und um seinen Arm lag ein kleiner Verband. Das Kind war drei Wochen früher gekommen, als Dr. Ornstein angenommen hatte. Mimi war in aller Eile ins Krankenhaus gebracht worden, und nach neunzehnstündigen Wehen hatte ihr der Arzt mitgeteilt: «Die Geburt wird schwierig. Wir müssen einen Kaiserschnitt machen.» Sie hatte nur genickt. Er beruhigte sie: «Kinder, die auf diese Weise zur Welt kommen, sind hübsch, weil sie nicht so gequetscht werden. Ihnen wird es auch gutgehen.» Das war das letzte, woran sie sich erinnern konnte.
Irgend etwas mit ihrem Becken – vielleicht hatte sie es von ihrer Mutter geerbt, die bei ihrer Geburt ähnliche Schwierigkeiten gehabt hatte – war für die Komplikation verantwortlich. Der Eingriff war gut verlaufen, das Kind gesund auf die Welt gekommen, doch bald darauf hatte bei ihr eine Blutung eingesetzt. All das erfuhr sie später, aber wie sie noch benommen von der Narkose und ärgerlich darüber war, wie schlecht sie sich fühlte, erzürnte es sie, ihren Mann im Nachbarbett zu sehen. «Was tust du hier?» fuhr sie ihn wütend an.
«Pst», sagte er. «Beweg dich nicht. Lieg still.»
«Was wird hier gespielt?» fragte sie und versuchte, sich auf den Ellbogen aufzurichten.
«Lieg still, hab ich gesagt. Du brauchtest Blut. Ich hab dir eineinhalb Liter gegeben und fühl mich ein bißchen schwach. Du hast jetzt Blut von mir in dir. Und auch unser Junge hat welches. Das bindet uns enger aneinander, nicht wahr?»
«Ein Sohn», sagte sie schläfrig, und dann durchflutete sie plötzlich statt der unvernünftigen Wut, die sie anfänglich empfunden

hatte, ein geradezu rasendes Glücksgefühl. «Ein Sohn», sagte sie wieder. «Ich möchte ihn nach dir nennen. Ich möchte ihn nach dir nennen ... nach dir ... Mi –»

«Sprich nicht, ruh dich aus», unterbrach Brad sie.

«Woran denkst du?» fragt er sie jetzt.

«Seltsam, aber ich dachte an den Strand bei St. Jean de Luz», lügt sie. «An den Tag, wo du mich im Sand eingebuddelt hast.»

«Da hast du ausgesehen wie Mae West, weißt du noch? Du warst immer so klapperdürr.»

«‹Bradford ist nicht besonders leidenschaftlich›, hat deine Mutter immer gesagt. ‹Das liegt nicht im Charakter von uns Moores und Bradfords.› Sie schien zu glauben, damit verstoße man gegen ein Gebot der Bibel und es sei irgendwie unanständig.»

Lächelnd wendet sie den Blick von ihm ab, sieht zum Fenster hin. «Aber an dem Nachmittag in Athen warst du ganz schön leidenschaftlich. Weißt du noch? Der Blick vom Hotelzimmer zum Parthenon?»

«Ach je, da haben wir es schlimm getrieben.»

«Und ich muß an etwas denken, was mich Jim Greenway heute gefragt hat. Er wollte wissen, ob ich in dir eine Vaterfigur sehe.»

«Und was hast du gesagt?»

«Nein. Eine Gattenfigur.»

«Ich hab eine Neuigkeit für dich», sagt er.

«Ja?»

«Ich bin als Nachfolger für Arm Miller im Gespräch.»

«Wirklich, Liebling? Das wäre ja herrlich!»

«Würdest du das überhaupt wollen, Mimi? Als Senatorengattin in Washington im Aquarium leben? Und was ist mit deiner Firma hier?»

«Ich würde täglich mit dem Flieger pendeln – das tun viele.»

«Wir könnten unter der Woche in Washington leben und am Wochenende hierher zurückkehren – um samstags eine Einkaufstour zu machen.»

«Das haben wir schon lange nicht mehr getan.»

«Wir haben beide viel Arbeit.»

«Ja.»

Ein Schweigen tritt ein. Dann sagt er: «Es gibt noch etwas, das wir lange nicht getan haben.»

«Was?»

«Wir könnten doch unsere Weingläser füllen, nach oben gehen und eine Weile leidenschaftlich sein.»

«Ach Brad, was für ein wunderbarer Einfall!»
«Versprich mir, es nicht meiner Mutter zu sagen.»
«Versprochen.»
Sie steht als erste auf, er folgt ihr. Auf der Treppe flüstert sie ihm ins Ohr: «Heute tu ich, was du am liebsten hast. Weißt du noch, wie du mir in Athen gesagt hast, was du am liebsten hast? Schließlich war ich noch nie mit einem Senator der Vereinigten Staaten im Bett.»
Er nimmt ihre Hand, und sie rennen gemeinsam die Treppe hinauf wie die jungen Verliebten, die sie vor dreißig Jahren waren. Mit der Welt steht alles zum besten, denkt Mimi, jedenfalls im Augenblick.

«Die prachtvollen Meyersons!» hieß die Überschrift des Artikels in der Novemberausgabe 1939 von *Town & Country* über die Familie. In jenem Jahr waren nach wie vor an die zehn Millionen Amerikaner arbeitslos, verdienten nur 42 000 Menschen mehr als 25 000 Dollar pro Jahr, und nur drei Prozent der Gesamtbevölkerung war aufgrund ihres Einkommens überhaupt einkommensteuerpflichtig.
Hier folgen einige Bildunterschriften aus jenem Bericht:

Adolph Meyerson, der «Kosmetik-König», und seine bildschöne Frau Fleurette, geborene Guggenheim (aus der Kupfer-Dynastie), beim Tee im prunkvollen Salon ihres Herrenhauses in Manhattan. Mr. Meyerson, Abkömmling einer alten französischen Familie, erklärt, aus dem ursprünglichen Namen seiner Familie, der ihr immer noch als Motto dient, nämlich «Ma Raison» (mein Recht), sei im neunzehnten Jahrhundert in Amerika Meyerson geworden. Seinen Erfolg in der Kosmetik-Industrie führt er auf ein einziges Ziel zurück: «Ich wollte aus den Amerikanerinnen die schönsten Frauen der Welt machen.»

Die Söhne Henry G. Meyerson, links (24) und Edwin R. Meyerson (7) mit ihren Eltern beim Spaziergang auf der Fifth Avenue. Henry ist bereits eine Stütze des väterlichen Geschäfts, während Edwin, ein aufgeweckter Zweitklässler, sagt, er wolle Polizist werden, wenn er groß ist!

Die kastanienbraune Debütantin Miss Naomi Meyerson, Mitte, ein beliebtes Mitglied der New Yorker *jeunesse dorée*, gibt für ihre Freundinnen, von denen sie «Nonie» genannt wird, eine Gesellschaft im Stork Club.

Merry Song, der herrschaftliche Sommersitz der Meyersons in Bar Harbor auf Mt. Desert Island, Maine. Vierhundert Meter weit erstrecken sich Rasenflächen und Park vom Eingang des Hauses, das aus dem achtzehnten Jahrhundert stammt, hin zu den glänzend blauen Wassern von Frenchman Bay.

Mer et Son, die siebzig Fuß lange Yacht der Meyersons, vor Anker bei Bar Harbor. Adolph Meyerson hat sie 1932 in Auftrag gegeben. Wie auch die Namen der Landsitze, spielt *Mer et Son* (Meer und Klang) mit der Aussprache des Namens Meyerson.

Ma Raison, der vor kurzem fertiggestellte Besitz der Meyersons in Palm Beach, Florida, wo die Familie künftig den Winter verbringen wird. Das im spanisch-maurischen Stil errichtete Haupthaus enthält achtzig Räume. Von ihm geht es durch eine Unterführung zum Privatstrand der Familie, so daß die Meyersons von ihrem Schwimmbad ans Meer gelangen können, ohne den South Ocean Boulevard überqueren zu müssen. Zur Einweihung ihres neuen Landsitzes ist eine Weihnachtsgesellschaft mit fünfhundert Angehörigen der führenden Schicht von Palm Beach vorgesehen.

Jüngster Sproß am Stamm der Familie Meyerson ist die sechs Monate alte Mireille, Tochter von Mr. und Mrs. Henry G. Meyerson; hier mit ihrer Mutter im Park des Sommersitzes in Bar Harbor. Auch der Vorname des Kindes ist eine verspielte Namensvariante, denn «Mireille» klingt genau wie «Miray», der Name des von ihrem Großvater 1912 gegründeten Unternehmens.

«Natürlich ist das alles von meinem Geld bezahlt worden», sagt Oma Flo zu dem Mann, der sie interviewt. «Das wußte ich damals nur nicht. Alle waren immer hinter meinem Geld her. Sie sind es auch heute noch.»

8

Mark Segal und Mimi sitzen auf dem Sofa in Mimis Büro und betrachten eine nach der anderen die auf dem niedrigen Tischchen vor ihnen liegenden retuschierten Aufnahmen des Mireille-Paares. Einige Minuten lang schweigen beide.

Schließlich sagt Mark: «Ist Ihnen auch aufgefallen, was da passiert ist, seit der Junge die Narbe hat? Das ist hochinteressant!»

«Was denn, Mark?»

«Er hat jetzt nicht nur eine Art geheimnisvollen Hintergrund, was Sie ja wollten, sondern wirkt auch unglaublich – es gibt kein anderes Wort dafür – unglaublich sexy. Verstehen Sie mich nicht falsch. Ich steh nicht auf Männer, aber der Bursche wirkt jetzt richtig animalisch sexy. So was hab ich noch nie gesehen!»

«Ganz meine Ansicht. Er hat jetzt eine gewisse Härte, das gewisse Etwas, das ihm vorher fehlte.»

«Ja, Härte, aber auch eine Spur Gemeinheit. Ich bin fest davon überzeugt, daß die Frauen darauf abfahren werden wie noch bei keiner Werbekampagne. Um ganz sicher zu sein, hab ich ein paar von den Abzügen mit nach Hause genommen und meiner Frau gezeigt. Sie hat sie sich angesehen und fast gezittert, Mimi, und gesagt: ‹Großer Gott, ist das ein sexy Bursche!› Das Zittern hat sich mir eingeprägt. Die Sache müßte einschlagen wie eine Bombe. Übrigens ist mir dabei was eingefallen.»

«Raus mit der Sprache.»

«Wo wir die Filme sowieso noch mal drehen müssen, könnten wir die beiden noch ein bißchen mehr ausziehen. Er kriegt ein Tangahöschen und sie einen Mini-Bikini. Immerhin hat sie eine Bombenfigur. Was halten Sie davon?»

«Sie denken wohl an die Werbung von Calvin Klein für sein Parfüm ‹Obsession›, wo sich nackte Leiber, die aussehen wie griechische Statuen, umeinander winden?»

«Mehr oder weniger schon, aber es soll natürlich nicht genauso sein. Ich dachte nur, wir könnten diese sinnliche Wirkung verstärken, die von dem Mann jetzt ausgeht.»

«Ich weiß nicht recht, Mark», gibt sie zurück. «Ich denke, wenn wir es so unterschwellig lassen, ist die Wirkung dieselbe.» Sie wirft einen Blick auf die Uhr. «Jetzt muß ich mich aber beeilen. Ich habe eine wichtige Verabredung zum Essen. Denken Sie mal über das Problem nach und richten Sie den Grafikern aus, daß sie großartige Arbeit geleistet haben. Veranlassen Sie alles Erforderliche, damit die Filme neu gedreht werden können. Sehen Sie zu, daß der beste Visagist in der Stadt die Narbe schminkt. Es gab mal einen gewissen Scott Cunningham, der auf so was spezialisiert war.»

«Und was ist mit den gedruckten Anzeigen?»

«Die Fernsehwerbung ist wichtiger. Sobald die neuen Filme mit der Narbe für das Fernsehen fertig sind, kann die Grafik-Abteilung anfangen, die Narbe auf die Fotos zu sprühen. Falls das nicht funktioniert, machen wir die Aufnahmen eben auch noch mal.»

«Nun ... in Ordnung.»

«Sie scheinen noch was auf dem Herzen zu haben, Mark?»

«Ja. Ein Punkt, an den Sie hoffentlich schon gedacht haben, Mimi.»

«Nämlich?»

«Mit dieser Kampagne betreten wir völliges Neuland», sagt er. «Wir begeben uns dabei in eine gewisse Gefahr, denn wir brechen ein Tabu.»

«Was für eins?»

«Jahrzehntelang hat die Werbung eine ganze Anzahl ungeschriebener Regeln beachtet, die sie sich selbst auferlegt hatte. Beispielsweise waren ursprünglich auf Zigarettenreklamen nie Frauen zu sehen, bis in den dreißiger Jahren Chesterfield mit der berühmten Anzeige rauskam, auf der eine Frau sagt: ‹Puste mir mal eine rüber.› Bis vor kurzem hat das auch für Schnaps- und Bierwerbung gegolten – nie hat man eine Frau mit einen Glas in der Hand gesehen, schon gar nicht am Mund. Lange wurde auch keine Werbung mit Schwarzen gemacht, sofern nicht Schwarze die Zielgruppe waren. Das ist jetzt zwar alles anders, aber wir legen uns, wenn wir die Narbe lancieren, unter Umständen mit einer neuen Minderheit an, mit der wir bisher nichts zu tun hatten: den körperlich Entstellten, vielleicht sogar mit den Behinderten. Das ist ziemlich kühn. Ich will meine Bedenken erklären: auf den Anzeigen für die Hathaway-Hemden war nicht etwa ein Mann mit einer leeren Augenhöhle zu sehen, sondern einer mit einer Augenklappe. Die Sache mit der Narbe könnte mächtig schiefgehen, Mimi. Möglicherweise fühlen sich manche Leute davon eher abgestoßen. Ich wollte nur darauf hinweisen, damit Ihnen das Risiko klar ist.»

«Halten Sie es für hoch, Mark?»

«Unter Umständen kann es sehr hoch sein.»

«Nun, unser ganzer Plan, mit einem Parfüm auf den Markt zu gehen, ist von Anfang bis Ende riskant, oder nicht? Nachdem wir A gesagt haben, müssen wir wohl auch B sagen. Also auf in den Kampf!» Sie springt auf. «Ach, Mark», sagt sie dann, «ich bin jetzt richtig aufgeregt! Ich hab sogar ein bißchen Angst. Sie könnten mir noch einen Gefallen tun.»

«Ja?»

«Geben Sie mir einen Kuß auf die Schulter. Dahin», sie zeigt ihm die Stelle.

«Was?»

«Ja. Küssen Sie mich auf die Schulter. Es soll Glück bringen. Ich bin abergläubisch. Wir stehen vor einer ganz wichtigen Kampagne, und ich bin unterwegs zu einer wichtigen Besprechung. Immer, wenn ich etwas Wichtiges in Angriff nehme, lasse ich mich von jemandem auf die linke Schulter küssen, damit ich Glück habe. Würde es Ihnen was ausmachen?»

«Nun», sagt er zögernd und drückt dann der Präsidentin und Alleingeschäftsführerin des Unternehmens Miray Corporation behutsam und fast so, als sei sie zerbrechlich, einen Kuß auf die linke Schulter.

«Danke! Das müßte genügen!» sagt sie. «Gewöhnlich klappt es damit.» Dann eilt sie hinaus.

Kaum sitzt sie mit Michael Horowitz am Tisch im Restaurant, als der Oberkellner mit einem Telefon erscheint. «Ein Mr. Polakoff aus Chicago, Sir», sagt er.

Der Angesprochene nimmt den Hörer ab. «Polakoff?» sagt er. «Wie geht's, mein Junge? Hören Sie, ich hab Ihnen mein letztes Angebot gemacht. Nein, mich interessiert Ihr Preis nicht, und auch nicht, was Ihr Anwalt zu sagen hat. Hören Sie mir einfach aufmerksam zu, mein Junge. Fertig?... Dann halten Sie mal die Luft an. Wissen Sie, wofür ich das winzige Stückchen Erde haben will? Für einen Springbrunnen – einen Springbrunnen und einen kleinen Wasserfall. Ja – man nennt das Landschaftsgestaltung, und es ist nur ein Schnörkel. Zuckerguß auf dem Kuchen. Und ich finde mein Angebot sehr großzügig. Denken Sie mal drüber nach, mein Junge. Was bleibt Ihnen denn schon, wenn mein Hotel rund um Ihr Grundstück von nicht mal zweihundert Quadratmetern hochgezogen wird? Ein Fleck nutzloser Erde, den Sie nicht mal als Parkplatz benutzen können! Mein Angebot ist endgültig, klar? Ich will Ihnen was sagen, mein Junge. Es ist jetzt» – er sieht auf die Uhr – «zwölf Uhr sechsunddreißig. Sie haben bis fünf Uhr Zeit, mir Ihre Zustimmung rüberzufaxen. Wenn ich bis dahin nichts von Ihnen gehört habe, ist die Sache für mich gestorben. Vorbei, kaputt, aus. Kapiert? Und ich meine damit fünf Uhr *meine* Zeit, das ist bei euch da drüben vier Uhr. Klar? Na schön. Bis dann.» Er legt auf und lächelt Mimi an. «Ich krieg meinen Springbrunnen», sagt er, «und meinen Wasserfall.» Dann: «Wo waren wir stehengeblieben?»

«Noch nirgendwo», sagt sie charmant. «Du hast mir nicht mal guten Tag gesagt.»

«Hallo, Kindchen», sagt er und berührt flüchtig mit den Lippen ihre Wange. «Siehst toll aus.»

«Danke, Michael.» Sie hatte ganz vergessen, daß er die Angewohnheit hatte, alle Welt «Mein Junge» oder «Kindchen» zu titulieren, und sieht ihm einen Augenblick ins Gesicht. Erinnerungen steigen in ihr auf.

Vor Jahren hatte sie dem Gefühl, das sie empfand, wenn er sie auf eine bestimmte Weise ansah, einen Namen gegeben. «Mein Michael-Gefühl», pflegte sie zu sagen, wenn Schatten über seine Augen zu laufen schienen und sie groß, eindringlich und leuchtend wurden. Vor diesem Blick fühlte sie sich hilflos, zitterte, war nicht imstande, ihre Gedanken oder Worte zu beherrschen. Es war fast wie ein Adrenalinstoß, nur daß nicht Kraft und Energie, sondern ein Gefühl der Kraftlosigkeit und Unvermeidlichkeit sie durchflutet hatte. Einst war die Wirkung dieses Michael-Gefühls überwältigend gewesen, aber jetzt, nach all den Jahren, ist sie sicher, daß sie ihm entwachsen ist. Es gehört der toten Vergangenheit an.

«Was zu trinken?» fragt er.

«Ein Glas Weißwein.»

«Gute Idee». Er schnippt dem Kellner mit den Fingern. «Zwei Chablis», bestellt er.

Die Presse hat schon viel über Michael Horowitz geschrieben, ihn liebenswürdig, aber auch heimtückisch genannt, rücksichtslos, habgierig, den Immobilien-Romeo, den Grundstücks-Don-Juan. Man hat ihn als Wolf im Gesellschaftsanzug bezeichnet und als mondgesichtigen Banditen von Manhattan, als letzten anständigen Mann in der Immobilienbranche und auch als gänzlich unzuverlässig. Dies und vieles andere hat man über ihn gesagt, und die Modepäpstin Diana Vreeland, das moderne Gegenstück zum Orakel von Delphi, hat ihn «*schrecklich* nett» genannt – wobei sich jeder überlegen darf, ob sie ihn schrecklich oder nett fand. Sein bekanntester Ausspruch, über Pläne von Konkurrenten, lautet: «Das könnte ich in der halben Zeit halb so teuer doppelt so groß bauen.»

Seine Feinde – und es gibt viele, denn er weiß sich mit Mitteln durchzusetzen, die anderen, aus welchen Gründen auch immer, nicht zu Gebote stehen – nennen ihn Michael Horrorwitz. Ihm eilt der Ruf voraus, Frauen seien von ihm wie gebannt, und er soll schon eindeutige Offerten von Filmstars bekommen haben, die er nie gesehen hatte. Was auch an all dem sein mag, eins ist sicher: Er tätigt die besten Abschlüsse in New York, wenn nicht im ganzen Lande oder auf der ganzen Welt.

Mimi fällt auf, daß er kaum anders aussieht als der eifrige junge Mann, den sie vor dreißig Jahren als Studentin an der Columbia School of Business kennengelernt hatte. Er hat auch immer noch das leicht schiefe Lächeln, bei dem er seine makellosen Zähne entblößt. Wenn er so lächelt wie jetzt, sieht man drei Grübchen, je eins in beiden Mundwinkeln und eins am Kinn. Er wirkt immer noch schlank und drahtig, ohne erkennbaren Bauchansatz. Oft sieht man ihn im Central Park joggen, und Mimi ist sicher, daß er nach wie vor getreulich Gewichte hebt und an seinen Kraftmaschinen trainiert. So reich, wie er ist, hat er jetzt bestimmt seinen eigenen Kraft- und Fitneß-Raum. Wüßte man nicht, daß er ein weithin bekannter Immobilienmakler ist, könnte man ihn ohne weiteres für einen Skilehrer halten.

Er hat noch immer die merkwürdige Gewohnheit, den Unterkiefer vorzustoßen, bevor er etwas sagt, und zugleich eine einzelne Strähne seines sandfarbenen Haars aus der Stirn zu schieben, die ihm immer wieder über die Augen zu fallen scheint. Auch jetzt tut er es wieder. «So», sagt er, «und welchem Umstand habe ich dieses einzigartige

Vergnügen zu verdanken? Wir haben schon lange nichts mehr miteinander getrunken.»

«Laß mich gleich zur Sache kommen», sagt sie. «Ich möchte wissen, warum du so viele Miray-Aktien kaufst.»

Er lächelt erneut. «Das ist dir also aufgefallen? Nun, erstens denke ich, daß du eine verdammt gute Firma leitest, und dann hab ich gehört, daß du mit einem vielversprechenden neuen Produkt rauskommen willst.»

«Woher, Michael? Es ist noch gar nicht angekündigt.»

«Ach, Kindchen», sagt er, «New York ist ein Dorf. Man hört dies und jenes. Hier gibt es doch nur rund zweihundert Menschen, die zählen, und wir beide kennen jeden einzelnen von ihnen.»

«Und wer sind die, Michael?»

«Nun, du, ich, und hundertachtundneunzig andere.» Er zuckt die Schultern. «Wenn du willst, kann ich dir eine Liste machen.»

«Es würde mir schon helfen, wenn ich wüßte, wer aus meinem Unternehmen Informationen in die Öffentlichkeit trägt.»

«Willst du etwa bestreiten, daß du an einer großartigen neuen Sache arbeitest?»

«Ich bestreite nichts, und ich bestätige nichts.»

«Nun, sagen wir, ich hab es von einem der hundertachtundneunzig Leute gehört, die du und ich kennen. Ich weiß nicht mal genau von wem. Jedenfalls soll es um ein neues Parfüm gehen.»

«Du hast schon mehr als vier Prozent unserer Aktien. Das ist eine ganze Menge.»

Er pfeift durch die Zähne, als sei er aufrichtig überrascht. «Tatsächlich schon so viel? Nun, ich bin jetzt reich, und wenn ich kauf, heißt es – nicht kleckern, sondern klotzen. Hast du was dagegen einzuwenden?»

«Keineswegs. Aber sobald jemand fünf Prozent eines Unternehmens aufgekauft hat, verlangen die gesetzlichen Vorschriften, daß er eine öffentliche Absichtserklärung abgibt.»

«Ja, ich glaube, davon hab ich schon mal gehört.»

«Bist du sicher, daß du kein Übernahmeangebot machen willst? Sofern das der Fall sein sollte –»

«Übernahme? Wozu? Was versteh ich von der Kosmetikbranche? Nicht das Schwarze unterm Fingernagel. Hör mal, du riechst verdammt gut. Ist das etwa das neue Zeug?»

Sie merkt, daß er versucht, das Thema zu wechseln und zugleich weitere Informationen aus ihr herauszulocken. «Wir sollten unsere

Bestellung aufgeben», sagt sie kühl und nimmt die Speisekarte zur Hand.

«Ich weiß schon, was ich nehm», sagt er. «Eine Schüssel Haferflokken mit Kleie und Rosinen. Dazu ein Glas Preiselbeersaft.»

«Hier im Le Cirque?»

«Weißt du nicht mehr?» sagt er. «Wie du in meiner Wohnung am miesen Ende von River Side Drive bei mir warst? Da hast du immer solche Sachen mitgebracht. Die Haferflocken, weil du fandest, daß ich Ballaststoffe brauchte, und den Preiselbeersaft, weil er angeblich gut für meine Leber war.»

«Das ist ewig her», sagt sie. «Inzwischen hab ich viel mehr für Kaviar übrig. Wollen wir mit etwas Beluga anfangen?»

«Und weißt du noch, wie du dauernd meine verdammten Socken umsortiert hast? Du hast gesagt, sie müßten der Farbe nach in der Schublade liegen. Vermutlich ist damals schon dein Organisationstalent durchgebrochen.»

«Wahrscheinlich.» Sofern er hofft, sie durch diese intimen Erinnerungen an eine lange zurückliegende Beziehung schamhaft erröten zu lassen, hat er sich gründlich geirrt. Das achtzehnjährige Mädchen vor dreißig Jahren war ein ganz anderer Mensch. Sie weiß selbst kaum noch, was für einer.

«Damals hattest du noch eine Zahnspange. Weißt du noch, wie du sie gehaßt hast? Ich fand sie immer niedlich.»

«Tatsächlich?»

«Wir haben beide inzwischen viel erlebt, was? Damals warst du ein schüchternes junges Ding, das Angst vor seinem eigenen Schatten hatte. Und ich war so –»

Der Oberkellner erscheint erneut mit dem Telefon in der Hand, aber Michael winkt ab. «Jetzt keine Anrufe mehr, Charlie.»

«– so sehr in dich verliebt.»

«Für mich bitte Kalb», sagt sie.

Weiter südlich sitzt Oma Flo Meyerson mit ihrer Freundin Rose Perlman in einem nicht annähernd so feinen Lokal. «Jetzt, wo es Schrafft's nicht mehr gibt, kann man sich nur noch auf Altman verlassen», hat Oma Flo gesagt, als sie sich mit Mrs. Perlman verabredete. «Ich glaube, die haben ihre Speisekarte nicht geändert, seit ich ein junges Mädchen war.» Beide haben *tomate surprise* bestellt. Die Überraschung besteht in einer Hüttenkäse-Füllung.

«Ich wollte heute eigentlich gar nicht auswärts essen», sagt Oma

Flo. «Aber ich möchte Edwee aus dem Weg gehen. Er ruft unaufhörlich an, sagt, er will vorbeikommen und mit mir reden. Heute morgen hat er gesagt, daß er mich unbedingt noch heute sehen muß. Ich hab ihm geantwortet, es geht nicht, ich hab zu tun. Außerdem geh ich zum Mittagessen aus und weiß nicht, wann ich zurück bin. Und für den Fall, daß er vorbeikommt, die Leute ihn in die Wohnung lassen und er mich bei einer Schwindelei ertappt, hab ich dich angerufen. Wir können den ganzen Nachmittag hierbleiben, wenn du möchtest, und einen kleinen Schaufensterbummel machen. Du kannst mir ja sagen, was es da zu sehen gibt. Ist das meine Gabel? Ja, Edwee will mich in ein Pflegeheim stecken.»

«Was? Das kann er nicht tun. Oder doch?»

«Er sagt, er tut's. Er will mich entmündigen lassen oder so was. Er hat drei Dutzend Anwälte mit der Sache beauftragt.»

«Aber das ist ja fürchterlich! Du mußt selbst unbedingt zu einem Anwalt gehen – und zwar schnell. Ist nicht der Mann deiner Enkelin irgendein berühmter Anwalt?»

«Ja, aber alle sagen, daß Mimi wahnsinnig böse auf mich ist. Ich hab neulich wohl was über Alice gesagt, was nicht besonders nett war.»

«Wer ist Alice?»

«Mimis Mutter.»

«Ach so. Die Trinkerin.»

«Genau. Ehrlich gesagt, Rose, ich denke, es war sehr klug von dir, oder du hast 'ne Menge Glück gehabt, oder vielleicht beides, daß du nie Kinder hattest. Manchmal denke ich, es wäre besser gewesen, ich hätte auch keine gehabt. Aber andererseits, worüber soll man sich ärgern, wenn man keine Kinder hat?»

«Wie geht's deiner Großmutter?» fragt Michael. «Ist sie immer noch so komisch wie früher?»

«Aber ja. Oma ändert sich nie.»

«Laß dir eins über die alte Schönheit sagen», fährt er fort, «sie hat 'ne Schraube locker. Wie ich ihr damals geholfen hab, das Anwesen in Maine loszuwerden, hat sie mich nicht eine Sekunde aus den Augen gelassen und jeden Penny nachgezählt, und wie ich das Haus an der Madison Avenue für sie verkaufte, fragt sie mich auf einmal: ‹Was ist mit den Luftrechten?› Ich meine, ist das Verrücktheit oder Gerissenheit? Auf einmal versteht die was von Luftrechten!»

«Und jetzt hast du Opas alten Besitz in Palm Beach gekauft.»

«Stimmt. Du hast also schon davon gehört.»

«Immerhin stand es in der *New York Times.* Außerdem habe ich gehört, daß Opas Nachlaßstiftung zehn Millionen dafür wollte und du vierzwei bezahlt hast.»

Er rümpft die Nase. «Mehr», sagt er. «Immerhin war das Objekt seit Jahren auf dem Markt, kein Mensch war daran interessiert. Ich wollte die Leute nicht runterhandeln und hab ein Angebot gemacht. Sie sind mit ihrer Forderung runtergegangen. Dann hab ich mein Angebot erhöht, und wir haben uns in der Mitte getroffen. Ich hab das Haus so gekauft, wie es jeder andere auch getan hätte. Ehrlich gesagt hatte ich den Eindruck, daß die Leute heilfroh waren, das Ding loszusein.»

«Wahrscheinlich stimmt das.»

«Aber merkwürdig, neulich hab ich an dich gedacht – gerade als du mich anriefst. Es war wie Gedankenübertragung. Es ging um das Haus in Palm Beach.»

«Inwiefern?»

«Der ganze Besitz ist ziemlich runtergekommen, nachdem er all die Jahre leergestanden hat. Da muß 'ne Menge gemacht werden. Ich dachte, vielleicht, wenn ich Mimi dazu bringen könnte, mir zu helfen, kann ich es wieder so hinkriegen, wie es in den guten alten Zeiten war.»

«So wie das früher war, würde es dir bestimmt nicht gefallen. Es war affenscheußlich. In jeder Ecke standen Palmen, und der Eßzimmertisch hatte eine eingelegte Mosaikoberfläche wie im Petersdom in Rom. Der häßlichste Tisch, den ich je gesehen habe, und Opa hat gern damit geprahlt, daß er fünfzigtausend Dollar gekostet hatte. Und wie der Tisch waren alle anderen Möbel – geschmacklos und irrsinnig teuer.»

«Dann könntest du mir vielleicht helfen, es so herzurichten, wie es aussehen *sollte*. Überleg's dir. Du hattest immer einen prima Geschmack. Geschmack und Stil, das waren deine Kennzeichen. Wie wär's, Mimi? Du kommst für ein paar Tage als mein Gast nach Palm Beach und hilfst mir, dies und das zusammenzusuchen. Ich hab keinen Geschmack und auch keinen Stil. Werd ich auch nie kriegen. Würdest du mir helfen?»

«Ich glaube kaum, daß sich das schickt, Michael.»

«Wieso nicht?» Er zuckt die Schultern. «Nun, überleg's dir.»

«Was willst du überhaupt mit einem so großen Besitz für dich allein? Wozu brauchst du zwanzig Schlafzimmer?»

«Vielleicht ist es Sentimentalität. Vielleicht dachte ich, es wär schön, etwas zu besitzen, das dir gehört hat.»

«Aber es hat nicht mir gehört, sondern Opa. Ich war höchstens ein- oder zweimal dort. Bestimmt erinnerst du dich noch, daß Opa nicht besonders nett zu dir war.»

Er sieht sie mit offenem und festem Blick an. «Du hast also doch nicht alles vergessen», sagt er. «Das war er tatsächlich nicht. Auch dir gegenüber hat er sich ziemlich unfreundlich benommen.»

«Und kaufst du auch Miray-Aktien, um etwas von mir zu besitzen?»

«Möglich», sagt er. «Könnte sein.»

«Oder um dich an Opa zu rächen?»

Er reckt das Kinn vor, schiebt die widerspenstige Strähne aus der Stirn und sagt: «Auch möglich. Du wirst es nicht erfahren, wenn du mir für Palm Beach einen Korb gibst.»

«Daß ich mit dir da hingehe, kommt überhaupt nicht in Frage, Michael.»

«Ist es wegen dem Typ, mit dem du verheiratet bist? Weißt du, ich find dich immer noch sehr anziehend. Für mich bist du immer noch die schönste und begehrenswerteste Frau auf der Welt. Keine konnte dir je das Wasser reichen. Keine andere hat mich dazu gebracht, Haferflocken zu essen, und bei keiner anderen hab ich kleine weiße Sterne gesehen.»

«Guten Tag, Mr. Meyerson», sagt Patrick, der Portier am Carlyle und hält Edwee die Tür der Taxe offen. «Ich fürchte, Ihre Mutter ist für den Nachmittag ausgegangen.»

«Das ist mir bekannt, Patrick», sagt Edwee. «Ich soll mich um Verschiedenes in der Wohnung kümmern.» Er drückt Patrick diskret einen zusammengefalteten Geldschein in die Hand.

«Vielen Dank, Mr. Meyerson!»

Am Empfang hat George Dienst. «Guten Tag, George», sagt Edwee. «Meine Mutter ist zum Essen verabredet und hat mich gebeten, mich um dies und jenes in der Wohnung zu kümmern. Kann ich wohl den Schlüssel haben?»

«Gewiß.» Eine weitere zusammengefaltete Banknote wechselt den Besitzer und wird mit einem Lächeln entgegengenommen.

Kaum schließt Edwee oben die Wohnungstür seiner Mutter auf, als Itty-Bitty an der Schlafzimmertür erscheint und wütend zu kläffen beginnt.

«Hör doch auf, blödes Vieh», sagt Edwee.

Er ist nicht zum erstenmal allein in der Wohnung. Er hat sich sogar, wenn er sicher sein durfte, daß seine Mutter fort war, um eine gewisse Regelmäßigkeit der Besuche bemüht. Das gehört zu seinem Plan, denn so können Patrick und George, falls man sie je fragt, wahrheitsgemäß sagen: «Ja, Mr. Meyerson hat die Wohnung seiner Mutter häufig besucht.» Auf diese Weise würde die Verantwortung für die Nachlässigkeit auf das Personal zurückfallen, und niemand könnte Edwee einen Vorwurf machen.

Er öffnet die Tür zur Küche. Eine Kakerlake eilt über den Fußboden und verbirgt sich in einer Spalte unter dem Waschbecken. Im Carlyle! Da diese Tiere nicht für einsiedlerische Lebensweise bekannt sind, ist Edwee sicher, daß noch zahlreiche Vertreter der Sippschaft in dem Gebäude hausen. Die ganze Stadt ist mit Kakerlaken verseucht, denkt er, sogar die besten Adressen. Und das gibt ihm einen Einfall für einen Artikel, den er vielleicht in *Art & Antiques* veröffentlichen will, darüber, wie New York in den letzten Jahren so sehr heruntergekommen ist, daß dieses widerwärtige Ungeziefer sogar in den Häusern der besten Viertel sein Unwesen treibt.

«Weit davon entfernt, ein Eremitendasein zu führen», formuliert er in Gedanken, «gedeiht heute die überall anzutreffende Kakerlake hinter Vorhängen aus Brokat und Seide, Wandpaneelen aus edelstem Holz.» Es gefällt ihm. Er wird sich die Sache notieren, wenn er wieder am Schreibtisch sitzt.

Itty-Bitty kläfft ihn mit unverminderter Wut von der Küchentür aus an.

Edwee spielt immer noch mit dem Gedanken, seine Mutter auf die eine oder andere Weise aus dem irdischen Jammertal zu erlösen. Am besten wäre Gift. Er öffnet die Tür ihres kleinen Kühlschranks. Da steht lediglich eine Tüte mit Crackern. In die Gift zu praktizieren, dürfte schwierig sein. Vielleicht könnte er in seiner Küche irgendeine kulinarische Köstlichkeit für sie zubereiten und herbringen. Aber wahrscheinlich würde sie mißtrauisch, weil er noch nie zuvor für sie gekocht hat. Der Getränkewagen im Wohnzimmer mit den erlesenen Karaffen? Nein, Oma Flo trinkt nie, alles ist für Besucher und natürlich für die Hotelangestellten, die sich bestimmt selbst bedienen. Vergifteter Whisky würde daher mit Sicherheit den falschen Adressaten erwischen.

Er kehrt ins Wohnzimmer zurück, von der kläffenden Itty-Bitty erbittert verfolgt.

Da hängt er: sein Goya.

Francisco de Goya y Lucientes, der letzte von 1746–1828 und hat sich auf Straßen herumgeprügelt, war wahrscheinlich ein Mörder, mit Sicherheit ein schwerer Trinker, zeitweise vagabundierender Stierkämpfer, Karikaturist, von Tiepolo beeinflußt, Hof-Porträtmaler bei vier aufeinanderfolgenden spanischen Monarchen, die nie zu merken schienen, daß er sie auf seinen Gemälden verspottet, indem er sie als degeneriert und schwächlich darstellte – ein Genie.

Das Gemälde, vor dem Edwee jetzt andächtig steht, zeigt die Herzogin von Osuna, eins von mehreren Porträts, die sie bei Goya in Auftrag gegeben hat. Sie wirkt überheblich, dumm und alles andere als schön, hat kleine, stumpfe Augen , eine große Nase, einen kleinen, grausamen Mund und knochige riesengroße Hände voller Ringe. Wie hat Goya es nur fertiggebracht, nicht laut zu lachen, als er sie in dieser Pose vor sich sah? Wahrlich ein Genie.

Dieses Meisterwerk gehört von Rechts wegen ihm – und jetzt, nachdem Philippe de Montebello es gesehen hat, müssen diesen die Finger danach geradezu jucken. Es will Edwee fast obszön erscheinen, daß der Leiter des Metropolitan Museum das Bild auch nur betrachtet hat mit seinen gierigen, besitzergreifenden Augen.

Jetzt tut er etwas, das er noch nie getan hat. Er schiebt eine Bibliotheksleiter an die Wand, steigt hinauf und hängt das Bild ab. Einfach ist das nicht. Das Porträt der Herzogin mißt etwa einen auf zwei Meter und ist mit seinem Rahmen sehr schwer. Aber es gelingt Edwee, es herunterzuholen, auf den Boden zu stellen und mit dem Gesicht zur Wand zu drehen. Er hat noch nie zuvor die Rückseite der Leinwand gesehen und betrachtet sie jetzt aufmerksam.

Sie ist staubig und voller winziger Spinnweben. Seit fünfzehn Jahren ist das Gemälde nicht von der Wand genommen worden, und dort, wo es hing, zeichnet sich auf dem kräftigeren Gelb der Tapete ein blasses Rechteck ab. Die Rückseite von Leinwand wie Rahmen ist mit schwer entzifferbaren Krakeln bedeckt, teils auf spanisch, teils auf englisch: Expertisenvermerke, Hinweise auf Herkunft und Eigentümer sowie englischsprachige und französische Zoll- und Ausfuhrsteuerstempel. Dieses Gemälde, das weiß Edwee, gehört zu den dreien, die seine Mutter vom Kunsthändler Josef Duveen erworben hat. Sie mißtraute ihm und verdächtigte ihn, überhöhte Preise zu nehmen – was sicherlich der Wahrheit entsprach –, war aber für den Ankauf bestimmter Bilder, die sie unbedingt haben wollte, auf ihn angewiesen. Manche der Anmerkungen stammen möglicherweise von ihm oder von seinem Mitarbeiter Bernard Berenson, nimmt Edwee an, und er zieht die kleine Lupe aus der Westentasche, die er stets bei sich trägt, um genauer lesen zu können, was da steht. Tinte und Stempelfarbe sind an den meisten Stellen stark verblaßt, aber dann erkennt er den handschriftlichen Vermerk «authentique – B. Berenson». Es ist der Echtheitsnachweis.

Einen Moment lang erwägt Edwee, was natürlich lächerlich wäre, das Bild einfach mitzunehmen – schließlich gehört es von Rechts wegen ihm. Aber ihm ist klar, daß er damit nicht einmal bis auf die Straße käme. Kreaturen wie Patrick und George mochten insofern bestechlich sein, als sie ihn in die Wohnung ließen, aber mit Sicherheit würden sie sich ihm in den Weg stellen, wenn er etwas mitnehmen wollte, schon gar ein so großes Ölgemälde. Doch selbst wenn es ihm gelänge, sich und den Goya mit geschickten Ausreden und Erklärungen an den Wächtern vorbeizubugsieren, würde der Verlust sofort bemerkt – das blasse Rechteck an der Wand würde auffallen. Die Polizei würde gerufen, die Versicherungsgesellschaft benachrichtigt, alle Angestellten befragt, und es käme an den Tag, daß sich Edwin Meyerson zur Tatzeit in der Wohnung aufgehalten hatte und gesehen worden war, wie er einen großen, rechteckigen, schweren Gegenstand aus dem Hause schaffte. Der Rest war leicht auszumalen: Prozeß, Verurteilung, öffentlicher Skandal. Schon die Vorstellung, im Staatsgefängnis jahrelang über die Werkbank gebeugt Auto-Nummernschilder prägen zu müssen, ist abschreckend genug.

Dann aber, während er die winzigen Krakel auf der Rückseite der Leinwand anstarrt, kommt ihm die Erleuchtung. Natürlich! Wieso ist er nicht längst darauf verfallen? Er hatte eben nie das Bild von der Wand genommen und untersucht. Wie alle bedeutenden Einfälle ist seiner ganz einfach. Fast atemlos vor Erregung über seinen Plan nimmt Edwee das schwere Bild, klettert damit die Leiter hinauf und hängt die Herzogin von Osuna wieder an ihren Platz. Jetzt sind nur noch ein oder zwei Anrufe nötig; um die Einzelheiten kann er sich später kümmern. Viel Zeit allerdings bleibt nicht. Er geht mit großen Schritten auf die Wohnungstür zu.

Das Hündchen versucht sich ihm nach wie vor wild kläffend in den Weg zu stellen und knurrt ihn wütend an. Mit einem Mal tut es einen Satz, schnappt nach seinem Hosenbein und bringt es fertig, mit einem Ruck seiner Zähnchen die Fäden zu durchbeißen, die den Hosenaufschlag halten. Edwee versetzt dem Tier einen Tritt in die Rippen, daß es aufjaulend ins Schlafzimmer seiner Herrin flieht.

Jetzt begreift Edwee, was mit dem Ausdruck «wie auf Wolken gehen» gemeint ist. Ein unvorstellbares Hochgefühl erfüllt ihn, und er schwebt förmlich aus der Wohnung, den Gang entlang zu den Aufzügen, wo er schwungvoll gleich mehrfach auf den Rufknopf drückt.

«Nun, ist alles in Ordnung, Mr. Meyerson?» fragt ihn George, als er in die Halle tritt.

«Durchaus, George», sagt er mit Nachdruck. «Durchaus, vielen Dank.»

«Taxi, Mr. Meyerson?» fragt ihn Patrick an der Tür.

«Nein, danke sehr, Patrick. Es ist ein so schöner Nachmittag, daß ich lieber zu Fuß gehen möchte.»

Das aber ist eine Lüge. Er ist einfach zu ungeduldig, um zu warten, bis Patrick eine Taxe herbeigepfiffen hat. Er wird an der 70. Straße eine nehmen, die Richtung Osten fährt. Während er die Madison Avenue entlang eilt, wobei ein Hosenaufschlag lose schlappt, singt er vor sich hin – an einem völlig normalen New Yorker Sommernachmittag.

«Nimm zur Kenntnis, daß ich mich jedem Versuch, meine Firma zu übernehmen, mit Zähnen und Klauen widersetzen werde», sagt Mimi. Sie versucht das Gespräch wieder auf die geschäftliche Ebene zu bringen, die sie ursprünglich im Sinn hatte. «Das ist mein voller Ernst, Michael. Ich will das Unternehmen nicht für mich, sondern für meinen Sohn Badger, denn ich gedenke mich in einigen Jahren aus dem Geschäftsleben zurückzuziehen.»

«Quatsch mit Soße. Dir gefällt deine Arbeit, deshalb hast du ja so viel Erfolg. Du liebst den Glanz, die Macht und das Geld – alle drei. Es ist wie mit Weihnachten. Das feiert kein Mensch, um was zu schenken, sondern, um was zu kriegen. An Weihnachten heimst man den Lohn dafür ein, daß man das ganze Jahr über anständig war. Deswegen sind Leute wie du und ich überhaupt im Geschäft – wir wollen sehen, daß es sich lohnt, wollen, daß jeden Tag Weihnachten ist. Weißt du nicht mehr, daß du mir das vor langer Zeit selbst mal gesagt hast?»

«Wirklich, Michael, ich –»

«Und wie geht's deinem Sohn?» fragt er. Seine Augen scheinen sich zu erweitern und dunkler zu werden, und mit einem Mal ist das Gefühl wieder da, von dem sie glaubte, daß sie ihm gegenüber immun geworden sei, das Michael-Gefühl. Sie wendet rasch den Blick ab, und um ein Zittern zu verbergen, das sie in den Fingerspitzen spürt, greift sie nach Tasche und Handschuhen, um zu gehen.

«Badger geht es gut», sagt sie. «Aber ich muß jetzt zurück ins Büro.»

Beim Verlassen des Restaurants erkennt sie an einem Ecktisch Brad, ihren Mann. Er sieht sorgenvoll drein, starrt trübsinnig auf das Tischtuch, eine Hand um die Serviette gekrallt. Die junge Frau, die bei ihm am Tisch sitzt, macht ein wütendes Gesicht und hat die Hände zu Fäusten geballt. Sie ist hübsch, hat glattes Blondhaar mit einem Pony. Nun, wenigstens beweist er einen guten Geschmack. Dann denkt sie ärgerlich: Warum mußte ich Michael ausgerechnet in diesem Restaurant treffen? Hatte Michael den Vorschlag gemacht? Sie weiß es nicht mehr. Warum aber wählen die beiden Le Cirque für ihr Rendezvous, sofern es eins ist? Dies ist keinesfalls der Ort, auf den jemand verfällt, der ungesehen bleiben möchte. Sie wendet sich rasch ab, möchte nicht, daß Brad sie sieht. Zumindest hat die namenlose Frau jetzt ein Gesicht.

«Jemand, den du kennst?» fragt Michael.

«Nein. Ich dachte es zuerst, aber es stimmt nicht.»

Worüber sie wohl gesprochen haben? fragt sie sich. Hat sie ihm gerade gesagt, daß sie ein Kind bekommt? Ist sie die Art Frau, die versuchen würde, einen Mann mit einem so abgedroschenen Trick in die Falle zu locken?

«Komm mit nach Palm Beach», sagt Michael. «Weißt du, warum ich Aktien deiner Firma gekauft hab? Weil ich dich unbedingt wiedersehen mußte, und so ging es am schnellsten. Erinnerst du dich an die kleinen weißen Sterne? Ich liebe dich, Mimi. Den Typ, mit dem du verheiratet bist, hast du doch nie geliebt, oder?»

Mark Segal erwartet sie am Aufzug und folgt ihr ins Büro. «Es gibt da ein kleines Problem», sagt er.

«Ja?»

«Dirk Gordons Agent hat angerufen. Er möchte weitere hunderttausend, wegen der Narbe. Er sagt, sie könnte Gordons Karriere schaden.»

«Kommt überhaupt nicht in Frage!» Sie schlägt mit der Faust auf den Tisch. Noch immer steht sie unter dem Eindruck des Zusammentreffens mit Michael. «Was für eine Karriere? Er hatte doch gar keine, bevor er zu uns kam! Es gibt in New York über hundert Fotomodelle, die wir ebensogut einsetzen können und die den Auftrag mit Kußhand nehmen würden. Sagen Sie das dem Mann, und sagen Sie ihm auch, er soll es sich bis fünf Uhr überlegen. Entweder hat er seine Forderung bis dahin zurückgenommen, oder der Fall ist für uns erledigt.»

«Ich mag Leute, die wissen, was sie wollen», sagt Mark.

Mimis Sekretärin erwartet sie an der Tür. «Der Oberkellner Charles vom Restaurant Le Cirque ist am Apparat.»

Mimi überlegt: Hab ich was vergessen? Sie nimmt den Hörer auf.

«Ich muß mich tausendmal bei Ihnen entschuldigen, Miss Meyerson», sagt er. «Möglicherweise waren wir Anlaß für eine peinliche Situation. Gerade hat mich Mr. Horowitz ganz erregt angerufen, und durchaus mit Grund. Allerdings wußte ich nicht, daß Mr. Bradford Moore Ihr Gatte ist. Andernfalls hätte ich Sie darauf hingewiesen, daß auch er heute bei uns sein würde. Ich habe meine Kellner gefragt, und sie sind sicher, daß Mr. Moore Sie nicht mit Mr. Horowitz gesehen hat. Trotzdem ist es mir ein Bedürfnis, mich bei Ihnen zu entschuldigen, Miss Meyerson.»

«Mein Mann», sagt sie rasch, «war mit einer Mandantin in Ihrem Lokal verabredet, einer Mrs. Sturtevant, für die er wegen ihrer Scheidung tätig ist. Mr. Horowitz und ich haben aus einem anderen geschäftlichen Anlaß dort gegessen. Mein Mann und ich waren uns durchaus bewußt, daß wir im selben Restaurant essen würden, haben es aber für richtig gehalten, einander bei unseren geschäftlichen Besprechungen nicht zu stören. Es ist also keinerlei Entschuldigung erforderlich.»

«Ich verstehe. Vielen Dank, Miss Meyerson, Le Cirque steht Ihnen jederzeit zu Diensten.»

In ihre Wohnung zurückgekehrt, tastet sich Oma Flo mit ausgestreckten Händen an den vertrauten Gegenständen entlang durch das Wohnzimmer, von der überglücklichen Itty-Bitty auf dem Fuße gefolgt. Plötzlich stößt sie an etwas, das nicht dorthin gehört. Die Bibliotheksleiter. Jemand hat sie an die Wand gelehnt.

Das Zimmermädchen kann es nicht gewesen sein. Es kommt morgens um aufzuräumen und abends um sieben, um ihr Bett für die Nacht herzurichten. Also war es eins ihrer Kinder – Nonie oder Edwee. Sie setzt sich in ihren Lieblingssessel und überlegt, was sie als nächstes tun soll. Dann greift sie zum Hörer des Haustelefons.

«Ja, Mrs. Meyerson?»

«War heute nachmittag jemand in der Wohnung?»

«Mr. Edwin Meyerson war einige Minuten lang da, Ma'am», sagt der Angestellte.

Sie legt auf. Was jetzt? Gibt es niemanden in der Familie, dem sie trauen oder an den sie sich um Hilfe wenden kann?

Dann fällt ihr Mr. Greenway ein, der ihr so freundlich vorkam. Vielleicht weiß er Rat. Sie könnte ihn mit dem Versprechen ködern, daß ihr noch mehr von dem einfällt, was im Tagebuch ihres Mannes Adolph Meyerson stand. Sie könnte ihm haarklein alles berichten, wie er seinen Bruder Leo aus der Firma gedrängt hat. Das ist offenbar eins der Dinge, die der junge Mann so gern wissen möchte. Mimi scheint ihn zu mögen. Vielleicht kann er eine Brücke des Friedens von ihr zu Mimi schlagen.

9

In ihrer Wohnung an der 66. Straße liegt Nonie Meyerson mit Roger Williams im Bett. Die Vorhänge sind zugezogen, Roger hat sich auf die Seite gerollt und eine Zigarette angezündet. Eigentlich mag Nonie es nicht, daß in ihrer Wohnung geraucht wird, aber natürlich macht sie bei Roger eine Ausnahme.

Daß es sich bei dem, was sie gerade hinter sich gebracht haben, nicht um Liebe handelt, weiß sie selbst. Sie ist realistisch und zynisch genug, um den Unterschied zwischen Liebe und Miteinander-ins-Bett-Gehen zu kennen. Der Geschlechtsakt findet in Abhängigkeit von Drüsenfunktionen statt, Liebe hingegen – nun, Liebe ist etwas, dem Nonie im Lauf der Jahre zu mißtrauen gelernt hat; zu häufig hat diese sie verraten. Mit vielen Männern war Nonie Meyerson im Bett, einige von ihnen hatten ihr gesagt, daß sie sie liebten, und sie ihrerseits hatte den einen oder anderen zu lieben geglaubt. Aber bei Roger liegt die Sache anders. Weder liebt sie ihn, noch liebt er sie. Was sie getan haben, ist eher einem bekräftigenden Händedruck unter Geschäftsfreunden vergleichbar. Er nimmt an, daß sie das von ihm erwartet, und sie läßt es zu, weil sie weiß, daß er das annimmt. Das ist alles. Nun, attraktiv ist er, das gibt sie zu. Er sieht auf eine gewisse männliche Weise gut aus, ist schlank und gut gebaut. Welche ältere Frau wäre nicht entzückt, daß ein so männliches jugendliches Prachtexemplar mit ihr ins Bett geht? Und natürlich flüstert er ihr während des Geschlechtsakts mit rauher Stimme Dinge zu wie «Du bist hinreißend – du bist schön...» Aber sie ist nicht so töricht, sich davon einwickeln zu lassen. Keinem von beiden geht es um Liebe, sie haben aus unterschiedlichen Gründen einen Pakt miteinander geschlossen. Ihr geht es um seine erwiesene Fähigkeit, mit einem Anruf nach Zürich und kurz darauf einen weiteren nach Chicago pro Minute achttausend Dollar zu verdienen. Er bedeutet für sie eine einzigartige Gelegenheit, in der Geschäftswelt Fuß zu fassen, da gehört sie hin, denn das Geschäftemachen liegt ihr im Blut, zweifellos hat sie es von ihrem Vater geerbt. Und er findet sie attraktiv, weil – das ist Nonie durchaus klar – sie eine Meyerson ist und damit eine Möglichkeit bietet, an das Geld heranzukommen, das er benötigt, um mit seinem Pfund zu wuchern. Das Geschlechtliche läuft nebenher, ist eine Art Vertrauensbeweis, soll zeigen, daß beide etwas wollen, was der andere hat.

Natürlich merkt sie, daß er an diesem Nachmittag nicht recht bei der Sache ist. Er entledigt sich seiner Aufgabe halbherzig, fast lustlos, und sie ist sicher, daß er nur so getan hat, als habe er den Höhepunkt erreicht. Zweifellos hängt das damit zusammen, daß sie ihm keine gute Nachricht bringen konnte. Er liegt jetzt erschlafft, die Zigarette zwischen den Lippen, nackt unter dem Laken neben ihr. Sie fährt ihm mit einer Fingerspitze über die Schulter und sagt: «Das war herrlich, Liebling.»

Er setzt sich auf die Bettkante, läßt Zigarettenasche auf den Rand eines Aschenbechers fallen und sagt: «Wir brauchen uns gar nichts vorzumachen. Aus der Sache wird nichts.»

Auch sie setzt sich auf. «Wieso nicht?»

«Nun, es sieht ja nicht so aus, als ob wir von deiner Mutter Geld kriegen würden.»

«Geduld, Liebling! Ich weiß, wie man sie nehmen muß. So was braucht nun mal seine Zeit. Außerdem hab ich noch ein paar Trümpfe im Ärmel.»

«Mir gefällt nicht, wie die Sache läuft.»

«Bis jetzt hat sie immer Geld rausgerückt! Es dauert einfach seine Zeit.»

«Und was ist, wenn sie die Wahrheit sagt und das Geld nicht hat?»

«Wieso sollte sie nicht? Sie hat von Papa und jedem ihrer Onkel eine Stiftung geerbt. Sieben Onkel! Papa hat zwar vor seinem Tod ein bißchen was davon weggenommen, aber Mimi hat es für sie wieder aufgefüllt. Mutter besitzt fast ein Drittel von Papas Miray-Anteilen. Überleg nur, was die jetzt wert sein müssen. Sie schwimmt im Geld, Roger; sie ist die reichste von uns allen, vielleicht mit Ausnahme von Mimi.»

«Könnte man nicht bei der mal auf den Busch klopfen?»

Nonie zögert. «Sie hat mich ehrlich gesagt nie gemocht», gesteht sie.

«Warum nicht?»

«Wegen ihrer Mutter. Alice war immer so, so schwierig. Mit ihr konnte keiner aus der Familie je auskommen. Sie trinkt schon lange und hat pausenlos überall Geld geschnorrt – bei Mutter, bei Edwee und bei mir. Frag mich nicht, warum. Papa hat Henry ein gutes Gehalt gegeben, aber er und Alice hatten, wie es scheint, nie Geld. Wahrscheinlich hat sie alles vertrunken. Sie hat, mit der kleinen Mimi an der Hand, allen Leuten vorgejammert, wie dreckig es ihnen ginge und Geld geschnorrt. Das wurde so schlimm, daß wir uns schließlich versteckt haben, wenn wir die beiden nur kommen sahen. Mimi mochte uns schon als Kind nicht. Dabei waren Mutter und Vater zu Alice und ihr immer sehr freigiebig und haben der Kleinen Geschenke gekauft, die großartiger waren als alles, was sie mir geschenkt haben! Alice konnte einfach nicht mit Geld umgehen. Aber Mimi läßt nichts auf ihre Mutter kommen, und deshalb geht es der jetzt gut.»

Heftig schüttelt sie den Kopf und legt sich dann wieder in die Kissen zurück. «Ist das nicht paradox?»

«Was soll paradox sein?»

«Hätte *ich* nach Henrys Tod die Firma übernommen, könnte ich jetzt da stehen, wo Mimi steht – an der Spitze!»

«Nun, du hast sie aber nicht übernommen. Aus der Sache wird nichts.»

«Das kommt schon noch ins Lot! Laß mir noch ein paar Tage Zeit, damit ich Mutter bearbeiten kann. Ich weiß auch schon, wie ich sie weich krieg. Sie hat schreckliche Angst vor dem Pflegeheim, und wenn ich sie dazu bringen kann zu glauben –»

Er schüttelt immer noch den Kopf. «Mit Drohungen und Erpressungen kann man keine Geschäfte machen.»

«Wer droht? Ich sag ja nur –»

«Du hast mir gesagt, es wäre kinderleicht, sie rumzukriegen. Es sieht mir aber ganz im Gegenteil so aus, als ob es unmöglich ist. Ich seh mich nach 'nem anderen Geldgeber um.»

«Das kannst du nicht!» ruft sie, von Panik erfaßt. «Das kannst du nicht! Ich bin doch dein Geldgeber!»

«So? Und wo ist das Geld? Ich muß allmählich anfangen. Ich kann nicht Tag für Tag rumsitzen, Däumchen drehen und darauf warten, daß du –»

«Nur noch ein paar Tage. Warte bis Montag. Übers Wochenende krieg ich es, das versprech ich dir.»

Er sitzt da, dreht ihr den Rücken zu und schüttelt immer noch den Kopf.

Das kann er nicht tun, denkt sie. Er kann jetzt nicht kneifen, wir haben doch erst angefangen. Sie weiß noch viel zu wenig über ihn. An ihn ist äußerst schwer heranzukommen. Alles, was sie von ihm hat, ist eine Nummer, die nicht im Telefonbuch steht und die sie niemanden weitersagen darf. Wenn sie dort anruft, ertönt jedesmal eine körperlose Männerstimme, nicht einmal seine eigene, und sagt: «Sie haben die Nummer fünf-neun-drei-eins-acht-acht-null gewählt. Sofern Sie eine Mitteilung hinterlassen wollen...» Sie war noch nie in seiner Wohnung, weiß nicht einmal, wo er wohnt. Den Anfangsziffern der Telefonnummer nach muß es irgendwo im südlichen Manhattan sein. Warum diese Heimlichtuerei? Er hat durchblicken lassen, es habe mit einer ehemaligen Freundin zu tun, die ihn belästige. Sie weiß nicht, ob er verheiratet ist. Einen Ring trägt er nicht. Er hat ihr nur wenig über seine Vergangenheit anvertraut, seine Kindheit, seine Ausbildung, seine Familie, obwohl sie ihm rückhaltlos alles über sich erzählt hat. Sie weiß lediglich, daß sie ihn vor drei Wochen auf einer Cocktailparty kennngelernt hat, die sie zufällig zur selben Zeit verließen. Weil es regnete, hatte er vorgeschlagen, sie könnten gemeinsam eine Taxe nehmen. Dann hatte sie ihn zu einem Schlummertrunk eingeladen, er hatte ihr gesagt, er sei Devisenhändler und suche zwischen zwei Anstellungen nach Kapital für ein neues Unternehmen. So war eins zum anderen gekommen.

Er steht auf und drückt seine Zigarette aus. «Tut mir leid», sagt er, «aber so geht das nicht. Ich such mir jemand anders als Geldgeber.»

«Das kannst du nicht!» kreischt sie. Dann fährt sie fort: «Du meinst wohl, du suchst dir eine andere reiche Frau, die sich von dir vögeln läßt und sich bemüht, dir zu helfen, so wie ich es versucht hab. Und wenn sie dir dann nicht *damit* hilft, läßt du sie sitzen? Nun, mit mir kannst du das nicht machen, du verdammter Gigolo! Ich laß das nicht zu, denn wir haben eine Abmachung. Wir sind gleichberechtigte Teilhaber und machen halbe-halbe. Wir haben einen Vertrag!»

«Du kannst dir deinen Vertrag sonstwo hinstecken», sagt er. Dann geht er ins Badezimmer, und einen Augenblick später hört sie die Dusche laufen.

«Er hat – Ausflüchte gemacht», sagt Mimi zu ihrem Sohn. «Ein besseres Wort dafür fällt mir nicht ein. Ausflüchte. Immer wieder hat er das Thema zu wechseln versucht, hat sich dumm gestellt und gefragt: ‹Tatsächlich, schon so viel?›, als ich ihm gesagt habe, wir wüßten, wie viele Aktien er schon gekauft hat. Er ist unwahrscheinlich gerissen. Ich trau ihm nicht, Badger.»

Badger schiebt seinen Sessel näher an ihren Schreibtisch und legt seine in Hemdsärmeln steckenden Ellbogen auf die Platte. «Ich hab mir die Sache durch den Kopf gehen lassen», sagt er, «und ich glaube, ich weiß, wie wir ihm das Handwerk legen können.»

«Nämlich?»

«Wir wandeln die Firma wieder in eine Familien-Aktiengesellschaft um.»

«Wie soll das vor sich gehen? Wir haben Tausende von Aktionären!»

«Da gibt es zwei Möglichkeiten», sagt er. «Im ersten Fall würde die Familie den Einzelaktionären das Angebot machen, Aktien zurückzukaufen – natürlich zu einem verlockenden Preis, der über dem gegenwärtigen Kurs liegen müßte. Das würde zwangsläufig einen Haufen Geld kosten. Aber es gibt noch eine andere Möglichkeit, die sehr viel einfacher ... und weit billiger ist.»

«Und wie sieht die aus?»

«Wir machen eine Kapitalzusammenlegung. So was kommt öfters vor. Statt Aktien zurückzukaufen, wandeln wir sie um, beispielsweise im Verhältnis eins zu tausend. Für tausend alte Aktien gibt es eine neue. Wer weniger als tausend hat, wird bar abgefunden – selbstverständlich müssen wir da ein attraktives Angebot machen. Gegenwärtig besitzen Mitglieder unserer Familie gemeinsam rund dreißig Prozent des Kapitals und verschiedene Familienstiftungen weitere zehn Prozent. Also befinden sich rund sechzig Prozent in den Händen von Fremd-Aktionären. Allerdings sind viele von denen Kleinaktionäre, haben nur zweihundert, hundert oder noch weniger Aktien. Sobald wir die alle zurückgekauft haben, hätte die Familie die Mehrheit, und niemand könnte uns an den Karren fahren. Außerdem gäbe es nach einer solchen Zusammenlegung der Aktien weniger als dreihundert Aktionäre, und was das bedeutet, weißt du ja wohl selbst.»

«Die Aufsichtsbehörde ...»

«Genau. Unternehmen mit weniger als dreihundert Aktionären unterliegen den Vorschriften nicht. Ist dir klar, daß wir jedes Jahr

Hunderttausende sparen würden, weil wir keine Geschäftsberichte an die Aufsichtsbehörde mehr schicken müßten und nicht mehr den strengen Vorschriften unterlägen?»

«Ich verstehe», sagt seine Mutter nachdenklich.

«Wir könnten also mehrere Fliegen mit einer Klappe schlagen. Die Familie hätte den bestimmenden Einfluß im Unternehmen, und keine Kontrollbehörde könnte uns Vorschriften machen. Die Entscheidungen würden vereinfacht, weil wir die Interessen zahlreicher außenstehender Aktionäre nicht berücksichtigen müßten. Sollten wir später einmal die Firma verkaufen wollen, könnten wir den Preis selbst festsetzen, und außerdem stünde Michael Horowitz mit seinen lächerlichen vier Prozent auf einmal schön blöd da und wüßte nicht, wie ihm geschieht.»

«Du bist ja der reinste Intrigant», sagt sie.

Badger lehnt sich in seinen Sessel zurück und sieht selbstzufrieden drein. «Danke, Mama», sagt er.

«Natürlich müßten die Aktionäre der Sache mehrheitlich zustimmen. Das könnte Schwierigkeiten geben.»

«Nicht unbedingt. Wie viele Kleinaktionäre lesen Stimmrechtsermächtigungen schon genau durch? Die meisten werfen sie gleich in den Papierkorb, kaum daß der Briefträger sie ihnen in den Kasten gesteckt hat.»

«Aber nichtabgegebene Stimmen gelten als Gegenstimmen.»

«Dafür habe ich auch schon eine Lösung. Es kommt einfach darauf an, wie der Antrag formuliert wird. Würde er eine Abstimmung *gegen* die Umwandlung vorsehen, würden alle, die ihr Stimmrecht nicht wahrnehmen, unseren Plan unterstützen. Die Großaktionäre haben ohnehin nichts zu verlieren, denn der reale Wert ihres Kapitals bleibt unverändert. Möglicherweise können wir sogar einigen von denen klarmachen, daß sie etwas zu gewinnen haben, wenn sie mit Nein stimmen.»

«Und Michael Horowitz? Ich könnte mir vorstellen, daß der seine Aktionärspost sehr gründlich liest.»

Er lächelt. «Hier», sagt er, «fängt der eigentliche Spaß an. Da könnte es tatsächlich Probleme geben. Dafür sehen wir dann auch, was er wirklich vorhat. Falls er zum Beispiel anfinge, andere Aktionäre gegen unseren Plan zu mobilisieren, würden wir gleich wissen, ob er den Kampf bis aufs Messer will oder nicht.»

«Die Sache wird aber Geld kosten?»

Er spreizt die Hände. «Klar. Aber es dürfte die Mühe wert sein.»

«Wieviel? Hast du genaue Zahlen?»

«Noch nicht. Es ist erst mal ins Unreine gedacht – eine Möglichkeit, wie sich erreichen läßt, daß uns weder Horowitz noch sonst jemand übernimmt. Vielleicht ist die Zeit reif, die Entwicklung umzukehren. Weißt du, als du 1962 an die Börse gegangen bist, war das ein glänzender Schachzug. Du hast damals die Firma vor dem sicheren Untergang gerettet. Aber seither sind 15 Jahre vergangen. Überall werden Aktienmehrheiten aufgekauft. Sieh dir nur an, was mit Revlon, Germaine Monteil und Charles of the Ritz passiert ist – Ron Perelman hat sie in den letzten zwei Jahren zusammengekauft, und Giorgio ist von Avon geschluckt worden. Die Umwandlung unserer Firma könnte ein neuer glänzender Schachzug sein. Finanzierbar wäre sie. Bestimmt finden wir an der Wall Street ein Garantiesyndikat. Wer hat uns 62 an der Börse lanciert?»

«Goldman, Sachs & Co.»

«Ruf die Leute doch noch mal an!»

«Schön», sagt sie. «Geben wir also eine Projektstudie in Auftrag, stellen wir fest, wie viele Großaktionäre betroffen sind und wie viele Kleinaktionäre wir abfinden müssen. Dann müssen wir durchrechnen, was das Ganze kosten würde und uns um ein Garantiesyndikat kümmern. Außerdem –»

«Augenblick. Über zweierlei müssen wir uns noch einigen, bevor ich hier rausgehe.»

«Und das wäre?»

«Erstens muß die Sache streng vertraulich bleiben – nur du und ich dürfen davon wissen. Falls durchsickert, daß wir einen solchen Schritt auch nur *erwägen*, würde der Kurs unserer Aktien verrücktspielen. Niemand darf von unserem Gespräch erfahren. Vorläufig würde ich es nicht mal Papa sagen.»

«Einverstanden.»

«Und zweitens müssen alle Familienaktionäre den Plan einstimmig billigen, wenn wir damit durchkommen wollen.»

«Also auch die Leo-Verwandten.»

«Genau. Diese geheimnisvollen Menschen, die noch keiner von uns je zu sehen gekriegt hat, müssen wir unbedingt auf unserer Seite haben.»

«Das ist eine harte Nuß, Badger. Denen hat man doch schon in den Windeln eingebleut, daß ich eine Art Teufel in Weibsgestalt bin und die Linie Adolph Meyerson an nichts anderes denkt, als ihnen zu schaden.»

«Die beiden Linien müssen wieder zusammengebracht werden. Irgend jemand muß die weiße Flagge hissen. Man muß jeden von ihnen einzeln davon überzeugen, daß es ihnen nicht nur zum Vorteil gereicht, in den Schoß der Familie zurückzukehren, sondern daß sie damit auch ihre Haut retten können – wenn man bedenkt, was unser Freund Horowitz möglicherweise vorhat.»

«Und wie sollen wir das schaffen?»

«Die Leute haben Namen, Adressen und Telefon. Womöglich wohnt der eine oder andere sogar hier in Manhattan. Vielleicht laufen sie uns tagtäglich über den Weg.»

«Aber wie kommen wir an sie heran?»

Langsam weist er mit dem Finger auf seine Mutter. «Wer ist denn in dieser Firma die Top-Verkäuferin?» fragt er, «die berühmte Diplomatin, die alle bezirzt?»

Sie lacht ein wenig unsicher.

«Wenn du den geheimnisvollen Verwandten erklärst, daß du im Begriff stehst, das aufregendste Parfüm der Welt auf den Markt zu bringen, hättest du doch eine glänzende Gelegenheit, sie zu überzeugen.»

«Ach, Badger, glaubst du wirklich, daß das Parfüm ein Erfolg wird?»

«Du mußt sie eben davon überzeugen.»

«Und wenn die Sache fehlschlägt? Mark hat große Bedenken wegen unserer Werbung. Er sagt, das Gesicht mit der Narbe könnte zu einem totalen Flop führen. In dem Fall hätten wir fünfzig Millionen –»

«– in den Sand gesetzt. Aber so weit lassen wir es nicht kommen, was?»

Mimi zögert. «Aber was ist», setzt sie an, «wenn Michael die Wahrheit sagt und er uns gar nicht an den Kragen will? Wir würden all die Mühe und Kosten für nichts und wieder nichts auf uns nehmen.»

Er sieht sie ungläubig an. «Wovon redest du?» fragt er.

«Er hat gesagt, daß ihn die Kosmetikbranche nicht interessiert und er auch nichts davon versteht.»

Er sieht sie nach wie vor mit großen Augen an. «Und das hast du ihm geglaubt?»

«Nun, immerhin könnte er es ja ehrlich meinen.»

«Michael Horowitz und ehrlich? Der Kerl ist wegen seiner schmutzigen Geschäfte berüchtigt!»

«Aber was, wenn er mit uns einfach Katz und Maus spielt, Badger?»

«Warum sollte er? Er steht nicht im Ruf, irgendwas zum Spaß zu machen. Wenn er was kauft, dann, weil er es will.»

«Aber er streitet es ab. Er hat gesagt –»

«Ich traue meinen Ohren nicht!» sagt er. «Erst bist du Feuer und Flamme für das Projekt, und auf einmal machst du einen Rückzieher.»

«Aber nein. Ich sage nur –»

«Noch vor einer Minute hast du gesagt, du traust ihm nicht! Du hast gesagt, du bist sicher, daß er uns eins auswischen will! Und jetzt erzählst du, daß er vielleicht ein lieber kleiner Bubi ist.»

«Aber nein! Nur finde ich, daß wir ihn nicht ohne Beweise verurteilen können.»

«Machst du dich jetzt etwa für den hergelaufenen Drecksjungen stark?»

«Sag so was nicht noch mal!» Mit einem Mal packt sie blinde Wut, sie, die dafür berühmt ist, nie die Beherrschung zu verlieren.

«Was ist er denn sonst? Sein Vater soll in Queens 'ne Art Kneipe gehabt haben!»

«Und *mein* Großvater hat in der Bronx Häuser angestrichen», sagt sie zornentbrannt. «Ist das etwa besser?»

«Ja, verdammt noch mal!» brüllt er. Im Vorzimmer räuspert sich Mimis Sekretärin, Mrs. Hanna, vernehmlich. Mimi hört es, steht rasch auf, schließt die Tür und lehnt sich mit dem Rücken daran.

«Hat man dir in Yale beigebracht, wie ein bigotter Snob daherzureden?» fragt sie mit zusammengebissenen Zähnen.

«Nein, aber einen anständigen Herrn von einem Halunken zu unterscheiden.»

«Michael Horowitz hat mehr von einem Herrn an sich als du, und ein besserer Jude ist er außerdem.»

«Was ist denn das auf einmal für ein Quatsch? Was hab ich mit Juden zu tun?»

«Warum wollte dich wohl euer feiner Sportclub in Yale nicht als Mitglied aufnehmen? Ich will es dir sagen – weil du Jude bist.»

«Unsinn! Tony Beard hat gegen mich gestimmt, weil ich ihn bei 'nem Foul erwischt hab. Auch wenn ich von der Meyerson-Seite ein paar Tropfen jüdisches Blut habe, die andere Hälfte der Familie ist protestantisch. Ich war noch nie im Leben in 'ner Synagoge.»

«Du könntest mal hingehen. Vielleicht lernst du da was. Zum

Beispiel, daß Jude ist, wessen Mutter Jüdin ist. Daher bist du Jude, ob du willst oder nicht. Du hast das Judentum mit der Muttermilch eingesogen.»

«Das ist ja wohl das letzte!» sagt er. «Als nächstes behauptest du noch, du hättest mich gestillt, Gott im Himmel!»

«So ist es. Natürlich kann ich nicht erwarten, daß du dich daran erinnerst.»

Den Blick abgewendet und die Hände tief in den Hosentaschen, geht er ans Fenster und starrt, mit dem Rücken zu ihr, hinaus. «Nun», sagt er, «wir sprachen ja auch nicht vom Stillen, sondern darüber, wieso du keine geschäftlichen Entscheidungen treffen kannst, obwohl das deine gottverdammte Aufgabe ist.»

«Meine Aufgabe», sagt sie, und ihre Stimme zittert leicht, «war ein bißchen mehr als das, wenn du dich erinnern möchtest. Immerhin hab ich mich all die Jahre hindurch bemüht, diese Familie zusammenzuhalten, und versucht, meiner Mutter zu helfen. Ich mußte mir Nonies Klagen anhören, Edwee aus Schwierigkeiten heraushalten, mit Oma fertigwerden, die Tragödie durchstehen, die mein Vater für uns alle bedeutet hat, nach Opas Tod die Scherben zusammenkehren und Ordnung in das Durcheinander bringen, das er uns hinterlassen hatte. All das war Teil meiner Aufgabe, und du warst zu jung, das zu sehen, und kannst dich auch nicht daran erinnern.» Erstaunlicherweise bleiben ihre Augen trocken, so nahe sie den Tränen auch war, und sie ist froh darüber.

«Auch darum ging es nicht. Wir haben uns über einen New Yorker Geschäftemacher unterhalten, der unserer Firma höchstwahrscheinlich feindselig gegenübersteht und sie aufkaufen will – einen Kerl, von dem du gesagt hast, daß du ihm nicht über den Weg traust.»

«Und jetzt siehst du, daß ich es mir anders überlege. Weißt du, ich glaube ... in gewisser Hinsicht bewundert Michael uns. Ich glaube, er würde gern zu uns gehören, Anteil nehmen, und sei es noch so wenig. Vielleicht ist das alles. Michael ist nicht nur schlecht, er hat auch eine angenehme, unschuldige, jungenhafte Seite.»

Er dreht sich zu ihr um und pfeift durch die Zähne. «He», sagt er, «was ist denn da los? Hat er dich etwa verführt, oder was?»

«Natürlich nicht!» entgegnet sie heftig. «Wie kannst du so etwas sagen?»

«Kommt mir aber ganz so vor! Immerhin weiß die ganze Stadt, daß dieser Bursche alle gutaussehenden Weiber hier schon aufs Kreuz gelegt hat.»

«Willst du damit sagen, daß ich eins von Michael Horowitz' Weibern bin?» Jetzt brüllen sie einander wieder an.

«Das muß es sein: Er hat dich rumgekriegt. Du bist auf seine babyblauen Augen reingefallen!»

«Schluß, Badger, ich will diesen Unsinn nicht mehr hören!»

Er schlägt mit der flachen Hand auf die Fensterbank. «Dann entscheide dich gefälligst! Ist er ein Schweinehund oder nicht? Du hast mit ihm zu Mittag gegessen. Ich hab den Burschen nie gesehen!»

«Das war *dein* Einfall! Du hast mich in die ganze Sache reingeritten!»

Er sieht sie aufmerksam an. «Da denkt man, man redet mit einer vernünftigen Frau», sagt er, «und mit einem Mal bringt sie kein gescheites Wort mehr raus.»

«Zweifelst du etwa an meiner Urteilskraft?»

«Wenn ich ehrlich sein soll – ja.»

Wie eine Leopardin, die ihre Beute beschleicht, durchquert sie den Raum. «Ich wollte diese Firma nicht für mich», sagt sie mit unsicherer Stimme, «sondern für dich. Ich wollte, daß du sie eines Tages von mir übernimmst.»

«Das ist doch selbstgerechter Mumpitz.»

«Vielleicht hatte ich Unrecht. Vielleicht ist sie nichts für dich. Vielleicht findest du es... demütigend, für eine Frau zu arbeiten, noch dazu eine, die zufällig deine Mutter ist. Vielleicht ist das der Grund. Vielleicht ist es an der Zeit, daß ein neuer Mann, jemand wie Michael, in die Firma kommt und sie übernimmt. Vielleicht kann ich deswegen ein bißchen verstehen, was er will.»

«Tu dir bloß nicht selber leid!»

«Ich verliere dich, Badger, ich spüre es. Ich merke es an den schrecklichen Dingen, die du gesagt hast.»

Er geht auf sie zu, nimmt sie bei den Schultern und dreht sie zu sich herum. «Hör zu», sagt er leise. «Ich weiß nur, daß Horowitz ein Kämpfer ist, und zwar einer, dem es nichts ausmacht, unter die Gürtellinie zu schlagen. Ich sage nur, *falls* du gegen ihn antreten mußt, sei auf Tiefschläge gefaßt. Gegen ihn muß man mit harten Bandagen kämpfen. Wo ist deine Härte, Mama? Die Härte des alten Adolph hat diese Firma großgemacht, oder etwa nicht? Du weißt doch, wie er Revlon, Arden und Rubinstein gepackt hat. Wenn du gegen Horowitz antrittst, mußt du wissen, wie du zu ihm stehst. Wer mit ihm in den Ring geht, muß ihm gleich an die Kehle fahren, wenn er gewinnen will.»

Mit einem Mal schiebt er scharf den Unterkiefer vor und streicht gleichzeitig eine Strähne seines samtbraunen Haars aus der Stirn. «Du mußt ihn hassen! Du mußt ihn hassen wollen. Also laß dich nicht von seinem berühmten Zauber einfangen!»

«Was?» keucht sie. «Was?»

«Ich hab gesagt, wir müssen bereit sein. Wir müssen uns gegen ihn rüsten. Er hat seinen Fuß schon in der Tür. Wenn er erst drin ist –»

«Nein», sagt sie mit blitzenden Augen. «Ich meine, was hast du da gerade mit deinem Kinn gemacht? Mit deinen Haaren?»

«Ich weiß nicht, wovon du redest.»

Sie geht schleppenden Schrittes zum Schreibtisch und läßt sich in ihren Sessel sinken. «Du hast recht», sagt sie, plötzlich hart und entschlossen. «Michael hat keinen Anspruch auf irgendeinen Teil unserer Firma. Laß deine Projektstudie steigen, sobald es geht. Besorg die Namen und Adressen der Leo-Verwandten. Ich setz mich mit ihnen in Verbindung. Wir müssen Horowitz so schnell wie möglich loswerden. Ich glaube, du hast recht. Er ist gefährlich.»

«Du bist die Chefin», sagt er.

«Und du der nächste Chef. Vergiß das nicht.»

Kaum tritt die schlanke, elegant gekleidete Frau durch einen der Ausgänge des feinen Kaufhauses Saks auf die 50. Straße, als eine Alarmsirene schrillt.

Ein uniformierter Wächter tritt auf sie zu. «Entschuldigen Sie, meine Dame», sagt er höflich, «aber dürfte ich einen Blick auf den Inhalt Ihrer Tragetasche werfen?»

«Wie bitte?» sagt sie mit gepflegter Stimme. «*Was* wollen Sie?»

«Möglicherweise», erläutert er, «hat eine unserer Verkäuferinnen es irrtümlich unterlassen, ein Sicherungsetikett zu entfernen. Das hat den Alarm ausgelöst. Wenn Sie mir gestatten, in Ihre Tragetasche zu sehen, läßt sich die Sache sicherlich schnell in Ordnung bringen.»

«Unerhört!» kreischt die Frau empört. Die Passanten beobachten neugierig die Szene.

«Sie haben eine Ladendiebin erwischt», sagt eine Frau laut zu ihrer Begleiterin.

«Ich muß Sie bitten, Ihre Tasche zu öffnen», sagt der Wächter. «Anderfalls bin ich gezwungen –»

«Also wirklich!» entgegnet die Frau. «Das ist ja wohl die Höhe –»

«Aha», sagt der Wächter und nimmt einen Alligatorgürtel heraus.

«Da haben wir ihn schon. Sehen Sie! Das Sicherungsetikett ist nicht abgenommen worden. Gewiß haben Sie Ihren Kaufbeleg.»

«Was glauben Sie denn! Er muß irgendwo da drin sein!»

Der Wächter zieht einen rosa Kassenzettel aus der Tasche und betrachtet ihn prüfend. «Der ist aus der Damenschuh-Abteilung», sagt er, «einen Beleg für einen Herrengürtel sehe ich nicht.»

«Lächerlich!» kreischt die Frau. «Ich hab hier seit Jahren ein Kundenkonto! So hat man mich noch nie behandelt!»

«Vielleicht können wir die Sache in Ordnung bringen, wenn wir gemeinsam in die Lederabteilung gehen», sagt er und faßt sie am Arm.

«Was?» sagt sie und reißt sich los. «Ich hab's schrecklich eilig. Das paßt mir überhaupt nicht. Wissen Sie überhaupt, mit wem Sie es zu tun haben? Ich bin Naomi Meyerson!»

«Ich bedaure unendlich, meine Dame, aber ich muß –»

Mit einem Mal entreißt sie ihm den Alligatorgürtel und schlägt ihn ihm ins Gesicht. «Da haben Sie das verdammte Ding!» schreit sie. «Wehe, es taucht auf meiner nächsten Rechnung auf! Dann verklag ich Saks! Hören Sie? Ich klage!» Sie stürmt durch die zweite Pendeltür auf die belebte Straße hinaus.

Es ist Abend. Mimi und Brad sitzen im Wohnzimmer und trinken vor dem Essen einen Martini. «Wie war es heute?» fragt sie ihn.

«Wie immer», sagt er. «Zu Mittag war das gemeinsame monatliche Essen aller Anwälte unserer Kanzlei, du weißt ja. Große Sachen gab es aber nicht zu besprechen.»

«Ach ja», sagt sie und nimmt einen Schluck. «Wo wart ihr diesmal?»

«Im Downtown Club. Wo hast du denn gegessen?»

Offenbar hat er vergessen, daß sie mit Michael verabredet war. «Ich hatte ziemlich viel zu tun und hab mir ein belegtes Brot ins Büro bringen lassen.»

Sie blickt in ihr Glas. Da sitzen wir, denkt sie, zwei in ihrem Beruf erfolgreiche Menschen, denen das Glück lacht. Dahin haben uns neunundzwanzig Jahre Ehe gebracht, daß wir hier sitzen und uns gegenseitig belügen.

Komm mit nach Palm Beach, hatte Michael gesagt. Sie hatte diesen Ort immer gehaßt, wie auch all die anderen Orte, an denen sich ihr Großvater zu Hause gefühlt haben mochte. Für sie war das nie in Frage gekommen. Hätte Michael Srinagar vorgeschlagen, Katmandu oder irgendeinen anderen exotischen Ort – wäre sie dann mit ihm hingeflogen? Zum Beispiel in die Blauen Berge von Neusüdwales? Dort, hatte er früher einmal gesagt, könnten sie eine Schafzucht beginnen.

Den Typ, mit dem du verheiratet bist, hast du doch nie geliebt, oder?

Im Augenblick weiß sie auf keine dieser Fragen eine Antwort.

10

Oma Flo Meyerson
(Tonbandinterview vom 27. 8. 1987)

«Daß Leo ein Verbrecher war, hab ich Ihnen wohl schon gesagt, aber nicht, daß auch sein Sohn Nate einer war – eigentlich war der sogar noch schlimmer als ein Verbrecher, er war eine Ratte. Er hat meinen Sohn Henry gehaßt, aber damit greife ich vor. Adolph hatte zwar viele Feinde, aber ein Verbrecher wie sein Bruder Leo und sein Neffe Nate war er nicht. Jetzt, wo alle Beteiligten tot sind, kann ich das sagen.

Leo war fünf Jahre jünger als Adolph, und die beiden haben sich nie vertragen. Schon als sie noch Anstreicher in der Bronx waren, haben sie sich pausenlos in den Haaren gelegen. Leo wollte alles grundsätzlich anders machen als sein älterer Bruder. Ich glaube, ich hab Ihnen schon gesagt, daß Leo viel besser aussah als Adolph, der klein und dick war. Auch wenn Leo ein Verbrecher war, er sah gut aus. Ein bißchen wie dieser Filmstar, wie heißt er noch, Douglas Fairbanks. Leo hatte so viele Mädchen, wie er wollte – auch noch, als er schon verheiratet war –, und Adolph hat nie eine abgekriegt, bis ich gekommen bin und ihn nahm. Die beiden haben in der Synagoge direkt hinter uns Guggenheims gesessen, und ich hatte ein Auge auf Leo. Dabei wußte ich, daß Adolph es auf mich abgesehen hatte. Ich glaube, ich habe Ihnen schon mal gesagt, daß mir Leo eigentlich lieber gewesen wäre, aber obwohl er fünf Jahre jünger war als sein Bruder, war er schon verheiratet. Seine Frau hieß Blanche, und sie war, glaube ich, ganz in Ordnung, auch wenn ich nicht viel mit ihr zu tun hatte. Als ich 1915 geheiratet hab, war Adolph bereits fünfundvierzig Jahre, und Leo und Blanche hatten schon Kinder. Eben Nate, und dann noch Minna und Esther. Was aus den beiden Mädchen geworden ist, weiß ich nicht, denn unsere Familie hat seit der Zeit vor dem Krieg nichts mehr mit den Leo-Verwandten zu tun gehabt. Vielleicht sind sie auch tot wie ihr Bruder Nate. Das erzähl ich Ihnen später, er ist nämlich unter geheimnisvollen Umständen umgekommen. Wenn sie aber noch leben, müssen sie ziemlich alte Damen sein – fast so alt wie ich!

Entscheidend ist, daß Adolph nie mit seinem Bruder Leo ausgekommen ist, zum Teil wegen Leos Weibergeschichten. Vor allem hat Adolph immer gesagt, Leo wäre dumm, und Leo hat behauptet, Adolph würde ihn um seinen Anteil betrügen. Das stimmte aber nicht. Mein Mann hatte seine Fehler, aber betrogen hat er seinen Bruder nie. Eher hat er ihn zu anständig behandelt – jedenfalls anständiger, als Leo es verdiente. Wie auch immer, alles wurde noch schlimmer, nachdem mein Mann den Nagellack erfunden hatte. Nun, eigentlich hat er ihn ja nicht erfunden, nicht wahr? Es gab ihn schon eine ganze Weile, neu war nur, daß er schnell trocknete – und neu waren auch die pfiffigen Namen wie ‹Feueralarm›.

So oder so, Leo hat gemeint, das Verdienst stünde ihm zu. Immer wieder hat er gesagt: «Wo wärst du Großmaul, wenn ich nicht das Zeug reingekippt hätte, wovon es so schnell trocknet?» Und dann hat ihn Adolph gefragt: «Und wo wärst du, wenn wir alles weggeschüttet hätten, wie du es vorhattest?» So haben sie sich den lieben langen Tag gestritten, und mein Mann ist abends oft wütend nach Haus gekommen und hat mir aus seinem Tagebuch vorgelesen, wie ihn Leo wieder auf die Palme gebracht hatte.

Natürlich ist es in unserer Branche nicht ganz sauber zugegangen, vor allem nicht in den zwanziger Jahren. Da mußten wir an Ladenbesitzer oder Angestellte Schmiergelder zahlen, damit die unsere Erzeugnisse besonders herausstellten und die der Konkurrenz dahin taten, wo sie keiner sah. Selbstverständlich hat es die Konkurrenz genauso gehalten, und wer in einem Laden gut plaziert werden wollte, mußte immer höhere Schmiergelder zahlen. Manche sagen, daß es heute noch genauso ist. Davon weiß ich nichts. Da müssen Sie schon Mimi fragen, aber sie würde es Ihnen bestimmt nicht sagen. Ich weiß nicht, ob es gegen das Gesetz verstößt, aber unredlich ist es auf jeden Fall.

Sie müssen sich das ungefähr so denken: Der Miray-Vertreter ist in einen Laden gekommen und hat sich beklagt, daß Miray-Erzeugnisse nicht besonders herausgestellt würden. Er hat sein Schmiergeld übergeben, und schwups! Ein großes buntes Miray-Plakat hing an der Eingangstür. Eine halbe Stunde später ist einer von Revlon oder was weiß ich in denselben Laden gekommen, hat sich beklagt, gezahlt, und wieder ging es schwups! Das Miray-Plakat verschwand, und das andere hing da! Das konnte an einem einzigen Tag ohne weiteres ein dutzendmal so gehen. Die Leute jammern immer, daß Kosmetika so teuer sind und sagen, in einer Nachtcreme für fünfzig Dollar steckt nur für fünfzig Cent Material, der Rest ist für Verpackung und Reklame. Von wegen! Nicht Verpackung und Reklame haben die Preise hochgetrieben, sondern die Schmiergelder! Mein Mann hat mir erklärt, wie das funktioniert. In seinem Tagebuch hat er genau notiert, wieviel er bezahlt hat und an wen, damit die seine Sachen in den Läden überhaupt zeigten.

Das ist wohl einer der Gründe, warum er Ende der Zwanziger seine Erzeugnisse nicht mehr über Drugstores und Billigkaufhäuser vertrieben hat, wo er am meisten Schmiergelder zahlen mußte, sondern über die großen Kaufhäuser, die als achtbar galten. Ich will Ihnen was sagen. Ein bißchen achtbarer waren die vielleicht, aber Schmiergelder haben sie auch genommen. Dabei sprech ich von den bekanntesten Kaufhäusern im Lande, Wanamaker's, Saks, Best's und Lord & Taylor. Das war kein Dreck, jedenfalls damals nicht. Der einzige Unterschied zwischen den feinen und den billigen Läden war, daß die feinen so viel um die Ohren hatten, daß sie nicht die ganze Zeit Reklameschilder auf- und wieder abhängen konnten! Eine Ausnahme gab es, und das war das Kaufhaus Altman's. Den Leuten hab ich immer getraut. Meine Eltern kannten Altman, wirklich ein Ehrenmann. Aber Saks! Der Laden gehörte den Gimbels, die von irgendwoher aus dem Westen gekommen waren, und mein Mann hat mich immer vor denen gewarnt. «Erst hab ich mitgeholfen, Frank Woolworth reich zu machen, und jetzt helf ich Gimbel dabei!» Das muß man sich mal überlegen: Wo wäre diese Barbara Hutton ohne Leute wie mein Mann?

Wo war ich stehengeblieben? Ach ja, die Schmiergelder. Am schlimmsten war es in den Zwanzigern, aber es ist bis Ende der Dreißiger weitergegangen, bis zum Krieg. Wie es heute ist, weiß ich nicht. Fragen Sie Mimi. Aber es gab noch schlimmere Sachen. Sie wissen vermutlich, daß der Konkurrenzkampf in unserer Branche hart ist, und weil es ums Überleben ging, war jedes Mittel recht. Da sind ganze Sendungen auf dem Weg zu den Läden verschwunden, und es hat sogar Entführungen und Morddrohungen gegeben. Angefangen hat das in der Zeit der Prohibition, und dann hat es nicht mehr aufgehört. Als die Kosmetik in den Zwanzigern ein großes Geschäft wurde, hat sich sogar Wall Street ernsthaft mit Firmen wie uns beschäftigt. Vorher wurden wir als etwas Ähnliches wie die Filmindustrie angesehen, Pofelkram. Das Interesse von Wall Street machte die Konkurrenz noch härter, und die Kosmetik-Firmen befanden sich förmlich im Krieg miteinander.

Dann ist es – ich glaube, es war neunundzwanzig – zu einer Art Skandal gekommen. Jedenfalls wär es einer geworden, wenn die Sache nicht vertuscht worden wäre. In New Jersey wurde ein Lieferwagen von Revlon – ich glaube, es war Revlon, ja, ich bin ganz sicher – mit zerschnittenen Reifen und durchschossener Windschutzscheibe aufgefunden. Im Führerhaus hat die Polizei Blutflecken entdeckt, der Fahrer war verschwunden und ist nie wieder aufgetaucht. Alle Kartons und Packungen im Laderaum waren aufgerissen und ihr Inhalt ausgeleert. Eine Zeugin hat behauptet, sie hätte in jener Nacht in der Nähe einen Wagen beobachtet, der wie einer von Miray ausgesehen hätte.

Sie können sich denken, daß Adolph fast einen Schlaganfall bekam, als er von der Sache erfuhr! Er hat sich Leo vorgeknöpft und ihn gefragt, was er davon wüßte. Der hat ihm ins Gesicht gelacht und ganz offen zugegeben, daß er hinter dem Rücken seines Bruders und Teilhabers Ganoven angeheuert hatte, um die Konkurrenz einzuschüchtern. Als Adolph deswegen aus der Haut fahren wollte, hat sein reizender Bruder einfach gesagt: «Den Preis mußt du schon zahlen, wenn du Geschäfte machen willst.» Können Sie sich das vorstellen? Auf jeden Fall hat die Zeugin später gesagt, möglicherweise hätte sie sich geirrt, und so ist uns der Skandal erspart geblieben. Man hat sie wohl bedroht oder bestochen. Aber Adolph ist noch wütender geworden, weil er jetzt wußte, daß Leo bei solchen Sachen die Finger im Spiel hatte. Damals hat er angefangen zu überlegen, wie er ihn loswerden könnte, und hat in seinem Tagebuch auch Ideen dazu notiert. Es hat zwar fast zehn Jahre gedauert, bis es endlich soweit war, aber dann ist er ihn losgeworden.

Ich meine, Schmiergelder sind eine Sache – die hat damals jeder gezahlt –, aber die Unterwelt da mit reinzuziehen, das ging Adolph zu weit.

Von Leos Sohn Nate hab ich ja schon gesprochen. Er war 1931 um die dreißig, und Leo fing an, Adolph zu drängen, er sollte Nate einen wichtigen Posten in der Firma geben. Der aber wollte nicht mal mehr seinen Bruder in der Firma haben, geschweige denn Nate! Adolphs Traum war es immer gewesen, daß unser Sohn Henry eines Tages die Firma übernimmt. Er wurde 1916 geboren, war also 1931 noch ein Junge, aber gerade deshalb wollte mein Mann diesen Nate nicht in der Firma haben. Er sollte Henry nicht im Weg stehen, wenn es so weit war.

Henry war erst fünfzehn, als sich sein Vetter Nate – ein erwachsener Mann, denken Sie nur! – an ihn rangemacht hat. Mein Henry war noch ... so jung, ein unschuldiges, schönes Kind – ganz, ganz anders als sein Bruder Edwee. Henry hat an das Gute geglaubt, schon in jungen Jahren. Manchmal meine ich, er war ein viel zu guter Mensch, um das Leben auf der Welt lange ertragen zu können. Natürlich hat ihn Alice, die Frau, die er später geheiratet hat, nicht die Bohne unterstützt. Alles, was Mimi an Verstand und Güte besitzt, hat sie von ihrem Vater, nicht von Alice, sogar ihr gutes Aussehen.

Henry war – wie soll ich es Ihnen beschreiben? Er war mein Engel auf Erden, mein Herzblatt, und er hätte eine so große Zukunft haben können. Aber Alice, sofern sie überhaupt etwas begriffen hatte, war viel zu dumm, um gegen das anzugehen, was damals über ihn hereingebrochen ist. Sicher kennen Sie aus der Bibel die Geschichte von David und Absalom. So wie König David habe ich mich auch gefühlt, als ich erfuhr, daß mein Henry tot war. Wie gut konnte ich verstehen, daß David ins Obergemach des Tores geht und weint und im Gehen ruft: «Mein Sohn Absalom! Mein Sohn, mein Sohn Absalom! Wollte Gott, ich wäre für dich gestorben!» ... Es ist entsetzlich für eine Mutter, ihren Erstgeborenen zu überleben ... wirklich entsetzlich ... entschuldigen Sie bitte ... könnten Sie nicht das Ding da abstellen, bis ich ... (unverständlich)

Jetzt geht es mir wieder besser. Wir können weitermachen. Was hatte ich zuletzt gesagt? Ach ja, ich hatte erzählt, wie Nate den armen kleinen Henry gegen seinen Vater aufgehetzt hat. Der erwachsene Nate macht sich an ein Kind von fünfzehn Jahren ran und sagt zu ihm: Weißt du, wie dein Vater und mein Vater die Firma führen, die du mal erben sollst? Sie bezahlen Verbrecher, die ihnen helfen! Diese Verbrecher bringen Leute um, die ihnen im Weg sind! Wie findest du das? Die bringen einfach Leute um! Kann man sich das vorstellen?

Henry – das unschuldige, vertrauensselige Kind – ist zu seinem Vater gelaufen und hat ihn gefragt! Stimmt das, Papa, was Vetter Nate sagt – daß du Leute bezahlst, damit sie andere umbringen? Natürlich hat Adolph das bestritten. Was bleibt einem anderes übrig, wenn einen der eigene Sohn so etwas fragt? Aber an der Reaktion seines Vaters hat Henry gemerkt, daß er log. Kinder merken so was. Man kann ein Kind nicht belügen. Ich glaub nicht, daß Henry seinem Vater je wieder getraut hat. Und auch *mir* nicht, denn ich war dabei, als Adolph versucht hat, die Sache abzustreiten, und mußte sie natürlich auch abstreiten, obwohl ich die Wahrheit kannte. Ich mußte mich auf die Seite meines Mannes stellen.

Bestimmt hätte Adolph seinen Bruder am liebsten umgebracht, sogar Leo *und* Nate, wenn er nur gewußt hätte, wie. Manchmal denke ich, er hätte es tun sollen – immerhin hatten die beiden die Liebe seines Sohnes zu ihm erstickt, dem Kind seine Unschuld genommen, die Seele eines Sohnes gegen seinen Vater vergiftet und auch gegen mich, die er mehr geliebt hatte als die Welt! Denn nichts anderes war es – Gift in der Seele eines leicht beeinflußbaren Jungen. Henry hat das nie vergessen. Noch Jahre später hat er seinem Vater schwere Vorwürfe gemacht. Ich brauch Ihnen nicht zu sagen, daß all das meinen Mann in seinem Entschluß bestärkt hat, dafür zu sorgen, daß sein Bruder aus der Firma verschwand – endgültig.

Auf dem Tischchen dahinten steht ein Foto von meinem Henry. Da war er etwa dreißig. Schauen Sie es sich ruhig gründlich an. Fällt Ihnen der traurige, mißtrauische Blick in seinen Augen auf? Den hatte er seit jenem bewußten Tag im Jahre 1931. Aber sehen Sie auch, wie gut er aussah? Erkennen Sie Mimis Gesicht in seinen Zügen? Ich ja. Ich meine, früher konnte ich es erkennen. Ich hab mir das Bild oft angesehen, den Ausdruck in Henrys Augen, und Leo und Nate verflucht. Machen Sie Ihr Gerät wieder aus. Was ich Ihnen jetzt sage, ist nicht für die Allgemeinheit bestimmt ...»

«Schmiergelder?» Mimi lächelt. «Heute sind wir im Geschäftsleben etwas weiter als zur Zeit meines Großvaters. Die Sache heißt jetzt Öffentlichkeitsarbeit. Eine ganze Abteilung meines Unternehmens beschäftigt sich mit nichts anderem. Ein Einzelhändler oder Verkäufer wäre gekränkt, wenn man ihm einen Umschlag mit Geld in die Hand drückte, wie es mein Großvater angeblich getan hat. Aber wir behandeln unsere Freunde, wie wir die Einzelhändler nennen, nach wie vor mit größter Zuvorkommenheit. Wir laden sie zum Essen ein und geben ihnen Gesellschaften. Zu Weihnachten schicken wir Ihnen einen Kartengruß und eine kleine Aufmerksamkeit. Wir achten darauf, daß wir Geschäfte, die unsere Erzeugnisse führen, regelmäßig besuchen. Ich spreche mit den Einkäufern, unterhalte mich ein bißchen mit den Verkäuferinnen, lobe sie für die schwere Arbeit, die sie tun, dafür, wie gut sie aussehen, versuche mir zu überlegen, wie man ihnen die Arbeit erleichtern könnte. Es gibt natürlich auch Leute, zu denen wir besonders nett sind. Sehen Sie den Ordner hier auf dem Tisch? Darin sind lauter Verkaufskräfte aufgeführt, die sich im Lauf der Jahre in besonderer Weise um Miray verdient gemacht haben – nicht nur ihre Namen und ihre Privatanschrift, sondern auch die Namen ihrer Ehepartner und Kinder, deren Geburtstage, Handschuhgröße und was wir sonst über sie in Erfahrungen bringen können. Zu Weihnachten bekommen solche ausgewählten Leute von uns besondere Geschenke und einen persönlichen Gruß von mir. Nehmen wir beispielsweise Miss Libby vom Kaufhaus Neiman's in Fort Worth. Seit fünfzehn Jahren macht sie jährlich einen Umsatz von über 50 000 Dollar mit unseren Erzeugnissen. Natürlich behandeln wir Goldstücke wie sie besonders zuvorkommend. Zu ihrem fünfzehnten Betriebsjubiläum bei Neiman's hab ich ihr ein Perlenhalsband von Cartier geschenkt – Perlen, weil ich sie einmal hatte sagen hören, daß das der einzige Schmuck sei, den sie trage. Ich glaube, daß solche persönlichen Dinge unsere ganz besondere Stärke sind.

Natürlich sind wir auch sehr großzügig mit Proben unserer Produkte. Das ist für uns sehr wichtig. Jeden Tag gehen ganze Kartons voll davon an unsere gegenwärtigen und künftigen Freunde. Jeder, er mag so reich sein, wie er will, läßt sich gern etwas schenken. Mein Opa hat immer gesagt: ‹Wenn es umsonst ist, nimm doppelt so viel›. Die Tatsache, daß in unserer Branche Proben verteilt werden, hat mich überhaupt erst auf die Idee gebracht, Kundinnen beim Einkauf ein kleines kostenloses Extra anzubieten. Ja, ich war die erste. Wer ein Miray-Produkt kauft, bekommt eine – zwei, drei oder vier – Gratisproben eines unserer anderen Erzeugnisse. Es ist ein Anreiz für die Kundin, aber auch für die Verkäuferin, die damit ein zusätzliches Verkaufsmittel in der Hand hat. Mit dem neuen Parfüm werden wir es genauso machen: Jede Frau, die einen Flakon kauft, bekommt zusätzlich eine kostenlose Probe des Eau de Cologne für ihren Mann, Liebhaber oder wen auch immer. Das entsprechende gilt für Männer, die das Eau de Cologne kaufen.

Als ich zweiundsechzig nach dem ... Unfall ... meines Vaters die Firma übernahm, war kein Geld da. Die Gläubiger ließen uns keine Ruhe, und es war schon von Konkurs die Rede. In den wenigen Jahren, die mein Vater an der Spitze des Unternehmens gestanden hatte, waren einige unkluge Entscheidungen getroffen worden, wie sich nachträglich herausstellte. Ich mußte versuchen, unsere Erzeugnisse auf dem Markt wieder durchzusetzen und dem Namen Miray neuen Glanz zu geben. Wir hatten nicht die Mittel, Einkäufern Geschenke zu machen, sie zum Essen einzuladen oder Verkäuferinnen Perlencolliers zu schenken. Es war nicht einmal genügend da für Vertretergehälter oder -provisionen. Ich mußte selbst in die Geschäfte gehen und die Verkäuferinnen überreden, unsere Produkte ins Sortiment aufzunehmen. Ich hab sogar als unbezahlte Verkäuferin hinter der Theke gestanden und den Kundinnen Ratschläge für ihr Make-up gegeben, in der Hoffnung, daß sie dann auch irgend etwas von uns kauften.

Daß ich eine Frau bin, war nicht immer von Vorteil. Die meisten Kosmetikläden beschäftigten als Einkäufer Männer, und natürlich ist es vorgekommen, daß man mir angeboten hat, meine Produkte als Gegenleistung für etwas anderes ins Sortiment aufzunehmen – Sie wissen schon, was ich meine. Solche Situationen erforderten ein gewisses Maß an Fingerspitzengefühl, Diplomatie und Takt. Ich mußte zwar nett zu diesen Kerlen sein, aber unter allen Umständen – selbst, wenn ich ihren Vorschlägen zugänglich gewesen wäre – verhindern, daß man herumerzählte, die Frau von Miray sei leicht zu haben. Die Parole hieß also: freundlich, aber fest. Dazu mußte ich mir kleine Tricks einfallen lassen. Statt zu schreien: ‹Lassen Sie mich los!› habe ich gelächelt und gesagt: ‹Wissen Sie was? Ich hab einen wundervollen neuen Lidschatten, der Ihrer Frau oder Freundin bestimmt großartig gefallen würde!› Und damit, daß ich ihnen eine Probe in die Hand drückte, war ich die Kerle in den meisten Fällen los. Manche Geschäfte mußte ich in meinem Vertreterbüchlein allerdings als ‹schwierig› kennzeichnen. Ich glaube, daß mich die meisten dieser Männer schließlich wegen meiner Haltung geschätzt und geachtet haben. Das größte Kompliment von ihnen war dann: ‹Sie haben wohl nur das Geschäft im Kopf, was? Sie denken ja wie ein Mann!›

Es gibt natürlich noch verschiedene andere Möglichkeiten, sich der Öffentlichkeit ins Bewußtsein zu bringen ...»

Mrs. Hanna erscheint mit einem großen Arrangement von Anemonen an der Tür, die wie Sterne aussehen. «Die sind gerade für Sie abgegeben worden», sagt sie. «Soll ich sie auf den kleinen Tisch stellen?»

«Was für herrliche Blumen!» ruft Mimi aus. «Von wem sind sie, Mrs. Hanna?»

«Auf der Karte steht kein Name, sondern nur: ‹Ich denke an die kleinen weißen Sterne.› Soll ich im Blumenladen anrufen und fragen?»

Mimi runzelt die Brauen. «Nein, ist schon gut. Stellen Sie sie einfach da hin.»

Eine Zeitlang sieht sie schweigend und mit ausdruckslosem Gesicht auf die blassen Blüten über den grünen Blättern.

«Vielleicht schickt Ihnen Ihre Großmutter die Blumen», sage ich nach einer Weile, um das Schweigen zu brechen.

«Warum sollte sie? Nein, nein, ich weiß schon, woher sie kommen.»

«Es tut ihr aufrichtig leid, wie sie kürzlich Ihre Mutter behandelt hat. Ich war heute morgen bei ihr, und sie hat mich gebeten, Ihnen das zu sagen.»

«Warum ruft sie mich in dem Fall nicht einfach an und sagt mir das selbst?»

«Ich glaube, sie hat ein bißchen Angst.»

«Ha! Oma Flo und Angst? Seit Jahren hackt sie auf meiner Mutter herum, das hat sie schon vor meiner Geburt getan. Da geht es um alte Kränkungen, Empfindlichkeiten und Verbitterung – Wunden, die nie heilen werden. Ich hab mich daran gewöhnt und achte kaum noch darauf. Sagen Sie Oma, sie soll anrufen, wenn sie mir was zu sagen hat. Ich tu bestimmt nicht den ersten Schritt. Falls sie sich meldet, rede ich mit ihr – aber ich kann Ihnen jetzt schon sagen, daß es nichts ändern wird. Nicht die Spur.»

«Was steckt denn Ihrer Ansicht nach hinter der ganzen Sache?»

«Das ist alles sehr kompliziert. Ich verstehe die Zusammenhänge selbst nicht vollständig. Wo waren wir? Ach ja, wie wir unseren Freunden, den Einzelhändlern, helfen. Nun, wir nennen grundsätzlich ihre Namen in *unserer* Werbung und unterstützen sie auch bei besonderen Werbeaktionen. Wir liefern ihnen eigens dafür entwickeltes Werbematerial und stellen ihnen frei, ob sie es verwenden wollen oder nicht. Außerdem schicken wir ihnen unsere eigenen, besonders geschulten Verkäuferinnen für individuelle Beratungstage von Kundinnen in die Geschäfte. Wir zeigen ihnen, daß wir stets da sind, wenn sie Hilfe brauchen...»

«Mir ist klar, daß es mich nichts angeht», sagte ich, denn es ging mich tatsächlich nichts an. Aber die alte Dame im Carlyle, deren Furcht entweder wirklich, vorgetäuscht oder eingebildet war, hatte mich mit ihrer Bitte, als Bote und Vermittler zwischen ihr und ihrer Enkelin tätig zu werden, in ein Netz familiärer Auseinandersetzungen hineingezogen, von dem ich damals noch nichts ahnte. «Aber ich glaube, Ihre Großmutter fühlt sich wirklich bedroht. Es soll etwas mit Edwee und Nonie zu tun haben. Ich glaube, sie möchte, daß Sie ihr helfen.»

«Manchmal denke ich, daß meine Großmutter Eiswasser in den Adern hat. Wahrscheinlich hat sie das bei einer Blutübertragung von Opa bekommen, denn der war der kälteste Fisch, den man sich denken kann. Das meine ich nicht nur wegen der abwegigen Dinge, die sie gesagt hat – daß meine Mutter jemanden umgebracht haben soll und der Hinweis auf den tragischen ... Unfall ... meines Vaters. Es war –»

«Es war Selbstmord», sagte ich, so zartfühlend ich konnte.

Sie zögerte. «Meine Mutter und ich haben dazu unterschiedliche Ansichten», entgegnete sie. «Sie war stets der Meinung, daß es sich um Selbstmord handelte. Das hat auch die gerichtliche Untersuchung als Todesursache ergeben, und so hat es in der Presse gestanden. Aber man hat keinen Abschiedsbrief gefunden, und ich habe eigentlich immer gedacht – gehofft, vermute ich –, daß es sich um einen Unfall handelte, daß Papa vielleicht seine Waffe reinigte und sie dabei zufällig losging. Es hätte natürlich auch anders sein können, zum Beispiel –»

«Gewaltsamer Tod?»

«Ja! Mein Großvater hatte viele Feinde. Ich vermute, wir werden nie erfahren, was wirklich geschehen ist. Aber wie ich die Dinge sehe, haben seine eigenen Eltern meinen Vater systematisch zugrunde gerichtet, seit er ein kleiner Junge war. In der Firma hat man ihm eine Position gegeben, aber keine Verantwortung, einen klingenden Titel, aber keine Aufgabe. Niemand hat sich angehört, was er zu sagen hatte. Sie haben seine Seele zerstört.»

«Ihre Großmutter meint, Ihr Onkel Leo habe viel damit zu tun.»

«Den habe ich nicht gekannt. Übrigens war er mein Großonkel. Vielleicht stimmt es sogar, daß mein armer Vater im Streit zwischen Opa und Leo zerrieben wurde. Denkbar ist es.»

«Ihre Großmutter sagt, all das habe in Einzelheiten in den Tagebüchern Ihres Großvaters gestanden.»

«Sehen Sie? Da haben Sie es wieder, wie sie die Dinge aufrührt. Sie redet über Tagebücher, die es nicht gibt – jedenfalls habe ich nie welche gesehen und auch nie von welchen gehört, und auch Edwee und Nonie nicht. Hätte nicht wenigstens mein Vater sie erwähnt, wenn es welche gegeben hätte? Aber so macht Oma das immer. Ihre Äußerung vor meinen Gästen war nicht nur bewußt grausam und entsetzlich rücksichtslos, sie war boshaft, mit voller Absicht! Großer Gott, meine Mutter ist gerade erst aus der Kur zurückgekommen und bemüht sich, ein neues Leben anzufangen. Ich versuche jeden Tag mit ihr zu reden, sie zu ermutigen, zu bestärken. Das letzte, was sie braucht, ist ein weiterer Haßausbruch von ihrer Schwiegermutter. Sie ist auf die Unterstützung aller Angehörigen angewiesen! Und jetzt, da Oma was von mir will, tut ihr ihre Boshaftigkeit angeblich leid! Sehen Sie, wie sie die Menschen benutzt? Sie benutzt sie dazu, mir etwas über diese verdammten Tagebücher zu erzählen, die nur in ihrer Vorstellung existieren! Nichts als Boshaftigkeit!»

«Ich hatte den Eindruck, daß die Tagebücher eine Art private Mitteilungsform zwischen Ihren Großeltern waren und Ihr Großvater seiner Frau alles, was in seinem Leben von Bedeutung war und worüber er nicht reden wollte, auf diese Weise mitgeteilt hat.»

«Möglich. Zuzutrauen wäre ihm eine solche Hinterhältigkeit. Alle Männer sind hinterhältig. Warum nur? Frauen können zwar boshaft sein, aber Männer sind hinterhältig. Verdammt, verdammt!» Unvermittelt stieß sie mit ihrer Schuhspitze so kräftig gegen den Papierkorb, daß er umstürzte und seinen Inhalt zur Hälfte auf den Teppich ergoß. Sie brach in Tränen aus. Diese sonst so gefaßte und beherrschte Frau weinte. Ich konnte es nicht glauben und sah nach, ob ich ein frisches Taschentuch hatte. Leider nicht. «Verdammt!» schluchzte sie und sagte dann: «Wollen Sie ein paar Blumen? Nehmen Sie bloß den verdammten Blumenstrauß mit!»

In seinem vollgestopften Arbeitszimmer am Sutton Square sitzt Edwee Meyerson am Telefon. «Mr. Edwin Meyerson von der Miray Corporation», sagt er zu der Frau, die er schließlich an den Apparat bekommen hat.

«Ach, Mr. Meyerson», sagt diese. «Ich nehme an, Sie wissen schon, daß er die Sache mit der Narbe mitmacht. Es gefällt ihm zwar nicht, aber er macht mit.»

«Die Sache mit der Narbe», sagt Edwee, der keine Ahnung hat, wovon sie spricht. «Ach, natürlich», sagt er, «ich verstehe.»

«Ich will Ihnen die Ausdrücke ersparen, mit denen er *Miss* Meyerson bedacht hat», sagt sie. «Aber keine Sorge, er steht nach wie vor für Miray zur Verfügung.»

«Gut», sagt Edwee. «Und ich hab eine Nachricht, die ihm gefallen wird.»

«Das kann er brauchen.»

«Allerdings muß ich gestehen, daß ich seine Telefonnummer verlegt habe.»

«Ich geb sie Ihnen», sagt die Frau.

II

Die achtzehnjährige Mimi saß 1957 auf einer Bank vor dem zugefrorenen See im Central Park und schnürte ihre Schlittschuhstiefel zu. «Mist!» knurrte sie, als dabei ein Schnürsenkel riß.

«Hier, Kindchen, nimm», sagte der junge Mann neben ihr, wobei er in die Tasche seines roten Parkas griff, «ich hab immer welche mit.» Er gab ihr ein Paar neue Schnürsenkel. Zögernd sagte sie: «Danke, es ist nicht nötig. Ich kann ihn knoten.»

«Knoten sehen häßlich aus», sagte er. «Willst du das?»

«Nein, aber –»

«Dann gib mir schon deinen rechten Schlittschuh», sagte er munter. «Ich nehm mir den vor, und du kannst inzwischen den anderen fertigmachen.»

«Ich finde aber –»

Er schnippte mit den Fingern. «Hör auf zu reden und gib ihn rüber, Kindchen. Es ist ja nicht wie Süßigkeiten von 'nem fremden Mann. Bestimmt hat man dir zu Hause eingeschärft, nie Süßigkeiten von 'nem Fremden anzunehmen. Ein Paar Schnürsenkel sind keine Süßigkeiten.» Er nahm ihren Schlittschuh und sagte: «Weißt du, wenn man Schnürsenkel einzeln verkaufen würde statt paarweise, könnte man ein Vermögen verdienen. Hast du dir das schon mal überlegt? Die gehen nie auf einmal kaputt, immer nur einer. Wann kommt das schon mal vor, daß ein Paar zur selben Zeit reißt? Genau darum geht's im Geschäftsleben – man muß wissen, was passiert. Damit könnte man ein Vermögen verdienen.»

Eifrig löste er den gerissenen Schnürsenkel und zog den neuen ein.

Als er fertig war und sie beide Schlittschuhe an den Füßen hatte, stand er auf. «Möchtest du ein Eis?» fragte er. «Vielleicht ist das so was wie Süßigkeiten von 'nem Fremden, aber du kannst ja sehen, daß ich nicht der große böse Wolf bin.»

«Aber wer bist du eigentlich?» fragte sie.

Er zwinkerte ihr zu. «Es kommt nicht darauf an, wer ich bin», sagte er, «sondern wer ich mal sein werde. Willst du wissen, wer ich mal sein werde? Der reichste Mann von New York. Du glaubst wohl, ich rede nur so daher? Ich studier noch und hab schon ein Projekt laufen: Von der Regierung geförderte Sozialwohnungen – da steckt kein Pfennig von meinem eigenen Geld drin. Ich bin ein Genie. Das wirst du schon merken, wenn du mich besser kennenlernst. Komm, laß uns ein Eis essen.»

Sie glitten nebeneinander über die Eisfläche, und Mimi überlegte, daß er der sonderbarste junge Mann war, dem sie je begegnet war.

Während sie vor dem Erfrischungsstand anstanden, blies er dampfenden Atem in seine vor den Mund gehaltenen Fäustlinge und sagte: «Weißt du was? Hier könnte man ein Vermögen verdienen. Wieso verkaufen die bloß Eis und Erfrischungsgetränke? Wer will an einem Wintertag was Kaltes? Warum nichts Heißes? Kakao, heiße Würstchen, Glühwein, warme belegte Brote, heißen Rum mit Butter – ich hab dich hier schon mal gesehen.»

«Ich komm ziemlich oft her, ja.»

«Und immer allein?»

«Meistens.»

«Wieso? Hast du keine Freundinnen?»

«Ich geh in Connecticut zur Schule», sagte sie. «Jetzt sind Ferien, und die meisten meiner Schulkameradinnen wohnen woanders.»

«Wo zum Beispiel?»

«Ich hab eine gute Freundin in Akron, Ohio», sagte sie.

«Ein Dreckloch», sagte er. «Ich war noch nie da, aber ich hab gehört, es soll ein Dreckloch sein.» Er bezahlte ziemlich angeberisch mit einem Hundert-Dollar-Schein, und der Mann am Erfrischungsstand blätterte ihm mit gequältem Gesichtsausdruck das Wechselgeld hin, fast alles Ein-Dollar-Scheine. «Nein», sagte er, «für mich ist New York die einzige Stadt der Welt. Vergiß nicht, daß du das hier von mir gehört hast, Mimi.»

Sie hielt den Atem an. «Woher weißt du meinen Namen?» wollte sie wissen.

Er grinste. «Ich kann Gedanken lesen», sagte er. «In deinem

Schlittschuhstiefel ist ein Namensetikett eingenäht. Deine Augen haben eine wunderschöne Farbe.»

«Meine beigen Augen», lachte sie.

«Sie sind silbern», sagte er. «Ich bilde mich weiter. Ich möchte mehr über die schönen Dinge im Leben wissen. Wer Erfolg haben will, muß rundum gebildet sein. Jede Woche versuch ich was Neues zu lernen, und bis ich soweit bin, möchte ich auf allen Gebieten, die man kennen muß, zumindest ein bißchen was wissen. Diese Woche hab ich mich mit Silber befaßt. Das beste englische Silber stammt aus der Epoche von König Georg I. Hast du das gewußt? Viele Leute meinen, es ist Georg III., aber Georg I. ist besser. Kennst du den Laden von James Robinson an der 7. Straße? Da hab ich alles über das Silber aus der Zeit von Georg I. gelernt. Und weißt du, was man mit dem besten Silber machen muß? Man muß es jeden Tag polieren, wirklich jeden Tag. Davon kriegt es seinen satten Glanz. Das hat man mir im Laden von James Robinson gesagt. Und so sind deine Augen – wie altes Silber, das man jeden Tag, den Gott werden läßt, poliert hat. Bist du Jüdin?»

«Ja.»

«Dachte ich mir. Du siehst zwar nicht jüdisch aus, weil du blond bist, aber die *Gojim* sind noch blonder. Meistens seh ich das. Nicht immer, aber meistens.»

«Spielt das eine Rolle?»

«Für mich nicht, aber für meine Mutter wäre es wichtig.»

«Was hat deine Mutter damit zu tun?»

«Wenn ich dich mit nach Hause nehme, um dich ihr vorzustellen, spielt es eine Rolle.»

«Und warum willst du das tun?»

«Weil du das Mädchen bist, das ich heiraten werde.»

«Was?»

Er glitt mit leicht auseinandergestellten Beinen auf seinen Schlittschuhen rückwärts davon, grinste sie an und leckte an seinem Eis. Auf seiner Nasenspitze saß ein Tropfen Schokoladeneis. «Ich muß jetzt los», sagte er. «Rüber nach Jersey, mich um die Baustelle kümmern. Bis morgen – an derselben Stelle.»

«Augenblick!» rief sie. «Ich weiß ja nicht mal, wie du heißt.»

«Michael Horowitz», rief er zurück. «Bis morgen, Kindchen», und dann war er fort, ein roter Farbklecks, der allmählich zwischen den anderen Schlittschuhläufern verschwand.

Doch am nächsten Nachmittag war er nicht da; sie wartete an der Bank vor dem Teich auf ihn, die Arme verschränkt, weil sie fror. Sie war pünktlich gewesen, sogar ein bißchen zu früh gekommen, und sagte sich nach einer halben Stunde, er werde nicht kommen. Sie glaubte, alles zu wissen, was sie über Männer wissen mußte, auch über geschlechtliche Dinge. Der alte Pete, Hausmeister der Sporthalle an ihrer Mädchenschule, hatte sein Dienstzimmer im Kellergeschoß. Dort saß er häufig, rauchte eine Zigarette nach der anderen und schmökerte in Comics. Wenn sich eine Mädchengruppe vor dem Kellerfenster sammelte, der einzigen Öffnung, durch die Tageslicht in seine Behausung fiel, erfreute der alte Pete sie gewöhnlich mit einer kleinen Darbietung. Dazu knöpfte er sorgfältig seine Hose auf und nahm sein geschwollenes Ding heraus, und die Schülerinnen schauten ihm mit großen Augen zu. Gab der alte Pete eine seiner Vorstellungen, verbreitete sich die Kunde davon blitzschnell über das ganze Internatsgelände. Die Mädchen eilten in ihrer Schuluniform aus grünem Faltenrock und Matrosenbluse über die sauber geharkten Kieswege zum Kellerfenster der Turnhalle, ängstlich darauf bedacht, daß keine der Lehrerinnen oder Erzieherinnen Wind von dieser heimlichen Ansammlung wohlerzogener und behüteter junger Damen bekam. Was hätten deren Eltern denken sollen, wenn sie gewußt hätten, daß an Miss Hall's feiner Mädchenschule in Connecticut dergleichen vor sich ging? Jedenfalls wußte Mimi, worum es bei Mann und Frau ging. «Der Mann steckt sein Ding in dich rein», erklärten die älteren Mädchen wissend. «Es tut nicht richtig weh.»

Mimi wußte, was die anderen Mädchen über die Männer sagten. Da Männer gern Sport trieben, je rauher, desto besser, sahen sie auch den Umgang mit Mädchen als eine Art Sport an und spielten mit ihnen Katz und Maus. Wer nicht aufpaßte und sich von ihnen in eine gefährliche Ecke drängen ließ, aus der es keinen Ausweg gab, war ruckzuck schwanger. Dann ließen die Männer das Mädchen fallen, Schluß, aus. Zur Rede gestellt, stritten sie einfach alles ab, und beweisen konnte das Mädchen nicht, daß dieser oder jener sie geschwängert hatte – außer er gab es zu, was aber so gut wie nie vorkam. Dann war sie mutterseelenallein. Mindestens einer Mitschülerin in Miss Hall's Schule war es so gegangen. Völlig in Tränen aufgelöst, hatte der Chauffeur ihrer Eltern sie abgeholt – nicht einmal selbst gekommen waren sie – und nie wieder hatte man etwas von ihr gesehen oder gehört. Sie war so spurlos verschwunden, als hätte die Erde sie verschluckt.

Manchmal trieben die Männer ihr Spiel auch mit mehreren Mädchen zugleich, und wenn eine sie langweilte, ließen sie sie fallen und machten sich an die nächste heran. Es war wie beim Wettangeln, wo jeder versuchte, mit seinem Spezialköder ein möglichst eindrucksvolles Prachtexemplar an die Angel zu bekommen. Hatte er einen fetten Brocken gefangen, wurde dieser entweder ins Wasser zurückgeworfen oder mit nach Hause genommen und vernascht.

Wem diese Vorstellungen naiv erscheinen, möge bedenken, daß es sich bei Miss Hall's Schule um ein Institut für junge Damen aus den besseren Kreisen handelte und die sechziger Jahre mit ihrer sexuellen Revolution noch bevorstanden.

Nach nahezu einstündigem Warten befand Mimi, Michael Horowitz sei genauso wie alle anderen. Wie dumm von ihr, so rasch auf seinen Köder hereinzufallen. Der Widerling hatte sie ins Wasser zurückgeworfen und sich aussichtsreicheren Fischgründen zugewandt. Wahrscheinlich tat er das jeden Tag. Sie mochte ihn nicht. Er war zu sehr von sich überzeugt, zu eingebildet, zu prahlerisch – allein schon der Hundert-Dollar-Schein! Sie beschloß, ihm einfach wortlos seine Schnürsenkel zurückzugeben, falls sie ihn je wiedersah. Sie nahm die Schlittschuhe auf und wandte sich zum Gehen.

Im selben Augenblick sah sie eine Gestalt in einem roten Parka durch den Park gerannt kommen.

«Tut mir leid!» keuchte er atemlos, als er sie erreichte. «Ich bin auf der Baustelle aufgehalten worden und konnte dich von da nicht anrufen. Ich muß auch gleich wieder nach New Jersey rüber. Kann ich es damit wieder gutmachen, daß wir heute abend zusammen essen gehen?»

«Ich glaube schon», sagte sie.

«Gut! Gott sei Dank hast du gewartet!»

«Noch eine Minute länger, und ich wär völlig steifgefroren.»

«Wär dir der Rainbow Room recht?»

«Das wäre schön», sagte sie. Sie war noch nie dort gewesen.

«Prima. Ich treff dich dann um halb acht dort. Ich bestell 'nen Tisch.» Er warf ihr eine Kußhand zu und war wieder verschwunden, ein roter Klecks am Horizont.

«Der Rainbow Room!» rief ihre Mutter aufgeregt aus. «Da war ich vor Jahren mit deinem Vater. Man kann da tanzen. Was wirst du anziehen? Ich weiß gar nicht, was man in diesem Winter trägt. Alles, was man in den Läden sieht, ist so scheußlich – mit Pailletten und anderem Glitzerkram. Wie wäre es mit deinem Ballkleid, oder ist das zu lang? Jetzt ist keine Zeit mehr, es zu kürzen. Vielleicht nimmst du doch lieber das blaue. Wann holt er dich ab?»

«Ich treff ihn dort.»

«Ach? Zu meiner Zeit –»

«Er kommt aus New Jersey. Es ist für ihn einfacher so.»

«Dann brauchst du Geld für eine Taxe. Du kannst unmöglich mit dem Bus zum Rainbow fahren! Mach dir keine Sorgen, ich geb dir welches. Woher kennst du ihn überhaupt? Von einem der Bälle an eurer Schule? Und wer ist er?»

«Er sagt, er will der reichste Mann von New York werden.»

«Wie aufregend! Jetzt hol aber rasch den blauen Mantel, damit ich wenigstens die Schulterpolster noch rausnehmen kann. Die trägt kein Mensch mehr. Hoffentlich kommt er auch aus einer ordentlichen Familie.»

Im Lauf der Jahre hatte Mimi gemerkt, daß ihre Mutter einst große Hoffnungen auf ihre eigene Zukunft gesetzt hatte. Hatte sie nicht Henry Meyerson geheiratet, den Sohn des Kosmetik-Königs und seiner Frau Fleurette, geborene Guggenheim, Erbin der Kupferdynastie? Trotzdem waren ihre Erwartungen auf geheimnisvolle Weise unerfüllt geblieben. Aus der verheißungsvollen Zukunft, die sie für sich schon am Horizont gesehen hatte, war nichts geworden, die große Hoffnung hatte sich zerschlagen, und nach und nach war der Traum langsam und quälend gestorben. Finstere Mächte, die offenbar niemand erklären konnte, hatten Alice Meyerson trotz aller vielversprechenden Gaukelbilder betrogen. Wer war der Schurke in diesem Stück?

Von all dem hatte Mimi zu jener Zeit noch keine Vorstellung, sie merkte aber an jenem Abend, wie sich die alten Träume ihrer Mutter auf den neuen Verehrer ihrer Tochter konzentrierten.

Zur Welt gekommen war Alice Meyerson als Tochter von Nettie und Sigismund Bloch, der aus einer angesehenen alten jüdischen Familie deutscher Herkunft stammte. In den ersten zwei Jahrzehnten dieses Jahrhunderts hatte er es zu Wohlstand gebracht, gründete seine private Bank an der Wall Street, hielt es aber kaum je für nötig, sein Büro dort auch aufzusuchen. Dem großen Bankenkrach von 1929 war Sigismund Blochs Bank als eine der ersten zum Opfer gefallen. Von dem Schlag, daß er damit seinen gesamten Besitz verloren hatte, erholte er sich nie und starb einige Jahre später an einer Krankheit, die seine Angehörigen «Melancholie» nannten. Bald darauf folgte ihm seine Witwe in die Familiengruft, das einzige, was ihnen geblieben war.

Als Alice, die hübsche Tochter der Blochs, Henry Meyerson heiratete, hatte man allgemein angenommen, damit werde sich das Schicksal der Blochs wenden. Man sah bereits förmlich vor sich, wie die neue Mrs. Meyerson gleich den anderen Gattinnen der im Norden Manhattans ansässigen Deutsch-Juden über eins der hochherrschaftlichen Häuser mit zahlreichen Dienstboten herrschte, von denen die Schwiegereltern Meyerson mehrere beschäftigten. Das Leben solcher Frauen bestand aus Bridge-Spielen, Mittagessen im Plaza, Einladungen zum Tee, Krokettspielen auf Rasenflächen, von denen man einen Blick auf den Atlantik hatte und (mindestens) einmal im Jahr ein «großes gesellschaftliches Ereignis», bei dem bis zu zweihundertfünfzig Herren im Frack – samt ihren Gemahlinnen mit den dazugehörigen mehrfachen Perlenketten um den Hals – in einem Haus an der Fifth Avenue oder Madison Avenue dinierten. Man brauchte sich nur das Hochzeitsfoto des strahlenden jungen Paares Henry und Alice anzusehen, wie sie von ihren Freunden und Verwandten umgeben waren: der kleinen Oma Flo, Opa Meyerson, der mit seinem Kinnbart und Zwicker einen dominierenden Eindruck machte, den breitschultrigen Guggenheim-Onkeln und ihren großformatigen Gattinnen, um in Alices Augen die Aussicht auf eine solche glänzende Zukunft zu erkennen.

Aber daraus war gar nichts geworden. Anfänglich hatte man die jungen Meyersons in alle Häuser eingeladen, aber allmählich fiel auf, daß sie die Einladungen nicht erwiderten. Zuerst warf man Henry Trägheit vor, dann Mittellosigkeit, und zum Schluß beides. «Man kann sich nicht mit schottischem Lachs bewirten lassen und selbst den Gästen Thunfisch vorsetzen», hatte Mimi jemanden über ihre Eltern sagen hören. Sie war auch Zeugin der Äußerung geworden, sie seien «sonderbar». Es schien unvorstellbar, daß sich Adolph Meyersons Sohn und Schwiegertochter nicht den Lebensstil leisten konnten, den man ihnen zutraute. Sie mußten doch eigentlich im Geld schwimmen – aber man sah nichts davon.

Mimi wußte, daß des Rätsels Lösung zwar teils mit Geld zu tun hatte, aber zum anderen Teil ging es um gewisse Familiengeheimnisse. Eins war die unbeantwortete Frage im ständig wiederholten Ausruf ihrer Mutter: «Wo ist all das Geld?» Als kleines Mädchen hatte Mimi manchmal ihren Vater gefragt: «Papa, sind wir eigentlich arm?» Er beantwortete das mit einer Gegenfrage: «Mußt du hungern? Denk an die Menschen, die in Armenien Hunger leiden müssen!» Oder er sagte herausfordernd: «Wenn du zehn Pfund abnimmst, bekommst du zehn Dollar von mir.» Als Kind war sie nämlich pummelig gewesen, und erst mit zwölf oder dreizehn begann der verhaßte Babyspeck zu verschwinden.

«Sind wir eigentlich unglückliche Menschen?» hatte sie ihren Vater einst gefragt.

«Wie kommst du darauf?»

«Mutter sagt, wir sind alle unter einem unglücklichen Stern geboren.»

«Unsinn. Willst du das Rezept für Glück wissen? Gib mir deine linke Schulter. Es muß unbedingt die linke sein.»

Sie hielt sie ihm hin, und er küßte sie leicht darauf. «Da», sagte er, «das ist der Glückskuß. Dazu mußt du dir den geheimen Zauberspruch merken: ‹Auf die linke Schulter ein kleiner Kuß – ist alles, was zum Glück man haben muß.›»

Miss Hall's Schule konnte Mimi nur besuchen, weil sie einen Freiplatz bekam, denn sie war eine gute Schülerin. Ihre Eltern hatten ihr eingeschärft, den Großeltern unter keinen Umständen etwas davon zu sagen, und ihr für den Fall, daß sie es doch tat, die schrecklichsten Strafen angedroht. Anfangs hatte Mimi den Freiplatz als Ehre betrachtet, aber bald merkte sie, daß ihre Mutter es als Schande ansah. Ein weiterer Schlüssel lag in der wiederholten Behauptung ihrer Mutter, das Wichtigste im Leben einer jungen Frau sei es, «richtig zu heiraten». Es war offensichtlich, daß das Alice Bloch nicht gelungen war, obwohl sie es zu tun geglaubt hatte.

So wartete Mimi an dem Abend, an dem sie mit Michael in den Rainbow Room gehen wollte, um Viertel vor sieben darauf, daß ihre Mutter mit der Nagelschere die Schulterpolster aus ihrem zwei Jahre alten blauen Mantel heraustrennte, wobei sie immer, wenn sie eine Hand frei hatte, einen Schluck aus ihrer Flasche nahm. «Wie aufregend», sagte Alice. «Das könnte für dich eine große Veränderung bedeuten, meinst du nicht auch? Zu meiner Zeit allerdings hat ein junger Mann aus den besseren Kreisen das Mädchen, mit dem er zum Essen ging, in einer Taxe abgeholt und ist ins Haus gekommen, um sich den Eltern vorzustellen, zumindest aber hat er sie vom Chauffeur abholen lassen. Aber die Zeiten haben sich wohl geändert. Und – ach Gott, fast hätte ich es vergessen! Du brauchst ja nicht nur Geld für die Taxe, sondern auch für die Toilettenfrau! Du wirst dich ja nach dem Essen ein bißchen frischmachen wollen. Manche Leute geben nur fünfzig Cent, aber ich finde, du solltest der Frau einen Dollar auf den Teller legen, schließlich bist du eine Meyerson! Und komm bloß nicht auf den Gedanken, Vater zu sagen, daß ich dir dafür einen ganzen Dollar gegeben hab. Ich finde nun mal, es macht sich besser. Immerhin ist es der Rainbow Room! Tommy Dorseys Kapelle hat damals da gespielt, als dein Vater mich dorthin eingeladen hat. Mein Gott, wie viele Jahre das her ist! O nein!»

«Was ist, Mutter?»

«Jetzt bin ich doch tatsächlich mit der Schere ausgerutscht und hab ins Futter geschnitten! Jetzt kannst du den Mantel doch nicht anziehen, Mimi!»

«Es ist doch nur ein ganz winziger Schnitt, und nur das Futter. Das merkt kein Mensch.»

«Und was ist, wenn dir dein netter junger Mann nachher in den Mantel hilft? Was soll er von uns denken, wenn er das Loch sieht? Er wird uns für Bettler halten.»

«Er sieht es bestimmt nicht. Komm, laß mich die restlichen Fäden rausziehen.» Sie sah, daß die Hände ihrer Mutter zitterten.

«Nein, es sind nur noch ein paar. Ach, mein Kind, bist du ganz sicher, daß er es nicht sieht? Es ist doch für dich ein so bedeutsamer Abend!»

«Ganz sicher. Er gehört nicht zu den Leuten, die viel merken.»

«Glücklicherweise ist es ein Stückchen weiter im Ärmel.» Während sie mit der Nagelschere die Fäden weiter auftrennte, fuhr sie fort: «Es ist Jahre her, daß dein Vater mit mir im Rainbow Room war. Damals gab es dich noch nicht.» Mimi sah, wie sich ihre Mutter eine Träne aus dem Auge wischte. «Er war immer gut zu mir. Das muß ich ihm lassen. Er hat nie» – sie mühte sich mit dem Auftrennen der Naht – «absichtlich ... etwas Böses getan ... ich habe viele glückliche ... Erinnerungen. Sie haben uns an dem Abend fotografiert, und am Sonntag kam das Bild in der Farbbeilage ... darin nannten sie uns ‹die prachtvollen Meyersons› ...»

«Wie gewöhnlich, Whisky mit Soda», sagte Michael, und der Oberkellner, der ihn gut zu kennen schien, nickte. Michael kam immer gut mit Kellnern zurecht, trat stets sehr bestimmt auf und gab immer großzügige Trinkgelder.

Der Mann sah Mimi an, die tief durchatmete, und sagte: «Ich nehme einen trockenen Martini.»

«Entschuldigung», sagte der Oberkellner, «aber darf ich den Ausweis der jungen Dame sehen?»

«Was?» tat Michael empört. «Wissen Sie nicht, wer das ist? Die junge Dame ist meine Zwillingsschwester und drei Minuten älter als ich! Es ist eine Kränkung, von ihr den Ausweis zu verlangen!»

«Gewiß, Mr. Horowitz», sagte der Oberkellner. «Ich bitte um Entschuldigung.»

«Meine Zwillingsschwester hat einen trockenen Martini bestellt. Bringen Sie uns jetzt die Getränke.»

«Gewiß, Sir.»

«Man muß ihnen zeigen, wer der Herr ist», sagte Michael, nachdem der Mann gegangen war. «Wie alt bist du übrigens wirklich?»

«Neunzehn», sagte sie und schwindelte ein paar Monate hinzu.

«Das ist alt genug. Aber du siehst tatsächlich jünger aus. Ich bin ein paar Jahre älter als du, fünfundzwanzig. Du bist wohl ziemlich schüchtern, was?»

«Ich glaube, ja, ein bißchen.»

«Manche sagen, Schüchternheit ist eine Art Selbstsucht. Findest du das auch?»

«Ich weiß nicht. Ich hab noch nicht darüber nachgedacht.»

«Ich meine, sie ist es nicht. Ich bin davon überzeugt, daß sich Schüchternheit durch angewandtes Selbstwertgefühl überwinden läßt – also ist sie das Gegenteil von Selbstsucht. Was meinst du? Ich war früher auch schüchtern, wenigstens haben die Leute das gesagt. Dann habe ich Dale Carnegies Buch gelesen ‹Wie man Freunde gewinnt›. Das hat mein ganzes Leben verändert. Ich leih es dir, wenn du möchtest. Es könnte dein Leben genauso verändern, wie es meines verändert hat.»

«Ich hab davon gehört», sagte sie. «Danke.»

«Jetzt aber, mal von den kleinen Unterschieden abgesehen», sagte er mit einem breiten Grinsen, «das Alter und die Sache mit der Schüchternheit – wie findest du meinen Plan?»

«Was für einen Plan?»

«Na, daß wir heiraten!»

«Aber Michael, ich kenn dich ja kaum!»

«Dazu bleibt reichlich Zeit. Ich will dich ja nicht gleich morgen heiraten. Wie wär's mit Juni? Bis dahin dauert es noch Monate.»

«Aber Michael», sagte sie ein wenig entrüstet, «müßte ich dich dazu nicht lieben? Ich weiß ja nicht mal, ob ich dich mag!»

In dem Augenblick kamen ihre Getränke, und als der Kellner

gegangen war, prostete Michael ihr zu. «Möglich, daß du mich nie liebst», sagte er und sah ihr dabei in die Augen, «aber eins sag ich dir, Kindchen – vergessen wirst du mich nie.»

Damit hatte er recht behalten.

12

Als es klingelt, geht Louise Bernhardt, eine Hausfrau um die dreißig, an die Tür ihres hübschen Hauses an der Rockinghorse Lane in Scarsdale. «Ach, Sie sind es. Wie angenehm!» sagt sie, während sie ihrem Besucher die Hand schüttelt. «Ihr Ruf eilt Ihnen voraus!»

«Das kann man so oder so verstehen», sagt er.

Lachend führt sie ihn durch die geräumige Diele in das sonnige Wohnzimmer, von wo der Blick auf das Schwimmbecken hinter dem Haus fällt. «Was kann ich Ihnen anbieten?» fragt sie. «Eistee? Limonade? Etwas Stärkeres?»

«Nichts, danke.» Sie nehmen auf der blumig gemusterten und chintzbezogenen Polstergarnitur vor dem Kamin Platz, in dem sommers ein handbemalter Papierfächer steht. Den Sims darüber ziert eine ansehnliche Sammlung blankpolierter Zinnkrüge. Man sieht gleich, warum Louise Bernhardt als gute Hausfrau gilt.

«Unnötig zu sagen, daß ich es kaum erwarten kann zu erfahren, warum Sie angerufen haben und mich aufsuchen wollten.»

«Darauf komme ich gleich zu sprechen», sagt er. «Da Sie meinen Ruf zu kennen scheinen, wissen Sie wohl auch, daß ich keiner von denen bin, die um den heißen Brei herumreden.»

«Das ist in Ordnung», sagt sie, «das ist meine Sache auch nicht.»

«Ich bin gekommen, weil Sie zur Familie Meyerson gehören und daher Aktien der Miray Corporation besitzen.»

«Ja, an dem Unternehmen sind alle sechs Enkel von Leo Meyerson beteiligt. Ach nein, es sind sieben –»

«Genau genommen acht.»
«Wieso acht?»
«Ihre Tante Esther hatte drei Kinder.»
«Ach so, Sie meinen Norman ... Der Arme ist ... Sie wissen schon, zurückgeblieben. Wir zählen ihn gewöhnlich nicht mit.»
«Auch Norman Stein ist Aktionär.»
«Gewiß. Sein Bruder Gil erledigt das Geschäftliche für ihn, er ist ein Schatz. Norman ist in Shady Hill.»
«Das ist mir bekannt.»
«Nun, Sie haben sich ja gründlich erkundigt. Wieso sind Sie so sehr an unserer Familie interessiert?»
«Ich möchte Ihnen die Miray-Aktien abkaufen, Mrs. Bernhardt.»
«Alle?»
«Alle.»
Sie steht auf und nimmt eine Zigarette aus einer silbernen Dose auf dem Kaffeetisch. «Ich hoffe, es stört Sie nicht», sagt sie. «Wir Raucher sind ja wohl die letzte unterdrückte Minderheit Amerikas!» Sie zündet sich die Zigarette mit einem schweren silbernen Tischfeuerzeug an.
«Als ich heute morgen in Manhattan aus dem Haus ging, lag der Kurs für Miray bei neunundsechzig einhalb. Ich biete Ihnen fünfundsiebzig einviertel, Mrs. Bernhardt, beinahe zehn Prozent darüber.»
«Wissen Sie», sagt sie in den Zigarettenrauch hinein, «mein Großvater hat uns immer ermahnt, die Geschäftsanteile unter keinen Umständen zu veräußern. In der Beziehung war er eisern. Er konnte richtig wütend werden. Von meinem Vater, Nathan Meyerson, hat er sich in die Hand versprechen lassen, daß er nie verkaufen würde.»
«Das kann ich verstehen, Mrs. Bernhardt.»
«Er hat das Versprechen all seinen Kindern und Enkeln abgenommen –»
«Auch das kann ich verstehen.»
«Um zu tun, was Sie verlangen, müßte ich eine feierliche Zusicherung meinem Großvater gegenüber brechen; so etwas fällt nicht leicht.»
«Ich bin bereit, bis auf siebenundsiebzig einhalb zu gehen. Das ist etwas mehr als zehn Prozent über dem Börsenkurs.»
«Vermutlich erwarten Sie, daß ich mich gleich entscheide», sagt sie und zupft ein unsichtbares Stäubchen von ihrer weißseidenen Hose. «Ich würde mich vorher gern mit meinen Brüdern Sam und Joe beraten.»

«Mit denen spreche ich selbst sowieso noch.»

«Außerdem würde ich gern mit Richard, meinem Mann, und unseren Kindern darüber reden. Sie sollen mit entscheiden, denn die Aktien bilden einen Teil ihres späteren Erbes. Ich muß sagen, daß das Unternehmen Miray immer sehr gut für uns war – zumindest seit Adolphs Enkelin es leitet. Jedes Jahr hat es Dividenden ausgeschüttet, und zweimal wurden Gratisaktien ausgegeben.»

«Auch das ist mir bekannt.»

«Werden Sie auch mit der Firmenchefin sprechen? Ich kenne Mimi Meyerson gar nicht, aber sie muß äußerst klug sein.»

«Ich werde mit ihr sprechen, allerdings auf einer etwas anderen Grundlage.»

«Schon seltsam. Zwischen meinem Großvater und seinem Bruder hat es vor Jahren eine Auseinandersetzung gegeben. Ich weiß überhaupt nicht, worum es dabei ging, aber es ist doch eigentlich albern, daß zwei Linien ein und derselben Familie auch noch nach so langer Zeit nichts miteinander zu tun haben wollen.»

«So etwas kommt überall vor.»

«Leider. Ist der Sohn von Mimi Meyerson eigentlich auch schon in der Firma? Er ist doch sicher so um die fünfundzwanzig. Ich hab mal gelesen –»

«Hinter ihm bin ich ja her.»

«Sie sind hinter ihm her?» Sie lacht. «Das klingt ja schrecklich!»

«Ich meinte das ... mehr abstrakt», sagt er.

«Ach so. Geschäftlich.»

«Hier», sagt er, sich vom Sofa erhebend, «meine Karte mit der Nummer, unter der ich immer zu erreichen bin. Sprechen Sie mit Ihren Angehörigen und geben Sie mir dann Bescheid.»

«Gewiß.»

«Ich kann nur sagen, daß Sie unter den gegenwärtigen Marktbedingungen kein besseres Angebot bekommen können, Kindchen.»

Sie erhebt sich, um ihn zur Haustür zu begleiten, zögert dann aber. «Unsere Familie und die Firma scheint sie zu interessieren, Mr. Horowitz. Vielleicht möchten Sie sehen, was ich hier habe ...»

Nonie Meyerson war höchst erstaunt über die Einladung ihres Bruders zum Abendessen in sein Haus. Bei ihrem letzten Gespräch hatte sie sogar den Eindruck, er stehe kurz davor, sie zu schlagen, und nur ein ungewöhnliches Maß an Selbstbeherrschung habe ihn daran gehindert. Sie kannte Edwees Gewohnheit, nach Familienstreitigkeiten endlos zu schmollen, und hatte erwartet, frühestens nach einigen Wochen, wenn nicht Monaten, wieder von ihm zu hören. Und da hatte er heute morgen fröhlich angerufen, etwas von Kriegsbeil begraben gemurmelt, sie «meine Liebe» genannt und für den Abend zum Essen eingeladen.

«Ich koche selbst», sagte er, «und vielleicht kommen noch ein, zwei andere Gäste. Könntest du um sieben da sein, meine Liebe? Wir sollten ein paar Familienangelegenheiten besprechen.»

Dieser Hinweis hatte sie dazu gebracht, die Einladung anzunehmen. Wahrscheinlich war Edwee mit seinem Plan, die Mutter in ein Pflegeheim zu geben, auf juristische Schwierigkeiten gestoßen, die selbst drei Dutzend Anwälte der Kanzlei Dewey und Ballantine ohne Nonies Mithilfe nicht aus dem Weg räumen konnten. Und da sie dabei war, ihre eigene Einstellung zum Thema Pflegeheim zu überdenken, wollte sie gerne erfahren, worum es Edwee genau ging.

Inzwischen hat sein philippinischer Butler sie im Haus am Sutton Square ins Arbeitszimmer geleitet, und Edwee hat die Tür mit verschwörerischer Miene geschlossen. Er trägt noch immer seine weiße Kochschürze und seine hohe Toque, unter der das lange silbrige Haar hervorquillt, und sie findet, daß er damit mehr als nur ein bißchen lächerlich aussieht.

«Es gibt Kammuschel- und Lachs-Torte, Fadennudeln mit Kaviar und *sauce aux truffes*, Kalbspaillard an Sauerampfersoße, Maronisoufflé und Mango-Schaumcreme», kündigt er an. «Die ist meine besondere Spezialität. Möchtest du inzwischen ein Glas Perrier?»

Nonie nickt. Mineralwasser ist das einzige Getränk, das Edwee seinen Gästen vor der Mahlzeit gestattet. Alles andere, behauptet er, stumpfe den Gaumen für den Genuß seiner Speisen und Weine ab.

«Setz dich, meine Liebe», sagt er, öffnet eine der kleinen grünen Flaschen und leert sie in Champagnerkelche. «Ich hatte dich gebeten, ein bißchen früher zu kommen, weil ich mit dir über einen delikaten Gegenstand sprechen muß. Und Gloria ist zur Zeit –»

«Wie geht's der lieben kleinen Gloria eigentlich?»

«Die Arme ist... indisponiert. Sie kann uns heute abend nicht Gesellschaft leisten. Ich schick ihr was Leichtes nach oben.»

Er gibt Nonie ein Glas und zwinkert ihr zu. «Wir sind nämlich schwanger.»

«Was! Tatsächlich?»

«Ja. Wir haben uns in den letzten Tagen morgens merkwürdig unwohl gefühlt, und wir warten seit zwölf Tagen auf unsere Periode.»

«Was denn – ihr *beide*? Das kommt in die medizinischen Lehrbücher!»

«Ja, ist das nicht seltsam? Nein, ich meine natürlich nicht die Periode, sondern daß ich mich morgens auch unwohl fühle. Frau Dr. Katz sagt, Männern, die mit ihrer Frau empfinden, geht das oft so. Meinst du, ich werde auch aufgehen wie ein Hefeteig? Sie sagt, die *M-M-Möglichkeit* bestünde. Wir werden es aber erst morgen sicher wissen, nachdem wir beim Frauenarzt waren.»

«Also, Edwee, wirklich, es ist ... man kann es sich gar nicht ausdenken.»

«Ist das nicht aufregend? Und du erfährst es als erste. Freust du dich nicht auch, noch mal einen kleinen Neffen oder eine kleine Nichte zu haben? Das Kind wird bestimmt angenehmer als unsere harte und berechnende Mimi.»

«Ich wußte gar nicht, daß du sie hart und berechnend findest, Edwee.»

«Mimi hat doch nichts als Geld im Kopf. Das war schon immer so. Die schöneren Dinge des Lebens haben ihr nie etwas bedeutet. Das ist zwar tragisch, aber so war sie von klein auf – sie hat ihr ganzes Leben ausschließlich dem allmächtigen Mammon geweiht. Mir tun Menschen wie Mimi leid, deren Seele nie von Malerei, Musik, Dichtung und Tanz belebt werden, denen die höheren Formen der Liebe und sogar die *haute cuisine* auf ewig ein Buch mit sieben Siegeln bleiben und die sich um nichts als Geld kümmern.»

Du hast gut reden, denkt Nonie, du hattest ja immer mehr Geld, als du brauchtest, aber laut sagte sie: «Darüber wolltest du doch wohl nicht mit mir reden? Du sagtest etwas von einer Familienangelegenheit. Ich nehme an, es hängt mit deiner Absicht zusammen, Mutter ins Pflegeheim zu geben.»

«Hmm? Ach nein, den Plan hab ich aufgegeben. Das wird nicht nötig sein.»

«Was?» fragt sie empört. «Ich dachte, du hättest das Heim schon ausgesucht. Ich dachte, wir –»

«Nein, nein», sagt Edwee. «Du hattest völlig recht, es wäre zu grausam. Wir können das unserer lieben Mutter nicht antun. Sie müßte ihre herrliche Wohnung aufgeben, ihr liebes Hündchen und ihre Freunde. Schließlich wird ihr doch alles gebracht, was sie braucht. Wir könnten uns das nie verzeihen, Nonie. Du hattest völlig recht.»

«Aber ich hab es mir anders überle –»

«Nein, ich wollte mit dir über etwas ganz anderes reden. Mir ist neulich eingefallen, daß du mal in ‹I Tatti› warst.»

«*Wo* soll ich gewesen sein?» Sie staunt noch mehr.

«In Bernard Berensons Villa in der Nähe von Florenz. Hieß sie nicht ‹I Tatti›?»

«Ach so, das meinst du. Das ist ewig her. Damals war ich mit Horace verheiratet. Nein, warte, mit Erik. Jedenfalls war es vor dem Krieg, und Berenson hatte uns zum Mittagessen eingeladen.»

«Aha», sagt er. «Kannst du dich erinnern, worüber ihr gesprochen habt?»

«Nein. Ich weiß nur, daß noch ein paar andere Leute da waren und ich es ganz reizend fand. Alle haben den kleinen Mann mit seinem weißen Spitzbart und den großen traurigen Augen B. B. genannt, sogar seine Frau Mary. Er war wirklich niedlich. Wieso fragst du?»

«Weil du ihn da kennengelernt und mit ihm gesprochen hast.»

«Schon. Aber du mußt doch einen Grund haben.»

«Bestimmt weißt du auch noch, wie es war, als Mutter den Goya kaufte. Ich war damals noch zu jung.»

«Sogar ganz genau. Das war Anfang der dreißiger Jahre. Ich weiß auch noch, was er gekostet hat: fünfzigtausend. Ach, hat Mutter damals mit sich gerungen. Sie hat gesagt, es wäre eine Sünde, für ein Bild so viel Geld auszugeben, wo doch die ganze Welt unter der Wirtschaftskrise litt und Bankdirektoren an Straßenecken Äpfel verkauften. Was mag der Goya heute wert sein? Fünfzig Millionen? Schon erstaunlich, wie die Preise von Kunstwerken explodiert sind.»

«Als du damals bei Berenson in ‹I Tatti› warst, hat er da von dem Goya gesprochen? Denk gut nach, es ist wichtig.»

«Möglich. Ich weiß es wirklich nicht mehr. Großer Gott, das liegt mehr als vierzig Jahre zurück.»

«Aber es ist doch *möglich*, daß er darüber gesprochen hat.»

«Ich denke schon.»

«Und was hat er über das Bild gesagt?»

«Ich weiß ja nicht mal, ob er was gesagt hat.»

«Die Sache ist so: Mutter hat das Bild von Joseph Duveen gekauft, wahrscheinlich auf Berensons Empfehlung hin. Aber Duveen ist tot, Berenson ist tot, Mutter ist senil, und natürlich ist auch Goya tot. Du bist das *letzte lebende Bindeglied* zwischen Berenson und dem Bild.»

Nonie zieht die Brauen leicht zusammen. Sie findet den Gedanken widerwärtig, das letzte lebende Bindeglied zu was auch immer genannt zu werden.

«Es ist also wichtig, daß du dich erinnerst, ob Berenson etwas über Mutters Goya gesagt hat.»

«Nun, vielleicht hat er ihn erwähnt – möglicherweise hat er gesagt, wie schön, daß das Bild jetzt in Mutters Sammlung hängt oder so was. Es ist ja wohl ein wichtiges Gemälde von diesem Goya. Aber ich versteh nicht, was das alles soll. Der Goya kommt ins Metropolitan, das weißt du doch – dank Mutters plötzlichem Anfall von Geberlaune!»

«Das ist noch nicht raus», gibt er zurück.

«Aber du hast doch gehört, daß Mutter Philippe de Montebello kommen ließ und ihm sagte, er soll sich aussuchen, was ihm gefällt. Den Goya will er bestimmt.»

«Meinst du?» fragt er. «Immerhin besteht eine gewisse Wahrscheinlichkeit dafür, daß er gefälscht ist. Sogar eine sehr große.»

«Aber nein! Wie entsetzlich!»

«Ja», sagt er. «Weißt du, Berensons Spezialgebiet war die Malerei der italienischen Renaissance, also das vierzehnte bis siebzehnte Jahrhundert. Davon hat er was verstanden. Erstens aber war Goya kein Italiener, und zweitens gehört er, wie du weißt, ins späte achtzehnte, früher neunzehnte Jahrhundert. Bei den Spaniern war Berenson ziemlich schwach – das hat er selbst zugegeben – und was Goyas späte Schaffensperiode betrifft, hat er sich immer unsicher gefühlt – seine eigenen Worte. Vielleicht hatte er schwere Bedenken in bezug auf die Echtheit unseres Goya und hat sie dir gegenüber ausgedrückt.»

«Nein.»

«Dir dürfte doch bekannt sein, daß er auf Joseph Duveens Veranlassung hin mehr als einmal Bildern ein Echtheitszertifikat ausgestellt hat, bei denen er unsicher war. Ohne Duveen wäre er nicht so reich geworden und hätte er sich einen Luxus wie ‹I Tatti› nie im Leben leisten können. Mit Expertisen für Duveen hat sich dein Freund Berenson eine goldene Nase verdient.»

«Bitte nenn ihn nicht meinen Freund, Edwee. Ich hab ihn nur das eine Mal getroffen, und es war noch eine ganze Reihe anderer Leute zum Essen da – zum Beispiel die Garbo und Wallis Simpson, inzwischen Herzogin von Windsor.»

«Berenson war mehr oder weniger Duveens Angestellter. Wenn ein reicher Kunde einen, sagen wir, Caravaggio wollte, mußte Berenson für Duveen ein bestimmtes Werk als echten Caravaggio ausgeben, auch wenn er sicher war, daß es sich um einen Guido Reni oder einen anderen Kleinmeister handelte, wenn nicht sogar eine Fälschung. Seit dem Tod des großen B. B. ist eine ganze Anzahl von Beispielen für solches Kuschelmuschel ans Tageslicht gekommen.»

«Aber wie kommst du darauf, Mutters Goya könnte gefälscht sein?»

Edwee stellt seine Zeigefinger wie einen kleinen Turm gegeneinander. «Nun», sagt er, «ich hoffe, es klingt nicht unbescheiden, aber du weißt ja wohl, daß ich als Kunsthistoriker nicht ganz unbekannt bin. Bei einer gründlichen Untersuchung des Gemäldes ist mir aufgefallen, daß gewisse Kleinigkeiten, einzelne Pinselstriche, gegen eine Urheberschaft Goyas sprechen. Andererseits bin ich – und gebe das in aller Bescheidenheit zu – auf dem Gebiet der bildenden Kunst lediglich ein Dilettant, ein Liebhaber im wahrsten Sinne des Wortes. Du aber warst Zeugin, du warst dabei.»

«Zeugin bei was? Wovon redest du?»

Edwee lehnt sich in seinem Sessel zurück, die Zeigefinger noch immer gegeneinandergedrückt, und schließt die Augen. «Stellen wir uns die Szene einmal vor», sagt er. «B. B. hat dich und Horace zum Mittagessen auf seinen Landsitz ‹I Tatti› eingeladen –»

«Nicht Horace. Es war Erik.»

«Es war ein wunderschöner Sommertag. Der Krieg war vorüber.»

«So weit ich mich erinnere, hat es geregnet, und es war *vor* dem Krieg.»

«Unterbrich mich nicht», sagt er. «Der Zeitpunkt ist völlig unerheblich. Es war ein wunderschöner Sommertag. Der Krieg war vorüber. B. B. hat dich an der Hand in den Park hinausgeführt. Erik ist mit den anderen Gästen im Haus geblieben. Das ist wichtig, weil Erik noch lebt. B. B. hat dich also in den Park hinausgeführt – er war sehr stolz auf seinen Park, das weißt du ja –»

«Er hat mir seine Bibliothek gezeigt. Ich kann mich an keinen Park erinnern.»

«Laß mich bitte weiterreden, meine Liebe. Während du mit B. B. durch den herrlichen Park geschlendert bist und er dir die verschiedenen Bäume und Pflanzen zeigte, hast du zu ihm gesagt, dich erinnerten einzelne Farbtöne, das Violett und das Dunkelgrün, an die Farben des Kleides, das die Herzogin von Osuna auf dem Goya deiner Mutter trägt. Bei diesen Worten ist tiefe Bekümmernis auf B. Bs. gewöhnlich heiteres Gesicht getreten! Er hat dich beim Arm ergriffen und dir zugeflüstert: ‹Ich hätte nie zulassen dürfen, daß Ihre Mutter das Bild kauft. Es ist mit größter Wahrscheinlichkeit eine Fälschung, wenn auch eine äußerst raffinierte. Schon viel zu lange lebe ich mit diesem schrecklichen Geheimnis! Es war verbrecherisch, Ihrer Mutter das Bild zu dem Preis zu verkaufen! Ich habe Duveen angefleht, er möge mich nicht zwingen, es für echt zu erklären, aber der Halunke hat mich auf meinen Anteil an der Provision hingewiesen, mich an die Wirtschaftskrise und die unbezahlten Arztrechnungen auf meinem Schreibtisch erinnert, denn ich mußte meine liebe Mary behandeln lassen. Und so bin ich den Einflüsterungen dieses Teufels erlegen, möge seine Seele auf ewige Zeiten keine Ruhe finden.› Dann hat er noch hinzugefügt: ‹Tun Sie mir einen Gefallen, Mrs.› – wie heißt Erik eigentlich noch mal mit Nachnamen?»

«Tarcher. Erik Tarcher.»

«‹Tun Sie mir einen Gefallen, Mrs. Tarcher, sagen Sie Ihrer Mutter kein Sterbenswörtchen von dem, was ich Ihnen gerade gestanden habe. Es würde sie zu sehr grämen zu erfahren, wie schnöde man sie getäuscht hat.› All die Jahre hast du dein Geheimnis für dich behalten und hattest diese ungewöhnliche Episode in B. Bs. Park fast vergessen, weil du schließlich mit Erik in Italien auf der Hochzeitsreise warst.»

«Wir waren damals schon mindestens vier Jahre verheiratet.»

«Du hattest diese Episode also längst vergessen, bis du kürzlich zufällig gehört hast, daß deine Mutter beabsichtigt, das Gemälde dem Metropolitan Museum zu vermachen. Da ist dir mit einem Schlag die Erinnerung gekommen, und du hast gefürchtet, das Museum könne mit in dieses Betrugsmanöver hineingezogen werden.»

«Nun, auf jeden Fall ist es eine spannende Geschichte», sagt sie. «Aber kein Wort daran stimmt.» Mit einem Mal erfaßt sie, was Edwee vorhat. Er hat sie schon früher einmal ohne ihr Wissen in seine Intrigen eingespannt, und sie begreift, daß sie jetzt sehr, sehr vorsichtig sein muß, denn er ist ein geschickter Fallensteller. «Du möchtest wohl», sagt sie, «daß ich diese Geschichte jemandem erzähle. Wem?»

Seine Augen sind jetzt weit offen. «Die Leute vom Met würden von dem Bild garantiert nichts wissen wollen, wenn auch nur der leiseste Zweifel an seiner Echtheit bestünde, und weder John Marion von Sotheby's noch sonst ein Auktionator oder Händler würde es mit der Kohlenzange anfassen, auch wenn die Leute sonst nicht pingelig sind und sehr eigentümliche Spielchen spielen.»

«Und weiter?»

«Der Goya würde uns gehören.»

«Uns?» Sie sieht flüchtig vor ihrem geistigen Auge, wie sie mit ihrem Bruder das schwere Gemälde einmal im Monat zwischen ihrem und seinem Haus hin und her schleppt, zwischen der 66. Straße und Sutton Square. «Was wollen wir mit einem gefälschten Goya?» fragt sie. «Aha, in Wirklichkeit ist er doch echt? Stimmt's?»

«Auf jeden Fall ist es ein herrliches Bild», sagt er ausweichend. «Die Zuschreibung von Kunstwerken ist eine äußerst ungenaue Wissenschaft. Es kann durchaus sein, daß ein sogenannter Experte vor einem Richter und Geschworenen ein Gemälde unter Eid als echt und ein anderer es vor demselben Gericht und denselben Geschworenen unter Eid als gefälscht bezeichnet. Sobald die Echtheit eines Bildes jedoch in Zweifel gezogen wird, lassen Museen und Händler es fallen wie eine heiße Kartoffel, weil sie sich nicht die Finger daran verbrennen wollen. Bestimmt wird meine eigene Sachkunde nützlich sein, wenn es darum geht, die Echtheit des Bildes anzuzweifeln. Aber was du über deine Unterhaltung mit B. B. zu berichten hast, könnte die Sache leichter machen, meinst du nicht auch? Der Goya würde dann zu der bewußten heißen Kartoffel, von der niemand etwas wissen möchte – außer du und ich.»

«Ich glaube, du bist verrückt», fährt sie fort. «Ich soll hergehen und ein Märchen über eine Unterhaltung mit Berenson erzählen, die nie stattgefunden hat, eine Geschichte, die von A bis Z erstunken und erlogen ist – nur damit du den Goya kriegst?»

«Es wäre lediglich eine kleine Notlüge», sagt er einschmeichelnd. «Schließlich hätte es so sein können.»

«Man sagt mir eine gewisse Ehrlichkeit nach. Ich bin eine Art Person des öffentlichen Lebens, ob dir das klar ist oder nicht, und ich bin nicht bereit, meine Glaubwürdigkeit für dergleichen aufs Spiel zu setzen.»

«Und wie paßt dazu deine kleine Vorliebe, hier und da aus Kaufhäusern und fremden Wohnungen etwas mitgehen zu lassen? Jedesmal, wenn du hier warst, hab ich das Gefühl, ich müßte das Silber nachzählen!»

«Und du? Wie war das mit dem Halsband? Und mit der Polizei in Florida? Du Moralapostel hast es nötig!»

Na warte, denkt sie. Ihr kommt der Gedanke, daß ihr jüngerer Bruder ihr vielleicht sogar in die Hand spielen könnte. Sie weiß jetzt, was er von ihr will. Ihm liegt nicht mehr daran, Mutter ins Pflegeheim zu bringen, ihm geht es um den Goya. Bis zu diesem Gespräch war ihr nicht klar, wie dringend er ihn haben wollte. Um ihn zu bekommen, ist er auf sie angewiesen. Nun, wem so sehr an einer Sache liegt, ist sicherlich auch bereit, dafür zu zahlen, nicht wahr? So verlangt es das Gesetz von Angebot und Nachfrage. Im Leben wie auf dem Markt bekommt jeder, wofür er zahlt.

Sie steht auf und tritt an eins der Fenster, die nach Osten gehen, mit Blick auf Edwees vollkommenen Garten und den East River. Der Sommer neigt sich dem Ende zu, die Tage werden kürzer, und drüben in Queens sieht man die ersten Lichter angehen. Auch für mich werden die Tage kürzer, denkt sie. Um mich herum läuft die Zeit ab. Der Verschluß ihres Goldarmbands hat sich geöffnet, und sie nestelt daran herum, während sie Zeit zu gewinnen trachtet und sich zurechtlegt, was sie Edwee als nächstes sagen will.

«Weißt du, Goya würde mein Plan bestimmt gefallen», sagt er leise. «Er hat etwas Goyasches an sich, findest du nicht? Er war der zynischste aller Maler. Er hat die Herzogin von Osuna in ihrer abgrundtiefen Häßlichkeit und Unwissenheit, ihrer Gier, Dekadenz und Genußsucht gemalt und es trotzdem fertiggebracht, sie glauben zu lassen, das Ergebnis sei ein Porträt von großer Schönheit, denn sie hat ihm immer wieder neue Aufträge gegeben. Es ist ihm gelungen, ihr sozusagen einen Schleier über die Augen zu malen, denn was sie auf dem Bild sah, war etwas ganz anderes, als was dort deutlich zu sehen ist. Bemerkenswert, nicht? Schönheit liegt im Auge des Betrachters, nun gut – was aber liegt im Auge, das der Betrachter sieht? Eine ganz und gar andere Sehweise. Vier aufeinanderfolgende spanische Monarchen samt Familien und Höflingen hat er auf diese Weise hinters Licht geführt.»

«Was für eine hübsche kleine Ansprache, Edwee», sagt sie und spielt noch immer mit dem Verschluß ihres Armbands, während sie hin und her überlegt.

«Vielleicht schreibe ich eines Tages mal einen Aufsatz darüber.»

«Tu das», sagt sie und betrachtet die Wände von Edwees vollgestopftem Arbeitszimmer, seine auf Bücherborden und Vitrinen ausgestellten Sammlungen. Mit einem Mal kommt ihr der ganze Raum goyasch vor, sie spürt darin förmlich eine Atmosphäre von Täuschung und Intrige.

«Edwee», beginnt sie vorsichtig, «du bist sehr reich, ich hingegen bin eine Art arme Verwandte. Das Gemälde, über das wir sprechen, ist äußerst wertvoll, nicht wahr? Könnte es sein, daß es fünfzig Millionen Dollar wert ist? Wieviel würde für mich dabei herausspringen, wenn ich täte, was du da von mir verlangst?»

Er sieht jetzt sehr unglücklich aus. «Du und ich würden einen großen Kunstschatz gemeinsam besitzen», sagt er. «Schließlich sind wir Mutters einzige direkte Erben. Der alte Drachen kann ja nicht ewig leben!»

«Sagen wir fünf Millionen?» Sie lächelt freundlich und rückt ihr Armband zurecht. «Einverstanden?»

Doch in diesem Augenblick erscheint Edwees Diener, öffnet einen Spalt weit und sagt: «Ihr anderer Gast ist eingetroffen, Señor Meyerson.»

«Danke, Tonio.»

«Was ist, Edwee?» fragt sie. «Du siehst ein bißchen angegriffen aus. Fehlt dir auch nichts? Es wird doch nicht deine morgendliche Übelkeit sein, die sich auf den Abend verlagert hat?» Sie klopft ihm auf die Schultern. «Tu bloß um Himmels willen die alberne Küchenschürze und Kochmütze weg. Du siehst ja aus wie das Reklamemädchen auf der Spaghettidose von Chef Boyardee.»

Nonie folgt ihrem Bruder den langen nußbaumgetäfelten Gang entlang, vorbei an seiner Sammlung griechischer Amphoren, die jetzt von verborgenen Spots einzeln angestrahlt werden. Die Unbezahlbarkeit von Dingen, denkt sie, die Unbezahlbarkeit von Träumen, von all den Träumen, die man erfüllen kann, wenn man Geld hat. Sie hängt sich bei ihm ein. «Fünf Millionen», sagt sie, «das ist mein Preis, Brüderchen. Für fünf Millionen spiel ich mit.»

«Du gehst wirklich ganz schön hoch an den Wind, meine Liebe.»

Sie steigen die wenigen teppichbelegten Stufen zu Edwees Wohnzimmer hinab, das tiefer liegt als die übrigen Räume. An dessen hinterer Wand wartet ein blonder junger Mann im Smoking, der ihr undeutlich bekannt vorkommt.

«Dirk, Sie erinnern sich doch an meine Schwester Nonie?» sagt Edwee.

«Hab ich dich geweckt?» fragt Badger seine Mutter am Telefon.

«Nein, Liebling. Ich bin zwar schon im Bett, aber ich lese noch. Wo brennt's?»

«Normalerweise würde ich dich so spät nicht mehr stören, aber ich hab was erfahren, was du meiner Ansicht nach unbedingt wissen mußt.»

«Und das wäre?»

«Unser Freund Horowitz hat sich an die Leo-Verwandten rangemacht.»

Sie sitzt aufrecht im Bett, den Hörer zwischen Kinn und Schulter geklemmt. «Woher weißt du das?»

«Von meinem Squash-Kumpel, der bei ihm arbeitet. Er ist eine richtig nützliche Informationsquelle. Wir haben heute abend 'nen Schluck miteinander getrunken, und dabei ist Horowitz' Name gefallen. Mein Kumpel hat gesagt: ‹Was glaubst du, was mein verrückter Chef heute gemacht hat? Er ist nach Scarsdale geflogen ... hat für dreißig Kilometer 'nen Hubschrauber genommen.› Ich hab gesagt, ich hätte dort ein paar entfernte Verwandte, die Bernhardt heißen, und da sagt er: ‹Das ist aber komisch, er hat nämlich eine Mrs. Richard Bernhard besucht.› Darauf hab ich wieder gesagt: ‹Seltsamer Zufall› oder so was. Und weißt du, Mutter, wer diese Louise Bernhardt ist? Eine von Uropa Leos Enkelinnen, deine Kusine.»

«Ach ja?»

«Es sieht also ganz so aus, als ob unser Freund uns eine Nasenlänge voraus wäre.»

«Ist er wohl. Mist!»

«Ich fürchte, wir müssen uns beeilen, wenn wir was erreichen wollen.»

«Da bin ich ganz deiner Ansicht.»

«Ich hab inzwischen Name, Anschrift und Telefonnummer von allen Leo-Verwandten rausgesucht. Soll ich sie dir jetzt gleich durchgeben, oder willst du bis morgen früh im Büro damit warten?»

«Nein, gib sie mir ruhig jetzt.» Sie angelt Block und Kugelschreiber aus ihrer Nachttischschublade.

«Gut. Leopold Meyersons Kinder sind tot, sein Sohn Nate und die beiden Töchter, aber alle ihre Nachkommen leben noch und besitzen Miray-Aktien, der eine mehr, der andere weniger. Es sind insgesamt acht – oder sieben, wenn du einen nicht rechnest, der in der Klapsmühle ist. Sein Bruder hat die Vormundschaft über ihn und nimmt sein Stimmrecht für ihn wahr. Eins der größeren Aktienpakete gehört dieser Louise Bernhardt. Wie ich schon gesagt hab, wohnt sie in Scarsdale, in der Rockinghorse Lane Nummer acht. Die Postleitzahl ist neun-null-vier ...»

«Du bist ein Genie, Badger», flüstert sie.

Noch lange, nachdem ihr Sohn aufgelegt hat, sitzt Mimi im Bett, geht die Namensliste durch und versucht, sich Einzelheiten einzuprägen. Der Haken an der Sache, überlegt sie, ist, daß sie immer noch nicht genau weiß, wie sie am besten mit diesen Leuten in Verbindung treten soll: telefonisch oder brieflich? Oder soll sie erst schreiben und anschließend anrufen? Schließlich entscheidet sie, die Sache gleich als erstes am kommenden Morgen mit Badger zu besprechen. Sie legt die Liste mit den Namen und Adressen als Lesezeichen in ihr Buch, klappt es zu und löscht das Licht.

Einschlafen kann sie jedoch nicht. Erinnerungen und Fragen bedrängen sie. «Kleine weiße Sterne», sagte er. «Hast du sie auch gesehen, Mimi?»

«Ja.»

Und dann, sehr viel später, hat sie wieder den Traum. Es ist immer derselbe: der dunkle Gegenstand, der an der Windschutzscheibe vorüberfliegt, die Schreie, das Gehupe, das Kreischen ihrer Mutter. Aber plötzlich ändert sich der Traum. Jetzt sitzt nicht mehr ihre Mutter im Wagen neben ihr, sondern Michael, er lacht. Dann aber sieht sie, daß auch sein Gesicht voller Tränen ist. «Nicht weinen», sagt sie. «Nicht weinen, lieber Michael. Ich konnte nichts dafür, mein Liebling. Es war nicht meine Schuld.»

Nonie Meyerson schließt ihre Wohnungstür auf, eilt ans Telefon und wählt die Nummer, die Roger ihr gegeben hat. Nachdem es dreimal geläutet hat, sagt die merkwürdige körperlose Männerstimme: «Sie haben die Nummer fünf-neun-drei-eins-acht-acht-null gewählt. Sofern Sie eine Mitteilung hinterlassen wollen, sprechen Sie nach dem Pfeifton.»

Der Pfeifton kommt, und Nonie sagt: «Hier spricht Naomi Meyerson. Diese Mitteilung ist für Mr. Roger Williams. Sie lautet: Ich habe das erforderliche Kapital. Ich wiederhole: Ich habe das ganze erforderliche Kapital. Bitte ruf mich zu Hause an, sobald du kannst. Es ist dringend.» Angstvoll hofft sie, daß es nicht zu spät ist.

Allein im Wohnzimmer mit dem jungen Mann wendet sich Edwee Meyerson ihm zu und sagt: «Begleiten Sie mich doch bitte einen Augenblick nach oben. Mir ist da ein interessanter Einfall gekommen.»

Der junge Mann folgt ihm mit nachdenklichem Gesicht die geschwungene Treppe hinauf.

Oben klopft Edwee an eine geschlossene Tür. Man hört den laufenden Fernseher dahinter.

«Bist du das, Papilein?» fragt Gloria.

Er öffnet die Tür einen Spaltbreit.

«Geht es dir besser, Kätzchen? Gut. Ich hab eine kleine Überraschung für dich.»

Sie wendet den Kopf von dem riesigen Fernseh-Projektionsschirm, der die gesamte Wand gegenüber dem Bett einnimmt. Als sie erkennt, daß er nicht allein ist, zieht sie sich beunruhigt das Seidenlaken über die bloßen Schultern.

«Ist er nicht hübsch?» sagt Edwee. «Ich dachte, wir könnten heute mal ein Dreieck probieren: Was hältst du davon, Kätzchen? Ist mal was anderes.»

Immer noch ängstlich betrachtet sie die Züge des lächelnden jungen Mannes, und allmählich entspannt sich ihr besorgtes Gesicht. Sie lehnt den blonden Kopf gegen die zahlreichen spitzenbesetzten Kissen in den verschiedensten Formen, die um sie herum liegen, streckt einen Arm unter dem Laken hervor und schaltet mit der Fernbedienung den Fernseher aus. Kichernd sagt sie: «Ich probier alles mal aus.»

Der Jüngere beginnt, den Knoten seines Querbinders zu lösen.

«Haben Sie was dagegen, wenn wir das auf Video aufnehmen?» fragt Edwee.

13

Oft denkt Mimi, daß sie in mancher Hinsicht doch eine behütete Kindheit hatte. Als Einzelkind, das keine anderen Spielgefährten als seine Puppen kannte und dessen Eltern viel Zeit damit zubrachten, sich gegenseitig anzufauchen, war sie – und das hatte ihr eigentlich recht gut gepaßt – zu einer Art Einzelgängerin geworden. Ihre Großeltern blieben für sie geheimnisvolle Wesen, obwohl sie beinahe jeden Sonntagnachmittag mit der Mutter zum Tee in ihr Haus ging. Trotz der auserlesenen Geschenke, die sie ihr machten, wie die Hermelinjacke und das Puppenhaus, blieben sie stets unnahbar. Mimi wußte, daß ihre Mutter Angst vor den Großeltern hatte. Sie schienen eine nicht näher erkennbare Macht über das Leben von Henry und Alice Meyerson zu besitzen, und bei jedem Besuch erhob sich zwischen beiden Häusern eine unüberschreitbare Schranke.

Einmal hatte Mimi nach einem solchen Teebesuch den Fehler begangen zu sagen: «Bis nächsten Sonntag, Oma, Ma'am und Opa, Sir», bevor sie ihren Abschiedsknicks machte. Dem Ausdruck auf dem Gesicht ihrer Mutter hatte sie entnommen, daß das unverzeihlich war, und anschließend hatte ihre Mutter sie schlimm ausgescholtern. «Sag das nie wieder!» hatte sie ihr geboten. «Das war schrecklich ungezogen, so, als wenn man sich selbst bei jemandem einlädt.»

«Aber wir gehen doch nächste Woche wieder hin.»

«Ja, aber *sie* laden uns ein. Es hängt von ihnen ab, nicht von uns. Ist dir nicht aufgefallen, daß sie auf deine Bemerkung nichts gesagt haben? So sehr hat sie sie entsetzt! Ich weiß wirklich nicht, ob sie uns wieder einladen werden. Was wird dein Vater sagen, wenn sie es nicht tun?»

Aber natürlich wurden sie wieder eingeladen.

Mimi wußte, daß ihrer Mutter diese sonntäglichen Besuche zwar äußerst wichtig waren, aber sie wußte auch, daß Mama sie auch fürchtete und stets mehrere Schlucke ihrer Medizin nehmen mußte, bevor sie sich auf den Weg machten – «flüssiger Mut», sagte Alice bisweilen. Es war alles sehr verwirrend, und so war es für Mimi letzten Endes einfacher, alles geschehen zu lassen und die Fragen für sich zu behalten.

Da sie im Internat einen Freiplatz hatte, verkehrte sie mit der Mehrheit der Mädchen gesellschaftlich so gut wie nicht. Ein Freiplatz brachte gewisse Pflichten für die Mädchen mit sich, die in den Genuß einer solchen Vergünstigung kamen, und diese Aufgaben, die allwöchentlich am Schwarzen Brett angeschlagen wurden, sorgten für eine klare Trennung zwischen denen, die in der Schule jemand waren, und jenen anderen. Eine dieser Pflichten bestand darin, daß Freiplatzschülerinnen jedes Jahr eine bestimmte Anzahl von Wochen im Speisesaal den Tischdienst zu versehen hatten. Das bedeutete, daß sie früh hingehen und rasch in der Küche essen mußten, bevor der Essensgong ertönte und die anderen in den Speisesaal kamen. Außerdem mußten sie eine bestimmte Anzahl von Stunden die Schulkorridore kehren und wischen, während die anderen Mädchen lachend und plaudernd vorüberzogen. Die Schülerinnen, die solche untergeordnete Arbeiten verrichten mußten, wurden dadurch für die anderen irgendwie unsichtbar, und Mimi hatte gelernt, sich das zunutze zu machen und sogar in gewissem Maß zu genießen. Was blieb ihr auch anderes übrig? Sie können mich nicht sehen, sagte sie sich, und ich sie nicht. Für mich existieren sie einfach nicht; sie sind Luft.

Diese Pflichten brachten es auch mit sich, daß sie an bestimmten Sportarten sowie bestimmten außerunterrichtlichen Aktivitäten der anderen nicht teilnehmen konnte. Mimi redete sich ein, sie habe Glück, da ihr an all dem ohnehin nichts läge. Hätte ihr jemand gesagt, sie sei einsam, hätte sie gelacht. Sie hatte gelernt, in ihrer eigenen Gesellschaft glücklicher zu sein als in der anderer Menschen.

Zu den unangenehmen Begleiterscheinungen ihrer Situation gehörte es, daß sich eines Nachmittags eine Mitschülerin namens Barbara Badminton vor ihr aufbaute und sagte: «Du bist mir eine Heuchlerin, Meyerson. Die schlimmste Heuchlerin von der ganzen Schule.»

«Wieso?»

«Dein Großvater ist doch Adolph Meyerson, nicht wahr? Er soll einer der reichsten Männer in Amerika sein, stimmt's? Wieso hast du dann einen Freiplatz? Wir anderen müssen voll bezahlen, und du schmarotzt. Das ist äußerst unanständig und heuchlerisch.»

Später hatte Mimi gehört, wie Barbara Badminton im Gemeinschaftsraum mit einigen ihrer Freundinnen über sie tuschelte, während sie nebenan Staub wischte.

«Wißt ihr, warum die Meyerson einen Freiplatz hat?» fragte Barbara Badminton. «Weil sie Jüdin ist und Juden wollen immer alles umsonst! Deswegen sind sie auch so reich. Das hat mein Vater gesagt.»

Mimi hielt es für unter ihrer Würde, sich über dergleichen zu ärgern, konnte sich aber vor den großen Ferien ein herablassendes Lächeln an Barbara Badmintons Adresse nicht verkneifen, als die Ergebnisse bekannt gegeben wurden und sich herausstellte, daß Mimi fünfmal die Note eins hatte, während jene sich mit zwei Dreien und drei Vieren begnügen mußte.

Natürlich führen gute Noten nicht zu Beliebtheit bei Schulkameraden.

In Chemie saß Barbara Badminton hinter ihr, und als später dann eine Probe geschrieben wurde, spürte Mimi mit einem Mal einen Finger auf ihrer Schulter. Sie drehte sich halb um und hörte, wie ihr Barbara zuflüsterte: «Wie ist das Atomgewicht von Stickstoff? Wenn du es mir sagst, bin ich deine Freundin!»

Mimi wandte sich einfach wieder ihrer Aufgabe zu und sorgte dafür, daß sie ihre Lösungen mit dem linken Arm so gut wie möglich verdeckte.

«Miststück!» zischelte Barbara Badminton.

Danach zeigte sie Mimi ihre Feindseligkeit noch unverhohlener als zuvor.

In dem Jahr, als sie Michael kennengelernt hatte, 1957, sprachen die meisten Mädchen in Miss Hall's Schule von fast nichts anderem als den Bällen, zu denen sie eingeladen wurden oder denen, die ihre Eltern gaben, um ihre Töchter in die Gesellschaft einzuführen. Die Mädchen um Barbara Badminton setzten ihren Ehrgeiz darin, ihren Spiegel im Schlaftrakt mit möglichst vielen Einladungen zu solchen Bällen schmücken zu können.

«Geben dir deine Eltern auch einen Ball, Meyerson?» fragte Barbara Badminton sie eines Tages von oben herab.

«Nein», gab Mimi wahrheitsgemäß zur Antwort.

«Ich weiß auch warum», sagte Barbara. «Juden dürfen das gar nicht, und sie kommen auch nicht in die Gesellschaftsspalten der Zeitungen.»

«Das ist nicht der Grund», konterte Mimi zuckersüß. «Aber ich bin verlobt.»

«Ach ja? Und wo ist dein Ring?»

«Wir suchen ihn im Sommer aus», gab Mimi zurück.

«Ich glaub dir kein Wort!»

»Entschuldige, ich muß zur Bibliothek», sagte Mimi.

«Du hältst dich wohl für was ganz Besonderes, was?»

Ob wahr oder nicht (und nicht einmal Mimi war sicher, ob der Wahrheit entsprach, was sie gesagt hatte), machte die Geschichte von ihrer Verlobung unter den Mädchen von Barbara Badmintons Clique sofort die Runde und beeindruckte alle zutiefst. Doch auch als erstes Mädchen einer Schulklasse verlobt zu sein, ist keinesfalls der rechte Weg zur Beliebtheit bei den anderen.

Zu jener Zeit wurde das Fernsehen von Quizsendungen überschwemmt, bei denen ein Kandidat viel Geld gewinnen konnte, wenn er Fragen, die immer schwieriger wurden, richtig beantworten konnte. Eine der beliebtesten von ihnen hieß *Pack mich, wenn du kannst.* Absoluter Publikumsliebling war ein hochgewachsener junger Mann mit dunklen Locken, der sich Fürst Fritzi von Maulsen nannte und der Sendung zu großer Beliebtheit verholfen hatte. Seiner eigenen Aussage nach war er einer der zahlreichen Großneffen Königin Victorias von England. Schon bei seinem ersten Auftritt bewies er eine erstaunliche Fähigkeit, Fragen zu beantworten, die alle Wissensgebiete von Baseball bis Atomphysik, von Shakespeares Dramen bis Science-fiction umfaßten.

Als dieser junge Aristokrat sogar wußte, an welcher Stelle in Shakespeares Tragödie *Coriolan* Volumnia, die Gattin des Helden, sagt: «Auf, meine Frauen, laßt uns gehen» (nämlich in der ersten Szene des zweiten Aktes), konnte er mit 170 000 Dollar den größten Gewinn in der Geschichte des Fernsehens einstreichen. Jetzt sah der kluge Adelssproß nicht nur gut aus, sondern war auch reich.

Da Barbara Badminton Mimis Mitteilung, daß sie verlobt sei, unmöglich auf sich sitzenlassen konnte, begann sie bei ihren Freundinnen damit zu prahlen, ihre Eltern hätten keinen geringeren als Fürst Fritzi von Maulsen zu dem Ball eingeladen, den sie zur Einführung ihrer Tochter in die Gesellschaft gaben, und dieser habe zugesagt zu kommen.

Die Badmintons, hatte Barbara hochnäsig erklärt, seien «schon ewig» mit den von Maulsens bekannt und bereits auf deren Schloß in Europa zu Gast gewesen. Sie unterließ es nicht hinzuzufügen, Fürst Fritzi sei in natura ebenso bezaubernd wie auf dem Bildschirm, «eher noch mehr», und unglaublich verführerisch. Bald schmückte sie ihre Berichte damit aus, daß sie erklärte, Fritzi habe ihr «praktisch» einen Heiratsantrag gemacht und sie dürfe damit rechnen, Fürstin von Maulsen zu werden.

«Aber hast du denn keine Angst, mit einem Mann verheiratet zu sein, der so unheimlich klug ist?» hatte Mimi eine von Barbaras Freundinnen fragen hören.

Darauf hatte Barbara kichernd geantwortet: «Er hat mir im Vertrauen gesagt, daß er die Antworten auf eine ganze Menge von Fragen schon vor der Sendung kriegt. Er bringt doch dem Sender viele Zuschauer. Richtiger Betrug ist es ja auch nicht.»

Auf die Liebe war Mimi in keiner Weise vorbereitet, und sie hatte auch keine Vorstellung, worum es dabei ging. Ihre Mutter hatte das Thema nie angesprochen, und auch in der Schule wurde dergleichen nicht gelehrt. Zwar verliebten sich Menschen in den Büchern, die sie las, aber kaum je hatte sie eine Beschreibung gefunden, die ihrer eigenen mit Furcht vermischten Vorstellung von Liebe entsprach. Für sie bedeutete Liebe eine Art Schwerelosigkeit, so ähnlich, als falle man vom Rand der Welt ins Nichts. Schon beim bloßen Gedanken an Michael stockte ihr der Atem, in ihrer Magengrube tobte ein Schmerz, der ihr beinahe Übelkeit verursachte und die Wörter in Büchern, die sie las, zerrannen zu bedeutungslosen Krakeln auf dem Papier. Sinnliches Verlangen spielte keine Rolle dabei, das Gefühl schien mit dem Geschlechtlichen überhaupt nichts zu tun zu haben, zumal ihr die Vorführungen des alten Pete, die sie vor dem Fenster seines Kellerlochs beobachtet hatte, eher komisch vorkamen. Was sie empfand, schien keine Gestalt zu haben und nicht benennbar zu sein. Aber der bloße Gedanke an die weichen feinen Härchen auf Michaels Handrücken konnte in ihr einen heftigen Anfall hervorrufen, daß sie auf der Treppe ins Stolpern geriet und sich am Geländer festhalten mußte. Es war das «Michael-Gefühl» – sie war verliebt!

Alles geschah so plötzlich, nahezu ohne Vorwarnung. Sie und Michael hatten sich während der Ferien noch mehrfach verabredet, sie waren im Park Schlittschuh gelaufen, und er hatte sie ins Kino eingeladen. Man zeigte «Ein süßer Fratz» mit Fred Astaire und Audrey Hepburn. Dann hatten sie sich «Die Brücke am Kwai» angesehen. Als Mimi beim Hinausgehen sagte, der Film habe ihr gefallen, aber sie habe den Schluß nicht begriffen, bestand er darauf, daß sie wieder hineingingen und sich den Film noch einmal ansahen, damit sie verstand, worum es ging: daß der von Alec Guinness gespielte englische Offizier, der sich bei den Japanern in Kriegsgefangenschaft befand, von der Brücke, die er für sie gebaut hatte, besessen war und zum Schluß auf seine eigenen Landsleute schoß, um zu verhindern, daß diese sein Werk zerstörten. Während der ganzen zweiten Vorstellung hatte Michael ihre Hand gehalten.

Am aufregendsten, wurde ihr klar, fand sie seine überlegene Selbstsicherheit. Worum es auch ging, stets übernahm er wie beiläufig das Kommando, und das machte noch so alltägliche Situationen irgendwie glanzvoll. Er schien auf allen Gebieten beschlagen zu sein. Als sie beispielsweise wieder ins Kino gegangen waren, um die «Die Brücke am Kwai» ein zweites Mal anzusehen, hatte die Platzanweiserin gesagt, sie müßten neue Karten kaufen. Ich hab hier meine Karten von der vorigen Vorstellung», hatte Michael kalt zurückgegeben und sie hingehalten. «Ich weiß zufällig, daß man sich mit einer Kinokarte denselben Film an einem Tag so oft ansehen kann, wie man möchte. Sofern es Fragen gibt, schicken Sie mir den Geschäftsführer raus.» Sie waren dann in den Saal gerauscht wie königliche Hoheiten. «Man muß wissen, wie man mit solchen Leuten redet», hatte er gesagt.

Sie waren zwar nicht wieder in den Rainbow Room gegangen, hatten aber in einfacheren Lokalen Pizzas, Hamburger und heiße Würstchen gegessen, und es gab in diesen zwei Wochen auch eine ganze Reihe von Tagen, an denen ihn sein Studium und sein Projekt in New Jersey so sehr in Anspruch nahm, daß er keine Zeit für sie hatte. Häufig hatte er wiederholt, er werde sie heiraten, aber sie war sicher, daß es sich dabei um einen seiner Scherze handelte.

An ihrem letzten gemeinsamen Abend hatte er sie ganz sacht in die Arme genommen, gefragt «Darf ich?» und sie geküßt.

Der Kuß war zweifellos angenehm gewesen, hatte auch eine Spur Erregung in ihr hervorgerufen, ein kleines Gefühl des Erwachsenseins, das sie in jener Nacht glücklich träumen ließ. Das war aber auch alles gewesen.

Einige Tage später war dann in der Schule ein Brief von ihm angekommen!

Liebe Mimi,
mir ist gerade aufgegangen, daß ich, als wir kürzlich zusammen waren, etwas Wesentliches unterlassen habe. Ich habe Dir nicht gesagt, daß ich Dich liebe. Laß mich versuchen, das jetzt nachzuholen. Ich liebe Dich, Mimi. Ich liebe Dich. Ich liebe Dich. Ich liebe Dich. Ich liebe Dich. Ich liebe Dich. Ich liebe Dich. Ich liebe Dich. Ich liebe Dich...

Und so fort, mindestens zwanzig handgeschriebene Seiten lang.

Sie hatte sogleich einen Stift und einen Bogen des Schulbriefpapiers mit dem geprägten Motto *Deum Servire* zur Hand genommen und geschrieben:

Lieber Michael – ich liebe Dich auch!

Da war es ihr mit einem Mal geschehen, daß sie nicht mehr zu atmen vermochte, ihr alles vor den Augen verschwamm und quälender Schmerz aus der Magengrube aufstieg. Es war nicht Übelkeit, sondern etwas weit Überwältigenderes und Stärkeres, und sie wußte, sie war verliebt, wußte, daß sich das Gefühl mit nichts vergleichen ließ, was sie je in Büchern gelesen hatte. Sie hatte den Brief gleich verschlossen und die Anschrift geschrieben.

Heute, dreißig Jahre später, gibt sie lediglich zu, daß sie das Gefühl in dieser Intensität nie wieder gespürt hat.

Das Michael-Gefühl.

14

Natürlich möchte ich ihn kennenlernen, unbedingt», sagte Mimis Mutter, «ich brenne förmlich darauf. Was macht er eigentlich –»

«Ich hab es dir gesagt, Mutter. Er hat gerade an der Columbia Business School Examen gemacht.»

«Ach ja, richtig. Das hatte ich ganz vergessen. Dann ist er also älter als du, aber das ist in Ordnung. Wie aufregend, Mimi, dein erster Verehrer!»

«Er möchte mich heiraten, Mutter.»

«Ja, ja, das hast du mir gesagt. Aber bevor wir an so etwas denken oder uns auch nur mit dem jungen Mann unterhalten, mußt du mit deinem Großvater über die Sache sprechen. Du weißt doch, wie gekränkt und eingeschnappt er ist, wenn er auch nur den leisesten Verdacht hat, hinter seinem Rücken geschieht was oder wird was geplant.»

Mimi schwieg.

«Du könntest Opa einen Brief schreiben», fuhr ihre Mutter fort, «einen netten Brief, in dem du fragst, ob du ihn besuchen und mit ihm reden darfst. In einer persönlichen Angelegenheit. Die deine Zukunft betrifft. Ja, ich glaube, so ginge das. Du schreibst, du möchtest in einer persönlichen Angelegenheit, die deine Zukunft betrifft, unter vier Augen mit ihm sprechen.»

«Warum muß er denn seinen Segen zu etwas geben, was ihn überhaupt nichts angeht, Mutter?»

«Warum? Weil er zu *bestimmen* hat. Über alles, was einer von uns tut, ob du, ich oder dein Vater. Das weißt du doch. Und so wird es auch bleiben, bis er –» mit einem Mal wurden die Augen ihrer Mutter ausdruckslos – «bis er stirbt.»

«Und wieso bestimmt er?»

«Weil er das Geld hat! Wo wären wir alle ohne sein Geld? Wir säßen auf der Straße und könnten betteln gehen. Das weiß er, und deswegen muß er an Entscheidungen beteiligt werden, die die Familie betreffen.»

«Aber warum durfte ich ihm dann nichts von dem Freiplatz in der Schule sagen?»

«Was?» kreischte ihre Mutter. «Das war doch was ganz anderes! Das darfst du ihm unter keinen Umständen sagen. Nie, niemals!»

«Und warum ist das was anderes, Mutter?»

«Weil es einfach *anders* ist. Er würde es nicht verstehen, daß wir uns die Schule nicht leisten konnten.»

«Wieso nicht?»

«Ach, Mimi, das ist nicht so ohne weiteres zu erklären. Kannst du mir nicht einfach glauben, daß er es nicht verstehen würde? Sieh doch, er glaubt, von dem hohen Gehalt, das er deinem Vater zahlt, könnten wir so behaglich leben wie er. Wenn er aber wüßte, wohin das Geld geht –»

«Wohin geht es denn, Mutter?»

«– wäre alles zu Ende – für jeden von uns.»

«Aber wohin *geht* es denn?»

Ihre Mutter zögerte und wandte den Blick ab. «Es... es geht einfach, hierhin und dahin», sagte sie. «Das Leben kostet nun einmal. Da kommen Rechnungen ins Haus... Soll ich dir den Stapel Rechnungen auf meinem Tisch zeigen? Zahnarztrechnungen, Arztrechnungen –»

«Aber in letzter Zeit war doch keiner von uns beim Zahnarzt oder beim Arzt.»

«Es bleiben noch genug andere Rechnungen übrig. Das kannst du mir ruhig glauben. Ich kann dir den Berg Rechnungen auf meinem Tisch gern zeigen.»

«Ich glaube, ich verstehe immer noch nicht, Mutter.»

«Kannst du mir denn nicht einfach glauben? Ich zahl die Rechnungen, also müßte ich es doch auch wissen, oder nicht? Kein Wort davon zu deinem Großvater. Ich hab ja schon gesagt, er würde es nicht verstehen. Jetzt lauf, nimm einen Stift und einen Bogen von deinem schönen Schreibpapier – das mit deinem Monogramm – und dann schreiben wir deinem Opa einen netten Brief. Das müssen wir unbedingt als erstes tun.»

Mimi kehrte mit einem Briefbogen aus ihrer Schreibtischschublade ins Wohnzimmer zurück.

«Wo du gerade stehst, könntest du mir noch einen Schluck von meiner Medizin bringen, Liebling? Ich brauch das, bevor ich dir diesen Brief diktiere.»

Mimi ging mit dem Glas ihrer Mutter zum Barwagen und bereitete ihr, was sie wollte: Whisky mit viel Eis und ein paar Tröpfchen Wasser.

«Danke, Liebling», sagte Alice und trank. Nach einem raschen Schluck schien sich ihr Zustand gewöhnlich zu bessern. «Siehst du, ich komm lange mit einem Glas aus», sagte sie. «Das ist das Geheimnis. Ich nehme an, du hast gehört, was mir dein Vater vorwirft: er glaubt, ich trinke zu viel. Aber er versteht nicht, daß ich mit einem Glas lange auskomme. Deswegen bin ich nie betrunken. Wenn du je trinkst, Mimi, trink sehr langsam. Halt dich lange an einem Glas fest, das gehört sich für eine Dame so, und du wirst nie betrunken. Wo waren wir stehengeblieben? Ach ja, dein Brief. Setz dich hier neben mich, Liebling.» Sie klopfte auf das Sofa. «Hast du eine ordentliche Schreibunterlage? Ja, das Telefonbuch ist gut. Kommt das Licht von links? Gut. Zum Lesen oder Schreiben muß das Licht immer von links kommen, das weißt du ja. Also laß uns anfangen. ‹Lieber alter Geldsack.›» Ihre Mutter kicherte. «Das schreibst du natürlich nicht; es war nur ein Spaß. Fang an mit: ‹Liebster Opa –›»

«Sir?»

Ihre Mutter lachte erneut. «Ach, du Schäfchen! Doch nicht im Brief! Nur, wenn du mit ihm sprichst. Jetzt laß uns anfangen, ‹Liebster Opa. Nachdem ich mit einem guten Zeugnis von Miss Hall's Schule abgegangen bin› –»

«... ‹abgegangen bin› hab ich. Weiter?»

«Ach, weiß du, eigentlich könntest du auch schreiben ‹mit einem glänzenden Zeugnis› – das ist ja nicht schrecklich gelogen, nicht wahr? Er klingt gut und wird ihn beeindrucken. Also ‹Nachdem ich pipapo abgegangen bin, muß ich überlegen, wie meine Zukunft aussehen soll.› Das gefällt mir, dir nicht auch? ‹Überlegen, wie meine Zukunft aussehen soll›? Ja. ‹Aber bevor ich den nächsten Abschnitt meines Lebens in Angriff nehme, brauche ich die Art von weltmännischem Rat, wie nur Du ihn mir geben kannst, lieber Opa, denn mir bietet sich eine Anzahl interessanter Möglichkeiten. Eine davon ist der Heiratsantrag eines brillanten jungen Mannes.› Nein, laß das weg. Das klingt so, als hättest du bereits ja gesagt, und das stimmt nicht. Das sprichst du am besten erst an, wenn du bei ihm bist. Schreib einfach ‹eine Anzahl interessanter Möglichkeiten. Dürfte ich Dich aufsuchen und mit Dir darüber sprechen, wie auch über ... wie auch über› – ach, gerade hatte ich noch einen so schönen Ausdruck, und jetzt ist er weg!»

«Einige persönliche Fragen?»

«Ja, genau! ‹Wie auch über einige persönliche Fragen, die für mein künftiges Leben von Bedeutung sind. Alles Liebe.› Ach, du meine Güte! Fast hätte ich die böse alte Hexe vergessen! Vor ‹Alles Liebe› schreib ‹Ganz herzliche Grüße an Oma›. So. Jetzt lies es mir noch mal vor.»

Als Mimi damit fertig war, klatschte ihre Mutter in die Hände und nahm einen weiteren Schluck aus ihrem Glas. «Einwandfrei!» rief sie aus. «Unterschreib's, mach's zu und schick's ab! Ach, ich freu mich ja so für dich, Mimi – du und dein wunderbarer junger Mann!»

«Er ist nicht mei –» setzte sie an, beschloß aber, die Sache einstweilen auf sich beruhen zu lassen.

«Der Brief könnte nicht besser sein. Bestimmt geht alles gut. Gib ihn gleich auf die Post.»

Mimis Ansicht nach klang er ein bißchen zu gestelzt, aber sie tat, was ihre Mutter sie geheißen hatte.

«Na?» fragte Michael, als sie wieder mit ihm zusammentraf. «Was haben deine Eltern gesagt? Wann lern ich sie kennen?»

«Ich hab erst mit meiner Mutter darüber gesprochen. Papa war nicht zu Hause. Sie meint, ich soll zuerst mit meinem Großvater sprechen. Der alte Geldsack, wie sie ihn nennt.»

«Wir sind doch auf seine Penunzen nicht angewiesen!»

«Schon. Aber es ist in unserer Familie üblich, alles zuerst mit meinen Großeltern zu besprechen. Es hat überhaupt nichts zu bedeuten.» Sie wollte nicht darüber reden, wollte über gar nichts reden. Es genügte ihr, bei ihm zu sein, die Finger ineinandergeschlungen neben ihm die Straße entlangzugehen, wobei sich ihre Schultern berührten.

Am Rande des Parks wies er auf eine Bank und sagte: «Setz dich 'nen Augenblick. Ich will dir was zeigen.»

Sie setzten sich, und er nahm ein blaues Schächtelchen aus der Jackentasche. «Für dich», sagte er. «Mach's auf.»

«Von Tiffany ...»

«Mach schon auf.»

Sie öffnete die kleine Schachtel und sah in einem weißen Samtkissen einen Diamantring stecken.

«Ein Diamant ist ewig», sagte er. «Ich möchte dich auf ewig.»

«Ach, Michael!» rief sie und brach unvermittelt in Tränen aus.

«He», sagte er, «was soll das? Es ist doch nur ein kleiner Verlobungsring. Warum weinst du?»

«Ich kann ... nichts dazu», schluchzte sie.

«Schon gut. Hör auf. Du siehst abscheulich aus, wenn du weinst, ehrlich.»

«Es ist nur die ... die Heuchelei ...»

«Heuchelei? Wovon redest du, Kindchen?» Jetzt lag sein Arm um ihre Schulter.

«Wenn man so tut ... als mache man sich etwas aus Menschen, von denen man am liebsten möchte, daß sie sterben ...»

«Ich versteh nicht. Was hast du denn?»

«Ich weine, weil ... es macht mich traurig, weil ...» Ihre Stimme klang jetzt erstickt, da sie ihr Gesicht in die dicken Falten seines Jackenärmels drückte. Während ihr Schluchzen heftiger wurde, saß er hilflos da und ließ sie sich ausweinen.

Sie konnte ihm nicht sagen, warum sie weinte, denn es kam ihr vor, als weine sie um alles ... ihre Mutter und ihren unglücklichen Vater, um all die sonntäglichen Teestunden an der Madison Avenue, um die Mädchen mit den Freiplätzen in Miss Hall's Schule, ja, sogar um Barbara Badminton und die affektierten Gänse ihrer Clique und den Alten Pete. Vor allem aber weinte sie, weil sie nie auf den Gedanken gekommen wäre, ihr könne so etwas je widerfahren, nie wirklich geglaubt hatte, daß es Michael ernst war, als er sagte, er liebe sie, nie wirklich geglaubt hatte, jemand könne sich so viel aus ihr machen, daß er so wie er «Ich will dich auf ewig» sagte, und sie weinte, weil sie das Ganze nicht glauben konnte, obwohl sie die Schachtel mit dem Ring noch in der Hand hielt.

Schließlich richtete sie sich auf. «Es ist, weil ich noch nie im Leben einen so wunderschönen Ring gesehen habe ... er ist viel zu schön ... der schönste Ring, den ich je gesehen hab ... der schönste auf der Welt. Ich glaube, ich bin traurig, weil ich nie .. einen so schönen Ring gesehen hab. Ach Michael, ich liebe dich so sehr ...»

15

Zu ihm ins Büro sollst du kommen?» sagte ihre Mutter. «Großer Gott, da war ich noch nie! Da mußt du dich aber richtig fein machen. Am besten ziehst du ein Kostüm an; vielleicht das beige mit einer schlichten Bluse – natürlich hochgeschlossen – und eine Brosche oder Perlenkette, auf keinen Fall beides. Du weißt, daß dein Opa Frauen, die mit zu viel Schmuck behängt sind, nicht ausstehen kann! Zu der Brosche könntest du kleine goldene Ohrringe tragen und zur Perlenkette welche mit Saatperlen. Natürlich mußt du dir die Haare machen lassen. Du solltest dir auch etwas auf den Kopf setzen, vielleicht ein Matrosenhütchen oder eine flotte Baskenmütze. Gib mir rasch was zu trinken, Liebling. Wir laufen dann zu Saks hinüber und sehen, was wir finden. Danke. Natürlich mußt du deinem Friseur sagen, daß du was auf den Kopf setzt, damit er das Haar an den Seiten ein bißchen aufbauscht und oben nicht so sehr. Und auf keinen Fall zu viel Make-up – nur Lippenstift und eine Spur Wangenrouge. Auch um die Augen nicht zu viel. Dein Opa hat ganz klare Vorstellungen, was Make-up betrifft – schließlich ist es sein Geschäft! Auch wenn er das Zeug herstellt, mag er Frauen nicht, die sich zu sehr zurechtmachen. Und auf jeden Fall mußt du Strümpfe anziehen. Frauen mit nackten Beinen findet er ordinär. Halbhohe Absätze. Bei mir kann er es gar nicht haben, wenn ich hohe Absätze trage, weil ich dann genauso groß bin wie er! Hast du nicht ein Paar halbhohe beige Krokoschuhe oder was in der Art? Dazu könnte ich dir meine Tasche mit der langen goldenen Kette leihen, die würde sehr gut passen. Ach – fast hätte ich es vergessen: Du mußt unbedingt

Handschuhe tragen! Weiße, bis zum Handgelenk, und sie müssen pieksauber sein. Du ziehst sie natürlich aus, sobald du sein Büro betrittst. Und laß um Gottes willen den Ring weg! Das würde ja so aussehen, als ob die Sache offiziell wäre, was sie aber erst ist, wenn wir sie bekanntgegeben haben. Daß du mir auf keinen Fall den Ring trägst. Dein Großvater sieht *alles* ...»

«Was sagst du, wie der junge Mann heißt?» fragte ihr Großvater.

«Michael Horowitz, Opa», gab sie zur Antwort.

«So, Horowitz», sagte er. «In Chicago gab es mal eine Familie Horween. Die haben ursprünglich Horowitz geheißen, so weit ich weiß. Anständige Leute.»

«Michael hält nichts davon, daß man seinen Namen ändert, Opa.»

«Nun, da hat jeder seine eigenen Ansichten.»

Sie saßen im großen Büro ihres Großvaters an der Fifth Avenue – eben dem, das Mimi jetzt hat, auch wenn niemand es wiedererkennen würde.

Damals wirkte Adolph Meyersons Büro in New York mit seinen eichengetäfelten Wänden und Decken, dem dicken Perserteppich auf dem Boden und den dunkelroten Samtvorhängen, die dem Sonnenlicht von der Straße her kaum Zutritt gewährten, wie eine finstere Höhle, geradezu abweisend. Überall im Raum verteilt fanden sich auf Tischen und Staffeleien die signierten Porträts aller Präsidenten seit Warren Harding mit Ausnahme Roosevelts und Trumans, denn er hielt nichts von der Demokratischen Partei, und vorn in der Mitte war quer über ein Foto des gegenwärtigen Amtsinhabers Dwight D. Eisenhower geschrieben: «Für Adolph – alles Gute von Ike.» Alle Aufnahmen steckten in massiv silbernen Rahmen, und weitere Rahmen enthielten Kopien der zahlreichen Medaillen, Preise, Urkunden und sonstigen Ehrungen, die Adolph Meyerson in seiner langen Laufbahn zuteil geworden waren.

Hinter dem großen lederbezogenen Schreibtisch hing Adolph Meyersons eigenes Porträt, das Bild des Mannes, der die Firma Miray aus ihren unscheinbaren Anfängen am Grand Concourse zu ihrer gegenwärtigen weltumspannenden Bedeutung geführt hatte. Natürlich zeigte es einen jüngeren Mann als den, der Mimi jetzt gegenübersaß, und sie konnte erkennen, daß sein Schnurrbart einst schwarz gewesen war und er damals noch keinen Zwicker am Band um den Hals trug. Eins aber fiel ihr sofort als merkwürdig an dem Bild auf. Wie er da in voller Länge neben einem Kamin stand, die rechte Hand auf dessen Sims gestützt, schien das Bild seitlich wegzukippen, denn Adolph Meyerson nahm nur das rechte Drittel des Bildes ein, während die restliche Leinwand den Kamin und eine leere Wand zeigte. Später erfuhr Mimi den Grund für das auffällige Ungleichgewicht des Porträts: Es hatte ursprünglich beide Firmengründer gemeinsam gezeigt, die links und rechts des Kamins standen. Als aber Leopold aus dem Unternehmen ausgeschieden war, oder schon vorher, hatte sein älterer Bruder den Auftrag gegeben, ihn zu übermalen und durch eine Wandtäfelung und eine Kaminuhr zu ersetzen.

Dennoch gewann, wer dieses Büro aufsuchte, den Eindruck, daß der Mann, der, stets in dunkle Maßanzüge aus englischen Tuchen gekleidet, darin residierte, ein wahrhaft bedeutender Mensch sei. Adolph Meyerson nahm jetzt den Zwicker ab und rieb sich den Nasenrücken. Diese Handbewegung drückte, das war in der Familie bekannt, gewöhnlich seine Mißbilligung aus. Mimi mußte sich eingestehen, daß er trotz seiner 87 Jahre nach wie vor gebieterisch wirkte – dabei war er nicht groß und inzwischen eher rundlich. Seine Nase war lang und schmal, sein stahlgrauer Schnurr- und Spitzbart säuberlich gestutzt, und er saß aufrecht auf seinem Kontorstuhl.

Er setzte den Zwicker wieder auf und richtete den Blick seiner tiefliegenden durchdringenden Augen durch dessen blitzende Gläser auf seine Enkelin. «Horowitz also», sagte er noch einmal.

«Ja, Opa.»

«Und er ist im Immobiliengeschäft.»

«Ja, Bauunternehmer. Er hat gerade sein Examen an der Columbia Business School gemacht.»

«Columbia. Wir waren natürlich immer in Princeton oder Harvard.»

«In Princeton kann man nicht Wirtschaftswissenschaft studieren, Opa.»

Er beugte sich vor. «Aber in Harvard!»

«Ja, Opa, das stimmt.» Er brachte es jedesmal fertig, daß sie sich wie ein kleines Mädchen vorkam. Vermutlich machte das zum Teil seinen Geschäftserfolg aus: Er vermittelte allen Menschen um ihn herum den Eindruck, daß sie unbedeutend waren.

«Wer sind seine Leute? Ich kenne hier in New York keinen Horowitz.»

«Sie haben einen Party-Service in Kew Gardens», sagte sie. «Es läuft sehr gut. Sie haben über hundert Angestell-»

«Kew Gardens», sagte er, «wo ist das?»

«Auf Long Island, Opa.»

«Nun, eigentlich ist es Queens, nicht wahr? Der Teil von Queens, wo die Juden wohnen. Sie sagen gewöhnlich, sie wohnen auf Long Island.» Er lachte, aber es klang nicht belustigt. «Früher war Jackson Heights eine ordentliche Gegend. Ich bin da natürlich schon seit Jahren nicht mehr hingefahren.»

«Michael ist sehr nett, Opa», sagte sie. «Er wird dir bestimmt gefallen.»

«Er hat dir doch nicht etwa ein Kind gemacht?»

Sie war entrüstet. «Aber Opa! Natürlich nicht.»

«Party-Service also», sagte er. «Deine Großmutter und ich lassen nie den Party-Service kommen. Wir hatten immer unser eigenes Personal.»

«Ich weiß, Opa.»

«Bauunternehmer nützen mir in dieser Firma nichts. Chemiker kann ich brauchen, aber keine Bauunternehmer. Tut mir leid, falls er sich da was ausgerechnet hat.»

Zuerst verstand sie nicht, dann sagte sie: «Aber er will doch gar nicht bei Miray arbeiten, Opa! Er hat seine eigene Firma. Er baut –»

«Sag mir», unterbrach er sie, «ist er dunkelhäutig? Das ist bei den Leuten aus dem Orient oft so.»

«Nein», sagte sie, plötzlich über die Richtung beunruhigt, die das Gespräch zu nehmen schien. «Er hat braune Augen, mittelbraunes Haar, und seine Haut ist... nun, nicht dunkler als deine oder meine.»

«Du sollst mir schließlich keine dunkelhäutigen Urenkel anschleppen!» Wieder gab er ein kurzes Lachen von sich, das nichts Lustiges an sich hatte.

«Im Augenblick ist er schön braungebrannt... weil er auf seiner Baustelle in New Jersey viel im Freien arbeitet.»

«So, so, in New *Joisey* also», sagte er, die Aussprache spöttisch betonend. «Hör mal, mein Kind, wo hast du diesen Moskowitz kennengelernt?»

«Er heißt Horowitz», sagte sie. «Beim Eislaufen im Central Park. Mir ist ein Schnürsenkel gerissen, und er hat mir einen neuen gegeben. Dann – dann hat er sich wieder mit mir verabredet. Das war letzten Winter», fügte sie ein wenig kläglich hinzu.

Erneut nahm er den Zwicker ab und rieb sich den Nasenrücken etwas kräftiger als beim vorigen Mal. «Ehrlich gestanden», sagte er, «enttäuschst du mich, Mireille. Sohn eines jüdischen Party-Service-

Besitzers aus Kew Gardens. Mit Elementen dieser Art hatten wir in New York nie etwas zu schaffen. Horowitz.»

«Was hast du gegen den Namen einzuwenden? Denk an den berühmten Pianisten Wladimir Horowitz!»

«Ich bin nicht musikalisch», sagte er. «Ich spreche davon, was für eine Art Leute das sind: Russen, die noch vor einer Generation auf ihren Bäumen gehockt haben. Du bist eine Meyerson, Mireille.»

«Waren denn die Meyersons etwas Besonderes – ich meine vor dir?»

«Unser Name ist sehr alt und geachtet», sagte er. «Bevor unsere Familie nach Deutschland ausgewandert ist, woher meine Eltern stammen und wo er umgemodelt wurde, haben wir im siebzehnten und achtzehnten Jahrhundert in Frankreich eine bedeutende Rolle gespielt. Damals hießen wir noch Maraison, und das ist auch der Wahlspruch unserer Familie: *Ma Raison*. Es heißt so viel wie ‹Mein Recht› und ist eng mit dem Motto des Königshauses, *Dieu et Mon Droit*, verwandt. Auf einem Schloß namens Ma Raison in der Nähe von Epernay in der Champagne haben Grafen und Gräfinnen aus dem Hause Maraison gelebt, die zum Hof von Versailles gehörten. Die Familie Rosenthal auf der Seite meiner Mutter –»

«Aber deine Familie ist doch von der unteren East Side gekommen, nicht wahr?»

Nach einem erdrückend wirkenden Schweigen sagte er: «Ich hab den Familienstammbaum zusammenstellen lassen und zeig ihn dir gern mal, wenn er dich interessiert.» Er schwieg wieder und sagte dann mit veränderter Stimme: «Du bist sehr hübsch, Mireille.»

Verblüfft blinzelte sie. Noch nie hatte er etwas in der Art zu ihr gesagt.

«Wirklich, du bist ein sehr hübsches Mädchen, hast ein niedliches Näschen und ungewöhnliche graue Augen. Du siehst überhaupt nicht jüdisch aus. Ach, du trägst Rosa Mohn, wie ich sehe.»

«Rosa Mohn?»

«Dein Nagellack ist unser ‹Rosa Mohn›. Steht dir sehr gut. Hier ist ein neuer Farbton, den du mal ausprobieren kannst.» Er öffnete eine seiner Schreibtischschubladen. «Wir bringen ihn im Herbst auf den Markt. Er heißt ‹Feuer und Flamme›. Es ist etwas Feineres, mehr für den Abend. Hier ist noch etwas, das dir vielleicht gefällt: ‹Geranienglut›. Etwas Winterliches.»

Er nahm Flakon auf Flakon aus der Schublade und stellte sie auf seinen Schreibtisch. «Das hier ist was für den Sommer, probier's mal:

Safran und Ingwer und die jeweils dazu passenden Lippenstifte natürlich – du weißt ja sicher, daß Miray als erstes Unternehmen damit auf den Markt gekommen ist. Hier ein neuer Lidschatten, der gut zu deiner Augenfarbe paßt, und dann noch das hier: eine ganz neue Nachtcreme, die wir auf ausgewählten Teilmärkten erproben.»

Während die Zahl der Tübchen, Fläschchen und Tiegelchen auf seinem Schreibtisch immer mehr wuchs, gewann sie zunehmend den Eindruck, von ihrem Großvater wie die Einkäufer von Bonwit's und Bloomingdale's behandelt zu werden. «Mach dir keine Gedanken darüber, wie du das alles nach Hause kriegst», sagte er. «Ich geb dir 'ne Tüte.» Mit diesen Worten holte er aus einer weiteren Schublade eins der eleganten, mit dem Markenzeichen der Firma versehenen Tragetäschchen, wie man sie in Läden bekam: auf leuchtend rotem Untergrund prangte weiß der kunstvoll geschwungene Schriftzug Miray. «Das», fuhr er fort, während er weitere Proben aus der unerschöpflich scheinenden Kollektion in seinen Schubladen holte und in die rote Tüte legte, «mußt du auch mal probieren: ein Augengel aus Bienenpollen ...» Im selben einschmeichelnden Ton fuhr er fort: «Du bist meine einzige Enkelin und hast natürlich in meinem Herzen einen ganz besonderen Platz. Bitte überleg dir genau, was du tust. Willst du eine Mrs. Horowitz sein, damit jeder sofort weiß, daß du zu diesem Judenpack gehörst? Ich nehme an, du hast dich schon oft gefragt, warum deine Großmutter und ich nicht mehr in die Synagoge gehen.»

Das hatte sie sich zwar nicht gefragt, aber sie nickte.

«Weil dies Pack Emanu-El vollständig übernommen hat. Laß einen rein, und die ganze Bagage kommt nach. Sie bringen ihre Freunde mit angeschleppt und anschließend die ganze *Mischpoche*: Vettern, Kusinen, Tanten, Onkel und Schwiegersöhne. Ebenso ist es im Club Harmonie gegangen, und deswegen bin ich auch dort nicht mehr Mitglied. Er fehlt mir, denn ich bin im Club immer gern geschwommen. All das ist jetzt überlaufen. Nur noch der Century Golf Club ist uns geblieben, als einziger Ort, an dem die alten Werte hochgehalten werden, und sogar dort pochen die Leute aus dem Osten schon an die Türen und wollen rein. Dein Mr. Horowitz könnte nie Mitglied im Century werden.»

«Bestimmt will er das auch gar nicht, Opa.»

«Sei da nicht so sicher», sagte er. «Diese Leute wollen das alle. Sie betrachten das als Statussymbol. Ihnen ist nicht klar, daß es Aufgabe eines Clubs ist, Menschen mit ähnlichen Interessen und ähnlichem Geschmack zusammenzuführen.»

«Michael spielt aber nicht Golf, Opa.»
«Dann sieh es mal so. Sähe es nicht seltsam aus, wenn der Mann von Adolph Meyersons Enkelin *nicht* Mitglied im Century wäre? Was würden die Leute dazu sagen?»
Sie sah sich hilflos im Raum um, wußte nicht, was sie den scheinbar stichhaltigen Argumenten ihres Großvaters entgegensetzen konnte.
Er fuhr fort: «Du müßtest einen Mann finden, dessen Herkunft und Position zu deiner eigenen Stellung in der Gesellschaft von New York paßt, einen, auf dessen Namen deine Angehörigen stolz sein können. Ich sagte schon, du siehst nicht aus wie eine Jüdin. Warum also jemand heiraten, dessen Namen und Hintergrund dich unnötig brandmarken, so daß dich die Leute mit allem in Verbindung bringen, was man an den Juden nicht mag? Wenn du aber unbedingt einen Juden heiraten mußt, gibt es eine ganze Menge netter –»
«Du redest ja wie ein Antisemit, Opa!»
«Das kann nicht dein Ernst sein. Und für Scherze habe ich keine Zeit. Ich sitze im Ausschuß des Jüdischen Weltkongresses und in einem Dutzend wohltätiger jüdischer Organisationen in den ganzen Vereinigten Staaten.» Dann hatte er die Hände flach auf den Lederbezug seines Schreibtischs gelegt; er wirkte jetzt wie ein geduldiger Lehrer, der einem besonders begriffsstutzigen Schüler eine sehr einfache Sache zum wiederholten Mal erklären muß. «Ich will dir etwas über die Juden sagen, Mireille», sagte er, «etwas, das du nicht zu verstehen scheinst. Sie sind nicht alle gleich, ebensowenig wie alle Christen gleich sind. Es gibt im wesentlichen zwei Arten: Menschen wie wir, die sich durch schwere Arbeit und den Ruf der Unbestechlichkeit im Geschäftsleben eine Position erarbeitet haben und zahlreiche Freunde unter den Christen in den höchsten Regierungskreisen des Landes haben – wie beispielsweise ich, denn Ike und Mamie Eisenhower sind meine lieben Freunde. Solche Juden sind in den besten christlichen Häusern willkommen und Gäste in den besten Clubs der Christen. Mit anderen Worten, wir sind assimiliert. Wir haben uns mit unserer Rolle abgefunden, haben eingesehen, daß wir in einem im wesentlichen christlich geprägten Land eine kleine Minderheit sind und uns der Mehrheit anpassen müssen. So ist das hier in Amerika nun einmal. Dann gibt es die andere Art, die nicht bereit ist, sich anzupassen. Ich nenne sie die Juden der Alten Welt. Sie haben sich seit dem Mittelalter nicht geändert, befolgen überholte Speisegesetze und üben ihre Religion in einer Sprache aus, die kein Mensch verstehen kann. Sie wohnen in Ghettos, auch wenn es Mittelschicht-

Ghettos sind wie Kew Gardens, Woodmere, Fort Lee und Green Haven. Sie halten zusammen wie Pech und Schwefel, mißtrauen allen, die nicht sind wie sie und haben sogar noch Angst vor den Christen. Häufig sind sie als Unternehmer tätig und betreiben beispielsweise einen Party-Service. In meiner Branche hatte ich mit vielen von der Sorte zu tun – einer von ihnen ist Revson. Man kann ihnen nicht trauen, denn sie sind die Art Jude, die einen bei Geschäften übers Ohr zu hauen versucht. Ich mag sie nicht besonders, hatte aber im Geschäftsleben so oft mit ihnen zu tun, daß ich sie ziemlich gut kenne.»

«Sind das nicht Klischees, Opa?»

«Sicher! Aber diese Leute, die das Klischee verkörpern, existieren ja. Es sind Drecksjuden. Mir ist klar, daß das keine schmeichelhafte Bezeichnung ist, aber so sehe ich die Leute nun mal. Ich möchte nicht erleben, daß Adolph Meyersons einzige Enkelin einen Drecksjuden heiratet. Sie hat auf jeden Fall etwas Besseres verdient, und bestimmt verdient auch Adolph Meyerson selbst etwas Besseres.»

Mimi wußte, daß es gefährlich wurde, wenn ihr Großvater begann, in der dritten Person von sich selbst zu reden.

«Ich will dir noch was über sie sagen», fuhr er fort. «Gewöhnlich haben sie drei Söhne. Einen lassen sie auf Arzt studieren, den zweiten auf Rechtsanwalt und den dritten auf Steuerberater. Und weißt du auch, warum? Damit der eine sie umsonst behandelt, der andere sie umsonst juristisch berät und der dritte ihre Steuerunterlagen fertig macht – alles umsonst. Ich hab das nicht nur einmal erlebt, sondern tausendmal.»

«Aber Michael ist Bauunternehmer!»

«Dazu kann ich dir auch etwas sagen. Das Wort Bauunternehmer fängt mit demselben Buchstaben an wie *Borger*. Solche Leute investieren nie ihr eigenes Geld, sondern pumpen es sich zusammen, von der Regierung, von Banken und von Verwandten. Sie haben immer Schulden über Schulden und messen ihren Wohlstand an deren Höhe. Vermutlich ist diesen Party-Service-Leuten aus Kew Gardens bekannt, daß wir über gewisse Mittel verfügen?»

«Das weiß ich nicht.»

«Natürlich. Bestimmt rechnen sie damit, einen höheren Kredit herausschlagen zu können, wenn ihr Sohn eine reiche Frau heiratet. Warum sollten sie sonst eine solche... eine solche offenkundige Mißheirat unterstützen?»

«Aber ich liebe ihn, Opa!» hatte sie ausgerufen. «Und du machst ihn richtig runter.»

«Ich sage nur, daß er hinter deinem Geld her ist und die Party-Service-Leute mit ihm unter einer Decke stecken.»

«Das ist nicht wahr», sagte sie verzweifelt. «Er hat gar nicht gewußt, wer du bist, als er mir seinen Heiratsantrag gemacht hat. Außerdem bin ich nicht reich.»

«Jetzt noch nicht», sagte er. «Aber du könntest es eines Tages sein. Eine Millionenerbin.»

«Das ist Michael völlig egal! Er liebt mich!»

Ausdruckslos sah er sie durch seinen Zwicker an. «Kennst du die Angehörigen dieses jungen Mannes schon?» fragte er.

«Nein.» Sie war den Tränen nahe. Sie spürte, wie ihr Mund mit einem Mal trocken wurde und wie ihr unter der Bluse der Schweiß an den Seiten hinablief.

«Dann will ich dir sagen, was du vorfinden wirst, wenn du da hinkommst», sagte er, zog seine große goldene Uhr aus der Westentasche und sah darauf. «Das will ich dir noch schnell sagen, junge Dame, dann muß ich dich fortschicken. Einen kleinen dunkelhäutigen, kahlköpfigen Juden, der auf einem Zigarrenstummel kaut und mit dem Akzent der Bronx spricht. Seine superoxidblonde Frau trägt einen bodenlangen Nerzmantel, ist von Kopf bis Fuß mit Diamanten behängt, feiert Weihnachten im Fontainebleau und spielt Mah-jongg. Sie wünschen für ihren Sohn eine Hochzeit im Plaza mit zwei *Rebbes* und der Art von barbarischer Feierlichkeit, bei der der Bräutigam mit dem Absatz ein Weinglas zertritt. Natürlich wollen sie sich den Bewirtungsauftrag für die Feier selbst zuschanzen, und ich soll für alles aufkommen. Das Bild muß nicht in allen Einzelheiten stimmen, Mimi, aber in solche Kreise würdest du dich begeben und deine Familie samt ihrem guten Namen mit dort hineinziehen, wenn du darauf beharren solltest, diese unglückselige und völlig unpassende Beziehung so weit zu treiben, daß du diesen David Horowitz tatsächlich heiratest.»

«Er heißt Michael», schluchzte sie. «Wie kannst du solche Dinge über Menschen sagen, die du nie gesehen hast?»

«Du wirst es schon sehen, junge Dame –»

«Hör doch auf! Hör bloß auf!» schrie sie unter Tränen und tastete neben ihrem Stuhl nach den Handschuhen und der Chaneltasche ihrer Mutter, um zu gehen. Dann sagte sie: «Es ist mir egal, was du sagst. Ich liebe ihn, und ich werde ihn heiraten. Du kannst mich nicht daran hindern. Du nicht! Zum Teufel mit dir!»

Einen Augenblick lang sah er verblüfft drein – der Zwicker schien ihm fast von der Nase zu fallen – und sie begriff, daß es wahrscheinlich schon sehr lange, vermutlich viele Jahre her war, seit sich ihm aus der Familie oder sonst jemand widersetzt oder seine Autorität auch nur in Frage gestellt hatte. Sie sah, daß die Situation für ihn so neu und ungewohnt war, daß er zumindest einen Augenblick lang buchstäblich kein Wort herausbrachte. Er nahm den Zwicker ab, legte ihn mit einer müden Handbewegung auf den Tisch und sagte dann mit gleichmütig klingender Stimme: «Möglich. Es kann schon sein, daß ich dich nicht hindern kann. Aber etwas anderes kann ich tun. Falls du damit rechnest, von mir etwas zu erben – mein Testament läßt sich jederzeit so ändern, daß du nichts bekommst. Ich bin durchaus imstande zu vergessen, daß ich je eine Enkelin hatte.»

«Von mir aus! Ich brauche dein Geld nicht! Ich will es auch gar nicht!»

«Es gibt noch mehr, was ich tun kann. Du wirst es schon merken, wenn du glaubst, daß du mit dem Kopf durch die Wand gehen kannst. Jetzt habe ich dir nichts mehr zu sagen. Ich vermute, daß ich von deiner Entscheidung in Kenntnis gesetzt werde, sobald du dir die Sache überlegt hast.» Den Blick auf seinen Schreibtisch gerichtet, begann er, Papiere hin und her zu schieben. «Auf mich warten wichtige Besprechungen. Immerhin muß ich ein Unternehmen leiten. Guten Tag.» Er entließ sie mit einer Handbewegung. «Vergiß deine Tüte nicht.»

«Gut!» sagte Michael, als sie ihn ans Telefon bekam, um zu berichten, wie der Besuch bei ihrem Großvater verlaufen war. «Das hast du gut gemacht! Gib's dem alten Sack! Wir sind auf seine Penunzen nicht angewiesen, und jetzt müssen wir ihm auch nicht hinten reinkriechen, wie es deine Eltern immer getan haben.»

«Aber was hat er damit gemeint, daß er andere Möglichkeiten hätte?»

«Reine Großsprecherei. Er will dich einschüchtern. Was könnte er schon tun?»

Aber zum ersten Mal glaubte sie eine Spur Unsicherheit in seiner Stimme zu hören.

Henry Meyerson stand vor dem Schreibtisch seines Vaters, während dieser eine ganze Anzahl Papiere unterschrieb. Nach einigen Minuten fragte dieser, ohne den Kopf zu heben: «Wie spät ist es?»

«Zehn nach vier, Vater.»

«Gut. Es dauert nicht lange.» Während er weiter Unterschrift auf Unterschrift leistete, sagte er: «Ich habe gehört, daß du dir kürzlich von deiner Mutter Geld geborgt hast.»

«Ein wenig, ja.»

«Die Höhe des Betrags ist mir bekannt. Überlaß bitte mir die Entscheidung, ob es viel oder wenig ist.»

«Ja, Vater.»

«Deine Mutter besitzt eigene Mittel, über die sie nach Belieben verfügen kann», sagte er. «Leider hat sie ein weiches Herz. Sie ist zu großzügig und kann mit Geld nicht umgehen, auch wenn sie sonst ihren Verstand durchaus beisammen hat. Daher muß ich ihre Geldangelegenheiten von Zeit zu Zeit in Ordnung bringen. Besonders weichherzig ist sie, wenn es um dich geht. Und bestimmt ist dir nicht neu, daß sie dich deinen beiden Geschwistern vorzieht – verständlich, da du ihr Erstgeborener bist. Die menschliche Natur ist nun mal so. Ich hatte manchmal sogar den Eindruck, wenn ich nicht im Haus für strenge Zucht gesorgt hätte, wäre unter Umständen ein Muttersöhnchen aus dir geworden oder jemand wie dein Bruder.»

Bedingt durch gewisse Vorfälle, die ans Tageslicht gekommen waren, hatte Adolph Meyerson schon seit mehreren Jahren den Namen seines jüngeren Sohnes nicht mehr in den Mund genommen. Er sprach nicht von «Edwee» oder «Edwin», sondern sagte je nachdem, mit wem er redete: «dein Bruder», «mein anderer Sohn» oder einfach «der andere».

«Dies Geborge von ein wenig Geld», fuhr er fort, «wie du es nennst, geht schon ein paar Jahre so. Ich fürchte, du nutzt die Großherzigkeit deiner Mutter aus, hältst sie für ein leichtes Opfer und glaubst, sie aussaugen zu können. Ihre Mittel sind zwar beträchtlich, aber nicht unerschöpflich. Mir gefällt das gar nicht, Henry.»

«Ja, Vater.»

Er unterschrieb das letzte Blatt, und ein Lächeln trat auf seine Lippen. «Da», sagte er, «ein Exklusivvertrag über vier Millionen für unsere Boutique bei Magnin's. In allen Niederlassungen in Kalifornien. Wir haben es dem Schweinehund von Revson gezeigt.» Zum erstenmal sah er seinen Sohn an. «Es gefällt mir nicht, Henry», sagte er, «und ich verstehe es auch nicht. Du bekommst ein glänzendes Gehalt, nach mir das höchste in der Firma. Ihr könntet davon ein behagliches, ja sogar ein luxuriöses Leben führen. Wieso hältst du es für nötig, deine Mutter um solche Beträge anzugehen? Wieso kannst du von deinem Verdienst nicht leben?»

«Ich muß Steuern zahlen, Vater, Arztrechnungen, Schulgeld und so weiter.»

Der Angesprochene wedelte mit der Hand. «Steuern zahlen alle und Arztrechnungen auch. Offen gesagt, Henry, deine fortdauernde Unfähigkeit, von deinen Einkünften zu leben, beunruhigt mich. Sie ist einer der Gründe dafür, warum ich bisher gezögert habe, die Zügel des Unternehmens in deine Hände zu legen, was ich nach Ansicht mancher schon vor Jahren hätte tun sollen. Ich frage mich, ob du vielleicht die Unfähigkeit deiner Mutter, mit Geld umzugehen, geerbt hast. Nun, Henry, was hast du dazu zu sagen?»

«Es tut mir leid, Vater», fing er an, «ich bemühe mich –»

«Steckt etwa Alice hinter deiner Geldverlegenheit?»

Er senkte den Blick. «Nein, das ist es auch nicht.»

«Du bist kein Kind mehr, Henry. Wir können uns also von Mann zu Mann unterhalten. Es ist offen gestanden eines Mannes von zweiundvierzig Jahren unwürdig, sich von seiner Mutter Geld zu borgen.»

«Es wird nicht wieder vorkommen, Vater.»

«Du nennst es leihen, deine Mutter nennt es leihen. Wieso werden in dem Fall keine Zinsen gezahlt, wieso wird nichts getilgt? Ich habe den Verdacht, daß ihr diese Beträge insgeheim als Geschenke betrachtet. Daher erwäge ich, sie zurückzufordern, und zwar mit Zinsen. Es könnte für dich eine Lehre sein, die du dringend brauchst.»

«Aber Vater, ich kann nicht –»

«Ich erwäge es», sagte sein Vater. Und dann: «Deine Tochter war gestern bei mir.»

«Ich weiß, Vater.»

«Sie möchte, daß ich ihrer Absicht zustimme, einen ganz und gar unpassenden jungen Mann zu heiraten.»

«Ich kenne ihn noch nicht, Vater.»

«Ich habe ihr gesagt, daß ich das zutiefst mißbillige. Ich erwarte, daß du all deinen väterlichen Einfluß gegen eine Verwirklichung dieses Planes aufbietest, Henry. Ich erwarte, daß du wie auch Alice als Eltern alles tut, was ihr könnt, um diese Ehe zu verhindern. Verstehst du mich, Henry?»

Er nickte.

«Gut», sagte sein Vater, nahm den Stapel Papiere von seinem Schreibtisch und glättete die Kanten zwischen den Handflächen. «Leg die Magnin-Verträge meiner Sekretärin auf den Tisch, wenn du rausgehst, ja?»

Etwas später nahm Adolph Meyerson den Hörer seines Privattelefons ab und wählte eine Nummer. «Mireille», sagte er, als sie sich meldete. «Hier spricht dein Großvater.»

«Ja, Opa», sagte sie und hoffte, er habe es sich anders überlegt.

«Hör gut zu, Mireille. Ich hab ein paar Erkundigungen über das Bauprojekt von diesem Horowitz in Newark eingezogen. Es geht dabei um eine Wohnfläche von knapp hunderttausend Quadratmetern, Sozialwohnungen für Einkommensschwache und ältere Leute, in erster Linie Schwarze, wie es aussieht. Es hat ganz den Anschein, daß bei der Errichtung dieser Gebäude wichtige Bauvorschriften des Staates New Jersey mißachtet werden. Zum Beispiel sind die Brandschutzvorkehrungen ungenügend, obwohl sie in den Ausschreibungsunterlagen ausdrücklich aufgeführt werden. Die Liste von Mängeln dieser Art ist ziemlich lang, fürchte ich, und die Sache ist äußerst bedenklich, wenn man überlegt, was für Menschen in den Häusern wohnen sollen. Pfusch von vorn bis hinten. Ich kenne den staatlichen Bauinspektor von New Jersey recht gut und würde ihn nur äußerst ungern vom Stand der Dinge in Kenntnis setzen, und es wäre mir auch gar nicht recht, wenn ich die *New York Times* auf diese Mißstände aufmerksam machen müßte...»

Noch nie hatte sie Michael so wütend gesehen. Seine Lippen waren weiß, und seine Augen blitzten. «Der Scheißkerl!» sagte er, «verdammter *Ganew*! Er will mich erpressen! Kein Wort ist wahr! Ich bring den Halunken vor Gericht – jawohl, das tu ich!»

«Warte», bat sie ihn. «Meine Mutter möchte, daß wir heute abend bei uns zu Hause essen. Nur wir beide und meine Eltern. Vielleicht gibt es ja einen Weg.»

Es war eine Abendeinladung, bei der sich niemand zum Essen setzte.

Michael stand mit geballten Fäusten in der Mitte des Wohnzimmers ihrer elterlichen Wohnung und sagte: «Er blufft! Ich weiß, daß er blufft.»

Mit bleichem Gesicht sagte ihr Vater: «Nein, Michael. Ich kenne ihn schon sehr lange und arbeite schon seit vielen Jahren für ihn. Er ist es gewohnt, seinen Willen durchzusetzen.»

«Dazu ist ihm jedes Mittel recht», schluchzte Mimis Mutter. «Wirklich jedes.»

«Und Sie wollen mir sagen, daß Ihr Vater bereit wäre, seinen eigenen Sohn zu ruinieren – auf die Straße zu setzen, wie Sie gesagt haben –, wenn er zuläßt, daß ich seine Tochter heirate? Den eigenen Sohn?»

«Versuchen Sie zu verstehen, Michael», sagte ihr Vater. «Im Büro meines Vaters hängt ein Bild, das mich täglich daran mahnt, wie ich zu ihm stehe. Auf ihm waren früher einmal zwei Männer zu sehen: mein Vater und mein Onkel Leopold. Als mein Vater fand, es sei an der Zeit, daß Leo die Firma verließ, hat er den Teil des Bildes, auf dem sein Bruder zu sehen war, übermalen lassen. Er kann Menschen verschwinden lassen.»

«Und das würde er seinem *eigenen Sohn* antun?»

«Er hat es mit dem eigenen Bruder getan. Warum sollte er es nicht mit dem eigenen Sohn tun? Ich kann mich noch gut an die Sache erinnern. Mimi weiß es nicht, sie ist zu jung dafür.»

«Was für ein Schlappsack sind Sie eigentlich, Meyerson?» schrie Michael. «Was für ein Feigling sind Sie, daß Sie so auf sich rumtrampeln lassen?»

«Michael, bitte –»

«Es gibt noch gewisse andere Umstände», sagte Mimis Vater leise und wechselte rasche Blicke mit ihrer Mutter. «Es gibt noch andere Umstände, von denen Sie und Mimi nichts wissen und auf die ich hier nicht näher eingehen kann. Sie machen es unmöglich, daß wir uns ihm offen widersetzen. Ich muß Sie bitten, zur Kenntnis zu nehmen, daß es solche Umstände gibt!»

«Es ist ganz und gar unmöglich!» klagte ihre Mutter.

«*Was* für Umstände, Papa?»

«Das kann ich dir nicht sagen.»

«Nun, ich sag Ihnen, daß Sie beide miese, schlappe Feiglinge sind!» schnaubte Michael. «Nur ein Feigling läßt sich widerstandslos erpressen!»

Ihr Vater wurde jetzt wütend. «Ich sage Ihnen, daß es unter den Umständen nicht geht! Wir müssen Geduld haben. Mein Vater ist siebenundachtzig. Er kann nicht ewig leben –»

«O doch!» rief Alice aus. «Er wird ewig leben. Er hat schon ewig gelebt. Der stirbt nie, und weißt du auch warum? Aus purer Gemeinheit! So sind die in dieser Familie alle, deine Mutter wie dein Vetter Nate, alle bestehen aus purer Gemeinheit. Von denen stirbt keiner – nicht solange er eine Möglichkeit hat, uns zu quälen.»

«Alice, hör auf!» sagte Mimis Vater scharf und zornbebend.

«Willst du mich wieder schlagen?» fragte sie. «Nur zu, Henry! Ich mag es, wenn du mich schlägst!»

«Ich hau hier ab», sagte Michael. «Zum Teufel mit Ihnen. Zum Teufel mit dir, Mimi!» Er ging auf die Tür zu.

«Nein!» Sie folgte ihm. Ihre Mutter wollte sie zurückhalten, aber ihr Vater hinderte sie daran. Mimi folgte Michael über den Flur in den Aufzug, fuhr mit ihm nach unten, klammerte sich an seinen Arm und flüsterte: «Bitte nicht. Nein... nein... nein...»

«Tut mir leid, aber mit solchen Leuten komm ich nicht zurecht.» Er stieß den Unterkiefer scharf vor und warf eine Strähne nach hinten, die ihm in die Stirn gefallen war.

«Bitte, Michael... bitte...»

«Ich kann nicht... ich kann nicht...»

An der 27. Straße ging er ostwärts. Ohne zu ahnen, wohin er wollte, ging sie mit, ließ seinen Arm keine Sekunde los. Er ging rascher, als wolle er sie abschütteln, und obwohl sie fast rennen mußte, um mit ihm Schritt zu halten, hielt sie ihn fest. Als sie den East River erreichten, dachte sie einen Augenblick lang, er habe die Absicht, sich mit ihr hineinzustürzen, ungeachtet dessen, daß ganz in der Nähe ein Polizeiauto geparkt war.

Er blieb stehen, ohne sie anzusehen. «Kapierst du nicht?» fragte er. «Es wird nichts mit uns beiden. Vielleicht hätte es sowieso nicht geklappt. In der Familie geht so viel vor, auf das wir keinen Einfluß haben. Aus und vorbei, Kindchen. Ich will nicht sagen, daß ich dich nicht liebe, aber das kann ich nie vergessen. Ich kann dir nicht mal auf Wiedersehen sagen, weil ich – ich –» Seine Stimme versagte, und er riß sich von ihr los, sah sie nach wie vor nicht an. «Laß mich jetzt gehen», sagte er. «Es ist Schluß.» Er nahm einige Geldscheine aus der Tasche und drückte sie ihr in die Hand. «Nimm dir 'ne Taxe und fahr zurück zu dem Irrenhaus, in dem du wohnst. Laß mich jetzt zufrieden. Ich will dich lange nicht wiedersehen.»

«Dann nimm deinen Ring zurück», sagte sie.

«Behalt ihn. Hörst du mich? Wenn du ihn mir zurückgibst, schmeiß ich ihn in den Fluß! Ich schwör es – ich schmeiß das verdammte Ding in den East River, und dann ist alles vorbei. Der Ring gehört dir. Verschwinde jetzt bloß und laß mich zufrieden.»

Sie hat den Ring noch immer, trägt ihn natürlich nie. Sie hat ihn mir einmal gezeigt. «Es ist kein großer Stein», hat sie dazu gesagt, «aber damals ist er mir natürlich riesig vorgekommen. Ist es nicht merkwürdig, wie alles kleiner zu werden scheint, während man älter wird?»

Einige Tage darauf klopfte ihre Mutter an die Tür von Mimis Zimmer. «Darf ich reinkommen?» fragte sie. Sie schloß die Tür hinter sich. «Ich hab eine großartige Neuigkeit für dich, Liebling», sagte sie.

Mimi lag mit trockenen Augen auf dem Bett. Sie hatte so lange geweint, daß ihr keine Tränen mehr blieben.

«Denk nur, Liebling!» sagte ihre Mutter und setzte sich neben sie. «Denk dir nur – dein Großvater schenkt dir für deinen guten Schulabschluß eine wunderbare Europareise. Am Freitag geht es schon los, und dabei ist noch irrsinnig viel zu tun! Du fliegst nach London, bleibst da eine Woche, kannst jeden Abend ins Theater gehen, und dann geht es eine Woche nach Paris. Da hast du Eintrittskarten für alle Modeschauen der großen Couturehäuser. Anschließend fährst du nach Südfrankreich, von da nach Madrid und dann nach Florenz und Rom, weiter nach Athen und Istanbul, und zum Schluß über Genf und Lausanne nach Zürich. Von dort aus fliegst du dann wieder nach Hause. Ist das nicht herrlich? Eine richtige *grande tour*, wie sie nur die reichen Leute machen können! Da siehst du, wie nett dein Opa sein kann! Du wirst alles sehen, was es zu sehen gibt – die Museen, die Schlösser, die Dome – und du gehörst zu einer sehr netten Gruppe, zwanzig junge Leute deines Alters, alle aus den besten Schulen und Colleges der Ostküste! Acht volle Wochen! Ich bin ganz aufgeregt, Liebling – und auch neidisch. Ich war noch nie in Europa, überhaupt noch nie irgendwo ... Noch gar nie ...»

In Paris wartete ein Brief ihrer Mutter auf sie.

Liebste Mimi, 11. Juli 1957

Ich weiß, daß das für Dich eine schwere Zeit war, Liebling, aber glaub mir, nach einer Weile sieht alles besser aus. Bestimmt tut es Dir gut, einmal von allem fortzukommen und Dein Leben aus einem neuen Blickwinkel zu sehen. Es heißt, das Leben sei kurz, in Wirklichkeit aber ist es sehr lang – manchmal denke ich, zu lang – und Du bist noch so jung. Im Laufe der Zeit vernarben alle Herzen, und auch die Narben verschwinden allmählich! Ich weiß, daß Du manches an unserer Situation hier nur schwer fassen kannst, aber glaub mir, es gibt für alles Gründe, auch wenn Du sie vielleicht nicht alle verstehst. Dein Papa und ich wollen nichts als Dein Glück – solange Du lebst.

Falls Du in Paris ein nicht zu teures hübsches Tuch oder ein Paar Handschuhe siehst, kauf es bitte für mich.

Auch Papa wünscht Dir alles Liebe....

In Madrid fand sie einen Brief ihres Großvaters vor, den sie auf den Stufen des Prado sitzend las, während sich die anderen im Inneren einen Vortrag über Velázquez anhörten.

Meine liebe Mireille! 24. Juli 1957
Ich hoffe, Du genießt Deine Reise, findest viele neue Freunde und hast viele angenehme neue Erlebnisse. Deine Großmutter und ich waren stets der Ansicht, daß Reisen den Horizont erweitert, und ich bin sicher, daß Du mit einem besseren Verständnis für den Reichtum und die Spannweite der westlichen Kultur zurückkommen wirst.
Soweit ich gehört habe, hat Dein junger Mann an jenem letzten Abend im Haus Deiner Eltern eine sehr unangenehme Szene gemacht und sich rüpelhaft aufgeführt. Auch wenn das unter den Umständen verständlich gewesen sein mag, war es ungehörig und läßt einen gewissen Mangel an Ausgeglichenheit und Selbstbeherrschung erkennen. Jedenfalls hilft es Dir vielleicht zu verstehen, warum er sich nie ohne weiteres in unsere kleine Familie hätte einfügen lassen.

Mit einem Mal änderte sich der Ton des Briefes:

Du sprachst an jenem Tag in meinem Büro von Liebe. Ich bin ein alter Mann und habe viel Erfahrung mit Liebe. Willst Du der Erfahrung eines alten Mannes vertrauen? Die erste Liebe scheint uns immer am stärksten, sie wirkt überwältigend. Aber diese erste Liebe, Mireille, ist nichts als eine Prüfung – eine Prüfung unseres Beharrungsvermögens und unseres Charakters. Obwohl ich nicht besonders fromm bin, denke ich, daß Gott oder das Leben sie uns auferlegt – oder als was auch immer Du die Kraft ansehen willst, die uns das Leben schenkt, erhält und darauf wartet, daß wir dahingehen – sieh es als eine Art Bewährungsprobe an. Das Leben gleicht einer Bergwanderung, und die erste Liebe ist der erste Gipfel, den wir bezwingen müssen. Doch dahinter türmt sich Berg auf Berg, bis das Gebirge bezwungen und unsere Wanderung zu Ende ist.

«Schlechte Nachrichten?» fragte eine Männerstimme. «Sie sehen traurig aus.»

«Ach, eigentlich nicht.»

«Ich hab Sie auf der Reise ein bißchen beobachtet», fuhr er fort. Er sah nicht schlecht aus. «Sie sind mir immer etwas in sich versunken und traurig vorgekommen.»

«Das bin ich aber nicht. Sie müssen mich nicht für neurotisch halten.»

«Wir kennen uns noch gar nicht», sagte er. «Ich heiße Brad Moore.»

16

Edwee hat ein sicheres Verfahren entwickelt, wie er sich nach Wunsch und ungehindert in der Wohnung seiner Mutter bewegen kann: Er scheucht sie buchstäblich aus dem Haus. Beispielsweise hat er sie heute morgen angerufen, um ihr zu sagen, er müsse sie dringend in einer Angelegenheit sprechen, die ihre Zukunft betreffe, und zwar möglichst noch am selben Tag.

«Tut mir leid, Edwee. Ich habe zu tun.»

«Nur eine M-M-Minute, M-M-Mama.»

«Es geht nicht.»

«Es ist aber dringend.»

«Sag mir doch jetzt gleich, am Telefon, worum es geht.»

«Ich muß es dir zeigen.»

«Zeigen? Du weißt, daß ich nicht sehen kann. Was ist es?»

«Nur ein Dokument, das du unterschreiben mußt.»

«Kommt überhaupt nicht in Frage! Ich unterschreibe nichts.»

«Ich hab gegen Mittag ganz in der Nähe zu tun. Da könnte ich doch auf einen Sprung vorbeikommen.»

«Das geht nicht. Ich muß um zwölf aus dem Haus.»

«Wohin gehst du? Vielleicht könnten wir zusammen essen.»

«Nein! Ich bin mit Rose Perlman verabredet. Sie will nicht, daß ein Dritter dabei ist.» Dann hatte sie aufgelegt.

Heute allerdings war nicht alles nach Plan gegangen. Der Portier Patrick hatte Edwee zwar mit der üblichen Herzlichkeit begrüßt und sein gewohntes Trinkgeld bekommen, George am Empfang aber hatte gezögert, als Edwee um den Schlüssel bat. «Ich bedaure, Mr.

Meyerson», sagte er. «Zwar ist Ihre Mutter in der Tat ausgegangen, aber sie hat mich gebeten, niemanden in die Wohnung zu lassen. Ich fürchte, Sir, sie hat ausdrücklich Ihren Namen genannt.»

Zuerst trat ein Ausdruck haltlosen Zorns auf Edwees Gesicht, dann aber zeigte er sich zutiefst betrübt. «Ach je», sagte er, «ach je, ach je. Ist es nicht ein Jammer zu sehen, wie meine arme alte Mutter nicht mehr zurechtkommt?»

«Sie kam mir heute morgen sehr rüstig vor, Sir.»

«Ja, körperlich. Sie hat eine beneidenswerte Konstitution. Aber im Oberstübchen...» er tippte sich vielsagend an die Stirn. «Unglücklicherweise leidet sie an der Alzheimerschen Krankheit. Die äußert sich unter anderem darin, daß die Leute genau das Gegenteil von dem sagen, was sie meinen. So hat sie mich beispielsweise ausdrücklich aufgefordert, heute mittag vorbeizukommen, und vermutlich wollte sie Ihnen sagen, daß sie mich erwartet und Sie mich einlassen sollen. Statt dessen hat sie Ihnen gesagt, Sie sollen es nicht tun. Traurig, aber da kann man nichts machen.» Er wandte sich zum Gehen.

«Warten Sie, Mr. Meyerson. Jetzt, wo Sie es mir erklärt haben, kann ich Ihnen den Schlüssel ja geben.»

«Nein, nein – das dürfen Sie keinesfalls tun, George. Sie haben Ihre Anweisungen.»

«Bitte, Mr. Meyerson, hier ist der Schlüssel.»

Das Trinkgeld für George fiel großzügiger als gewöhnlich aus. Im Aufzug beschloß Edwee, sich einen Zweitschlüssel machen zu lassen, bevor er ihn zurückgab. Das Carlyle hat zwei Eingänge, einen zur 76. Straße und einen zur Madison Avenue. Bei künftigen Besuchen – sofern sich die als nötig herausstellen sollten – wird er einfach den Eingang zur Madison Avenue benutzen und wie die Bewohner des Gebäudes gar nicht erst zum Empfang gehen, sondern gleich zu den Aufzügen. Wo ein Wille ist, da ist auch ein Weg.

Nach einer Weile klingelt John Marion, Direktor des Auktionshauses Sotheby – Parke Bernet. Edwee, der ihn gebeten hatte, dorthin zu kommen, läßt den eleganten und weltmännischen Herrn ein. Aus sicherer Entfernung kläfft Itty-Bitty die beiden Eindringlinge unaufhörlich an. «Ihre Mutter hat einige wundervolle Objekte... geradezu begeisternd schön», sagt Marion laut, um das Bellen zu übertönen. «Jedesmal, wenn ich die Sammlung sehe, bin ich tief beeindruckt.»

«Nun, manches ist gut und manches nicht», sagt Edwee.

«Wie in jeder Sammlung. Sie wissen ja, daß Ihre Mutter nach dem

Tod Ihres Vaters erwogen hatte, sie zu verkaufen – und es stand damals finanziell wohl nicht zum besten. Bestimmt ist sie heute froh, daß sie es nicht getan hat. Die Sammlung ist jetzt weit mehr wert als vor dreißig Jahren.»

«Wirklich schade, daß sie nicht hier ist», sagt Edwee. «Es wäre mir lieb, daß sie selbst auch Ihre Meinung hört. Aber leider scheint sie vergessen zu haben, daß Sie kommen wollten, und ist ausgegangen.» Wieder tippt er sich an die Stirn. «Sie hat bedauerlicherweise die Alzheimersche Krankheit, müssen Sie wissen. Hör doch endlich auf, Itty-Bitty!»

John Marion nickt mitfühlend.

«Jetzt möchte ich Ihnen zeigen», sagt Edwee, «was mich an dem Goya stört, immer vorausgesetzt, es ist einer.» Mit einem silbernen Zeigestock beginnt er auf Einzelheiten hinzuweisen, wobei er sich bemüht, das Bild nicht zu berühren. «Achten Sie einmal auf diese Pinselstriche im Spitzenbesatz des Rocks der Herzogin und auch hier in der Mantille», sagt er. «Sie sind von einer gewissen für Goya ganz und gar uncharakteristischen Plumpheit. Die Farbe scheint eher auf die Leinwand geschmiert als mit dem Pinsel aufgetragen, und Sie wissen, daß Goya für seinen leichten, raschen Pinselstrich berühmt ist. Diese Einzelheiten haben meinen Verdacht geweckt.»

«Hmm», sagt Marion und sieht das Bild nachdenklich an.

«Und sehen Sie, in welchem Winkel die linke Hand herabhängt. Ist er nicht merkwürdig schwerfällig? Außerdem tritt um die Ringe herum das Fleisch zu weit nach außen. Dann die Augen. Sehen Sie, daß die Dame ein wenig zu schielen scheint?»

«Vielleicht hatte sie Wurstfinger und schielte», sagt Marion leichthin.

«Goya hat die Herzogin von Osuna mehrfach gemalt», sagt Edwee. «Auf keinem der anderen Bilder sieht man ein Schielen oder dicke Finger.»

«Könnte sie nicht ein bißchen zugenommen haben?»

Edwee lacht wissend. «In dem Fall», sagt er mit einem Anflug von Jovialität in der Stimme, «wäre das auf zwei als echt anerkannten Gemälden von ihr nicht zu sehen, die unmittelbar vor und nach der Zeit entstanden sind, in der er dieses Porträt angeblich gemalt hat. Aber am meisten mißfällt mir die schwerfällige Haltung der linken Hand.»

«Auch ein Goya kann mal einen schlechten Tag gehabt haben.»

«Wie Sie wissen», fährt Edwee fort, «hat er immer sehr zügig gearbeitet und konnte ein Porträt wie das hier in zwei Stunden oder noch rascher beenden. Bei Einzelheiten hat er sich nie von Gehilfen zur Hand gehen lassen – und Hände waren seine Spezialität.»

«Hmm», sagt Marion erneut.

«Sofern Sie jetzt *mir* zur Hand gehen wollen», sagt Edwee, «können wir Ihro Gnaden abhängen. Ich möchte Ihnen nämlich noch etwas anderes zeigen.»

Gemeinsam nehmen sie das schwere Bild von der Wand und stellen es auf den Boden. «Ihnen ist ja bekannt», fährt Edwee fort, «daß meine Mutter das Bild bei Duveen gekauft und Berenson seine Echtheit bestätigt hat. Daß spanische Maler aus jener Epoche nicht unbedingt Berensons Spezialität waren, soll uns im Augenblick nicht irritieren. Wir wollen annehmen, daß er etwas von Goya verstanden hat.»

«Nun ja...»

«Wir müssen es umdrehen», sagt Edwee und weist dann auf eine bestimmte Stelle. «Brauchen Sie eine Lupe?» Er macht sich daran, sein Vergrößerungsglas aus der Tasche zu ziehen.

«Nein, ich kann gut sehen.»

«Dann schauen Sie mal hierher. Da steht ‹authentique – B. Berenson›. Jemand wie Charlie Hamilton könnte uns natürlich sagen, ob das Berensons Handschrift ist, aber ich denke, sie ist es. Doch sehen Sie nur: hinter dem Wort *authentique* ist ein Fragezeichen! Es soll also in Wirklichkeit wohl heißen ‹authentique? – B. Berenson›.»

«Der Teufel soll mich holen», sagt Marion und sieht sich die Stelle genau an. «Ich hab mir das Bild im Lauf der Jahre doch mindestens ein Dutzend Mal gründlich angesehen und nie ein Fragezeichen entdeckt.»

«Es hängt seit fast zwanzig Jahren hier», sagt Edwee rasch, «und war sehr verstaubt, vor allem auf der Rückseite. Als ich kürzlich hier war, hab ich es heruntergenommen und die Rückseite vorsichtig mit einer Kamelhaarbürste gesäubert. Dabei ist mir das Fragezeichen aufgefallen.»

John Marion pfeift leise durch die Zähne. «Der Teufel soll mich holen», wiederholt er, «das ist mir bis jetzt doch tatsächlich entgangen.»

«Offensichtlich hatte Berenson Zweifel», fährt Edwee fort. «Warum hätte er sonst ein Fragezeichen gemacht? Als ich es unter der Staubschicht entdeckte, habe ich gleich beschlossen, Sie noch einmal hinzuzuziehen, denn Sie als Gemälde-Gutachter, wahrscheinlich der beste auf der Welt, haben viel mehr Erfahrung als ein einfacher Kunsthistoriker wie ich.»

«Ich weiß nicht, was ich sagen soll», entgegnet John Marion aufgeregt.

«Wirklich ärgerlich, daß meine Mutter diese Verabredung vergessen hat! Man müßte ihr ja wohl zumindest klarmachen, daß das Bild möglicherweise nicht über jeden Zweifel erhaben ist. Andererseits vergißt sie ohnehin alles, und dann spielt es auch keine Rolle. Es gibt aber noch etwas, auf das ich Sie hinweisen möchte.»

«Und das wäre?»

«Meine Schwester Nonie kannte B. B. sehr gut und hat ihn häufig auf seinem Landsitz ‹I Tatti› in der Toskana besucht. Als ich ihr gegenüber meinen Verdacht äußerte, ist ihr eine Unterhaltung über das Bild eingefallen, die sie vor rund vierzig Jahren mit ihm hatte. Am besten lassen Sie sich die Einzelheiten dazu von ihr selbst erzählen. Was halten Sie davon, wenn wir uns einmal zu dritt zusammensetzen?»

«Es wäre selbstverständlich interessant zu hören, was sie zu sagen hat.»

«Gut. Sie hat B. B. als einzige aus der Familie gekannt, und sogar recht gut. Ich frage mich übrigens –»

«Ja?»

«Nun, meine Mutter hat das Gemälde mehr oder weniger dem Metropolitan Museum angeboten, und gerade weil ich das Museum so hochschätze, wäre mir die Vorstellung nicht recht, man könnte ihm eine Fälschung schenken. Ob wir nicht Philippe de Montebello vom Metropolitan hinzuziehen sollten. Was meinen Sie dazu, John?»

«Ich kann ihn anrufen, wenn Sie wollen», sagt er.

«Das wäre mir recht. Bis dahin sollten wir die Sache vielleicht streng vertraulich behandeln. In dieser Stadt wird so viel getratscht. Falls jemand vom Museum oder gar die Presse auch nur andeutungsweise von unserer Vermutung erfährt, bevor wir sicher sind, würde das Metroplitan das Gemälde nicht mehr haben wollen – es würde doch für die Museumsbesucher dieser Stadt, die damit um das Bild kämen, eine Tragödie bedeuten, wenn sich unser Verdacht doch als unbegründet erweisen sollte. Das wäre mir unerträglich. Es dürfte deshalb besser sein, wenn Sie und ich einstweilen nichts verlauten lassen.»

«Gewiß.»

«Ich werde mich nach den Terminen meiner Schwester erkundigen und rufe Sie dann gleich an.»

«Hast du es?» fragt Roger sie ziemlich schroff. «In bar?»

«Natürlich habe ich es nicht in *bar*», sagt Nonie ins Telefon. «Einen Millionenbetrag kann man nicht einfach so auf den Tisch legen. Es dauert eine Weile, bis die Schecks von der Bank ausgezahlt werden. Aber es ist alles in bester Ordnung. Ich habe es fest zugesagt bekommen, und in ein paar Tagen hast du das Geld.»

«Auf dem Anrufbeantworter hast du aber gesagt, du hättest es. Von Versprechungen hast du nichts gesagt, sondern wörtlich: ‹Ich habe das erforderliche Kapital.› Was mich betrifft, heißt haben nicht kriegen, sondern eben haben.»

«Auf zwei, drei Tage mehr kann es doch nicht ankommen, Roger. Hab doch ein wenig Geduld.»

«Seit wann habe ich schon Geduld? Seit drei Wochen? Seit einem Monat?»

«Nun, jetzt geht es nur noch um Tage.»

«Wie bist du überhaupt daran gekommen?»

«Das möchte ich lieber nicht sagen. Es war eine private Geschäftstransaktion mit einem alten Bekannten.»

«Das Geld ist doch hoffentlich nicht heiß?»

«Was meinst du damit?»

«Ich meine, ist es sauber? Ich kann nur mit sauberem Geld arbeiten. Wenn es aus dem Drogenhandel oder so stammt, will ich nichts damit zu tun haben.»

«Drogenhandel! Hör mal, Roger, wie sollte ich an Geld aus dem Drogenhandel kommen?»

«Schon gut. Solange du sicher bist, daß es sauber ist. Ich lege keinen Wert darauf, mir Ärger mit der Polizei an den Hals zu holen.»

«Ich versichere dir, daß es sauber ist, wie du es nennst.» Sie läßt eine Pause eintreten. «Könntest du heute abend auf ein Gläschen vorbeikommen? Vielleicht gegen sieben?»

«Leider nein. Ich hab zu tun. Ruf mich an, wenn du es hast. Und zwar als Barscheck oder bestätigten Scheck.»

«Du bist nicht sehr nett zu mir!» sagt sie ärgerlich. «Du bist nicht der einzige Devisenhändler in der Stadt, mußt du wissen!» Wütend legt sie auf. Für den Fall, daß er noch einmal anruft, um sich für sein schlechtes Benehmen zu entschuldigen, nimmt sie den Hörer wieder ab und legt ihn neben den Apparat.

Dann überlegt sie: ist es wirklich *sauberes* Geld? Anfänglich war ihr Edwees Plan nur sonderbar vorgekommen, nicht unbedingt unredlich. Wenn er bereit war, für die ihr darin zugedachte Rolle zu zahlen, würde sie eben mitmachen – wer nichts wagt, gewinnt nichts. Vielleicht funktionierte sein Plan ja, und er bekam seinen kostbaren Goya. Bisher war es ihr gleichgültig, ob sein Plan fehlschlug oder nicht, aber mit einem Mal ist sie ihrer Sache nicht mehr sicher. Falls alles nach Edwees Wunsch verläuft, ist sie dann mitschuldig an einem Kunstdiebstahl?

Ursprünglich lag ihr nur daran, daß sich Edwee an seine Zusage hielt. Wirklich getraut hatte sie ihm nie. Um sicher zu sein, daß er sich nicht, wie so oft schon, aus seinem Versprechen davonstiehlt, hat sie auf einem schriftlichen Vertrag bestanden, von dem sie und er ein von beiden unterzeichnetes Exemplar besitzen. Falls sich Edwee diesmal wieder seiner Verpflichtung entziehen will, kann sie ihn als den Betrüger bloßstellen, der er ist. Das war raffiniert von mir, denkt sie.

Der Haken dabei ist nur, fällt ihr jetzt ein, falls sie Edwee als Betrüger entlarvt, muß sie ihre Mittäterschaft an dem Betrug eingestehen. Was wäre das Ergebnis? Ein äußerst peinlicher öffentlicher Skandal. Sie überlegt, ob Edwee das vielleicht einkalkuliert hatte, als er so bereitwillig seine Unterschrift unter den von ihr nach bestem Wissen formulierten Vertrag setzte. Kunstbetrug, denkt sie. In letzter Zeit hat in den Zeitungen viel über Betrügereien im Zusammenhang mit Kunstwerken gestanden. Dabei ging es zwar um Kunsthändler, die Fälschungen als Originale verkauften, und was Edwee vorhat, ist eher das Gegenteil. Aber ist das nicht auch Kunstbetrug und verstößt womöglich gegen das Gesetz? Falls das Museum dahinterkommt, könnte es dann Forderungen an sie stellen, vielleicht sogar auf Schadenersatz gegen sie klagen? Möglicherweise gäbe es dann sogar mehr als nur unerwünschte Publizität, vielleicht einen Prozeß, in dem es um Millionen ginge. Käme sie dann ins Gefängnis? Und wie würde die Presse über sie herfallen! Kalte Furcht faßt ihr ans Herz beim Gedanken an das, worauf sie sich eingelassen hat.

Eigentlich muß sie hoffen, daß sein Plan nicht gelingt. Für Dienstag ist eine Zusammenkunft mit John Marion und Philippe de Montebello vereinbart. Sie weiß, was sie sagen soll, und macht sich darüber auch keine besonders großen Sorgen. Immerhin hätte es so sein können, da hat Edwee schon recht, und niemand auf der Welt könnte beweisen oder beschwören, daß es nicht so war. Und Edwee hat versprochen, für ihre Aussage zu zahlen, ob sie den gewünschten Effekt hat oder nicht.

Was aber, wenn sein Plan Erfolg hat? Was kann dann als nächstes geschehen? Und was, wenn Edwee dann seiner Verpflichtung nicht nachkommt? Wie kann sie sich dagegen zur Wehr setzen? Hätte sie doch einen Anwalt zu Rate gezogen oder irgendeinen Dritten als Zeugen gewonnen, bevor sie den Vertrag unterschrieb, der sich als wertloser Fetzen Papier erweisen konnte. Bin ich wieder mal reingelegt worden? fragt sie sich, und erneut hat sie richtig Angst.

Sie wünscht und betet förmlich, daß Roger versucht, sie zu erreichen, daß ihn das ständige Besetztzeichen so ärgert und nervös macht, wie sie jetzt angstvoll und unruhig ist. Sie legt den Hörer nicht wieder auf.

Aus Jim Greenways Notizen:

Ich konnte nicht umhin zu merken, daß Mimi heute anders wirkte als sonst. Sie kam mir etwas distanziert und gedankenverloren vor, und von Zeit zu Zeit trat ein finsterer Ausdruck auf ihr schönes Gesicht, den man sonst dort nicht sieht. Irgend etwas belastet sie, dachte ich – etwas, das sie mir nicht – oder noch nicht – sagen will.

Natürlich ist mir klar, daß der Druck auf sie zunimmt, je näher das Datum für die Produktvorstellung rückt. Das Unternehmen hat viel Geld in die Werbung für das neue Parfüm gesteckt, und ich weiß, wie sehr Mimi wünscht, daß «Mireille» einschlägt. Alle im Büro sind vom Erfolg überzeugt; sie glauben, daß die Kampagne um den «Mann mit der Narbe» einen unerhörten Durchbruch bedeutet. Mimis Werbeleiter Mark Segal ist förmlich aus dem Häuschen, und seine Begeisterung reißt alle anderen im 16. Stock mit.

Heute haben wir uns die erste neu aufgenommene Folge der Fernsehspots angesehen, und ich muß sagen, Mark hat recht – sie ist in der Tat einfach glänzend, wie er zu sagen pflegt. Die Narbe hat etwas, ja, *was*? Sie läßt den Mann nicht wirklich finster oder brutal aussehen, aber auf eine anziehende Art und Weise irgendwie bedrohlich. Der Film geht den Frauen garantiert unter die Haut, denn wie Mark sagt, «die Narbe gibt dem Jungen *cojones*» – sexuelle Potenz. Vielleicht ist es das. Aber auf Mimis Gesicht war nicht zu erkennen, ob es ihr gefällt oder nicht.

Mark hat sich noch einen Werbegag ausgedacht, der mir geradezu genial erscheint. «Hat er, oder hat er nicht?» – soll sich das Publikum fragen, nämlich, ob das Fotomodell tatsächlich eine Narbe hat. Mark hofft, daß die Leute auf diese Weise über die Werbung von Miray und über «Mireille» reden. Wie groß der Erfolg für die Firma sein wird, hängt natürlich auch davon ab, ob es gelingt, Dirk Gordon eine

Zeitlang von der Öffentlichkeit fernzuhalten, aber angesichts seines Honorars dürfte das keine Schwierigkeiten bereiten.

Ganz zum Schluß wird natürlich gezeigt, daß die Narbe ein Ergebnis der Kosmetik ist – Miray, das Unternehmen, dem es ebenso leichtfällt, eine Frau zu verschönern wie einen Schönling häßlich aussehen zu lassen. Glänzend, einfach glänzend, wie Mark sagen würde. Aber auch hier läßt sich schwer sagen, ob Mimi seine Ansicht teilt oder nicht.

Ich weiß, daß sie sich ernstlich Sorgen um die offizielle Produktvorstellung macht, die für den 17. September im Pierre vorgesehen ist. Das wird eine ganz große Sache. Die Einladungen sind bereits im Druck, und die Hälfte der Büroangestellten kümmert sich um die Gästeliste. Natürlich werden die Geschäftsführer sämtlicher Kaufhäuser und alle Einkäufer eingeladen, wie auch Herausgeber und alle führenden Mitarbeiter und Mitarbeiterinnen der Modepresse. Nicht zu vergessen die ganze High-Society von New York.

Aber ich muß sagen, daß Mimi sichtbar munterer wurde, als ich ihr sagte, ich würde gern einige ihrer «Leo-Verwandten» interviewen. «Ja», sagte sie geradezu begeistert, «tun Sie das, Jim. Schließlich ist es kein Geheimnis, daß es in unserer Familie zwei miteinander verfeindete Linien gibt. Offen gestanden, wüßte ich selbst gern, was dahintersteckt, daß Opa seinen Bruder Leo hat übermalen lassen.»

Dann machte sie einen Vorschlag, der mich überraschte.

«Was halten Sie davon», sagte sie, «wenn ich zu diesen Interviews mitkäme? Unter Umständen könnten Sie mir helfen, das Eis zu brechen. Es ist doch lächerlich, daß die Angehörigen einer Familie seit nahezu fünfzig Jahren verfeindet sind und nicht miteinander reden! Die eigentlichen Beteiligten sind längst tot, da ist es doch eigentlich höchste Zeit, Frieden zu schließen. Möglicherweise kann ich die Leute davon überzeugen, daß ich nicht das Ungeheuer bin, als das man mich vermutlich hingestellt hat. Vielleicht bekomme ich durch Sie bei meinen Verwandten einen Fuß in die Tür; schließlich sind sie alle auch Mitaktionäre der Firma. Was meinen Sie, Jim? Würden Sie mich mitnehmen?»

Ich sagte ihr, daß ich nicht wüßte, was dagegen spräche, und sie gern mitnehmen würde.

«Ich kann Ihnen alle Namen und Adressen geben», sagte sie. «Bestimmt sind das lauter nette Leute. Einer allerdings ist nicht ganz richtig im Kopf.»

Als ich sie verließ, schien sie deutlich besserer Stimmung zu sein und sich schon auf unsere Ausflüge in die verschiedenen Vorstädte des Umlandes von New York zu freuen.

Warum finde ich es so schön, daß ich imstande bin, ihr eine Freude zu machen?

Kaum war ich in meiner Wohnung, als Oma Flo äußerst aufgeregt anrief.

«Edwee hat sich schon wieder in meiner Wohnung zu schaffen gemacht, Mr. Greenway», rief sie aus. «Ich rieche das! Ich weiß, wie mein Sohn riecht. George am Empfang streitet zwar ab, daß er hier war, aber er lügt. Was wollen die Leute mir antun, Mr. Greenway – die stecken doch unter einer Decke? George spricht plötzlich mit mir, als wäre ich total senil und redet mit mir wie jemand, der einem Kind klarmachen will, daß es keinen Buhmann gibt. Aber es gibt einen, und er heißt Edwee Meyerson! Er war da, und noch ein Mann, das rieche ich! Außerdem merke ich es an der Art, wie sich Itty-Bitty aufführt. Sie rennt jaulend hin und her und versucht mir zu erzählen, daß was nicht in Ordnung ist. Dann macht sie mit einem Mal sogar ein Bächlein mitten in meinem Salon! Das tut sie nie, außer, wenn was ganz Schreckliches passiert ist. Bitte helfen Sie mir, Mr. Greenway. Sie sind der einzige, dem ich trauen kann. Ich bin von Feinden umgeben! In meiner eigenen Wohnung bin ich nicht mehr sicher!»

Ich fragte sie, womit ich ihr helfen könne. «Reden Sie mit Nonie», sagte sie. «Ich glaube, sie weiß, was gespielt wird. Versuchen Sie aus ihr rauszukriegen, was man mir antun will. Nicht mal meine Tochter hält zu mir!» Dann sagte sie wieder einmal: «Vergessen Sie nicht, daß ich Ihnen noch viel mehr erzählen kann, Mr. Greenway – noch eine ganze Menge! Mit dem, was Sie bis jetzt über diese Familie wissen, kratzen Sie erst an der Oberfläche!»

Also rief ich Nonie an und fragte, ob ich mit ihr sprechen könne. Sie war höflich, gab sich aber ein wenig reserviert. «Natürlich wäre ich entzückt, Mr. Greenway», sagte sie mit ihrer Zuchtperlen-Stimme. «Aber diese Woche ist mein Terminkalender schon picke-packevoll. Rufen Sie doch nächste Woche noch mal an. Ich versuche dann einen Termin für Sie zu finden...»

Und so werde ich, wie es scheint, ob ich will oder nicht, immer tiefer in die Angelegenheiten dieser Familie hineingezogen, an der ich anfangs lediglich ein distanziertes berufliches Interesse hatte.

Doch ich bedaure das nicht. Ich fange an, mich wie einer von ihnen zu fühlen.

17

»Ich zittere richtig, Mimi«, sagt ihre Mutter und dreht an ihren Ringen. »Lieb, daß du gekommen bist. Ich hab deinem Mr. Greenway gesagt, daß ich ihn heute nicht empfangen kann.«

»Er ist nicht mein Mr. Greenway, Mutter«, sagt Mimi. »Und du mußt auch nicht mit ihm reden, wenn du nicht möchtest.«

Sie sitzen im behaglichen Wohnzimmer ihrer Mutter in Turtle Bay, von dem aus man den Innenhof mit seinem Springbrunnen und den belaubten Bäumen sieht. »Doch, doch«, sagt ihre Mutter, »ich weiß ja, daß er mit uns allen sprechen möchte und daß du es gern hättest, wenn wir das tun. Aber nicht heute. Ich fühle mich einfach so... zitterig.«

»Du siehst gut aus, Mutter. Du hast nie besser ausgesehen.«

»Lieb, daß du das sagst! Aber es stimmt nicht. Ich weiß, wie ich aussehe. Auch in diesem Haus gibt es Spiegel!«

Mimi sieht ihr ins Gesicht und versucht ihr ermutigend zuzulächeln. Ihre Mutter hat recht. Im nächsten Jahr wird sie siebzig, und Mimi muß zugeben, daß ihre Mutter, von der sie einst glaubte, sie sei die schönste Frau auf der Welt, sichtlich zu altern beginnt.

»Was für eine Art Geschichte will er denn eigentlich schreiben, Mimi?«

»Ich habe gegenüber den Medien eine ganz klare Haltung, Mutter, vor allem, wenn es um Zeitungen und Zeitschriften geht: rückhaltlose Offenheit. Wer ihnen nicht die Wahrheit sagt, läuft Gefahr, daß sie sich etwas aus den Fingern saugen. Aber ich mag den Mann. Ich glaube, er will eine ehrliche Geschichte schreiben.«

«Er wird mich nach deinem Vater fragen wollen. Das liegt alles so weit zurück – mehr als zwanzig Jahre. Ich weiß nicht, ob ich mich diesen Erinnerungen stellen kann. Auf keinen Fall heute. Natürlich hat man uns im Ford-Center gesagt, daß es solche Tage gibt, an denen man einfach nicht... fähig ist... sich...»

«Was fehlt dir?»

Das Lachen ihrer Mutter klingt beinahe heiter. «Was zu trinken! Jetzt gleich! Ein Glas Whisky mit viel Eis, an dem ich mich wie früher festhalten kann. Meine Medizin. Flüssiger Mut – der fehlt mir!»

«Im tiefsten Inneren weißt du, daß du es nicht brauchst, Mutter.»

«Unsinn! Im tiefsten Inneren weiß ich, daß ich es doch brauche! Ich hab dahinten in der Anrichte eine Flasche. Man fordert uns geradezu dazu auf! Stellen Sie sich Ihrem Feind, heißt es. Nun, was würdest du sagen, wenn ich dir erzählte, daß ich die Anrichte heute nachmittag mindestens schon zwanzigmal aufgemacht und mich dem Feind gestellt hab? Aber ich bin standhaft geblieben, Mimi.»

«Gut für dich», sagt sie. «Ich bin stolz auf dich, Mutter. Du erinnerst dich also offenbar an Verschiedenes, was vorgefallen ist.»

«Woran soll ich mich erinnern? Was ist vorgefallen? Ach, du meinst, die Sache damals im Flugzeug nach Kalifornien. Ja, ich geb zu, da hab ich versagt – und Gott sei Dank warst du da, um mir zu helfen. Aber bei anderen Gelegenheiten hab ich mich doch ganz gut gehalten, oder nicht? Ich hab früher den Whisky als meinen Freund angesehen. Er hat mir geholfen, nachts besser zu schlafen. Jetzt schlafe ich schlecht, ich kann nicht –»

«Gibt dir denn Dr. Reiber nichts?»

«Doch, Valium. Und zum Schlafen Seconal. Aber in letzter Zeit scheint das Valium nicht mehr so zu wirken wie anfangs. Und mit dem Seconal schlaf ich pro Nacht nur drei oder vier Stunden, und dann lieg ich um zwei Uhr wach und überleg mir...»

«Was?»

«Daß es nicht so war, als ich ein Glas mit ans Bett nehmen und mich an ihm festhalten konnte, bis ich einschlief, tief und fest durchschlafen konnte. Und einen schweren Kopf hatte ich nie, Mimi. Ich wußte überhaupt nicht, was das ist.»

«Auch nicht an dem Morgen in Kalifornien, Mutter? Mir bist du damals ziemlich verkatert vorgekommen.»

«Das war etwas anderes. Da hab ich mich zum letzten Mal ausgetobt. Man könnte sagen, daß ich das mit Absicht getan hab, um zu beweisen –»

«Nun, was, Mutter?»

«Ach, du stellst dieselben Fragen wie die Leute im Ford-Center. Um mir zu beweisen, daß ich Schiffbruch erleiden kann, würden die sagen! Aber das versteht ihr nicht. Als dein Vater tot war, stand ich ganz allein da, hatte keine wirklichen Angehörigen und außer meiner Medizin keine wirklichen Freunde, denn du warst ja verheiratet. Mein ganzes Leben lang hatte ich für deinen Vater und für dich gelebt, Mimi.»

«Ach was. Du und Papa, ihr wart wie Hund und Katz – und gewöhnlich ging es um dein Trinken.»

«Aber wir waren daran *gewöhnt*, das ist wichtig. Natürlich haben wir uns gestritten, aber wir haben uns anschließend immer wieder versöhnt. Davon hast du und auch sonst keiner was mitgekriegt. Es hat glückliche Zeiten gegeben, die du nicht mitkriegen konntest, denn du warst noch nicht auf der Welt. Über *die* würde ich Mr. Greenway gern was erzählen.» Ihre Mutter steht auf und geht schweren, langsamen Schritts zur Anrichte hinüber. Mimi sieht zu, wie sie sich bückt, die Tür öffnet und auf die darin stehende Flasche schaut. «Ich stelle mich meinem Feind», sagt sie, und dann: «Was würdest du sagen, Mimi, wenn ich dich aufforderte: ‹Laß uns gemeinsam ein Glas trinken!› Was würdest du sagen?»

«Ich würde sagen: ‹Nein, danke.›»

«Und wenn ich dich bitten würde, mir ein Glas einzuschenken, wie du es früher immer gemacht hast?»

«Ich würde nein sagen. Du kannst es selbst tun.»

«Und wenn ich es täte, was würdest du dann tun?»

«Nichts.»

«Nichts?» Ihre Mutter sieht sie prüfend an. «Und was würdest du denken, wenn du dahinterkämst, daß ich getrunken hätte, nachdem du gegangen bist, ein Glas, oder möglicherweise auch mehrere?»

«Wahrscheinlich würde ich denken, sie hat doch nicht den nötigen Mumm.»

Ihre Mutter setzt sich hart auf einen Stuhl. «Dir liegt überhaupt nichts an mir», sagt sie. «Dir ist völlig gleichgültig, was aus mir wird.»

«Das hat damit nichts zu tun, Mutter. Ich hatte dich gern, als du getrunken hast, und ich hab dich jetzt gern. Daß ich dich mag und du mir nicht gleichgültig bist, hat nichts mit dem zu tun, was du aus deinem Leben zu machen entscheidest. Bring das nicht durcheinander. Das mit dem Betty-Ford-Center war deine Idee, weißt du das nicht mehr? Ich habe von mir aus nicht davon angefangen und nie versucht, dich in irgendeine Richtung zu drängen. Aber ich habe dich unterstützt, weil ich dachte, du wolltest das und würdest dich besser fühlen. Ich hatte mitangesehen, wie du andere Kuren gemacht hast, und fand, daß es den Versuch lohnen könnte – ob eine mehr oder weniger, darauf kam es nicht mehr an. Das war alles.»

«Du bist mit mir hingeflogen! Ich fand es wirklich rührend, daß du mir das angeboten hattest.»

«Nun, nachträglich gesehen war das vielleicht ein Fehler. Möglicherweise hätte ich dich allein dahin fliegen lassen sollen.»

«Ich fühle mich aber nicht die Spur besser, das ist ja der Haken. Ich fühle mich genauso mies wie früher – eher noch mieser.»

«Falls es sich so verhält, würde mich das sehr traurig machen, Mutter.»

«Ich weiß einfach nicht! Ich sitz hier und überleg: was für eine Rolle spielt es schon? Ich werde alt, bin vielleicht auch schon zu alt, um mich zu ändern. Und selbst wenn ich mich änderte, was spielt es schon für eine Rolle? Ich hab mich bei deiner Abendeinladung schlecht benommen, nicht wahr? Ich hab eine Szene gemacht.»

«Dafür habe ich Verständnis, Mutter.»

«Ich war völlig nüchtern, aber ich hab eine Szene gemacht – eine von der Art, wie ich sie früher gemacht hab, wenn ich betrunken war. Was also kommt bei der Sache raus? Und dieser Dr. Reiber! Man sollte ihn Reiberhauptmann nennen, wie er da in seinem Sprechzimmer sitzt und hundertzwanzig Dollar die Stunde kassiert! Was nützt es? Heute haben wir uns fast die ganze Stunde hindurch angeschwiegen. Ich hab den Eindruck, daß ich ihm nichts mehr zu sagen habe. Eine Weile hab ich tatsächlich gedacht, er wär in seinem Polstersessel eingeschlafen! Mit einem Mal sagt er mir am Ende der Stunde: ‹Alice, fühlen Sie sich für das verantwortlich, was mit Ihrem Mann geschehen ist?› und als ich in der Taxe von ihm nach Hause gefahren bin, hab ich mir überlegt: ja, ja, ich fühle mich dafür verantwortlich.»

«Das ist doch lächerlich, Mutter. Papas einzige Schwierigkeit war ein Vater, der absolute Macht über jeden haben wollte und tückisch wurde, wenn man ihm die verweigerte.»

«Nein, es war mehr als das. Ich habe ganz zu Anfang etwas sehr Schlimmes versucht.»

»Was war das?»

«Du sprichst von Mumm. Ursprünglich hatte ich den, ob du es glaubst oder nicht.» Sie steht wieder auf, schließt die Tür der Anrichte und beginnt erneut, die Ringe an ihren dünnen Fingern zu drehen, wobei sie langsam durch das Zimmer geht. «Mehr Mumm, als gut für mich war, könnte man sagen. Ich hab zu Henry gesagt: ‹Wenn du ihn nicht darauf ansprichst, tu ich's!› und das hat Mut gekostet.»

«Wovon sprichst du?»

Ihre Mutter bleibt am Fenster stehen und schiebt mit den Fingerspitzen die Scheibengardinen auseinander. «Da draußen ist ein Eichhörnchen, das alle anderen wegjagt. Ich seh ihm jeden Tag zu. Es jagt immer die anderen von einem Ast zum anderen, von Baum zu Baum. Bestimmt hassen es alle anderen Eichhörnchen. So war es im Anfang.»

Mimi sagt nichts und wartet darauf, daß ihre Mutter fortfährt.

«Du mußt wissen, daß ich jung und naiv war, aber ehrgeizig, und ich liebte deinen Vater. Ich war für ihn mit ehrgeizig. In meinen Augen war er eine Art Genie – ein Genie, das sein Vater nicht anerkennen wollte. Alles, was er ihm in der Firma gab, war ein Haufen Geld und nichtssagende Titel – Vizepräsident für dies und jenes – aber keine wirkliche Handlungsvollmacht und keine Verantwortung. Damals ist es deinem Vater und mir gutgegangen, aber davon weißt du nichts. Wir haben nicht immer in der abscheulichen Wohnung an der 97. Straße gelebt. Wir hatten ein durchaus elegantes Haus an der 66. Straße, nur ein paar Schritte vom Park entfernt. An das Haus erinnerst du dich nicht, weil du damals noch ein Säugling warst. Du konntest nicht mal gehen, als wir da ausziehen mußten. Das Haus steht noch. Ich geh von Zeit zu Zeit daran vorbei und seh, daß am Eingang viele Klingeln sind, also hat man es wohl in Eigentumswohnungen aufgeteilt. Im Jahre siebenunddreißig aber, als wir jung verheiratet waren und dein Großvater es uns als Hochzeitsgeschenk gekauft hatte, gehörte es uns ganz allein: vier Stockwerke und das Kellergeschoß. Es hatte einen Aufzug und einen hübschen Garten hinter dem Haus, über den wir für Gesellschaften ein gelbes Zeltdach gespannt haben!»

«Wieso hab ich noch nie davon gehört?» fragt Mimi.

«Ich glaube, es liegt an deinem Mr. Greenway. Mit seinem Anruf hat er all die Erinnerungen an Dinge in mir wachgerufen, die ich versucht habe zu vergessen. Und wie das Eichhörnchen war ich immer hinter Henry her und hab von ihm verlangt: ‹Stell dich deinem Vater. Sag ihm, er soll dir verantwortungsvolle Aufgaben in der Firma übertragen! Zwing ihn dazu, dein Talent anzuerkennen!› Aber er hat immer wieder gesagt: ‹Hab Geduld. Solche Sachen brauchen

Zeit. Auch Rom ist nicht an einem Tag erbaut worden›. Aber ich war ungeduldig und wurde es nach deiner Geburt noch mehr, denn jetzt ging es auch um die Zukunft unseres Kindes. Kannst du das verstehen, Mimi?»

«Selbstverständlich.»

«Eines Tages dann ist er schrecklich verärgert aus der Firma heimgekommen. Ich hab ihn gefragt, was los war, und da hat er es mir gesagt. Es ging um etwas, das er schon lange vermutet hatte, und er hatte Beweise gefunden. Die Firma hat Leute von der Mafia dafür bezahlt, daß sie die Konkurrenz einschüchterten – sie hat für das Ausland bestimmte Lieferungen im Hafen verlorengehen lassen, die Reifen der Lieferfahrzeuge durchschossen und dafür gesorgt, daß Aufträge für die Konkurrenz gar nicht erst da ankamen. Möglicherweise hatte es sogar einen Mord gegeben. In erster Linie ging es gegen Revlon, weil die zum größten Konkurrenten von Miray geworden waren. Ich hab zu Henry gesagt: ‹Das ist deine Chance! Geh zu deinem Vater und sag ihm, was du weißt! Erklär es ihm und sag, wenn er dir nicht die Stellung und Verantwortung gibt, die du verdienst, gehst du zur Polizei! Sag ihm, du gibst die Sache an die Presse! Laß dir die Firma überschreiben!› Aber Henry hat gesagt: ‹Nein, nein, so kann man das nicht machen.› Er hat auch gesagt, daß wohl hauptsächlich sein Onkel Leo die Firma in diese Situation gebracht hatte und sein Vater bereits an Möglichkeiten arbeite, Leo aus dem Unternehmen herauszubugsieren. Wenn alle Geduld hätten – wenn ich das schon höre: Geduld! –, würde sich schließlich alles zum Guten wenden. Und da hab ich gesagt: ‹Nun, wenn du ihm nicht sagst, was du weißt, tu *ich* es!›

Er hat mich gebeten, das zu unterlassen, aber ich war so sicher, daß es der richtige Weg war, *beide* aus der Firma rauszubekommen – seinen Vater *und* seinen Onkel Leo – daß ich es doch getan habe.

Dein Opa hat getobt. Ich hab ihn noch nie so wütend gesehen. Er hat mich eine Erpresserin genannt und verlangt, ich sollte mich nicht in Angelegenheiten mischen, die mich nichts angingen. Er könne nie einen Mann achten, der zulasse, daß sich seine Frau um Angelegenheiten kümmere, die seinen Arbeitsplatz betreffen. Er hat alles abgestritten, was Henry mir gesagt hatte, mich vor die Tür gesetzt und gesagt, er wolle mich nie wiedersehen. Erst Jahre später – da mußt du ungefähr sieben Jahre alt gewesen sein –, hat er mit einem Mal dich und mich zum Tee eingeladen. Kannst du dich daran erinnern? Und ich dachte, er hätte mir vielleicht verziehen. Aber das hat sich als Irrtum herausgestellt.

Das war aber erst der Anfang. Von da an ist alles schiefgegangen, weil ich mich eingemischt hatte. Er hat Henry schrecklich für meine Tat büßen lassen. Hatte ich denn Unrecht getan, Mimi?»

«Von Opas Standpunkt aus, ja.»

«Aber ich dachte doch, es würde Henry helfen – er könnte auf diese Weise die Achtung seines Vaters gewinnen. Das aber hat offensichtlich nicht geklappt. Und dann fing unser Geld an zu... verschwinden. Dies und das ist hinzugekommen, und ich hab angefangen zu trinken – weil es mir elend ging. Dann mußten wir das schöne Haus an der 66. Straße aufgeben. Wir konnten uns rein gar nichts mehr leisten. Mit den Gesellschaften unter dem gelben Zeltdach war es aus und vorbei. Wir konnten unsere Bekannten und Freunde nicht mehr zu uns einladen, weil nie genug Geld im Haus war. Sie haben das nicht verstanden und deinen Vater und mich als ‹merkwürdig› angesehen – ich hab gehört, wie einer das mal gesagt hat. Wir wurden nicht mehr eingeladen. Alles Schlechte, was uns geschehen ist, ging auf das zurück, was ich getan hatte. Da hat dieser Dr. Reiber wohl den wunden Punkt getroffen. Ich fühle mich verantwortlich.»

«Ich glaube, dir war einfach nicht klar, mit was für einer Art Mann du es bei Opa zu tun hattest», sagt Mimi.

«Ich hab keinem je was davon gesagt», gesteht ihre Mutter. «Auch Dr. Reiber nicht. Vielleicht sag ich es ihm beim nächsten Mal. Zumindest haben wir dann ein Gesprächsthema!»

«Tu das.»

«Erinnerst du dich noch an den jungen Mann, der dich heiraten wollte? Wie hieß er noch? Ach ja – Michael Horowitz. Weißt du noch, wie dein Opa *das* unterbunden hat? Falls ich mich vorher nicht so benommen hätte, wäre auch das vielleicht anders gelaufen.»

«Das glaube ich nicht.»

«Er war so in dich verliebt, Mimi. Man konnte das richtig sehen. Und du warst auch in ihn verliebt. Aber in der Hinsicht hatte dein Papa recht. Er hat gesagt, ‹Habt Geduld› oder etwas in der Art – und nicht mal drei Jahre später war der alte Geldsack tot!»

«Ja.»

«Ich werde nie vergessen, wie sehr uns dein Freund Michael damals geholfen hat, als sich herausstellte, daß kaum noch was da war! Ich freu mich aufrichtig, wenn ich in den Zeitungen les, wie reich Mr. Horowitz geworden ist. Hätte dein Opa das gewußt, hätte er es sich vielleicht anders überlegt. Triffst du ihn manchmal noch?»

«Ja, von Zeit zu Zeit.»

«Ist es nicht sonderbar, wie das Leben so spielt? Eigentlich haben wir es Mr. Horowitz – und natürlich dir, Mimi – zu verdanken, daß es uns allen wieder so gut geht. Hier stehe ich vor dem Ende meines Lebens und bin wieder reich! Gerade vor ein paar Tagen hat mich ein Immobilienmakler angerufen und gesagt, er könnte für dieses Haus vier Millionen bekommen! Er hat gesagt, es sei das hübscheste Haus in Turtle Bay! Das Leben ist schon komisch, findest du nicht?»

«Ja.»

«Und jetzt hast du deinen wunderbaren Brad. Er hat dich richtig glücklich gemacht, nicht wahr, meine Liebe?»

Mimi sagt nichts.

«Es hat sich also für uns alles zum Besten gewendet. Und ich hab meinen wunderbaren Enkel Badger. Wie gut er aussieht! Und wie er sich zu benehmen weiß. Badger ist die Zukunft. An die muß ich jetzt denken – nicht an die Vergangenheit. Ach, Mimi, ist es nicht herrlich, an einem Sonntagnachmittag hier zu sitzen und an die Zukunft zu denken? Nach dem Gespräch mit dir fühle ich mich so viel besser! Danke, daß du gekommen bist und ich mir das alles von der Seele reden konnte. Mein Zittern ist jetzt wie weggeblasen. Die ganze Unruhe ist weg, nachdem ich mit dir gesprochen habe. Und ... weißt du was? Ich möchte jetzt gar nichts mehr trinken! Ich glaube nicht, daß ich je wieder was trinken möchte, so lang ich lebe. Am liebsten würde ich die Flasche aus dem Fenster in den Hof runterwerfen.» Sie lacht hell auf. «Aber dann würden sie mich ... verklagen, weil ich Müll herumliegen lasse. Das sähe mir ähnlich, was? Ich hab wirklich das Gefühl, daß mein Mut wiederkehrt. Jedenfalls versuch ich es. Ich versuch es, so gut ich kann.»

Mimi steht auf, geht zu ihrer Mutter hinüber, die noch immer am Fenster steht, und legt ihr eine Hand auf den Arm. «*Liebe* Mutter», sagt sie.

«Mir geht es jetzt gut», sagt ihre Mutter.

Aus Jim Greenways Notizen:

Als ich heute in einem von Mimis Firmenwagen nach Westchester mitgefahren bin (einer der Vorzüge dieser Geschichte über das Kosmetikgeschäft besteht darin, daß man immer einen Wagen gestellt bekommt, wenn man eine Fabrik oder ein Labor besichtigen möchte), habe ich eine Dummheit begangen.

Mimi schien ihren Gedanken nachzuhängen wie häufig in den letzten Tagen, und wir haben uns nur über belanglose Dinge unterhalten – wie sich die Bronx immer weiter nach Norden ausbreitet und dergleichen.

Unser Ziel war ein ziemlich protzig aussehendes Haus in Scarsdale, mit einer Messing-Kutschenlaterne unten an der Auffahrt und einem gußeisernen Mohren vor der Tür, der einen Ring zum Anbinden der Pferde in der Hand hielt, ganz wie früher. Als ich das Haus sah, wußte ich gleich, daß beim Druck auf den Klingelknopf eine Melodie ertönen würde. (So war es dann auch.) Bevor wir ausstiegen, sagte Mimi: «Tun Sie mir einen Gefallen, Jim. Würde es Ihnen etwas ausmachen, mich auf die linke Schulter zu küssen?... Das bringt Glück. Ich bin nämlich abergläubisch. Es muß unbedingt die linke sein.»

Inzwischen wußte ich den Grund für das, was ich an jenem Abend Felix hatte tun sehen. Und sofern ich ihre Arme ein wenig zu fest hielt und meinen Körper ein wenig zu eng an ihren drückte, während ich ihre Schulter mit meinen Lippen berührte und ihr Parfüm einsog, schien sie das nicht zu merken. Wahrscheinlich, weil sie mit ihren Gedanken ganz woanders war.

Die Frau, der unser Besuch galt, Louise Bernhardt, erwies sich als angenehmer Mensch. Sie schien sehr überrascht, als sie bei der Vorstellung an der Tür erkannte, daß sie in meiner Begleiterin die berühmte Mimi Meyerson vor sich hatte. Aber Mimi überspielte die Situation großartig. «Liebe Louise», sagte sie und gab der schlanken und eleganten Frau ein Küßchen auf die Wange. «Ich wollte dich schon seit Jahren kennenlernen. Ist es nicht lächerlich, daß seit fast zwei Generationen dieser Streit unsere Familie trennt, obwohl kein Mensch mehr weiß, worum es eigentlich ging? Das gehört zu den Dingen, die ich unbedingt tun möchte: die verstreuten Familienmitglieder wieder zusammenzubringen.»

Beim Gespräch mit Mrs. Bernhardt kam allerdings nicht viel heraus. Als ich die große Frage anschnitt – wie Adolph Meyerson es wohl angestellt haben mochte, seinen Bruder aus der Firma hinauszubefördern, wo doch beide je die Hälfte des Firmenkapitals besaßen –, war ihre, ich glaube ehrliche, Antwort: «Ich weiß es nicht. Wie Sie schon sagen, unmöglich hätte er meinen Großvater mit Hilfe einer Anteilsmehrheit da raus bringen können, denn sie waren gleichberechtigte Teilhaber. Das hat sich alles vor meiner Geburt abgespielt, und mein Großvater hat nie darüber gesprochen. Ich weiß nur, daß er sehr verbittert war. Als Kinder durften wir in seiner Gegenwart nie den Namen Adolph Meyerson erwähnen. Tut mir leid, Mimi», sagte sie mit einem Blick zu ihr.

«Ist schon in Ordnung.»

«Dann ist da noch ein Geheimnis», sagte ich. «Nachdem Leopold Meyerson 1941 aus dem Unternehmen ausgeschieden war, ist sein Büro im Hauptsitz der Firma bis zum Tod Adolph Meyersons 1959 unverändert geblieben.»

«Das wußte ich gar nicht.»

«Man hat alles gelassen, wie es war. Das Büro wurde regelmäßig geputzt wie alle anderen Räume, aber niemand hat es benutzt oder am Schreibtisch Ihres Großvaters gesessen. Achtzehn Jahre lang hat es leergestanden. Man konnte fast den Eindruck haben, als sei es eine Art Schrein gewesen. Aber den Sinn dahinter kennen Sie auch nicht? Ich wüßte gern, warum das so war.»

«Ich habe wirklich keine Ahnung.»

«Ich auch nicht», sagte Mimi.

«Darf ich Ihnen eine Tasse Tee anbieten? Ein Glas Limonade, etwas Schärferes?»

«Hat Ihr Vater je davon gesprochen?»

«Er ist 1962 gestorben, da war ich erst acht Jahre alt.»

«Was für ein Zufall – im selben Jahr wie Mimis Vater.»

Sie erhob sich und nahm eine Zigarette aus einem silbernen Behälter. «Stört es, wenn ich rauche? Wir Raucher sind ja wohl die letzte unterdrückte Minderheit Amerikas! Mein Vater wurde ermordet.»

«Das habe ich nicht gewußt.»

«Ja, man hat ihn im Saw Mill River gefunden, mit einer Fahrradkette erdrosselt. Ich kann ohne große innere Beteiligung davon sprechen, weil ich kaum eine Erinnerung an ihn habe. Meine Mutter hat bald darauf wieder geheiratet, und so bin ich bei meinem Stiefvater aufgewachsen und habe ihn Papa genannt. Man ist dem Mörder nie auf die Spur gekommen. Als Motiv hat die Polizei einen Raubüberfall angenommen. Es war bekannt, daß mein Vater meist viel Geld bei sich trug, und seine Brieftasche fehlte, zusammen mit einer goldenen Uhr und einigen Ringen, die er zu tragen pflegte. Wollen Sie wirklich keinen Tee?»

Mir wurde rasch klar, daß von ihr nicht viel zu erfahren sein würde. Mimi plauderte dann eine Weile mit Louise über die Familie, wie die Kinder in der Schule zurechtkamen, über die beiden Brüder, deren Frauen und Kinder. Dann merkte ich mit einem Mal, daß Mimi einen weiteren Grund dafür hatte, mich zu begleiten. Es war ihr nicht nur um einen freundlichen Besuch bei einer Verwandten gegangen, die sie bis dahin nicht gekannt hatte. Anfänglich ärgerte ich mich, daß sie es mir nicht gesagt hatte, doch ich verzeihe ihr, denn jetzt weiß ich wenigstens, was sie in letzter Zeit mit Horowitz zu tun hatte.

«Ich habe erfahren, daß sich Michael Horowitz wegen deiner Miray-Aktien an dich rangemacht hat», sagte sie.

«Ja, er war neulich deswegen hier.»

«Bestimmt hat er dir ein günstiges Angebot gemacht. Aber ich glaube, du solltest etwas dazu wissen. Zwar hat er nichts dergleichen angekündigt, aber wir sind ziemlich sicher, daß er eine Firmenübernahme plant, und zwar, um uns zu schaden. Kennst du dich in solchen Sachen aus, Louise?»

«Eigentlich nicht. Aber mein Mann bestimmt. Dick ist Anwalt.»

«Dann laß mich dir rasch erklären, worum es dabei geht. Jemand wie Michael nimmt sich ein Unternehmen aufs Korn, dessen Betriebsvermögen weit mehr wert ist als der Kaufpreis seiner Aktien – beispielsweise unsere Firma. Dann leiht er sich Geld und fängt an, Aktien aufzukaufen. Nehmen wir an, es gelingt ihm, und er bekommt die Mehrheit in die Hand. Als erstes muß er natürlich die aufgenommenen Gelder zurückzahlen. Das kann er nur tun, indem er das Betriebsvermögen zu Bargeld macht. Dann müssen Menschen wie ich abgefunden werden, und das kostet oft viele Millionen Dollar. All diese Aufwendungen sind für den Erwerber steuerlich absetzbar, wie überhaupt unsere Steuergesetze solche Firmenübernahmen erst richtig attraktiv machen. Wenn das erledigt ist und der Erwerber alle Unternehmensteile abgestoßen hat, die ihm auch nur eine Spur von Verlust zu bringen scheinen, nimmt er, was übrig bleibt. Das ist gewöhnlich kaum mehr als ein großer Name oder gar ein Unternehmen, das unter den Schulden der Vergangenheit zusammenbricht, statt künftig seinen Kunden und Aktionären zu dienen. Das Ergebnis ist fast in allen Fällen eine Verminderung des Unternehmenswertes. Zwar scheint Michaels Angebot heute recht günstig zu sein, aber denkt an die Zukunft unserer Firma und überlegt, was sie für eure Kinder und die Generation nach ihnen bedeuten könnte. Falls Michael mit seinem Plan Erfolg hat, wird es die Miray Corporation, wie wir sie heute kennen, nicht mehr geben.

Noch eins möchte ich sagen. Michael Horowitz ist ein Geschäftemacher – ein guter und erfolgreicher, das will ich ihm nicht absprechen. Er kauft alte Mietshäuser auf und wandelt sie in Eigentumswohnungen um, und er macht aus heruntergekommenen, leerstehenden Hotels in Atlantic City Spielkasinos. Auf uns hat er es wohl abgesehen, weil er eine Möglichkeit wittert, etwas dabei zu verdienen. Aber sein Vorgehen hat nichts mit dem Ziel unseres Unternehmens zu tun. Zwar sehen wir Verluste ebenso ungern wie jeder andere, aber es geht uns nicht um Geschäftemacherei. Wir haben unseren Kundinnen etwas zu bieten, denn wir verkaufen nicht einfach Schönheitsprodukte, sondern auch Zauber, Geheimnis, Freude und ein bißchen Aufregung. Wir haben es mit ungreifbaren Werten wie Hoffnung, Lachen und Liebe zu tun, mit Dingen, die das Herz höher schlagen lassen. Wir wären nicht da, wo wir heute stehen, wenn wir nicht an den schönen Schein glaubten, an Freude und Glück. Gibt es irgendeinen Geschäftemacher auf der Welt, der an den schönen Schein glaubt? Wohl nicht.»

Ich muß zugeben, daß ihre kleine Ansprache mich beeindruckte.

«Offen gesagt, hat mich sein Angebot verlockt», sagte Louise Bernhardt nach einer Weile, «und mein Mann möchte, daß ich es annehme. Ich muß dir nicht sagen, was es heißt, wenn drei Kinder gleichzeitig das College besuchen. Auf der anderen Seite habe ich meinem Großvater in die Hand versprochen, daß ich nie verkaufen werde. Dieses Versprechen hat er uns allen abgenommen.»

«Das war sehr weitblickend», sagte Mimi. «Natürlich kann ich dir nicht vorschreiben, wie du dich zu entscheiden hast. Aber ich habe eine Bitte. Wir beabsichtigen bei einer Aktionärsversammlung über einen Plan abstimmen zu lassen, mit dessen Hilfe wir nicht nur die drohende Übernahme durch Horowitz abwenden, sondern auch langfristig bewirken können, daß alle Aktionäre besser dastehen. Würdest du deine Entscheidung bis nach dieser Versammlung hinausschieben? Vielleicht ist das nicht einfach, denn Michael versteht es, Menschen zu überreden, und ich bin sicher, daß er sein Angebot erhöhen wird. Aber ich bitte dich herzlich abzuwarten, bis wir bei der Sitzung unseren Gegenvorschlag vorgestellt haben. Es wird nicht lange dauern.»

«Das scheint mir nicht zu viel verlangt», sagte Louise Bernhardt.

«Vielen Dank. Du wirst es bestimmt nicht bereuen.»

«Mr. Horowitz hat übrigens was ganz Merkwürdiges gesagt, was ich nicht versteh», sagte Mrs. Bernhardt dann. «Bei unserer Unterhaltung ist er auf deinen Sohn zu sprechen gekommen und hat gesagt: ‹Hinter dem bin ich her.› Was er damit wohl meint?»

Mimi zuckte die Schultern. «Hier», sagte sie dann und griff in ihre

Tasche, «ein kleines Geschenk für dich, Louise. Es sind fünf Unzen eines neuen Parfüms, das wir im nächsten Monat auf den Markt bringen. Und das ist das zugehörige Herren-Eau de Cologne, für deinen Mann. Ich geb es dir als Sprühflasche und als Flakon, weil ich nicht weiß, wie er es lieber hat. Vielleicht möchte er es gern ausprobieren. Am siebzehnten September ist die offizielle Produktvorstellung im Pierre. Das wird bestimmt interessant. Ich sehe zu, daß ihr eine Einladung bekommt.»

«*Das* also war der Grund, warum Sie heute mitkommen wollten», sagte ich, als wir in die Stadt zurückfuhren. Ihr perlendes Lachen ertönte. «Zu niemandem ein Wort! Das müssen Sie mir versprechen. Zu niemandem ein Sterbenswörtchen, bis wir so weit sind, den Aktionären unseren Plan vorzutragen. Dann erfahren Sie alles von mir.» Sie war bester Laune und wollte vom Thema Übernahme nichts wissen.

Oma Flo Meyerson (Tonbandinterview 30. 8. 87):

«Ich will Ihnen *genau* sagen, wie mein Mann Leo losgeworden ist. Es war kein leichtes Stück Arbeit, und zwar deshalb nicht, weil Leo dumm war. Mit klugen Leuten wird man einfacher fertig als mit dummen. Ein kluger Mensch hätte die Schrift an der Wand erkannt. Aber Leo war zu dumm, er hat nicht gemerkt, daß man ihn gewogen und zu leicht befunden hatte, wie es im Buch Daniel heißt.

Wie ihn mein Mann losgeworden ist? Mit psychologischer Kriegsführung. Haben Sie schon mal davon gehört? Ich weiß alles über psychologische Kriegsführung, weil mich ein Meister darin unterrichtet hat, denn das war mein Adolph. Was er getan hat? Das, worum es bei der psychologischen Kriegsführung immer geht: er hat den Verteidigungswillen seines Gegners zermürbt, dessen Selbstvertrauen untergraben. Dazu gibt es verschiedene Mittel: Drohungen, Versprechen, Lügen, Verleumdungen und Gerüchte. Sie wissen ja, daß Leo ein schlechter Mensch war. Ich glaube, ich hatte Ihnen schon gesagt, daß er gut aussah, aber er hatte eine Kinnspalte. Ich sage immer, Vorsicht bei Männern mit einer Kinnspalte. *Sie* haben ja wohl keine? Nein? Gott sei Dank! Solche Männer tragen in der Brust statt eines Herzens einen gespaltenen Huf. Jedenfalls war das bei Leo so. Jetzt aber zurück zur psychologischen Kriegsführung. Ich weiß nicht mehr alle Einzelheiten, aber ich denke, wenn ich es versuchte, könnte ich mich daran erinnern. Es hat alles in Adolphs Tagebüchern gestanden, aber die sind ja jetzt weg – vom Winde verweht, wie es im Kino heißt. Ich weiß nur noch, daß er Schritt für Schritt vorgegangen ist. Das ist der richtige Weg bei der psychologischen Kriegsführung, Schritt für Schritt.

Manches war vielleicht nicht besonders nett, aber man kann dafür nicht ins Gefängnis kommen, psychologische Kriegsführung ist nicht verboten. Das eine oder andere sähe nicht besonders gut aus, wenn es in die Zeitungen käme, und Sie schreiben für die Zeitungen, deswegen sag ich besser nichts weiter darüber. Sagen wir einfach, Jonesy hat geholfen, die Sekretärin meines Mannes. Sie war insgeheim in meinen Adolph verliebt und hätte alles für ihn getan. Ich glaube, das Übermalen von Leo auf dem Gemälde mit den Firmengründern war Jonesys Einfall. Das war Teil des Plans und hat schließlich den Ausschlag gegeben. Als Leo das übermalte Bild sah, war es mit ihm aus.

Warum man Leos Büro beibehalten hat? Die Antwort will ich Ihnen in vier kleinen Worten sagen. *Psy. Chol. O. Gie.* Das leere Büro diente dazu, jedem in der Firma ständig vor Augen zu halten, wer Herr im Hause war, für den Fall, daß jemand das vergessen sollte. Es war sozusagen ein Warnschild: «So könnte es dir auch ergehen!»

Und jetzt sagen Sie mir, was Sie über Edwee herausgebracht haben. Ich weiß Verschiedenes über ihn, was er nicht gern gedruckt sehen würde. Oho! Aber bevor ich mich entschließe, meine schweren Geschütze aufzufahren, muß ich wissen, was er im Schilde führt...»

«Ich muß dich sehen, Kindchen», sagt er. «Es ist wichtig.»

«Ich wüßte nicht, was wir einander noch zu sagen hätten, Michael», sagt Mimi.

«Aber doch. 'ne ganze Menge.»

«Zum Beispiel?»

«Einmal, daß ich mich schon lange bei dir entschuldigen muß.»

«Ach ja? Wofür?»

«Ich hatte deinen Großvater immer für einen antisemitischen, despotischen alten Drecksack gehalten. Aber ich weiß inzwischen, daß er gar nicht so schlimm war.»

«Wie kommst du mit einem Mal darauf?»

«Ich habe seine Tagebücher gelesen», sagt er. Auf Mimis Seite der Leitung herrscht Schweigen. Dann fährt er fort: «Sie haben den Rainbow Room gerade neu eröffnet und wieder so hergerichtet, wie er in den guten alten Zeiten war. Wie wär's, Kindchen? Zur Erinnerung an die guten alten Zeiten?»

18

Im Athener Hotel Grande Bretagne wartete ein weiterer Brief ihrer Mutter.

Meine liebe Mimi, 1. August 1957
ich möchte Dich nicht beunruhigen, Liebes, aber es ist etwas eingetreten, wovon ich meine, daß Du es wissen solltest. Deinem Großvater ist es in den letzten Wochen sehr schlecht gegangen, und wir alle machen uns die größten Sorgen um ihn. Er hat mit einem Mal stark abgenommen, seine Gesichtsfarbe ist ungesund, trotzdem will er nichts von einem Arzt wissen und ist auch nicht bereit einzugestehen, daß ihm etwas fehlen könnte. Ich fürchte auch, daß seine geistigen Fähigkeiten nachlassen. Am Sonntag beim Tee schien er sich nicht mehr an meinen Namen erinnern zu können und nannte mich einmal sogar «Ruthie». So hieß eine seiner jüngeren Schwestern, die 1884 bei der Typhusepidemie ums Leben gekommen ist! Es ist entsetzlich traurig, ihn so zu sehen, aber Dein Vater und ich wissen nicht, was wir tun sollen. Immerhin darf man nicht vergessen, daß er in wenigen Monaten achtundachtzig wird. Er ist auch nicht davon abzubringen, täglich ins Büro zu gehen, obwohl Dein Vater ihn gedrängt hat, sich auszuruhen oder ein wenig Urlaub zu nehmen. Natürlich weigert er sich auch, Deinem Vater die Verantwortung für irgend etwas in der Firma zu übergeben, obwohl das jetzt eigentlich nötig wäre. Wie Dein Vater mit Recht sagt, ist das Unternehmen für einen einzigen Mann längst viel zu groß und zu unübersichtlich geworden. Er hat Sorge, daß

bei der Geschäftsführung Wichtiges übersehen wird und daß dringende Entscheidungen nicht gefällt werden. Doch in dieser Hinsicht sind Deinem Vater die Hände vollständig gebunden.
Ich habe im *National Geographic* gelesen, daß es in Griechenland Naturschwämme zu kaufen gibt. Wenn Du welche siehst und sie nicht teuer sind, würdest Du mir dann ein paar mitbringen? Ich denke an die winzigen, die wir für Make-up benutzen. Sie wiegen ja nicht viel, und Du könntest sie in Deinem Koffer in eine Ecke stopfen...

«Hast du schon mal solche Heuchelei erlebt?» sagte sie zu Brad Moore, nachdem sie ihm den Brief vorgelesen hatte.

«Wieso Heuchelei? Sie macht sich Sorgen, weil Dein Großvater krank ist.»

«Das ist dieselbe Frau, die ein paar Tage vor meiner Abreise nach Europa geschrien hat, Opa wolle aus purer Bosheit nicht sterben. Sie haßt ihn! Jetzt tut sie ganz besorgt, weil es ihm ein bißchen schlecht geht.»

«Im Zorn sagen Menschen manchmal Dinge, die sie nicht so meinen.»

So war er, nachdenklich und vorsichtig. Er studierte in Harvard Jura und trachtete stets danach, beide Seiten einer Frage zu erwägen. Sie saßen im Innenhof des Hotels unter dem Glasdach und tranken eine Cola. Wenn er etwas sagte, begann er meist mit «Einerseits...» und schloß mit «Auf der anderen Seite hingegen...»

«Hör bloß auf, den Anwalt rauszukehren», sagte sie zu ihm. Es war einer ihrer kleinen Scherze geworden.

«Ist dein Großvater sehr reich?»

«Ich glaube schon. Er leistet sich einen sehr aufwendigen Lebensstil, hat drei große Häuser und eine Yacht. Wenn ihn jemand fragt, wovon er das bezahlt, sagt er: ‹Ich hab für hundert Millionen Dollar von den besten mündelsicheren Papieren, die es in ganz Amerika gibt.›» Sie kicherte. «Bescheidenheit gehört nicht zu Opas Stärken.»

«Siehst du, das könnte ein Grund dafür sein, warum deine Mutter ihm gegenüber so empfindet. Wenn er stirbt, erben deine Eltern wahrscheinlich eine ganze Menge Geld, und wahrscheinlich wird sie dann wegen ihren früheren bösen Worten ein sehr schlechtes Gewissen haben.»

«Hm», sagte sie nachdenklich und rührte mit dem Trinkhalm in ihrer Cola. «In diesen Ländern gibt es nie genug Eis. Meins ist schon geschmolzen, und die Cola ist ganz warm.»

«Ich hatte ein paar Verwandte, die ziemlich reich waren», fuhr Brad fort. «Ein Onkel hat meiner Mutter Geld in einer Familienstiftung hinterlassen. Weißt du, wir Neuengländer greifen unser Kapital nach Möglichkeit nicht an. Deswegen haben wir zwei uns nicht gleich kennengelernt. Du bist immer erste Klasse geflogen, ich hingegen nie.»

«Wenn mein Opa Geld ausgibt, tut er es am liebsten mit vollen Händen.»

«New York und Boston sind zwei ganz verschiedene Welten, meinst du nicht auch?»

«Ich weiß nicht. Ich hab vor dir noch niemanden aus Boston gekannt.»

Sie saßen eine Weile schweigend. Dann sagte er: «Mich hat man auf diese Reise geschickt, damit ich eine Liebesgeschichte vergesse.»

«Tatsächlich?»

«Das Mädchen war auch aus New York. Na ja, aus Long Island. Das ist jetzt aber nicht mehr wichtig.»

«Und – hast du sie vergessen?»

«Ja. Ich hatte inzwischen Zeit, über die Beziehung nachzudenken, und hab gemerkt, daß es gar keine Liebe war. Das Ganze hat sich auf rein geschlechtlicher Ebene abgespielt. Liebe ist etwas ganz anderes. Ich meine, einerseits ist das Körperliche schon wichtig, aber andererseits –»

«Nun, Herr Rechtsanwalt –»

«Nein, im Ernst. Um einen Menschen lieben zu können, muß er mehr zu bieten haben als nur seinen Körper. Findest du nicht auch? Ich meine, ist dazu nicht auch noch Einfühlungsvermögen, Intelligenz und echtes Interesse am Leben des anderen nötig? Davon hatte das Mädchen nichts. Soll ich dir mal sagen, wie sie war? Wie einer von den prunkvollen Herrensitzen, die wir in England besichtigt haben – protzige Fassade, aber ohne Zentralheizung.»

«Ach Brad!» lachte sie. «Der Vergleich gefällt mir.»

«Hübsch anzusehen, aber leben möchte man dort nicht.»

«Ich weiß genau, was du meinst.»

«Genau so war Barbara.»

«Sie hieß Barbara?»

«Ja, Barbara Badminton.»

Fast hätte sie aufgeschrien. «Die kenne ich!» entfuhr es ihr.

«Warst du etwa bei ihrem Debütantinnenball?»

«Nein, wir sind zusammen zur Schule gegangen, Miss Hall's Internat.»

«Nun, würdest du sagen, daß sie besonders... na ja, besonders intelligent ist?»

«Bestimmt nicht! Bei Chemieprüfungen wollte sie immer von mir abschreiben.»

«Ihr habt euch wohl nicht besonders gut vertragen?»

«Nein. Ehrlich gesagt, konnte ich sie nicht ausstehen.» Dann sagte sie: «Entschuldige. Das hätte ich nicht sagen sollen. Sie war deine Freundin.»

«Ist sie aber nicht mehr. Ich durchschau sie jetzt. Sie hatte nichts als Sex im Kopf.»

Mimi schwieg.

«Das sieht ihr ähnlich, in der Schule zu betrügen. Sie hat auch sonst betrogen. Weißt du, ich hab gemerkt, daß ich bei ihr nicht der einzige war.»

«Das überrascht mich wirklich nicht», sagte sie gelassen. «Ich kann es dir ebensogut sagen. Wir konnten uns nicht riechen. Das hat zum Teil damit zusammengehangen, daß ich einen Freiplatz hatte und daher dort einer niedrigeren gesellschaftlichen Schicht angehörte als Menschen wie Barbara. Außerdem war ich – ich meine, ich bin Jüdin. Das spielt für manche eine Rolle.»

«Nicht für mich», sagte er.

«Und daß meine Familie in der Kosmetikbranche tätig ist, bedeutet in den Augen von Leuten wie Barbara ebenfalls einen Makel, denn ihr Vater leitet irgendeine Bank. Aber ich hab mich deswegen nie geschämt. Kosmetik ist ungeheuer spannend. Es gibt sie schon ewig lange, und ich hab viel darüber gelesen. Hast du beispielsweise gewußt, daß die Frauen in China schon vor fünftausend Jahren Nagellack benutzt haben? Es war ein gesellschaftliches Rangabzeichen. Dunkelrot und schwarz waren dem Kaiserhaus vorbehalten, und Frauen geringeren Standes mußten sich mit blasseren Tönen zufriedengeben. Heute hängt alles mit der Mode zusammen. Ist dir klar, daß eine Beziehung zwischen den Kosmetikfarben und der Rocklänge besteht? Als vor ein paar Jahren mit Diors New Look die Röcke länger wurden, hatten Nagellack und Lippenstifte mit einem Mal kräftige und dunkle Farben – so lenkt eine Frau, die ihre Beine nicht zeigen kann, die Aufmerksamkeit auf Gesicht und Hände. Jetzt, wo die Röcke wieder kürzer werden, haben wir blasse Lippenstifte und Nagellacktöne. Als ich noch in der Schule war, hab ich mir eine Tabelle gemacht, auf der man die Wechselwirkung zwischen der Rocklänge und den Farben in der Kosmetik sehen kann, und sie meinem Opa geschickt. Aber natürlich hört zu Hause niemand auf mich, ich bin ja nur ein Mädchen. Und wahrscheinlich langweile ich dich mit all dem.»

«Aber nein», sagte er. «Erzähl weiter. Das ist echt spannend.»

Mit einem Mal begriff sie, warum Brad Moore ihr so gefiel – er war einer der ersten Menschen, der ihr je richtig zugehört hatte.

«Ich hör dich gern reden», sagte er, als hätte er ihre Gedanken erraten.

«Ist das wahr?»

«Aber ja!»

Erneut trat Schweigen zwischen ihnen ein, und mit einem Mal merkte Mimi, daß etwas geschah. Zuerst begriff sie nicht, was es war. «Ich weiß nicht, wie ich das sagen soll, Mimi», begann er schließlich, «aber ich mag dich – sehr.»

«Danke», sagte sie und fragte sich sofort, ob das die richtige Antwort war. «Ich dich auch», fügte sie hinzu.

«Sehr», sagte er.

«Wird nicht heute nachmittag das Parthenon besichtigt?» fragte sie unvermittelt.

«Ja, für die, die wollen. Das finde ich so gut bei dieser Reise, daß es kein Pflichtprogramm gibt...»

«Der olle Tempel steht sicher morgen auch noch da...»

«Glaub ich auch...»

«Von meinem Zimmer aus kann ich das Parthenon sehr schön sehen», sagte er. «Du auch?»

«Ich weiß gar nicht. Ich hab... noch nicht zum Fenster hinausgeschaut.»

«Es ist wirklich ein herrlicher Anblick. Möchtest du...»

«Von mir aus...»

Sein im fünften Stock des Hotels befindliches Zimmer ging zur Akropolis, und sie traten auf den kleinen Balkon, um hinüberzuschauen. «Da steht es», sagte er leise. «Seit zweitausendvierhundert Jahren. Nur neun Jahre haben sie gebraucht, um es zu bauen.»

«Tatsächlich?»

«Ja. Nur neun Jahre.»

«Weißt du viel von solchen Dingen?»

«Na ja», sagte er. «Dies und jenes.»

«Ich weiß auch ein bißchen was, zum Beispiel das Atomgewicht von Stickstoff.»

«Vierzehn Komma null null sieben.»

«Stimmt genau!»

«Chemie», sagte er. «Es kann auch chemische Wechselwirkungen zwischen zwei Menschen geben. Es hat mit positiven und negativen Kräften zu tun, die sich anziehen, glaubst du nicht auch?»

«Doch.»

«Was meinst du – sollte man vor der Ehe miteinander ins Bett gehen?»

«Ich weiß nicht. Ich hab noch nie –»

«Einerseits –»

«Auf der anderen Seite hingegen –»

Diesmal war es kein Scherz, und keiner von beiden lachte. Sie spürte, wie sich sein Arm um ihre Hüften legte. «Ich mag dich – sehr», sagte er wieder.

Als er sie an sich zog, flüsterte sie: «Brad, es gibt manche Dinge, von denen ich nicht sehr viel weiß. Verstehst du, was ich meine?»

Sie spürte, wie er nickte, denn sie sah ihn immer noch nicht an. Als sie aber hinsah, erkannte sie auf seiner Oberlippe einen dünnen Schweißfaden. Irgendwie beruhigte sie dieses Anzeichen von Unsicherheit. Es würde alles gut werden. «Hast du ein... du weißt schon, so ein Ding?» fragte sie.

Er nickte wieder. Sie teilten die Vorhänge mit den Händen und traten ins Zimmer zurück. Dort küßte er sie wieder.

«Du mußt mir sagen, was ich tun soll», sagte sie.

Aber das war natürlich nicht nötig. Ist es das je? Eine junge Frau und ein junger Mann, er mit einem Kopf für Daten und Fakten, sie mit einem Kopf für Zahlen, eine junge Frau, die glaubte, ihr Herz sei gebrochen, ein junger Mann, der überzeugt war, seine letzte Illusion verloren zu haben – positive und negative Kräfte, die sich anzogen. Es gibt nur wenige Dinge, die Menschen unter solchen Umständen widerfahren können, wenn siebentausend Kilometer zwischen ihnen und der Heimat liegen.

In Istanbul wartete ein weiterer Brief ihrer Mutter auf sie.

Mein Liebling! 9. August 1957
Denk Dir nur, Deinem Opa geht es viel besser. Das hängt wohl damit zusammen, daß Oma aus Bar Harbor hergekommen ist. Vielleicht danken sie es mir diesmal, daß ich einen guten Einfall hatte. Oma sagt, er vergesse wohl zu essen, wenn sie fort ist, weil er immer nur arbeitet! Sie wird den Rest des Sommers bei ihm in New York verbringen und darauf achten, daß er drei ordentliche Mahlzeiten am Tag bekommt. Ich bin sicher, daß Du erleichtert bist, das zu erfahren.
Natürlich wäre es uns allen lieb, wenn er im Büro etwas kürzer träte, statt sich selbst um jede Kleinigkeit zu kümmern. Miray bringt im Herbst einen herrlichen neuen Nagellack- und Lippenstiftton mit dem lustigen Namen Granatapfel heraus. Mit getrennter Post schicke ich Dir ein paar Proben von Granatapfel und hoffe, daß Dich das Päckchen trotz des türkischen Zolls erreicht. Die Farbe ist wirklich sehr hübsch...
Und weißt Du, was noch? Dein Opa scheint auf seine alten Tage tatsächlich ein bißchen weniger bärbeißig zu werden. Kürzlich hat er einfach so gefragt: «Was gibt es Neues von Mireille? Sie fehlt mir.» Wie findest Du das? Er hat gesagt, Du fehlst ihm! Da wäre es doch eigentlich nett, wenn Du ihm bald wieder einmal schriebest. Ich weiß, daß Du Dich schon brieflich für die Reise bei ihm bedankt hast, aber ich glaube, er würde sich freuen, noch einmal von Dir zu hören, etwas über Deine Eindrücke zu erfahren, welche Sehenswürdigkeiten Du besuchst, was für Menschen Du kennengelernt hast und so weiter.»

«Mireille», sagte er. «Ein schöner Name. Ich wußte gar nicht, daß du so heißt.»

«Ja, man hat mich nach der Miray Corporation genannt, Opas Firma. Vermutlich haben meine Eltern darauf spekuliert, daß er sie dann besser behandeln würde. Weil mich in der Schule die anderen immer damit aufgezogen haben, daß ich nach einer Nagellack-Firma heiße, hab ich mich lieber Mimi genannt.»

«Ob er mich mögen wird?»

Mit den Worten: «Und wo sind nun Opas angebliche Tagebücher?» nimmt Mimi auf der Polsterbank neben Michael Horowitz Platz.

«Du hast doch nicht etwa angenommen, daß ich die hier angeschleppt bringe, Kindchen?» gibt er zur Antwort. «Das sind über fünfundvierzig Bände, in denen nahezu fünfzig Jahre geschäftlicher und persönlicher Geschichte festgehalten sind – ein großer Koffer voll. Hast du wirklich angenommen, ich schlepp das Zeug in den Rainbow Room und wuchte es dir auf den Tisch?»

«Ich war der Ansicht, das sei der Zweck unseres Zusammentreffens.»

«Nur einer davon.»

«Dann läßt du sie mir wohl morgen früh ins Büro schicken?»

«Immer mit der Ruhe», sagt er, die Hand hebend. «Da bin ich noch nicht so sicher. Genau darüber müssen wir uns unterhalten. Vorher wollen wir aber einen Schluck trinken.»

«Ich hab Jim Greenway versprochen, daß er die Tagebücher für seine Nachforschungen benutzen darf, vorausgesetzt, daß es sie überhaupt gibt.»

«Keine Sorge: Aber sag zuerst, was du trinken möchtest. Für mich dasselbe wie immer, Pablo», ruft er dem Kellner zu.

«Einen trockenen Martini», sagt Mimi. Als der Kellner gegangen ist, sagt sie: «Ich muß dir ja wohl nicht ausdrücklich klarmachen, Michael, daß diese Tagebücher, sofern sie existieren und von meinem Großvater verfaßt wurden, nicht dir gehören, sondern meiner Familie. Dem Gesetz nach sind sie Bestandteil von Opas Nachlaß. Ich weiß zwar nicht, wie du an sie herangekommen bist, aber sie gehören keinesfalls dir.»

Er sieht sie von der Seite her an. «Hab ich gesagt, daß ich sie behalten will?» fragt er. «Andererseits ist dir hoffentlich klar, daß Besitz fast so gut ist wie Eigentum?»

«Darf ich dich dann fragen, was du mit ihnen beabsichtigst, wenn du sie nicht rausrücken willst?»

«Nicht so hastig mit den jungen Pferden!» sagt er. «Ich hab gesagt, wir müssen über Verschiedenes reden. Wir können das in aller Ruhe tun, wenn du aufhörst, pausenlos darauf rumzureiten, wem von Rechts wegen was gehört. Danke, Pablo», sagt er, als die Getränke kommen. Er hebt sein Glas. «Auf dich, Kindchen», sagt er.

«Danke», sagt sie. «Laß uns also reden. Punkt für Punkt, wie du gesagt hast.»

«Na also», entgegnet er. «Das meiste von dem, was da drinsteht, ist ziemlich langweiliger Kram. Da beschreibt dein Großvater in allen Einzelheiten, wie sie auf die Namen von bestimmten Erzeugnissen verfallen sind, die Werbung dafür geplant haben und so weiter; lauter Dinge, die höchstens 'nen Firmenhistoriker interessieren würden.»

«Genau. Jim Greenway arbeitet an einer Geschichte unseres Unternehmens.»

«Ich würde sagen, mindestens Dreiviertel von dem, was in den Büchern steht, ist von dem Kaliber. Aber dein Großvater hat eben alles, was passiert ist, in seinen Tagebüchern vermerkt. Alles.»

«Jim interessiert sich auch für persönliches Material», sagt sie.

«Manches ist sehr persönlich. Geradezu intim. Wie ich schon am Telefon gesagt hab, stehen da Sachen drin, die mich dazu veranlaßt haben, meine Ansicht über deinen Großvater zu revidieren.»

«Beispielsweise?»

«Mir ist da beim Durchlesen aufgefallen, wie sehr ihm das Wohlergehen seiner Angehörigen am Herzen lag. Ihm lag nicht nur an seinem Ruf als großer Hai, sondern er hat sich auch Gedanken um seine Kinder gemacht und wie er sie absichern konnte. Er hat darauf geachtet, daß es ihnen gutging und sie glücklich waren; es fällt richtig auf, wie sehr er sich bemüht hat, alle zu schützen.»

«Wovor schützen?»

«Als ich ein paar von diesen... eher persönlichen Eintragungen gelesen hab, ist mir aufgegangen, daß er gar kein so schlechter Kerl war. Für ihn stand die Sicherheit seiner Kinder an erster Stelle.»

«Aber inwiefern waren sie denn bedroht?»

«Nun, gewisse Kräfte und Menschen hätten ihnen schweren Schaden zufügen und sie ins Unglück stürzen können. Ich hab das Gefühl, Kindchen, daß in den Tagebüchern Sachen stehen, von denen du bestimmt nicht willst, daß dein Freund Greenway sie erfährt. Wo ist übrigens dein Mann heute abend?»

«Geschäftlich in Minneapolis. Aber lenk nicht ab; erzähl mir weiter von den Tagebüchern.»

«Weiß er, daß wir hier miteinander essen?»

«Ich wüßte nicht, was das damit zu tun hätte. Ich spreche morgen früh mit ihm. Bitte, wechsle nicht wieder das Thema, Michael.»

«Nun, wie du dir denken kannst, steht in den Tagebüchern eine ganze Menge über deinen Vater – Sachen, von denen ich mir nicht vorstellen kann, daß Greenway sie wissen soll.»

Sie sagt nichts.

«Auch über Menschen, die noch leben – Menschen, denen du nicht weh tun möchtest, wie zum Beispiel deine Mutter.»

Sie zögert. «Vermutlich ihr Trinken.»
«Ja, sicher. Und deine Tante Nonie.»
«Nonie ist – nun Nonie nimmt manchmal Sachen aus Läden mit, für die sie nicht bezahlt hat, aber nur, wenn sie sich über etwas aufgeregt hat. Das ist schon lange nicht mehr vorgekommen –»
«Und deinen Onkel Edwee.»
«Ach, du meinst seinen Hang zu kleinen Jungen? Auch das ist nichts Neues.»
«Mit all diesen Schwierigkeiten mußte sich dein Großvater herumschlagen, und er hat getan, was er konnte, um seine Kinder und seine übrigen Angehörigen zu beschützen. Beispielsweise hat man ihn von Florida aus zu erpressen versucht.»
«Wegen Edwee? Ich hab im Lauf der Jahre Gerüchte darüber gehört. Keine große Sache.»
«Ja, aber es gab anderes», sagt er, «Schlimmeres. Dinge, die vertuscht werden mußten. Und das hat er auch getan.»
«Als da wäre?»
«Ein Fall von Totschlag», sagte er.
«Ach, Leos Sohn, Nate. Die Sache kenne ich. Sag mir bitte etwas, was ich nicht schon weiß.»
«Nein», sagt er. «Es war nicht der Vetter deines Vaters. Nate ist zweiundsechzig ums Leben gekommen. Der Fall geht auf das Jahr einundvierzig zurück. Es ist zufällig auch das Jahr, in dem die Tagebücher enden. Der Täter lebt noch, und ich bemüh mich hier, dir klarzumachen, daß in den Tagebüchern Sachen stehen, von denen du wahrscheinlich gar nichts wissen *möchtest* und die ich dir auch nicht zugänglich machen will.» Er legt seine Hand auf ihre, und sie läßt es einen Augenblick lang zu, bevor sie sie zurückzieht. «Und zwar, weil auch mir das Wohl eurer Familie am Herzen liegt, du magst mir glauben oder nicht. Ich möchte nicht, daß euch jemand was antut. Natürlich nur, weil ich dich mag und nicht will, daß dir jemand was zuleide tut.»
Mit einem Mal ärgert sie sich über ihn. «Hör doch endlich mit dem Katz-und-Maus-Spiel auf. Alle Welt weiß, wie gut du es beherrschst. Du brauchst dich damit nicht vor mir auch noch zu brüsten.»
«Ich finde, daß man die Tagebücher vernichten sollte», sagt er. «Zu viele Menschen könnten durch das, was darin steht, zutiefst getroffen werden. Du auch. Ich möchte, daß du mir erlaubst, sie zu vernichten.»

«Ich denke», sagt sie, «darüber müßte ich mit meinem Mann sprechen, der zugleich mein Anwalt ist – nachdem wir die Tagebücher durchgegangen sind, die so oder so mir gehören.»

«Sag mal», fährt er fort, «weiß Brad was über die Beziehung zwischen dir und mir?»

«Was hat das mit der Sache zu tun?»

«Ich fürchte, eine ganze Menge. Ich meine nicht den Anfang, als wir sozusagen verlobt waren, sondern später. Die Zeit am Riverside Drive. Wie du damals Ordnung in meine Sockenschublade gebracht, mir Preiselbeersaft und Haferflocken auf den Tisch gestellt hast. Ich meine die Zeit der kleinen weißen Sterne, die Zeit, als ich etwas Übersicht über das verrückte Durcheinander zu gewinnen versuchte, aus dem der Nachlaß deines Großvaters bestand, die Tage, als wir uns für eine Weile wieder gefunden hatten, die Tage, die ich für mich unser *Seltsames Zwischenspiel* genannt habe.»

«Willst du damit sagen, daß *das* in Opas Tagebüchern steht? Wie soll das zugehen? Da war er doch schon tot. Du stellst meine Geduld wirklich auf eine harte Probe, Michael. Bitte hör auf damit. Ich möchte gehen.» Sie wirft die Serviette auf den Tisch und erhebt sich, aber er drückt sie freundlich am Arm auf den Sitz zurück.

«Liebst du ihn, Mimi?» fragt er. «Hast du ihn je geliebt?»

«Brad und ich sind seit fast dreißig Jahren glücklich verheiratet.»

«Das ist keine Antwort.»

«Es ist meine Antwort. Jetzt bitte –»

«Und – glücklich? Immerhin hat er eine Freundin.»

«Unsinn.»

Mit dem Zeigefinger zieht er das linke untere Augenlid herab, um seine Ungläubigkeit zu zeigen. «Ich hab sie zusammen im Le Cirque gesehen», sagt er, «und du auch.»

«Es ist nichts Ernstes. Ein kleines Abenteuer, wie es bei Männern um die Lebensmitte vorkommt.»

«Und was war das mit uns beiden? Ein kleines Abenteuer in der Jugend? Sonst nichts? Wieso weiß ich heute noch, wie du deinen Tee gern hattest?»

«Ich verstehe wirklich nicht, wovon du redest.»

«Ein halbes Stückchen Zucker in den Tee. Du hast mir gesagt, daß sie dir im Haus deines Großvaters immer ein Stück gegeben haben, weil man dir als kleines Mädchen beigebracht hatte, darum zu bitten. Aber in Wirklichkeit war dir ein halbes Stückchen und eine Zitronenscheibe viel lieber. Erinnerst du dich, wie ich dir am Riverside Drive den Tee ans Bett gebracht hab – mit einem halben Stückchen Zucker und einer Scheibe Zitrone? Weißt du noch, was du damals gesagt hast?»

«Das alles hat nichts mit dem Grund unseres heutigen Zusammentreffens zu tun, und ich höre mir dein Gerede nicht länger an.»

«Und dein Lieblingslied...»

«Du hast mich mit dem Versprechen hergelockt, daß du mir Opas Tagebücher zeigen wolltest, in denen, wenn man dir glaubt, alle möglichen Enthüllungen stehen. Aber du hast mir keine einzige Seite gezeigt. Was stellst du dir eigentlich vor?»

«Ich könnte dir einen ganzen Haufen Seiten zeigen, aber eben nicht alle.»

«Wenn ich dich richtig verstanden habe, soll ich zu dir kommen, wenn ich mir diese Tagebücher ansehen möchte, die womöglich gar nicht existieren. Stimmt's? Der alte Trick mit der Briefmarkensammlung, was? Du enttäuschst mich wirklich. Von dem großen Michael Horowitz hätte ich etwas Originelleres erwartet. Jetzt muß ich wirklich gehen.»

«Früher hast du mir getraut, Mimi. Damals brauchtest du mich. Du hast gesagt, daß du mich liebst.»

«Damals bin ich dir wahrscheinlich verletzlich vorgekommen. So bin ich heute nicht mehr.»

«Warum faßt du alles, was ich sage, als Bedrohung auf? Sogar dann, wenn es liebevoll gemeint ist? Weißt du noch, daß du meinen Ring am Finger hattest, als du zum erstenmal in meine Wohnung gekommen bist?»

«Zu jener Zeit mag ich noch töricht gewesen sein. Jetzt bin ich es nicht mehr. Ich bin genau so hart wie du. Jetzt –»

«Hast du ihn noch?»

«Das hat doch damit nichts zu tun! Laß mich gehen.»

Wieder zieht er das untere Lid seines linken Auges herab. «Natürlich hast du ihn noch. Belüg mich nicht, Mimi. Du warst immer eine schlechte Lügnerin. Ich weiß, daß du ihn aufgehoben hast.»

«Du bist mehr als lästig. Laß meinen Arm los. Willst du, daß ich eine Szene mache? Du weißt, ich bin dazu imstande.»

Ohne die Hand von ihrem Arm zu nehmen, sagt er leise: «Ich möchte nur, daß du mich zu Ende anhörst. Früher warst du der Ansicht, man müsse die Leute ausreden lassen.»

Sie entspannt sich ein wenig.

«Würdest du mir dann bitte sagen», fragt sie, «was du plötzlich nach all den Jahren von mir willst? Warum versuchst du mich zu vernichten? Es ergibt keinen Sinn – überhaupt keinen. Was zwischen uns war, ist längst vorbei. Warum mußt du dreißig Jahre später plötzlich zurückkommen und das alles wieder aufwirbeln? Was hast du vor, Michael?»

«Es ist ziemlich einfach», sagt er. «Du warst das erste wirklich sympathische Mädchen, das ich kennenlernte. Wer war ich schon? Der Sohn eines Mannes, der in Queens einen Party-Service betrieb. Aber du warst das erste *sympathische* Mädchen. Du bist es immer noch. Ich hatte seither viele Frauen, zugegeben. Ich kenne meinen Ruf – der Immobilien-Romeo, und was die Leute noch so reden. Aber keine von ihnen war wirklich sympathisch. All die Jahre hab ich gewartet – gewartet, bis ich genug Geld hatte – mehr, als die Meyersons je besessen haben – genug, um dich zurückzufordern, um wieder das zu erleben, was wir früher hatten, die kleinen weißen Sterne, denn dergleichen hatte ich nie zuvor erlebt und auch danach nie wieder, das kannst du mir glauben, mit keiner. Deswegen bin ich zurückgekommen: weil ich dich immer noch genauso schön und begehrenswert finde wie früher, sogar noch mehr. Deshalb bin ich zurückgekommen: um mir all das wiederzuholen, bevor es für uns beide zu spät ist.»

«Du willst also einen Anspruch auf mich geltend machen. Nun, das kannst du nicht. Ich bin weder eine Immobilie noch eine deiner Eigentumswohnungen und auch keins deiner Hotels. Ich glaube, du willst mich besitzen, aber Menschen besitzen einander nicht. Du möchtest mich damit beherrschen, daß du sagst, du hast in Opas Tagebüchern belastendes Material über meine Familie gefunden. So etwas nennt man Erpressung, Michael. Ich lasse mich weder erpressen noch beherrschen. Ich bin nicht käuflich!»

«Ich möchte dich zurückhaben», sagt er einfach, «weil ich dich liebe.»

«Das glaube ich dir nicht. Du möchtest mich vermutlich, weil ich das einzige Spiel bin, das du je verloren hast, der einzige Abschluß, der dir durch die Lappen gegangen ist. Mir will scheinen, daß dein armes, kleines männliches Ego in all den Jahren schwer darunter gelitten hat.»

Langsam schüttelt er den Kopf. «Warum gestehst du dir manches einfach nicht ein?» fragt er.

«Und warum stößt du diese Drohungen aus? Etwas anderes ist es ja nicht. Totschlag! Wen meinst du eigentlich damit?»

Er zögert. «Vielleicht deine Mutter?»

«Lüge! Mutter war bei Vaters Tod Hunderte von Kilometern entfernt. Du hast wohl mit Oma Flo gesprochen, was? Ich weiß, daß du mit all meinen Verwandten gesprochen und versucht hast, ihnen ihre Aktien abzuluchsen. Ich kenne dein Spiel, aber es funktioniert nicht. Wenn du einen Trumpf gegen mich in der Hand zu haben glaubst, hast du dich verrechnet. Und falls du auf das hörst, was Oma Flo erzählt, bist du noch verrückter als sie.»

«Ich meine nicht deine Oma Flo, und ich spreche auch nicht vom Tod deines Vaters. Es geht um Dinge, die in den Tagebüchern stehen. Sie könnten Mitgliedern deiner Familie schaden, die noch am Leben sind. Aber dir sag ich nichts mehr. Ich hab schon mehr gesagt, als ich wollte.»

«Du drohst mir wieder und versuchst mich einzuschüchtern. So warst du immer schon.»

«Früher hast du anders gedacht, Kindchen. Weißt du nicht mehr?»

«Und hör auf, mich Kindchen zu nennen. Ich bin nicht dein Kindchen.»

Er schiebt sich näher an sie. «Warum kannst du dir selbst gegenüber nicht ehrlich sein? Erinnerst du dich an den Tag, wie wir 1960 zu meinem neuen Haus in East Orange rausgefahren sind? Weißt du noch, wie wir durch die leeren Räume gegangen sind und du mir gesagt hast, wohin ich den Flügel stellen sollte, und du mir Farbvorschläge für die Wände unserer Wohnhöhle gemacht hast? Chinesischrot, hast du gesagt – eine hübsche Lippenstiftfarbe. Und kaffeebraune Vorhänge. Die waren damals der letzte Schrei. Warum weiß ich noch genau, was du tun wolltest, wenn es dein Haus wäre?»

«Das sind alte Geschichten. Ich hab schon seit Jahren nicht mehr daran gedacht.»

«Weißt du noch, wie wir auf die Terrasse rausgegangen sind und du beim Anblick der Silhouette von New York gesagt hast, genauso hättest du die Stadt gern – viele Kilometer entfernt, auf der anderen Seite des Flusses? Und wie du gesagt hast, du möchtest mit mir in dem Haus leben, du wärest jetzt frei und bereit, dich von Brad scheiden zu lassen? Hast du alles vergessen? Ich nicht, denn du hast gesagt, daß du immer *mich* geliebt hättest.»

«Ich weiß nur noch», sagt sie mit unbeteiligter Stimme, «daß es für mich eine entsetzliche Zeit war. Opa war gerade gestorben, und mein Vater wußte nicht, wie er aus dem Schlamassel, den er von Opa übernommen hatte, herauskommen und das Unternehmen in die Gewinnzone führen konnte. Die Familie stand kurz davor, auseinanderzubrechen. Du schienst als einziger fähig, Ordnung in das von Opa hinterlassene Durcheinander zu bringen. Es war eine schreckliche Zeit, und ich hatte Angst. Ich wußte nicht, wie es weitergehen sollte. Damals war ich schwach, so schwach wie nie zuvor, meinen Gefühlen ausgeliefert. Jetzt bin ich stark. Du warst uns damals nützlich, heute bist du das nicht.»

«Ja, deinen Gefühlen ausgeliefert. Meinst du, ich hätte das nicht gemerkt? Deswegen wollte ich ja nicht, denn ich hatte begriffen, daß du dich schon für deinen Goj entschieden hattest. Ich wollte keine fremde Ehe zerstören.»

«Ach, du Tugendbold! Und jetzt, wo du reich und mächtig bist, glaubst du wohl, du darfst jede Ehe zerstören? Nun, meine nicht!»

«Aha!» sagt er, «so ist das. Du bist immer noch wütend auf mich, weil ich damals nicht mitgespielt hab.»

«Du verdammter Dreckskerl. Das verdient keine Antwort.»

«Aber wie könnte ich denn eure Ehe zerstören? Sie ist es doch schon, oder etwa nicht?»

«Das. Stimmt. Nicht.» sagt sie mit zusammengebissenen Zähnen, so, daß jedes Wort wie ein Satz klingt. «Und jetzt möchte ich –»

«Ich will dich zurückhaben, weil ich glaube, daß du jetzt imstande wärst, eine vernünftige Entscheidung zwischen Brad und mir zu treffen.»

«Die einzige Entscheidung, die ich treffe, ist die, daß ich jetzt gehe. Sofern du im Besitz von Gegenständen bist, die meiner Familie gehören, werde ich auf Herausgabe klagen. Wenn du meine Firma zu übernehmen beabsichtigst, sehen wir uns auch diesbezüglich vor Gericht wieder. Laß dir eins sagen, Michael. Nichts an mir oder meinem Leben gehört dir. Hast du das begriffen? Und jetzt kommt meine Szene, paß auf. *‹Kellner!›*» ruft sie.

«Und weil ich denke, daß du die Mutter meines Sohnes bist.»

Mimi greift hastig nach ihrem halbgefüllten Glas und stößt es dabei um. Beide sehen zu, wie die Flüssigkeit über das weiße Tischtuch läuft. Ihr Gesicht ist erstarrt.

«Siehst du», sagt er leise, «du hast, was ich möchte, und ich hab, was du möchtest. Sei auch du ehrlich. Warum gestehen wir uns nicht einfach ein, daß wir einander immer gewollt haben?»

«Liebste Mutter», hatte sie geschrieben, als die kleine Touristengruppe damals im Hôtel du Palais in Lausanne eingetroffen war:

Es kommt mir ein bißchen sonderbar vor, daß ich Dich brieflich um Hilfe bitte, aber ich weiß nicht, an wen ich mich sonst wenden könnte.
Ich habe in unserer Gruppe einen jungen Mann kennengelernt. Er heißt Bradford Moore Jr. und stammt aus Boston. Er ist vierundzwanzig Jahre alt, hat dunkelbraune Augen und dunkelbraunes Haar und hat im Juni in Harvard als Jurist abgeschlossen. In diesem Herbst tritt er in eine New Yorker Anwaltskanzlei ein. Er ist nett und ziemlich lustig, kann aber auch ernsthaft sein. Ich mag ihn sehr gut leiden.
Jetzt kommt die Schwierigkeit, Mutter. Du weißt ja, daß ich im Herbst am Smith College mit dem Studium anfangen wollte, und ich hab ja auch schon das Stipendium und alles und freue mich eigentlich auch darauf. Brad möchte jedoch, daß wir heiraten, und zwar sobald wie möglich, vorausgesetzt, meine Angehörigen sind damit einverstanden. Er sagt, vier Jahre will er nicht warten, das ist ihm zu lang, wenn ich in Northampton bin und er ist in New York.
Und nun meine Frage. Eigentlich sind es zwei. Erstens ist er kein Jude. Ganz im Gegenteil – einer seiner Großväter war sogar Geistlicher der Ersten Kongregationalistischen Kirche in Massachusetts. Er sagt, ihm macht es nichts aus, daß ich Jüdin bin, solange es mir oder meinen Angehörigen nichts ausmacht, daß er kein Jude ist. Einige der Anwälte in der Kanzlei, in die er eintritt, sind Juden, und er findet sie sympathisch. Er bewundert die Juden richtig. Aber – was meint ihr dazu, Du und Papa? Noch wichtiger ist, was wird Opa sagen?
Und jetzt kommt die zweite Frage, die für mich eigentlich noch bedeutender ist. Er sagt, er liebt mich, aber ich weiß nicht, ob ich ihn liebe, denn ich bin nicht sicher, daß ich weiß, was lieben bedeutet. Ich dachte, daß ich Michael H. liebte, aber jetzt fühle ich so anders! Ich mag Brad schon, er ist nett, freundlich und aufmerksam, und ich bin gern mit ihm zusammen. Wir lachen über dieselben Dinge, und wir reden, reden, reden. Ist das Liebe? Mutter, wie ist es, wenn man jemanden *liebt*? Du und ich, wir haben nie viel darüber geredet, was für ein Gefühl das war, das Du und Papa füreinander empfunden habt, als Ihr geheiratet habt. Was hast Du gefühlt, Mutter? Wie war das für Dich? Mutter – wie äußert sich die Liebe bei einer Frau? Bitte sag es mir, wenn Du es weißt.

Ich bewundere ihn auch, Mutter. Er ist herrlich ehrgeizig und sagt, er möchte Richter am Obersten Gerichtshof der Vereinigten Staaten werden. Ich mag und bewundere alles an ihm, und er ist einfach der netteste Mensch, der mir je begegnet ist. Du wirst das auch finden, wenn Du ihn kennenlernst. Bevor ich ihm aber meine Entscheidung mitteile, muß ich die Antworten auf meine Fragen wissen, und Du bist der einzige Mensch auf der Welt, von dem ich annehme, daß er mir die beantworten kann. Bitte schreib mir, sobald Du kannst, hierher oder nach Zürich.

Als Antwort kam von ihrer Mutter ein langes Telegramm.

LIEBLING DEIN PAPA UND ICH KÖNNEN ES NICHT FASSEN. DAS IST DAS GROSSARTIGSTE WAS DIR BEGEGNEN KONNTE UND DU MUSST UNBEDINGT JA SAGEN. MACH DIR ÜBER SMITH USW. KEINE GEDANKEN. WAS SOLLEN SOLCHE COLLEGES SCHON FÜR MÄDCHEN WIE DICH. ICH HAB GLEICH DEINEN OPA ANGERUFEN UND IHM DIE NEUIGKEIT MITGETEILT. ER FREUT SICH. ER WEISS WER DIE MOORES AUS BOSTON SIND UND KENNT DEN FAMILIENHINTERGRUND. EINE GUTE ALTE FAMILIE. LIEBLING LIEBE IST DER VOGEL IN DER HAND UND DIE RICHTIGE HEIRAT IST DAS WICHTIGSTE IM LEBEN EINER FRAU. DARAN MUSST DU IMMER DENKEN. WENN DU HEIMKOMMST WOLLEN DEINE GROSSELTERN IHN ZUM TEE EINLADEN. WIE SCHÖN FÜR DICH LIEBLING. DEIN PAPA BRINGT MICH WAHRSCHEINLICH UM WEIL ICH SO EIN LANGES TELEGRAMM SCHICKE ABER IMMERHIN IST DIE SACHE FÜR EINEN BRIEF VIEL ZU BEDEUTSAM. LASS DICH UMARMEN UND KÜSSEN UND DIR GLÜCK WÜNSCHEN. MUTTER.

19

Naomi Meyerson (Tonbandinterview 5. 9. 1987)

Wie meine Beziehung zu meinem Vater war? Nun, sagen wir es einmal so: Ich war sein Maskottchen, sein Markenzeichen. Haben Sie schon mal das kleine Mädchen auf der Flasche von Miray Babyshampoo gesehen? Das war ich, mit acht Wochen. Mein dritter Mann war Anwalt und hat immer gesagt, ich hätte Anspruch auf Tantiemen für die Verwendung meines Bildes in der Werbung gehabt. Überlegen Sie nur. Hätte ich für jede seit der Einführung des Babyshampoos verkaufte Flasche auch nur zwei Cents bekommen, wäre ich die Reichste in der Familie – und nicht die arme Verwandte, die ich bin. Aber mit acht Wochen war ich wohl kaum in der Lage, Tantiemen zu verlangen, was? Mein dritter Mann hat gesagt, ich wäre das jüngste Opfer ausbeuterischer Kinderarbeit in der Wirtschaftsgeschichte.

Außerdem hat mich mein Vater als Versuchskaninchen benutzt. Als ich neun oder zehn war, hat er sich auf Haarpflegeprodukte spezialisiert. Weil er irgendwo gelesen hatte, daß Menschen mit glatten Haaren, die man kahlgeschoren hat, Locken wachsen, und ich glattes Haar hatte, ließ er mir eine Glatze schneiden, um zu sehen, ob das stimmt – nicht nur einmal, sondern sieben-, acht-, vielleicht zehnmal. Sobald meine Haare wieder zu wachsen anfingen, hat er sie an seine Labors geschickt, damit die feststellten, ob es lockig wurde oder nicht. Er wollte seinen Wissenschaftlern und Technikern damit die Möglichkeit geben, ein Mittel zu entwickeln, mit dem Frauen dauerhafte Naturlocken bekommen können. Meine Haare sind jedesmal genauso glatt nachgewachsen, wie sie vorher waren. Aber eine ganze Zeitlang war ich die einzige Schülerin der vierten und fünften Klasse in unserer Schule, die eine Perücke trug. In den Pausen haben die anderen Mädchen sie mir immer vom Kopf gerissen und versteckt. Ob das seelische Schäden bei mir zurückgelassen hat? Die Frage können Sie sich selbst beantworten.

Von dem einmal abgesehen, hat sich mein Vater nie besonders um mich gekümmert. Er hat sich immer auf meine Brüder konzentriert. Henry sollte die Firma übernehmen und Edwee der erste jüdische Präsident der Vereinigten Staaten werden. Ich muß nicht ausdrücklich betonen, daß daraus wohl nichts mehr wird. Am Testament meines Vaters läßt sich ablesen, was er von mir gehalten hat. Meiner Mutter hat er dreißig Prozent seiner Miray-Aktien hinterlassen, meinen Brüdern Henry und Edwee jeweils fünfundzwanzig, Mimi fünfzehn und mir genau fünf Prozent. Sie können sich denken, wie entsetzt ich war, als ich bei der Testamentseröffnung begriff, wie mies er mich behandelt hatte.

Das ist aber noch nicht alles. Als mein Bruder Henry völlig unerwartet starb, hat er ein Drittel seines Anteils Henrys Frau Alice und zwei Drittel seiner Tochter Mimi hinterlassen. Damit besaß Mimi einen größeren Anteil am Unternehmen als jeder andere in der Familie. Die nächste war meine Mutter, dann wurden Edwee und Alice bedacht, und ganz zum Schluß, wie immer, ich. Und es kommt noch besser. Man könnte ja sagen, fünf Prozent des Anteils, der meinem Vater am Unternehmen Miray gehörte, sind heute ziemlich viel wert, und das stimmt natürlich auch. Nur – ich habe sie nie bekommen! Allen anderen wurde ihr Anteil ausbezahlt, meiner aber wurde in eine Stiftung eingebracht und liegt bis zum Jahr 2000 fest. Ich krieg bloß die Erträge davon. Da Mimi nichts von hohen Dividenden hält und Gewinne lieber für Forschung, Entwicklung und Bla-bla-bla wieder in die Firma investiert, ist das herzlich wenig. Die Treuhänder, die ich um jeden zusätzlichen Penny anschnorren muß, wenn ich Geld brauche, sind meine Mutter, Edwee, Mimi und zwei Schwellköpfe von der Stiftungsverwaltung. Mimi hat den Posten von Henry geerbt. Wer aber bekommt meinen Anteil, falls ich vor dem Jahr 2000 sterbe? Dem Testament meines Vaters nach seine dann noch lebenden Enkel, zu gleichen Teilen. Es gibt aber nur einen überlebenden Enkel, und wissen Sie, wer das ist? Die kleine Miss Mimi. Sie wird meinen ganzen Unternehmensanteil erben! Verstehen Sie jetzt, warum ich so verbittert bin?

Nicht einmal dann, wenn meine Mutter morgen sterben und ihren Anteil je zur Hälfte Edwee und mir hinterlassen sollte – und es ist keineswegs sicher, daß sie das auch tun würde – könnte ich die Position und den Einfluß in der Firma haben wie die anderen, vor allem Mimi. Wenn ich Glück hab, hinterläßt meine Mutter mir und Edwee ein bißchen was, Mimi und ihrem Sohn eine Menge, und ich bin wieder mal die Gelackmeierte.

Diese verdammte Familienstiftung! Da sitzen die auf allem, was ich auf der Welt habe, und immer, wenn ich ein paar Pennies brauche, setzen sie sich zusammen und sagen im Chor nein. Sie sind darin schon ziemlich gut: «Nein, Nonie, nein, nein und nochmals nein.»

Eins möchte ich Ihnen auch noch anvertrauen. Ob Sie dafür Ihr Gerät nicht besser abschalten? Ach was, es ist die Wahrheit, eine Tatsache. Ich könnte die Firma ebensogut leiten wie Mimi. Jede Idee, die sie hatte, könnte von mir sein. Beispielsweise das neue Parfüm. Ich als Mode- und Parfümexpertin hätte das ohne weiteres auch rausbringen können, wahrscheinlich sogar besser als Mimi. Wäre es anders, wenn es ‹Naomi› hieße und nicht ‹Mireille›? Bestimmt. Und besser? Natürlich! Wenn Sie mich fragen, riecht Mimis Parfüm zu stark nach Kräutern. Aber es wird bestimmt trotzdem ein Bombenerfolg.

Natürlich hatte ich keine Position und keinen Einfluß in der Firma, als Mimi sich nach Henrys Tod darüber hergemacht hat. Da konnte sie das Eisen schmieden, heiß wie es war. Mit meinen lächerlichen fünf Prozent aus dem elenden Testament meines Vaters hab ich Null komma nix. Und dabei hieß es noch ‹Meiner geliebten Tochter Naomi›. Ha! Ebenso hätte er hinschreiben können ‹Meinem geliebten Glatzkopf›. So haben mich die anderen in Miss Spence's Schule immer gerufen. ‹Glatzkopf Meyerson. Glatzkopf Meyerson.›

Meine Beziehung zu Edwee? Er interessiert sich für vieles, was mir nichts sagt, zum Beispiel für Kunst und Antiquitäten. Sie haben ja sein Haus gesehen: das reinste Museum! Wie Sie an meiner Wohnung sehen können, gefallen mir moderne Sachen. Sie ist fast im High-Tech-Stil eingerichtet, finden Sie nicht? Ich halte nichts von alten Bildern, alten Teppichen und so Zeug. Ach, wo Sie mich gerade danach fragen, fällt mir was ein. Vielleicht können Sie mir helfen. Edwee hat einen Plan, bei dem ich ihm zur Hand gehen soll. Ich brauch jemand als Zeugen für einen privaten Vertrag, den ich mit ihm abgeschlossen hab. Jetzt müssen Sie aber das Gerät abschalten, denn was ich Ihnen zeigen will, ist streng vertraulich...

Bei dieser Gelegenheit erfuhr ich von Nonies Beziehung zu Roger Williams und von der Intrige, mit deren Hilfe sich Edwee in den Besitz des Goyas seiner Mutter bringen wollte.

Was sie mir zeigte, entsetzte mich. Wie konnte ich «Zeuge» bei dem unbeholfenen Dokument sein, das sie mit ihrem Bruder unterschrieben hatte, mich dazu hergeben, bei diesem verrückten und höchstwahrscheinlich strafbaren Schwindel mitzuwirken, den ihr Bruder mit ihr angezettelt hatte?

Gleichzeitig überkam mich tiefes Mitleid mit ihr. Während ich das Dokument immer wieder las, ohne daß mir einfiel, was ich ihr sagen könnte, begriff ich, daß ich eine verängstigte und möglicherweise zu allem fähige Frau vor mir hatte. Außerdem war sie nicht mehr jung, trotz ihrer schlanken Figur, dem eleganten Auftreten, den goldenen Ringen und Armbändern sowie der Sorgfalt, mit der sie sich herrichtete. Obwohl niemand ihr genaues Alter kannte, mußte sie um 1920 herum geboren und daher Mitte bis Ende sechzig sein. Ich wußte, daß sie fast nur noch abends aus dem Haus ging, denn das Tageslicht enthüllte rücksichtslos die feinen Linien um Ohren, Augen und Mund herum, die Zeugnis von ihren Schönheitsoperationen ablegten. Auch jetzt hatte sie alle Vorhänge zugezogen, um das Sonnenlicht auszuschließen, das ihr Feind geworden war. Dabei hat man von ihrer Wohnung einen herrlichen Blick auf den East River.

Sie sah mich aufmerksam an, während ich das klägliche, in pseudojuristischem Stil abgefaßte Vertragspapier durchlas, und als merke sie, was ich dachte, sagte sie mit Nachdruck: «Verstehen Sie nicht? Ich muß etwas in der Hand haben. Ich kann nicht den Rest meines Lebens damit zubringen, nichts als Adolph Meyersons Tochter zu sein. Helfen Sie mir, mein lieber Junge. *Aidez-moi.*»

«Ich sehe leider keine Möglichkeit», sagte ich schließlich, «wie ich als Zeuge dessen hier irgend jemandem behilflich sein könnte.»

Ihre Augen zogen sich leicht zusammen. «Es könnte helfen, glauben Sie mir.»

«Wollen Sie etwa, daß ich meine Unterschrift mit daruntersetze?»

«Das ist nicht nötig. Es genügt, daß Sie es gesehen haben und davon wissen. Das könnte mir später nützlich sein. Und auch Ihnen. Falls mich Edwee anständig behandelt, dürfen Sie gern vergessen, daß Sie das je gesehen haben. Aber vermutlich will er mich wieder reinlegen. Wenn er das versucht, könnten Sie das mit in Ihre Geschichte aufnehmen – alles. Damit könnten Sie ihm den Hals brechen.»

In Mimis Wohnung an der Fifth Avenue klingelt das Telefon, hört auf. Einige Augenblicke später tritt der Butler mit dem Tablett ins Wohnzimmer.

«Wer hat angerufen, Felix?»

Der Angesprochene stellt das Tablett auf ein niedriges Tischchen neben Mimis Stuhl. «Es war wieder so ein Anruf.»

«Was meinen Sie mit ‹so ein Anruf›?»

«In letzter Zeit ist das leider häufig vorgekommen. Es klingelt, ich melde mich wie gewohnt, und sofort wird aufgelegt. Es ist äußerst ärgerlich, wenn ich das sagen darf.»

«Ach, wie viele von diesen Anrufen haben Sie schon entgegengenommen, Felix?»

«Bestimmt sechs oder sieben pro Tag, Madam. Gewöhnlich an Wochenenden oder abends, so wie heute.»

«Ich verstehe.»

«Dürfte ich anregen», sagt er, «daß Madam erwägen könnte, ihre Privatnummer zu ändern?»

«Ja», antwortet sie.

«Soll ich das gleich Montag morgen veranlassen?»

«Nun, warten wir noch ein wenig ab. Es ist doch ein ziemlicher Aufwand, allen Bekannten eine neue Nummer anzugeben.»

«Ja», sagt er. «Aber immerhin scheint Ihnen jemand lästig zu werden.»

«Ich will darüber nachdenken, Felix.»

Er bleibt zögernd stehen und rückt das Tablett ein wenig zurecht. Er räuspert sich, scheint mit der Stellung des Tabletts immer noch nicht zufrieden zu sein. «Da wäre noch etwas», sagt er, «sofern ich Sie darauf ansprechen darf.»

«Gewiß», sagt sie. «Was ist es, Felix?»

«Als ich heute morgen Mr. Moores Anzüge für die Reinigung herrichten wollte, habe ich in einer Jackett-Tasche diesen Brief hier gefunden. Vielleicht sollten Sie ihn sich einmal ansehen.»

«Warum, Felix?»

«Nun, es gibt bisweilen Dinge...»

«Offenbar», sagt sie, «haben Sie ihn schon gelesen.»

Schweigend verbeugt er sich leicht.

«Ich lese eigentlich nicht gern Briefe, die nicht an mich gerichtet sind.»

«Mir ist nur der Gedanke gekommen», sagt er, «daß zwischen diesem Brief und den Anrufen ein Zusammenhang bestehen könnte.»

«Ich verstehe», sagt sie erneut.

«Ich lasse ihn einfach hier», sagt er, «dann kann Madam entscheiden, was sie damit zu tun wünscht.» Er entnimmt seiner Westentasche einen blauen Umschlag und legt ihn mit der Anschrift nach unten auf das Teetablett.

«Danke, Felix.»

Er verbeugt sich noch einmal und verläßt diskret das Zimmer.

Mimi gießt sich Tee aus der silbernen Kanne ein, betrachtet einen Augenblick lang die unbeschriebene Umschlagrückseite, nimmt dann langsam den Brief zur Hand und dreht ihn um. Er ist in einer runden schulmädchenhaften Schrift an Brads Kanzleiadresse in der Wall Street gerichtet und trägt den Vermerk «Persönlich – vertraulich». Ihr fällt auf, daß die I-Punkte kleine runde Kringel sind. Abgestempelt ist der Brief in New York.

Mimis sämtliche Grundsätze geraten ins Wanken, während sie den Umschlag zwischen Daumen und Zeigefinger ihrer rechten Hand hält. Als Badger in den siebziger Jahren im Internat und College war, berichteten die Eltern seiner Schulkameraden Schreckensgeschichten über das, was sie bei heimlichen Durchsuchungen der Zimmer ihrer Kinder in Wäschesäcken, Schränken, Schubladen, harmlos aussehenden Turnschuhen und anderen Verstecken zutage gefördert hatten: *Playboy* und *Penthouse* unter Matratzen und Sofakissen, Benzedrin-Inhalatoren, Briefe mit einfach entsetzlichem Inhalt, Pülverchen und dergleichen. Da sich Badger seinerzeit mit einigen zweifelhaften jungen Leuten angefreundet hatte, war auch sie in Versuchung geraten, hatte ihr aber widerstanden, obwohl ihr die Eltern der anderen Jungen erklärten, sie als Mutter eines Halbwüchsigen sei zu einer solchen Kontrolle geradezu verpflichtet: «Man muß doch wissen, was sie treiben!»

Sie hatte sich aber dieser Ansicht nie anschließen mögen. Es ging um die Selbstachtung ihres Sohnes wie auch um ihre eigene. Sie war stets davon überzeugt gewesen, es sei richtig, Badger seine Privatsphäre zuzubilligen, und das hatte sich letzten Endes auch bewährt. Jetzt aber merkt sie, daß die Verlockung zu stark wird, und sie spürt, wie sie ihr allmählich erliegt. Sie empfindet sogar eine gewisse Erregung, wie Menschen, die wissen, daß sie etwas eigentlich Verbotenes tun.

Das also sind meine großartigen Grundsätze wert, denkt Mimi. Ihr fällt ein, was einmal ein berühmter Astrologe zu ihr gesagt hat: «Sie als Zwilling sind eine Frau mit einem finsteren Wesenskern unter einer heiteren Schale. In Ihnen liegen zwei Kräfte miteinander im Widerstreit. Sie wollen aller Welt gefallen und sind zugleich von einer Art Mordinstinkt besessen. Wenn Sie Ihr Ziel nicht auf gütlichem Weg erreichen können, sind Sie durchaus imstande, zum Dolch zu greifen.»

Sie lacht bei der Erinnerung daran. Also her mit dem finsteren Wesenskern. Wie du mir, so ich dir. Hat mich nicht Brad damit gedemütigt, daß er mit der Frau im Le Cirque aufgetaucht ist, was den Oberkellner dazu veranlaßte, sich telefonisch bei mir zu entschuldigen, weil er uns Plätze im selben Raum angewiesen hatte? War ich nicht gezwungen zu lügen, um die Situation zu retten? Und bin ich weniger prinzipienfest als andere Frauen, die annehmen müssen, daß ihr Mann sie betrügt? Keineswegs. Darf es sein, daß eine Frau, die einen Hausdiener beschäftigt, weniger über das Leben ihres Mannes erfährt als jener?

Sie nimmt den nicht besonders geschmackvollen blauen Briefbogen aus dem Umschlag, streicht ihn sorgfältig glatt und greift nach ihrer Teetasse.

Als Unterschrift trägt der Brief lediglich den Buchstaben «R». Wie sie wohl heißen mag? Ruth? Rowena? Rachel? Rebecca? «Mein lieber Bradford», beginnt sie zu lesen. Ach du liebe Güte – Bradford. Soweit sie weiß, hat ihn außer seiner Mutter, und auch die nur im Zorn, niemand je so genannt. Sie liest weiter.

> Vor deiner Abreise nach Minneapolis hast du gesagt, du würdest ernsthaft über meine und deine Zukunft nachdenken...

Eine Geliebte, denkt Mimi, muß nicht unbedingt wissen, daß man die Anrede im Brief groß schreibt und nicht sich selbst zuerst nennt.

> Seither frage ich mich, wieso du meinst, daß du darüber entscheiden darfst, wie unsere Zukunft aussieht. Hab ich kein Anrecht, daran beteiligt zu werden? Zähle ich nicht?
> Du hast mir oft gesagt, daß du mich liebst und daß deine Ehe unglücklich ist...

O Gott, denkt Mimi.

> ...doch welche Folgen hat das für mich? Ich soll darauf warten, daß *du* entscheidest, wie sich unsere Zukunft gestalten wird. Das

finde ich nicht in Ordnung. Bradford, ich bin nicht die Art Frau, die einfach herumsitzt und wartet, bis du ihr sagst, wie du dich entschieden hast!!!! Auch ich habe Rechte, vergiß das nicht. Wir beide haben genau gewußt, was wir taten, und daß die Sache für keinen von uns ohne Risiko war. Deshalb möchte ich auch, daß du diesen Brief bekommst, bevor du nach M'pl's fährst, damit du dir unterwegs überlegst, was du tun willst. Während du weg bist, werde ich mir auch was überlegen.
Du hast mir – absichtlich? – nicht gesagt, wie lange du wegbleibst und wann du zurückkommst, nicht mal, in welchem Hotel du bist. Willst du dich vor mir verstecken? Auch das wäre nicht anständig, denn während du alles entscheidest, habe ich keine Möglichkeit, irgendwas zu tun. Falls du das vergessen haben solltest: ich bin auch ein Mensch. Ich habe auch Gefühle, meinen Stolz und Selbstachtung und ich darf Achtung von dem Mann verlangen, den ich liebe oder zu lieben meinte.
Laß mich dir jetzt sagen, was ich tun werde, wenn deine Entscheidung über mein und dein Geschick nicht so ausfällt, wie du es mich hast glauben lassen!!! Ich überlege, ob ich nicht zu deiner Frau gehe und ihr genau berichte, was war. Ich weiß, wer sie ist und wie ich mit ihr Verbindung aufnehmen kann. Sofern du beabsichtigst, mich wie eins deiner benutzten Kondome fortzuwerfen und wegzuspülen, wird es dir noch sehr leid tun, daß du mich nicht mit derselben Achtung behandelt hast wie ich dich.
Ich bedaure, das so offen sagen zu müssen, aber ‹Entscheidungen› sind keine Einbahnstraße, wenn es um mich und dich geht.

Deine R.

PS: Komm mir bloß nicht wieder damit, daß du Anwalt bist und diese Dinge Zeit brauchen. Wie lange dauert es zu sagen «Ich möchte mich scheiden lassen»?

Leise seufzend legt Mimi den Brief zur Seite. Es ist ein gewisser Trost, denkt sie, daß diese «R» ein ganz und gar widerwärtiges Geschöpf zu sein scheint. Wenn sie Brad nach all den vielen Ehejahren auch nur ein bißchen kennt, kann ihn diese Frau unter keinen Umständen glücklich machen. Natürlich bleiben in bezug auf den Brief einige Fragen offen: was meint sie beispielsweise mit, «daß die Sache für keinen von uns ohne Risiko war»? Mimi sieht zwar die Risiken auf Brads Seite, aber welche könnte es für «R» geben? «Wie eins deiner benutzten

Kondome». Die Schreiberin könnte in der Tat die sein, mit der sie ihn im Le Cirque gesehen hatte. Oder hatte er Angst vor einer Ansteckung mit AIDS – und was wäre schlimmer? «Du hast mir oft gesagt, daß du mich liebst.» Nun, denkt sie, auch mir hat erst kürzlich ein anderer Mann gesagt, daß er mich liebt – genaugenommen gestern.

Am liebsten würde sie den Brief in winzige Fetzen zerreißen, sie in dem Kamin werfen und ein Streichholz daran halten, überlegt es sich aber anders. Sie faltet ihn wieder zusammen, steckt ihn in seinen Umschlag zurück und schiebt diesen in die Tasche ihres Seidenkaftans.

Von ferne hört sie das Telefon erneut klingeln und spürt, wie sich ihre Kehle zusammenkrampft. Bald darauf erscheint Felix an der Tür und sagt: «Es ist Mr. Moore aus Minneapolis, Madam.»

Sie erhebt sich und geht zur Bibliothek hinüber. «Hallo, Liebling», sagt sie munter und versucht ihre Stimme ungezwungen klingen zu lassen. «Wie steht es mit dem Fall Sturtevant?»

«Ich glaube, wir sind im Begriff, eine Einigung festzuklopfen», sagt er. «Gott sei Dank.»

«Na endlich!»

«Falls wir heute abend vor zehn noch fertig werden, liest du morgen in der *Times* darüber. Was hast du den Tag über so getrieben?»

«Das Übliche. Einladungen für die Sache im Pierre rausgeschickt. Es ist immer noch das alte Dilemma – wer soll wo sitzen und neben wem, und wer will auf keinen Fall mit wem am selben Tisch sitzen – all dieser Unsinn. Dann die Werbung für den geheimnisumwitterten Mann mit der Narbe. Wir zeigen bei der Produktvorstellung die ersten drei Fernsehspots, und der geheimnisvolle Mann wird geheimnisvollerweise *nicht* dabei sein.»

«Und ist zu Hause alles o.k.?»

«Ach ja, außer...» Sie zögert. «Außer daß in letzter Zeit immer wieder Anrufe kommen, bei denen sofort wieder aufgelegt wird. Kein heftiges Atmen oder dergleichen. Es klingelt, Felix nimmt ab, und zack, aus! Es macht den Armen noch verrückt. Meinst du, wir sollten die Nummer ändern lassen, wenn es so weitergeht?»

Nach kurzem Schweigen sagt er: «Nun, vielleicht – falls es weitergeht.» Dann fährt er fort: «Es sieht ganz so aus, als könnte ich es morgen zur Siebzehn-Uhr-Maschine schaffen. Jedenfalls hab ich sie vorsichtshalber gebucht, und ich drück die Daumen, daß es klappt.»

«Gut», sagt sie, «wunderbar. Du fehlst mir nämlich, Liebling.»

Dann sagt sie unvermittelt: «Ist unsere Ehe eigentlich glücklich, Liebling? Was meinst du?»

«Was?»

«Ob unsere Ehe glücklich ist.»

«Was für eine merkwürdige Frage jetzt am Telefon!»

«Ich spreche nicht von einer *vollkommenen* Ehe, denn vollkommen ist vermutlich keine. Ich meine einfach einigermaßen glücklich. Als ich heute nachmittag allein hier saß, hab ich gemerkt, wie du mir fehlst, und mich das gefragt. Ist es eine einigermaßen glückliche Ehe? War sie für dich glücklich, Liebling?»

«Selbstverständlich.»

«Das dachte ich mir», sagt sie, und dann: «Ich liebe dich, Brad.»

«Ich dich auch.»

Kaum hat sie aufgelegt, klingelt es erneut, und Mimi nimmt ab, bevor Felix an den Nebenapparat gehen kann. «Hier Mrs. Moore», sagt sie mit freundlicher Stimme. Am anderen Ende hört sie ein leises Geräusch, als stocke jemandem der Atem. «Ja?» sagt Mimi. «Wer ist da?» Dann knackt es, und die Leitung ist tot.

20

Adolph Meyersons Testament wurde am 9. Dezember 1959 von George Wardell sen. in der Kanzlei Wardell & Wardell an der 42. Straße verlesen, die Mimis Großvater in den letzten 25 Jahren seines langen Lebens vertreten hatte. 89jährig war er fünf Tage zuvor in seiner Suite im Mark-Hopkins-Hotel in San Francisco gestorben, wohin er eigens zur Eröffnung einer neuen Miray-Boutique im Kaufhaus Saks nahe dem Union Square geflogen war. Alles deutete auf einen friedlichen Tod. Das Mädchen, das morgens die Zimmer machte, fand ihn in seinem Schlafanzug im Bett. Sie berichtete, auf seinem Gesicht habe ein leichtes Lächeln gelegen, und wollte, daß die Familie das erfuhr.

Außer George Wardell waren die umittelbaren Erben des Dahingeschiedenen bei der Testamentseröffnung anwesend: seine Witwe Fleurette Guggenheim Meyerson; seine beiden Söhne Henry und Edwin; seine Tochter Naomi; seine Schwiegertochter Alice; seine Enkelin Mimi und deren frisch angetrauter Ehemann Bradford Moore jun. Alle einschließlich der Witwe bemühten sich um einen gefaßten und geschäftsmäßigen Eindruck.

Als erstes ging es um die Aufteilung des Kapitals der Miray Corporation. «Meiner geliebten Ehefrau Fleurette dreißig Prozent des in meinem Besitz befindlichen Geschäftsanteils... meinen geliebten Söhnen Henry und Edwin je fünfundzwanzig Prozent... meiner geliebten Enkelin Mireille Moore fünfzehn Prozent...»

«Und was ist mit mir?» hatte Nonie mit einem Mal aufgeschrien. «Wo bleibe ich?»

«Und meiner geliebten Tochter Naomi fünf Prozent ...»

Das wurde mit einem Aufkreischen quittiert. «Fünf!» hatte Nonie hervorgestoßen. «Ist das etwa alles?»

«Gedulden Sie sich bitte», hatte George Wardell gesagt. «Ein gesonderter Absatz des Testaments beschäftigt sich mit Ihrer Situation. Es ist gleich der nächste. Diese ungleiche Verteilung erfolgt aus Gründen, die meine Tochter gewiß verstehen wird und die mit ihrer unbeständigen Art allgemein wie auch in der Ehe zusammenhängen. Sie soll in keiner Weise als Hinweis auf verminderte Liebe oder Zuneigung meiner Tochter gegenüber aufgefaßt werden.»

«Lüge!» schluchzte Nonie. «Er hat mich immer verabscheut! Immer wieder hat es nur geheißen: ‹die Jungen ... die Jungen ...› Denen hat er keine Glatze schneiden lassen!»

Danach folgten Einzelheiten in bezug auf die Stiftung: die Namen der Treuhänder, ihre für das Jahr 2000 vorgesehene Auflösung, Vorschriften darüber, was dann mit dem von ihr verwalteten Anteil zu geschehen habe. Bis dahin, das wußten fast alle Anwesenden, würde Nonie Meyerson um die achtzig sein. Während des ganzen Vorgangs schluchzte sie unbeherrscht, und die Angehörigen versuchten sie einer nach dem andern leise zu trösten.

«Das hat er mit Absicht getan, nur um mich zu ärgern», schluchzte Nonie.

«Du hast es dir selbst zuzuschreiben!» zischelte ihr Bruder Edwee.

Dann wurde die Liste der Barzuwendungen an verschiedene wohltätige und kulturelle Einrichtungen verlesen. «Dem Mount-Sinai-Krankenhaus in New York zehn Millionen Dollar zur Errichtung und zum Betrieb des Adolph-Meyerson-Gedächtnis-Instituts für die Erforschung und Heilung von Hautkrankheiten; der Veterinärklinik von New York fünf Millionen Dollar –»

«Veterinärklinik!» kreischte Nonie. «Der hat sich doch nie für Tiere interessiert.»

«Er mochte Itty-Bitty!» fuhr Oma Flo sie an.

«Den Pfadfindern Amerikas fünf Millionen Dollar; dem Amerikanischen Roten Kreuz fünf Millionen ...» Es folgte eine Reihe kleinerer Beträge für langjährige Firmenangestellte und Dienstboten, als letztes tausend Dollar für Miss Iris Jones – seine treue Sekretärin Jonesy, die vierzig Jahre hindurch als Privatsekretärin für ihn gearbeitet hatte.

Als George Wardell geendet hatte, legte er das Testament auf den Tisch vor sich, nahm die Brille ab, räusperte sich und machte ein ernstes Gesicht. «Ich kann nicht umhin, Sie davon in Kenntnis zu setzen», sagte er, «daß es in bezug auf die Auszahlung einiger der Barzuwendungen Schwierigkeiten geben kann.»

«Was für Schwierigkeiten?» wollte Edwin wissen.

«Bei einer Überprüfung des Nachlasses in den letzten Tagen hat sich herausgestellt, daß die flüssigen Mittel dafür aller Voraussicht nach nicht ausreichen werden. Das ist unangenehm, weil –»

«Nicht ausreichen? Wieso nicht?»

«Die Buchführung Ihres Vaters war ein wenig unorthodox», sagte Wardell. «Es war für uns sehr schwer festzustellen, wie hoch der Anteil des Barvermögens am Nachlaß ist. Aber nach dem zu urteilen, was wir gefunden haben, muß man annehmen, daß sich Ihr Vater etwas überzogenen Vorstellungen vom Umfang seines Nachlasses hingegeben hat. Ja, das fürchte ich, etwas überzogen.»

«Wieviel ist da?» wollte Edwee wissen.

George Wardell ließ eine Pause eintreten, kniff sich mit Daumen und Zeigefinger in den Nasenrücken und sah auf einen Zettel, der vor ihm lag. «Nach unseren bisherigen Feststellungen sieht es so aus, als betrage der Barwert des Nachlasses genau 14 387 Dollar.»

Eine ganze Weile lang herrschte atemlose Stille.

«Selbstverständlich ist es möglich, daß wir im Verlauf unserer Nachforschungen auf weitere Mittel stoßen. Bisher aber haben wir nichts gefunden.»

«Was ist mit den hundert Millionen?» rief Edwee. «Er hat immer gesagt, er hätte für hundert Millionen Dollar von den besten mündelsicheren Papieren auf der Welt!»

«Bei der Sichtung des Inhalts von vier Bankschließfächern, deren Existenz uns bekannt war, sind wir auf Aktien zahlreicher Unternehmen gestoßen, doch muß ich sagen, daß diese mehrheitlich seit einer Reihe von Jahren nicht mehr tätig sind. Beispielsweise besaß der Verstorbene zehntausend Aktien der Straßenbahn-Aktiengesellschaft von Pittsburgh, die 1933 Konkurs angemeldet und den Betrieb eingestellt hat. Ich habe eine vollständige Liste aller in seinem Besitz befindlichen Anteile zusammenstellen lassen, fürchte aber –»

«Wertlose Papierfetzen!» schluchzte Nonie.

«Irgendwann mag all das zusammen einen Wert von rund hundert Millionen Dollar dargestellt haben, aber gegenwärtig...»

«Wertlose Papierfetzen!»

«Ja, das steht zu befürchten.» Er ließ erneut eine Pause eintreten. «In den letzten zwanzig oder fünfundzwanzig Jahren seines Lebens scheint der Heimgegangene in recht großem – man muß jetzt wohl sagen, zu großem – Umfang Kredite bei verschiedenen Banken, Versicherungsunternehmen und dergleichen aufgenommen haben. Das Ausmaß dieser Verbindlichkeiten dürfte –»

«Sagen Sie es schon!» Es war wieder Edwee.

«Soweit sich bisher übersehen läßt, liegt der Betrag zwischen achtzig und neunzig Millionen Dollar.»

Ein allgemeines Aufstöhnen quittierte diese neue Hiobsbotschaft.

«Und selbstverständlich kann ich – so sehr ich das bedaure – keine Gewähr dafür übernehmen, daß nicht im Laufe der Zeit weitere Schulden auftauchen. Wir können nur sagen, was zum gegenwärtigen Zeitpunkt bekannt ist.»

Allgemeines Schweigen trat ein, und keiner schien dem anderen in die Augen sehen zu können.

Henry Meyerson brach schließlich das Eis. «Ich verstehe das nicht», sagte er. «Wie ist es denn nur dazu gekommen?»

«Zieh deine Krawatte gerade, lieber Henry», mahnte Oma Flo ihren Sohn.

«Ihr Vater hat mir nie etwas über seine geschäftlichen Entscheidungen anvertraut», sagte George Wardell. «Ich war lediglich sein Rechtsberater. Wie Sie wissen, ist mein Spezialgebiet Handelsmarken-Recht.»

«Deine Krawatte, Henry», sagte Oma Flo erneut und tippte auf ihr Schlüsselbein. «Sie ist verdreht und ganz komisch.»

«Sagen Sie», fuhr Henry fort. «Ein wie hoher Anteil des Firmenkapitals ist als Sicherheit für die Darlehen meines Vaters verpfändet worden?»

«Auch das ist eine äußerst unglückselige Angelegenheit», entgegnete Wardell. «Er scheint recht groß zu sein. Offen gestanden, das meiste.»

«Mit anderen Worten, die Firma gehört den Banken?»

«Mein Gott!» kreischte Nonie. «Erst heißt es, ich krieg nur fünf Prozent, und dann sind es auch noch fünf Prozent von gar nichts!»

«Hör mal», sagte Henry. «Wir haben hier über wichtigere Dinge zu reden als darüber, wer wieviel hat. Wir müssen eine Firma leiten, und dazu gehört unter anderem, daß wir Gehälter zu zahlen haben.»

«Ja, Henry», sagte George Wardell, «am fünfzehnten, also in sechs Tagen ist eine Gehaltszahlung fällig. Dafür brauchen Sie 114 000 Dollar. Ich teile Ihre Ansicht, daß die Zahlung der Gehälter eine Ihrer vordringlichsten Sorgen sein muß.»

«Wie hätte sich mein Vater aus der Affäre gezogen, wenn er noch lebte?»

«Das wüßte ich auch gern. Es ist eine der Fragen, die ich mir immer wieder gestellt habe, während ich den Nachlaß durchgegangen bin. Er war ein sehr gewitzter Geschäftsmann, aber auch ein großer Geheimniskrämer. Er hat, wie man so sagt, sein ganzes Geschäft im Kopf mit sich herumgetragen.» George Wardell lachte leise in sich hinein, als habe er einen kleinen Scherz gemacht, doch es klang nicht sehr fröhlich.

«Die Tilgung der Darlehen wird uns sicherlich auf die eine oder andere Weise gestundet», sagte Henry. «Aber jeder von uns wird beträchtliche persönliche Opfer bringen müssen.» Dabei sah er einen nach dem anderen an.

«Komm mir bloß nicht mit Opfern», sagte Nonie. «Bei mir gibt es nichts zu holen! Ich bin mittellos, völlig verarmt.»

«Hört mal», sagte Henry und beugte sich auf seinem Stuhl vor. «Wenn ich die Firma leiten soll, muß jeder von uns dazu beitragen, sonst gibt es bald keine Firma mehr zu leiten, und niemand bekommt etwas. Ich spreche von euren persönlichen Mitteln – Aktiendepots, Spargeldern. Ich brauche eure Hilfe. Steht ihr alle hinter mir?»

«Das tun wir, Vater», sagte Mimi.

«Mit mir braucht ihr nicht zu rechnen!» sagte Nonie.

«Wir stecken in einer Krise», betonte Henry. «Verstehst du das nicht? Ich habe den Eindruck, daß du immer ziemlich gut gelebt hast. Könntest du nicht eine Weile ohne deine Hausangestellten auskommen? Mußt du dir jeden Tag die Haare machen lassen?»

«Die Witwe», meldete sich George Wardell, «also Mrs. Meyerson, ist Erbin von drei größeren Besitztümern – glücklicherweise uneingeschränkt und ohne Belastungen. Es handelt sich dabei um die Häuser an der Madison Avenue, in Bar Harbor und in Palm Beach sowie die Yacht. Darin steckt ein nicht unbeträchtlicher Wert. Hinzu kommt der Geldwert der Gegenstände, die sich in den Gebäuden befinden – Antiquitäten, Orientteppiche, die Kunstsammlung des Verstorbenen, Schmuck und so weiter.»

Oma Flo, die fast unausgesetzt gestickt hatte, legte ihre Arbeit plötzlich nieder und sah auf. «Und was ist mit meinen Guggenheim-Privatstiftungen?»

«Ich fürchte, sie sind mit in die Masse eingeflossen.»

«Ich hatte eine Stiftung von meinem Vater, meinem Großvater und jedem meiner Onkel!»

«Das ist mir bekannt. Aber sie haben Ihrem Gatten 1936 eine unumschränkte Vollmacht darüber erteilt, und im Jahr darauf hat er sich zum einzigen Verwalter der Stiftungen eingesetzt. Ich bedaure sagen zu müssen, daß die ursprünglichen Vermögenswerte nicht mehr vorhanden sind.»

«Gestohlen, meinen Sie! Er hat mich beraubt! Ich hätte es mir denken können! All die Papiere, die er mich immer hat unterschreiben lassen!»

«Ja, das Ganze ist äußerst bedauerlich.»

Oma Flo schlug mit dem Handrücken auf ihre Stickerei. «Das heißt, ich hab drei große Häuser und kein Geld, sie zu unterhalten.»

«Es sieht so aus –»

«Wo ist das Geld? Wofür hat er es ausgegeben?»

«Für Ihren ziemlich aufwendigen Lebensstil, vermute ich.»

«Aufwendig», schnaubte sie. «Nun, ich hab genug davon. Mir steht Aufwand bis hier», und sie zog mit ihrem Zeigefinger eine Linie unter dem Kinn. «Was kann ich mir dafür kaufen? Jetzt ist also alles weg – für den Aufwand. Während der ganzen Wirtschaftskrise, als alle Leute den Gürtel enger schnallen mußten, konnte niemand verstehen, wieso wir in Saus und Braus leben konnten. Die prachtvollen Meyerson! Ha! Der prachtvolle Mr. Meyerson hat einfach das Vermögen seiner Frau geplündert. Nun, George, sag Ihnen, was ich tun werde. Ich will mir den ganzen Krempel vom Hals schaffen. Sofort. Alles. Weg mit dem Kasten an der Madison Avenue, ich hab ihn nie leiden können. Weg mit dem Anwesen Bar Harbor. Ich hasse Bar Harbor – die Leute da sind Snobs, einer wie der andere. Zu unseren Gesellschaften sind sie gekommen, aber uns haben sie nie eingeladen. Weg mit Palm Beach; das hasse ich noch mehr, sofern das möglich ist. Da wollten sie uns wegen unserer ‹hebräischen Abstammung› nicht mal im Everglades Club haben. Weg mit der verdammten Yacht. Ich hab sowieso immer nur die Fische gefüttert, wenn wir mal gesegelt sind. Weg mit all dem Zeug. Ich brauch nur eine kleine Wohnung, groß genug für Itty-Bitty und mich. Wissen Sie was, George? Es gibt hier in der Stadt einen aufgeweckten jungen Immobilienmenschen – Michael Soundso. Der kann sich um den Verkauf kümmern. Mimi kennt ihn.»

«Horowitz», sagte Mimi.

«Genau der! Es heißt, daß dieser Horowitz in der Wüste Gobi Regenschirme verkaufen könnte. Rufen Sie ihn an. Sagen Sie ihm, ich will alles so schnell wie möglich los haben, und für so viel Geld, wie er rausschlagen kann. Sagen Sie ihm, Miray muß in sechs Tagen Gehälter zahlen, es gibt also keine Zeit zu verlieren. Verstanden? Schaffen Sie mir diesen Michael Horowitz her.» Fleurette Meyerson erhob sich unvermittelt zu voller Größe, was bei ihr allerdings nicht besonders eindrucksvoll wirkte. «Ich weiß nicht, was ihr vorhabt», sagte sie zu den anderen, «aber ich geh jetzt und mach Preisschilder an alles, was zu Hause rumsteht. Auf Wiedersehen.» Sie nahm ihre Stickerei auf, ging zur Kanzleitür, öffnete sie und schlug sie donnernd hinter sich ins Schloß.

Nach ihrem Weggang setzte sich George Wardell wieder die Brille auf und sah die anderen Erben an. «Ich fürchte, das war für niemanden von uns eine besonders angenehme Zusammenkunft», sagte er leise. «Als hätten Sie nicht schon genug Leid und Kummer –»

«Von wegen Leid und Kummer!» sagte Nonie. «Ich bin froh, daß er tot ist. Jetzt wissen wir alle, was für ein Mistkerl er war.»

«Nun», sagte Brad zu Mimi, als sie sich setzten, um etwas zu trinken, «zumindest haben wir einander.» Sie waren in die nahegelegene Bar gegangen, wo ein Zigeunerquartett spielte. «Auch wenn du keine Millionenerbin mehr bist, habe ich doch die hübscheste und klügste Frau in New York geheiratet, und sie macht mich sehr glücklich.» Er stieß mit ihr an. «Ich komm in der Kanzlei gut zurecht. Ich hoffe, daß ich im nächsten Jahr Teilhaber werde – das alte Walroß Waldenmeier hat so was durchblicken lassen. Ich bin glücklich, ich bin verliebt, und wir sind zusammen. Wir kommen schon durch.»

«Am meisten tut mir Tante Nonie leid. Sie hat mit all ihren geschäftlichen Unternehmungen Schiffbruch erlitten.»

«Dein Vater tut mir mehr leid. Immerhin hat er eine Firma übernommen, die mit über achtzig Millionen in der Kreide steht.»

«Mach dir um ihn keine Sorgen. Jetzt, wo er endlich freie Hand hat, zeigt er bestimmt Fähigkeiten, die uns alle überraschen werden. Er bringt die Firma wieder auf die Beine. Du wirst es sehen.»

«Die Sache erinnert mich an meinen Onkel Reggie», sagte Brad. «Alle haben ihn für ziemlich reich gehalten. Da er und Tante Abby kinderlos waren, hat jeder gehofft, bei seinem Hinscheiden bedacht zu werden. Und als er starb, war nichts da. Nicht das Schwarze unter dem Fingernagel. Er hatte auf Pump gelebt und schuldete allen in der Stadt was. Tante Abby hat immer behauptet, er müsse irgendwo eine Menge Geld versteckt haben. Allmählich hat sie sich eingebildet, daß er es unter die Tapeten geklebt hatte, und hat alle Tapeten im Haus runterreißen lassen, Schicht um Schicht, weil sie hoffte, daß sie da drunter Tausend-Dollar-Scheine finden würde. Natürlich war da nichts, und so ist sie zu guter Letzt noch auf einer hohen Tapeziererrechnung sitzengeblieben.»

«Was wird der alte Wardell wohl für die Sache berechnen?» fragte Mimi. Brad fischte die Olive aus seinem Martini-Glas und steckte sie in den Mund. Dann kratzte er sich am Kopf. «Nun, als Angehöriger eines Rechtsberatungsberufes», sagte er, «würde ich angesichts dessen, was dein Großvater hinterlassen hat, denken, daß sich Wardells Rechnung auf schätzungsweise vierzehntausenddreihundertsiebenundachtzig Dollar belaufen dürfte.»

Sie lachte. «Lieber Brad», sagte sie, «das mag ich so an dir. Du bringst mich zum Lachen. Sogar noch bei einer Katastrophe.»

«Beeindruckt hat mich deine Großmutter. Sie scheint die Firma auf jede denkbare Weise unterstützen zu wollen. Wie sie gesagt hat, daß sie nach Hause geht und Preisschilder an alles hängt, damit die Gehälter gezahlt werden können – alle Achtung. Du kennst diesen Michael Horowitz?»

«Ja.»

«Meinst du, daß er für den Verkauf ihrer Immobilien der richtige Mann ist?»

«Ich glaube schon», sagte sie.

21

Mein Vater hat etwas sehr Tapferes getan», sagt Mimi. «Es war zu jener Zeit vielleicht nicht das Klügste, aber etwas *mußte* geschehen, und seine entschlossene und rasche Handlungsweise verlangte Mut. Ich war damals schrecklich stolz auf ihn.

Wenn Sie mit anderen aus der Branche reden, werden Sie hören, daß Henry Meyerson ein schwer angeschlagenes Unternehmen übernommen und es praktisch in den Bankrott getrieben hat. Damit aber wird man meinem Vater in keiner Weise gerecht.

Zuerst müssen Sie verstehen, daß es sich hier um ein Unternehmen handelt, bei dem Novitäten alles sind. Immer wieder müssen neue Produkte auf den Markt gebracht werden – neue Farbtöne bei Nagellack und Lippenstift, neue Cremes und so weiter. Die Farbe des Nagellacks mag in diesem Jahr nicht sehr viel anders sein als im vorigen, aber wenigstens hat sie einen neuen Namen, sieht ein bißchen anders aus und wirkt neu. Dafür hatte mein Großvater eine Ader, und die Revsons haben es ihm nachgemacht. Die Lauders fangen gerade an zu begreifen, wie wichtig es ist, ständig etwas Neues zu bieten. Amerikanerinnen fangen so mit dreißig, vierzig an, sich Sorgen um ihr jugendliches Aussehen zu machen, und suchen Hilfe bei Kosmetika und Parfüm. In diesen goldenen Jahren müssen wir unsere Kundschaft packen. Lauders Parfüm Youth-Dew, das Frauen vor fünfundzwanzig Jahren zum erstenmal benutzt haben, gilt heute als Parfüm für ältere Damen, weil diese Erstbenützer jetzt um die fünfzig oder sechzig sind. Bei Lauder haben sie allmählich gemerkt, daß sie ihre jüngeren Kundinnen verlieren, und sie entwickeln jetzt in fliegender Hast neue Produkte, um sie zurückzugewinnen. Man muß in diesem Geschäft immer an der Spitze marschieren. Nie kann man sich hinsetzen, die Hände in den Schoß legen und seinen Erfolg auf einem bestimmten Gebiet genießen – und zurückblicken darf man schon gar nicht.

Aber wir wollen wieder auf das zu sprechen kommen, was mein Vater getan oder zu tun versucht hat. Zuerst müssen Sie bedenken, daß eins der Probleme, die er geerbt hatte, das ‹Granatapfel›-Fiasko war, wie wir es noch heute nennen. Immer, wenn wir fürchten, es könnte bei einem Produkt Schwierigkeiten geben, sagen wir: Denkt an Granatapfel! Das war ein Farbton für Lippenstift und Nagellack, den mein Großvater zwei, drei Jahre vor seinem Tod eingeführt hatte – ein totaler Reinfall. Wer weiß schon, warum sich ein Produkt oder eine Farbe auf dem Markt einfach nicht durchsetzt? Manchmal läßt sich das unmöglich sagen, und genau das war bei ‹Granatapfel› der Fall. Es schlug einfach nicht ein. Ob der Name nicht raffiniert genug war, zu wenig erotische Verlockung darin mitschwang – wer weiß das schon? Es war auf jeden Fall eine Superpleite.

Mein Großvater hat die Schuld dafür gemeinerweise meinem Vater in die Schuhe geschoben, obwohl der mit der Sache nichts zu tun hatte. Der Name Granatapfel stammte – wie alle Produktnamen – von meinem Großvater selbst. Vor der Markteinführung hat mein Vater ein paar Proben von ‹Granatapfel› mit nach Hause genommen, und meine Mutter fand es hinreißend. Ihr gefielen Farbe und der Name. Mein Vater hat das meinem Großvater gesagt, und dieser ließ sich von dieser Meinungsumfrage bei einer einzigen Frau zu der Überzeugung bringen, ‹Granatapfel› müsse der größte Hit aller Zeiten werden. Er hat sofort einen höheren Anzeigen- und Verkaufsförderungsetat angesetzt, als ursprünglich vorgesehen war, und weitere Verkäufer eingestellt. Mein Großvater hat die Produktionsmenge vervierfacht, und als sich ‹Granatapfel› dann nicht verkaufte, hat er Papa vorgeworfen, es sei viel zu viel davon hergestellt worden. So war das bei Opa. Er konnte geschäftliche Fehleinschätzungen nie auf die eigene Kappe nehmen, ein anderer mußte der Sündenbock sein, und bei ‹Granatapfel› war das eben Papa – einfach, weil er gesagt hatte, daß der Farbton meiner Mutter gefiel!

Es war ebenso lächerlich wie töricht. Sie wissen, daß mein Großvater keine besonders hohe Meinung von meiner Mutter hatte. Sie war ihm für seinen Ältesten nie gut genug gewesen. Wieso galt jetzt ihre Ansicht auf einmal so viel? Wer weiß? Vielleicht wollte er mit

Gewalt ein gutes Vorzeichen und hat Mamas Reaktion dafür genommen. Jeder in dieser Branche ist abergläubisch, auch ich, wie Sie ja wissen. Das ist auch der Grund, warum ich die öffentliche Vorstellung von ‹Mireille› auf den siebzehnten gelegt habe, denn ein Astrologe hat mir gesagt, das sei für mich der günstigste Tag!

Natürlich war das ‹Granatapfel›-Fiasko nicht der ausschließliche Grund für den entsetzlichen Zustand, in dem sich die Firma bei Opas Tod befand, aber es hatte die Lage mit Sicherheit nicht verbessert. Als hätte mein Vater nicht schon genug Schwierigkeiten geerbt, mußte er mit ansehen, wie Zigtausende von unverkauften Lippenstiften und Flaschen mit dem verdammten Zeug in den Lagerhäusern von Miray verstaubten und Kapital fraßen. Die Angestellten witzelten vom ‹fauler Apfel›. Dummerweise konnte man den Farbton nicht einfach unter einem anderen Namen erneut auf dem Markt bringen, was in unserer Branche häufig vorkommt, denn man hatte das Produkt sehr auffällig verpackt: auf dem Deckel einer jeden Lippenstifthülse prangte ein rotgelb schimmernder Granatapfel, und die Deckel der Nagellackfläschchen waren wie Granatäpfel geformt. Papa wollte die Firma um jeden Preis aus ihrer Notlage retten, und dazu gehörte, daß er sich von den ungeheuren Lagervorräten an ‹Granatapfel› trennte. Mir erschien das damals sehr klug, und ich bewunderte meinen Vater rückhaltlos. Er war in meinen Augen der klügste, bestaussehendste, unerschrockenste Mann auf der Welt – der Ritter in schimmernder Rüstung, der auf das Schlachtfeld sprengen und mit starker Hand die Firma retten würde. Natürlich war ich noch schrecklich jung – kaum zwanzig – und hatte keinerlei Erfahrung im Kosmetikgeschäft. Wie ich schon gesagt habe, sehe ich die Dinge rückblickend anders. Mein Vater hat einen ganz entscheidenden Fehler begangen und sein Ziel nicht erreicht – aber es war ein tapferer Versuch.

Außerdem dürfen Sie nicht vergessen, daß er im Lauf der Jahre zwar in der Firma alle möglichen wohlklingenden Titel bekommen hatte, aber nie wirkliche Vollmachten. Alle Entscheidungen sind letzten Endes über den Schreibtisch meines Großvaters gegangen. Vielleicht gab es Feinheiten in der Branche, die meinem Vater entgangen waren, aber wie hätte er sie auch mitbekommen sollen? Niemand hatte ihn je beraten, und mein Großvater war bei all seinen Verdiensten ein denkbar schlechter Lehrmeister. Nach Opas Tod blieben Papa etwa zwei Tage, um alles zu lernen, was man wissen muß, wenn man im Kosmetikgeschäft überleben will!

Oma Flo kann man für das, was sie getan hat, nicht genug Anerkennung zollen. Ohne ihre Hilfe stünden wir heute höchstwahrscheinlich nicht da, wo wir stehen. Auch wenn sie sich gegen meine Mutter so abscheulich benommen hat wie kürzlich bei meiner Abendeinladung – ich muß mich immer daran erinnern, was sie damals, in den schweren Jahren neunundfünfzig und sechzig, getan hat, um der Firma aus der Krise zu helfen. Sie war die wirkliche Stütze des Ganzen. Zu jener Zeit hatte sie mehr Mumm als jeder andere.

Sie hat ihren gesamten Immobilienbesitz zum Verkauf anbieten lassen, und der Zeitpunkt war genau richtig. Damals wurde die Madison Avenue nördlich der 7. Straße allmählich Teil des Geschäftsviertels, und heute steht an der Ecke Madison Avenue und 61. Straße ein Bürohochhaus. Auch Michael Horowitz verdient Lob, er hat den Verkauf glänzend über die Bühne gebracht. Sogar Omas Haus ‹Merry Song› in Bar Harbor haben wir zu günstigen Bedingungen abstoßen können. Auf dem Grundstück stehen jetzt vierhundertfünfzehn Ferienwohnungen mit einem Hafen für mittelgroße Boote. Das Ganze sieht zwar etwas ungepflegt aus, ist aber hochrentabel. Natürlich hat Michael das nicht aus Herzensgüte getan, oder weil er uns einen Gefallen tun wollte – er hat selbstverständlich seine Maklerprovision bekommen, aber Oma ist gut dabei gefahren. Sie hat fast den ganzen Erlös meinem Vater übergeben, um ihren Anteil dazu zu leisten, daß die Firma nicht unterging. Ich sehe sie noch vor mir, wie sie am Sekretär in der kleinen Wohnung saß, die sie im Haus Park Avenue 30 bezogen hatte, und einen Scheck nach dem anderen über unfaßlich hohe Beträge ausschrieb.

Die Yacht ‹Mer et Son› ließ sich nicht so ohne weiteres verkaufen. Die Ölscheichs sind zu jener Zeit noch nicht als Käufer für diese Art Spielzeug aufgetreten, und niemand sonst wollte ein so großes Boot. Außerdem hatte es mehrere Jahre in der kleinen Bucht, die an den Park von Omas Haus stieß, vor Anker gelegen, weil man meine Großeltern nicht als Mitglieder im Northeast Harbor Fleet Club hatte aufnehmen wollen. Der Rumpf war ziemlich tief in den Schlick eingesunken und saß voller Muscheln. Die Yacht war in einem verheerenden Zustand und wimmelte wahrscheinlich von Ratten. Schließlich hat Michael eine Möglichkeit gefunden, sie an die US Navy abzustoßen, die sie als Ausbildungsschiff übernahm. Zu verdienen war damit nicht viel, aber wenigstens ist eine Steuerermäßigung dabei herausgesprungen, die auch nicht zu verachten war.

Am schlimmsten war es mit dem Besitz in Palm Beach. Es ist das größte Anwesen dort, Opas letzte Torheit, wie Sie wissen. Als der Palast 1960 für zweiundzwanzig Millionen auf dem Markt angeboten wurde, wollte ihn niemand haben. Er ist aber auch wirklich für *jeden* zu groß. Eine Teilung des Grundstücks kam wegen der dort geltenden Bauvorschriften nicht in Frage, und der Bau läßt sich weder für öffentliche noch wirtschaftliche Zwecke nutzen. Schließlich wollte Michael ihn den Vereinigten Staaten als Weißes Haus für den Winter schenken, wo sich hohe ausländische Besucher der Regierung aufhalten konnten, aber sogar Washington hat abgewinkt. Der Unterhalt war denen einfach zu teuer. Obwohl der Preis im Laufe der Jahre immer weiter zurückgenommen wurde, hat niemand angebissen, und die Steuerlast für das Anwesen wurde immer drückender. Über zwanzig Jahre hat der Kasten zum Verkauf gestanden, ist notdürftig unterhalten worden und dabei immer mehr heruntergekommen. Ein weiterer Haken war, daß der Glockenturm in der Mitte ein Anflugfeuer trug, weil das Haus auf der Haupteinflugschneise des Flughafens West Palm Beach stand, und so war ‹Ma Raison› nicht nur der größte, sondern auch der lauteste Bau in Palm Beach. Gerade gegen fünf Uhr nachmittags, wenn man gern in Ruhe auf der Terrasse ein Gläschen trinken möchte, sind scharenweise die großen Düsenmaschinen von Norden eingefallen und haben zur Landung angesetzt. Man konnte sich nicht mal denken hören.

Immer weiter wurde die Preisforderung zurückgenommen. Als man uns vor ein paar Jahren als günstigstes Angebot vier Millionen nannte, hat Michael Horowitz zweihunderttausend daraufgelegt und den Besitz selbst gekauft. Der Himmel weiß, was er damit vorhatte. Zwar hat er es zu einem echten Notverkaufspreis bekommen, aber von unserem Standpunkt aus muß ich sagen, gut vier Millionen sind besser als nichts, und wichtig ist, daß Oma endlich diese horrend hohen Grundsteuern nicht mehr zahlen muß. Und wissen Sie, was unser gerissener ehemaliger Freund Michael getan hat? Er hat die Leute am Flughafen unter Druck gesetzt und erreicht, daß die Anflugschneise verlegt wurde. So was bringt nur fertig, wer so reich ist wie Michael Horowitz.

Aber ich schweife ab. Ich wollte ja über meinen Vater sprechen ...»

Zwei Tage nach der Eröffnung und Verlesung von Adolph Meyersons Testament fand im Vorstandszimmer der Miray Corporation an der Fifth Avenue die erste Gesellschafterversammlung des Unternehmens unter Henry Meyersons Leitung statt. Nur fünf Anteilseigner waren gekommen: Edwee, Nonie, Mimi, Oma Flo und Henry selbst. Die telegrafisch von der Versammlung verständigten Nachkommen Leos hatten es für richtig gehalten, nicht zu erscheinen. Seit Leopold und Nathan 1941 aus der Firma ausgeschieden waren, hatte aus dieser Linie niemand eine solche Zusammenkunft besucht, und an jenem Tag waren sie sich selbstverständlich der Schwierigkeit der Lage nicht bewußt gewesen. Die fünf Meyersons saßen um den großen Tisch. Henry als Vorsitzender thronte in dem gewaltigen Sessel, den nahezu fünfzig Jahre lang der Unternehmensgründer innegehabt hatte.

«Ich brauche euch nicht an die Krise zu erinnern, in der wir uns befinden», begann er.

«Henry, deine Krawatte sitzt immer noch schief», meldete sich Fleurette.

«Mutter, bitte», sagte Henry beinahe wütend. «Wenn du in den letzten achtundvierzig Stunden beim Versuch, einen Überblick über das Chaos zu gewinnen, das hier herrscht, nicht ins Bett gekommen wärest, säße deine Krawatte auch schief!»

«Setz dich zumindest gerade hin», sagte sie unbeeindruckt. «Dein Vater hat nie so krumm dagesessen.»

«Wir befinden uns in einer schweren Krise», nahm Henry wieder das Wort auf, und man konnte die Schweißperlen auf seiner Stirn sehen, obwohl es draußen ziemlich kalt war und er als eine der drastischsten Sparmaßnahmen angeordnet hatte, daß die Temperatur in den Büros auf achtzehn Grad heruntergeregelt wurde. «Ich möchte euch erläutern, welche Notmaßnahmen ich bereits ergriffen habe. Die Zahl der Büroangestellten hier wird um fünfundzwanzig Prozent vermindert, wobei die zuletzt eingestellten Leute zuerst gehen müssen. Die Betroffenen haben ihre Kündigungsschreiben bereits erhalten. Die Zahl unserer Verkäufer draußen wird gleichfalls um fünfundzwanzig Prozent verringert. Leitende Angestellte, die bisher eine eigene Sekretärin hatten, werden ab sofort die Dienste des zentralen Schreibbüros in Anspruch nehmen. Die elf Dienstwagen der Firma werden verkauft; leitende Angestellte benutzen innerhalb des Stadtgebiets ab sofort Taxen, Geschäftsreisen und Geschäftsessen werden auf das unbedingt Nötige eingeschränkt und so weiter. Ich kümmere mich ab sofort selbst um die Kostenrechnung. Außerdem habe ich alle leitenden Angestellten aufgefordert, sich zumindest vorläufig mit einer zwanzigprozentigen Gehaltskürzung einverstanden zu erklären. Selbstverständlich habe ich das bei meinem eigenen Gehalt als erster praktiziert.»

Höflicher Beifall ertönte.

«Aber ich brauche euch nicht zu sagen», fuhr er fort, «daß all das nur ein Tropfen auf dem heißen Stein ist. Wenn die Firma überleben soll, sind weitere und bedeutend einschneidendere Maßnahmen erforderlich. Ich werde sie euch anschließend zur Abstimmung vorlegen.»

Erwartungsvolles Schweigen trat ein. «Sag es schon, Henry», forderte ihn Oma Flo auf und zog einen Knoten in ihrer Stickerei fest.

«Es handelt sich um ein Drei-Punkte-Programm», sagte er. «Erstens bitte ich euch zuzustimmen, daß alle Dividenden an Gesellschafter auf unbestimmte Zeit ausgesetzt werden, bis das Unternehmen wieder Gewinne abwirft.»

Trotz allgemeinen Stöhnens um den Tisch herum wurde zustimmend genickt.

«Zweitens bitte ich um eure Ermächtigung, umgehend mit allen Banken und sonstigen Institutionen, bei denen wir Gelder aufgenommen haben, zu verhandeln mit dem Ziel, daß diese Darlehen prolongiert werden, selbstverständlich zu den günstigsten Bedingungen, die wir bekommen können.»

Wieder wurde genickt.

«Und zum Schluß die einschneidendste Maßnahme von allen», sagte er. «Glaubt mir, ich habe in den letzten Tagen lange und gründlich über die Sache nachgedacht, und ich bin zu dem Ergebnis gekommen, daß es sich um die rascheste, wirksamste – unter Umständen sogar die einzige – Möglichkeit handelt, unser Unternehmen aus seiner gegenwärtigen schweren Krise herauszuführen. Ich schlage eine grundlegend neue Vertriebsstrategie für Miray-Produkte vor. Wie ihr wißt, hat sich die Firma in der Vergangenheit allmählich im gehobenen Markt etabliert und ihre Produkte durch Kaufhausketten und Nobel-Warenhäuser wie Saks, Magnin's und Neiman's vertrieben. Als mein Vater 1912 anfing, hat er seine Erzeugnisse ausschließlich in Billigläden verkauft. Das hatte Miray seinerzeit überhaupt erst in den Stand gesetzt, richtig in dem Business einzusteigen. Unglücklicherweise befindet sich das Unternehmen heute wieder in derselben Lage wie damals – wir stehen ganz am Anfang. Wenn wir überleben und Gewinne machen wollen wie früher, müssen wir unsere Erzeugnisse in einem anderen Marktsegment anbieten. Wir haben einen guten Namen, und ich bin sicher, daß wir dort erfolgreich mit Marken wie Cutex konkurrieren können. Wie die meisten von euch wissen dürften, drückt uns im Augenblick am meisten die

Sorge, auf welche Weise wir uns von riesigen Warenbeständen eines Farbtons namens ‹Granatapfel› trennen können. Das war bekanntlich ein entsetzlicher Fehlschlag. Ich glaube, wir könnten es im unteren Marktsegment gut verkaufen. Wohl bedeutet das, unseren empfohlenen Verkaufspreis deutlich herabzusetzen, aber wir werden auch – und zwar trotz allem mit Gewinn – eine ungeheure Lagermenge los, die eine Unmenge Kapital bindet und uns hohe Kosten verursacht. Ich schlage vor, dieses neue Vorgehen auf alle Miray-Produkte auszudehnen. Die Kundinnen der oberen Einkaufsschicht haben uns bei ‹Granatapfel› eine Absage erteilt. Indem wir uns weiter unten eine neue Position schaffen, können wir meiner festen Überzeugung nach den Erfolg meines Vaters wiederholen. Wir kehren sozusagen zu unseren Wurzeln zurück – zwar bescheidenen, aber auch stolzen und ehrenhaften Wurzeln. Aus ihnen sind wir zu einem der führenden Unternehmen in der Branche herangewachsen, und aus ihnen werden wir erneut wachsen. Ich bitte euch, diesen Vorschlag anzunehmen. Wie ich schon zu Anfang gesagt habe, ist er einschneidend, aber nach meiner Einschätzung der Lage ist er möglicherweise unsere einzige Hoffnung auf Erfolg.»

Um den Tisch herum herrschte Schweigen. Schließlich fragte Oma Flo: «Steht es wirklich so schlimm?»

«Ja, Mutter.»

«Bravo, Papa», sagte Mimi.

«Und jetzt», sagte Henry, «frage ich euch: wollen wir über jeden der drei Punkte getrennt oder über alle zusammen abstimmen?»

«Zusammen!» rief Oma Flo.

«Wie stimmen wir – dafür oder dagegen?»

«Dafür», sagte Oma Flo, ohne die Augen von der Stickerei zu heben.

«Dafür», schloß sich Edwee an.

«Dafür», bekräftigte Mimi.

«Dagegen!» sagte Nonie mit Nachdruck.

«Damit sind meine Vorschläge», sagte Henry, noch mehr auf seinem Sessel zusammensinkend, «mit einer Mehrheit von fünfundneunzig Prozent angenommen.»

Am folgenden Tag konnte man im Wirtschaftsteil der *New York Times* nachstehenden Artikel lesen:

MIRAY WECHSELT MARKTSEGMENT
BRANCHE WIE VOR DEN KOPF GESCHLAGEN

In einer überraschend angesetzten Pressekonferenz kündigte der 43jährige neue Präsident und alleiniger Geschäftsführer von Miray Corporation, Mr. Henry Meyerson, eine verblüffende neue Marketing-Strategie seines Unternehmens an, das eine große Produktpalette von Luxus-Kosmetika sowie Haut-, Haarpflege- und andere Schönheitsprodukte im Programm hat.
Die Firma Miray, deren Artikel lange nur in speziellen Boutiquen und ausgewählten Kaufhäusern erhältlich waren, will diese ab sofort über Niedrigpreis-Verkaufsstellen im ganzen Land vertreiben. «Wir sind zu exklusiv geworden», sagte Mr. Meyerson. «Dort wartet ein neuer und größerer Markt auf Qualitätserzeugnisse.» Branchenkenner erklärten, sie seien vom jüngsten Schachzug der Miray Corporation «wie vor den Kopf geschlagen». Soweit bekannt ist, hat in der Geschichte dieser Branche noch nie zuvor ein renommierter Hersteller freiwillig eine solche Position am Markt aufgegeben.
Auf Gerüchte angesprochen, denen zufolge sich Miray seit dem kürzlich gemeldeten Tod des 89jährigen Unternehmensgründers Adolph Meyerson in finanziellen Schwierigkeiten befinden soll, erklärte Mr. Henry Meyerson, dessen Sohn, daß sie jeder Grundlage entbehrten. «Miray geht es glänzend», sagte er. «Es ist einfach an der Zeit, daß die nächste Generation das Ruder übernimmt und das Unternehmen in eine vielversprechende neue Richtung steuert.» Die Firma Miray, eine Personalgesellschaft, deren Anteile sich im Besitz von Angehörigen der Familie Meyerson befinden, braucht ihre finanzielle Situation nicht darzulegen, doch ist bekannt, daß in den letzten Tagen Personal entlassen wurde und ein erst im Herbst des Jahres mit großem Aufwand vorgestellter neuer Lippenstift und Nagellack nicht annähernd den gewünschten Verkaufserfolg hatten.
Mit Bezug auf die Entlassungen sagte Henry Meyerson: «Ein neuer Besen kehrt nun einmal gut; und ich bin der neue Besen.» Stimmen aus der Branche allerdings äußerten sich skeptisch zu den Erfolgsaussichten der angekündigten Verkaufsstrategie.

«Es war eine katastrophale Fehlentscheidung», sagt Mimi. «Kühn, aber sie hätte dem Unternehmen fast den Todesstoß versetzt. Das weiß ich heute, aber damals hat das niemand geahnt. Es hatte Jahre gedauert, die Markentreue einer zahlungskräftigen Kundschaft aufzubauen, und sie wurde über Nacht aufgegeben. Eine Frau, die für ihren Lippenstift bei Saks zwölf Dollar ausgegeben hat, ärgert sich und fühlt sich hintergangen, wenn sie eben diesen Lippenstift für einen Dollar neunzehn in einem Supermarkt oder im Laden einer Drogeriekette sieht. Durch seinen Beschluß, den Luxusmarkt aufzugeben, um sich dem Massenmarkt zuzuwenden, hat Papa mit einem Schlag die Markentreue sämtlicher Kundinnen verloren. In dieser Branche kann man die Uhr nicht zurückdrehen – vielleicht in keiner.

Es bestand kein Anlaß, alles über Bord zu werfen, nur weil ‹Granatapfel› nicht eingeschlagen hatte. Aber mein Vater war von diesem Problem förmlich besessen – vielleicht, weil Opa behauptet hatte, er trage die Schuld daran. Also hat er beschlossen, alles zu verschleudern, sogar die Produkte, die beliebt waren und Gewinn abwarfen. Es war katastrophal. Rückblickend erkenne ich, daß Papa nicht nur unerfahren war, sondern geradezu naiv.

Dann sind weitere Schwierigkeiten aufgetreten. Beispielsweise haben sich die Leo-Verwandten gemeldet, als sie für ihre Miray-Anteile keine Gewinne mehr bekamen. Sie wollten verständlicherweise wissen, woran das lag, sind mit ihren Anwälten angerückt, und die haben postwendend die Beschlüsse der Gesellschafterversammlung vom Dezember für rechtswidrig erklärt. Immerhin waren Leos Nachkommen im Besitz von fünfzig Prozent der verbleibenden Anteile, und wenn jemand bei einer solchen Versammlung nicht mitstimmt, gilt das als Gegenstimme, ganz gleich, wie der Antrag lautet. Von einer solchen Vorschrift hatte weder Papa noch sonst einer von uns je gehört. Da die Verwandten nicht mitgestimmt hatten, wollten sie das als ablehnendes Votum zu Papas Vorschlag gewertet wissen. Juristisch gesehen war das einwandfrei. Außerdem haben sie erklärt, zusammen mit Nonies Gegenstimme seien Papas Vorschläge mit Mehrheit abgelehnt worden. Das hat zu einer wahren Prozeßlawine wegen nachlässiger Unternehmensleitung geführt.

Armer Papa. In den beiden Jahren an der Spitze des Unternehmens hat er den größten Teil seiner Zeit mit diesen Prozessen zugebracht. Er wurde immer mutloser und niedergeschlagener, und die Aussichten, die Firma über diese schwierige Zeit zu bringen, wurden immer schlechter. Gott sei Dank gab es Oma und Michael...

Diese beiden Jahre waren für Papa grauenvoll, und er ist schrecklich gealtert. Man konnte richtig sehen, wie seine dunklen Locken weiß wurden; er ging immer gebeugter. In diesen zwei Jahren schien er zwanzig Jahre älter geworden zu sein. Brad und ich haben seinem körperlichen Verfall mit einem Gefühl der Hilflosigkeit zugesehen, und meine Mutter ... nun, sie war ihm keine Hilfe und hat mehr als je zuvor getrunken. Manchmal bin ich zu ihm gegangen und hab ihn gefragt, ob ich ihm helfen könne, aber er hat dann nur den Blick abgewandt und gesagt, nein, das sei nicht möglich.

Und dann ... nun, wenn es stimmt, daß es sich um einen ... Sie wissen schon, um Selbstmord handelte ... hätten diese beiden Jahre bestimmt genügt, ihn dahin zu treiben. Ich weiß nicht. Vielleicht. Er hat gemerkt, daß es ihm nicht gelingen würde, die Sache wieder ins Lot zu bringen.»

«Ich muß mit Itty-Bitty zu einem Spezialisten», hatte Oma Flo am Telefon gesagt. «Das arme Tier hat eine Stechwarze an der linken Vorderpfote, die es schrecklich quält. Tu mir einen Gefallen, Kind.»

«Was?»

«Da sind ein paar Papiere für Bar Harbor zu unterschreiben. Eigentlich wollte ich heute bei Mr. Horowitz vorbeigehen und sie abholen, sie müssen nämlich gleich morgen früh bei den Anwälten sein. Aber jetzt muß ich mit Itty-Bitty nach Mount Kisco fahren, da wohnt nämlich der einzige Tierarzt, der das machen kann. Bist du so lieb und holst sie für mich bei Mr. Horowitz ab? Ich hab deine Mutter gebeten, aber sie hat gesagt, sie fühlt sich nicht besonders. Du weißt ja, was das heißt. Sicher hat sie wieder einen sitzen. Deinen Vater kann ich nicht bitten, er hat zu viel um die Ohren.»

«Weißt du was», sagte Mimi. «Du könntest doch zu Michael gehen, und ich fahr mit Itty-Bitty nach Mount Kisco.» Es war ihr durchaus recht, daß sie bisher keinen direkten Kontakt mit Michael gehabt hatte.

«Nein, das würde nicht gutgehen», sagte ihre Großmutter. «Bestimmt will Itty-Bitty, daß ich dabei bin, falls sie operiert wird.»

«Warum kann er denn keinen Boten schicken?» fragte Mimi und überlegte, wie sie die Begegnung vermeiden könnte.

«Er traut Boten nicht. Das hier ist zu wichtig, man kann es nicht in fremde Hände geben. Willst du mir nicht diesen kleinen Gefallen tun? Ich würde dich nicht bitten, wenn es nicht so wichtig wäre. Er wohnt Ecke Riverside Drive und 88. Straße. Es dauert bestimmt nicht lange.»

«Es ist gut, Oma, ich gehe hin», sagte Mimi.

«Hallo, Kindchen», begrüßte Michael sie strahlend an der Tür seiner Wohnung, als seien nicht mehr als zwei Jahre vergangen, seit sie einander zuletzt gesehen hatten. Er trug Jeans, hatte den Hemdkragen geöffnet und seine gelockerte Krawatte keck über die Schulter geworfen. Er gab ihr sogleich einen großen, dicken gelben Umschlag, und einen Augenblick lang dachte sie, er werde sie nicht einmal hereinbitten. Dann fragte er: «Willst du dir nicht wenigstens mal kurz ansehen, wie ich hier hause?»

Seine Wohnung war offensichtlich mit Absicht so eingerichtet, daß Besucher in Begeisterung geraten mußten, und so erging es auch Mimi. Das riesige Wohnzimmer war von einer Wand zur anderen mit hochflorigem weißem Teppichboden ausgelegt, in dem man förmlich versank. Möbliert war der Raum mit großen weißen Sofas und Sesseln, auf denen Dutzende weißer Kuschelkissen lagen. Alles, was nicht weiß war, war verspiegelt: Wände, Türen, Tischplatten und Lampenfüße. In die Decke war ein kompliziertes System aus Strahlern eingelassen. Hohe Glasschiebetüren, die vom Fußboden bis zur Decke reichten, bildeten die Westwand und gingen auf eine große, von einer Hecke eingefriedete und mit Obstbäumen bestandene Terrasse. Mimi merkte gleich, daß Hecke wie Bäume künstlich waren – gutgemachte Imitationen. Jenseits der Hecke fiel der Blick ungehindert auf den Hudson, auf New Jersey Palisades, die Türme von Fort Lee und die hohen Pfeiler der George-Washington-Brücke. «Du hast es hier wunderschön, Michael», sagte sie, «geradezu spektakulär!»

Er lachte. «Michael Taylor aus San Francisco hat mir das eingerichtet. Er ist da der Spitzen-Innenarchitekt. Er hat mich gefragt, ‹Soll es wie alter oder wie neuer Reichtum aussehen?› und ich hab gesagt: ‹Ich wüßte nicht, was gegen neuen Reichtum einzuwenden ist. Ich bin nun mal neureich – soll ich mich dafür schämen?› Das hier waren vier kleinere Räume, aus denen wir die Zwischenwände rausgeschlagen haben. Taylor arbeitet gern mit Einbauten, deshalb ist hier alles eingebaut.» Er ging durch den Raum, öffnete und schloß Türen, hinter denen sich allerlei Einbauten, Stereoanlage, Fernseher, Kühlschrank, verbargen. «Zur Zeit bau ich mir ein Haus in East Orange, da ist das hier nichts im Vergleich dazu. Ich bin vielleicht noch nicht der reichste Mann von New York, aber auf dem Weg dahin. Willst du was trinken?»

«Nein, danke. Ich kann nicht lange bleiben.»

«Setz dich doch», sagte er. Sie nahm Platz auf der Kante eines der riesigen Sofas, den dicken Umschlag auf den Knien, und er setzte sich ihr gegenüber, vorgebeugt, die Ellbogen auf die Knie und das Kinn auf die Fäuste gestützt. Sie sah, daß er eine goldene Rolex trug. Er musterte sie aufmerksam einen Augenblick lang, warf sich dann eine widerspenstige Strähne seines sandfarbenen Haars aus der Stirn und schob gleichzeitig den Unterkiefer vor.

«Gut siehst du aus», sagte er. «Die Ehe scheint dir zu bekommen.»

Lächelnd klopfte sie mit einem Finger auf den Umschlag und sah auf ihre Uhr.

«Ich hab in der *New York Times* über eure Hochzeit gelesen», sagte er. «Sie ist ja auf der Gesellschaftsseite ausführlich beschrieben worden. ‹Aus einer alten Bostoner Familie› hat da gestanden. Das hat deinem Großvater bestimmt gefallen. Wenn du mich geheiratet hättest, wär es bestimmt nicht in die Zeitung gekommen.»

«Wir sind alle schrecklich dankbar, daß du so viel für uns tust, Michael», sagte sie.

«Nicht der Rede wert», sagte er. «Immobiliengeschäfte kann ich nun mal am besten. Aber dir liegt was auf der Seele, Kindchen. Das seh ich auf den ersten Blick. Du hast richtige kleine Sorgenfältchen um die Augen. Was ist los?»

«Nun, ich war etwas aufgewühlt, als ich hergekommen bin», sagte sie.

«Das dürfte kaum der wahre Grund sein. Schließlich hab ich ja extra deine Großmutter gebeten, daß sie dich herschickt.»

«Ach so. Das war also *dein* Einfall. Ich hätte es mir denken sollen.»

«Ich wollte sehen, wie du mit dem allen zurechtkommst. Du siehst bekümmert aus, und so, als ob du Angst hättest.»

«Angst? Nun, es war schon ein ziemlicher Schock, als wir entdeckten, in welchem Zustand Opas Nachlaß war.»

«Sag mir», forderte er sie auf. «Glaubst du, daß das, was deine Großmutter tut, und wobei ich ihr helfe, der Firma wirklich nützt?»

«Nun, was wir jetzt brauchen, ist ja wohl Kapital und –»

«Und was meint dein Mann dazu? Er soll doch so ein toller Anwalt sein.»

«Brad stammt aus Neuengland und sieht die Dinge sehr gelassen.»

«So, so, gelassen. Willst du damit sagen, er ist ein kalter Fisch?»

«Nein, er ist sogar sehr optimistisch und scherzt ziemlich viel über die ganze Sache – mit Bezug auf die Anwaltskosten und so weiter.»

«Er scherzt? Ich wollte, ich könnte eure Situation lustig finden. Ich würde sagen, eure Firma steckt in größeren Schwierigkeiten, als ihr alle ahnt. Ich finde es toll, was deine Großmutter tut, aber es ist so, als wenn jemand den kleinen Finger in ein Loch im Deich stecken würde – ein Loch, das stündlich größer wird.»

«Ist das dein Ernst, Michael?» fragte sie. «Jetzt machst du mir wirklich Angst.»

«Hast du schon mal daran gedacht, selbst die Leitung eurer Firma zu übernehmen? Das Zeug dazu hättest du.»

«Ich? Aber es ist jetzt Papas Firma, und –»

«Ich war schon immer der Ansicht, daß du die Klügste aus eurer Familie und die Beste von dem ganzen Haufen bist. Du hast Köpfchen und Geschmack. Ich hab keinen Geschmack. Das hier» – er wies auf den Raum – «ist nicht mein Geschmack, sondern der von Michael Taylor. Aber du hast alles, was man braucht... Du bist schön, klug, hast Geschmack und Klasse. Aber jetzt» – er sprang auf – «mußt du gehen. Denk ruhig mal über das nach, was ich gesagt hab. Soweit ich die Lage beurteilen kann, habt ihr alle nichts zu lachen. Um euch aus dem Schlamassel rauszubringen, in dem ihr steckt, ist mehr als nur ein kleiner Finger nötig, den man in den Deich steckt.»

Er begleitete sie zur Tür. Dort zog er sie mit einem Mal an sich und küßte sie fest und ein wenig plump auf den Mund. «Zur Erinnerung an alte Zeiten», sagte er und ließ sie los. «Jetzt mußt du aber laufen, Kindchen. Ich hab zu tun. Ruf mich ruhig an, wenn du mich brauchst.»

Dann schloß sich die Tür hinter ihr, und sie stand draußen.

22

Die Zusammenkunft dieses Nachmittags fand in Nonie Meyersons Wohnung an der 66. Straße statt, da diese vom Museum aus etwas einfacher zu erreichen ist als Sutton Square, und Philippe de Montebello hat selbstverständlich einen gedrängt vollen Terminkalender. Noch günstiger wäre für ihn das Hotel Carlyle gewesen, aber Edwee war nicht sicher, ob er seine Mutter rechtzeitig aus dem Hause bekommen würde. Da jener Herr das Bild schon früher mehrfach besichtigt hat, ist überdies der Ort der Zusammenkunft nicht von überragender Bedeutung.

Nonie hat an alles gedacht, auch an eine silberne Karaffe mit Eiswasser und vier Gläsern und für den Fall, daß sich jemand Notizen machen möchte, sogar an alle vier Ecken ihres gläsernen Kaffeetisches einen Schreibblock mit einem frisch gespitzten Bleistift gelegt. Der hochgewachsene, erstaunlich gutaussehende Philippe de Montebello taucht Punkt drei Uhr auf und wirkt ganz wie der europäische Aristokrat, der er schließlich auch ist. John Marion kommt eine oder zwei Minuten zu spät. Edwee ist natürlich längst da und eröffnet nach den üblichen einleitenden Floskeln die Sitzung.

«Ich bedaure außerordentlich», beginnt er, «daß meine Mutter, wie es scheint, an unserer Besprechung wohl nicht teilnehmen wird. Zwar hatte sie ihr Kommen zugesagt, doch als ich sie vor einigen Minuten anrief, um sie an die Sache zu erinnern, hatte sie sie vollständig vergessen. Es ist wirklich betrüblich, wie ihre Fähigkeiten nachlassen.» Er tippt sich an die Stirn. «Es ist die Alzheimersche Krankheit, leider.»

«Als ich vor einigen Wochen mit ihr sprach, habe ich durchaus den Eindruck gewonnen, daß sie ihren Verstand beisammen hatte», sagt Philippe de Montebello.

«Ach ja, sie hat durchaus lichte Tage», sagt Edwee, «aber das kommt immer seltener vor. Es ist wirklich traurig. Zum Glück wissen meine Schwester und ich, daß Mutter mit Ihnen über ihre Sammlung gesprochen und dem Metropolitan Museum angeboten hat, sich nach Wahl daraus zu bedienen. Wir sind natürlich sehr glücklich darüber.»

«Selig», bekräftigt Nonie.

«Eigentlich geht dieser Vorschlag darauf zurück, daß meine Schwester und ich meine Mutter dazu gedrängt haben. Unsere Gründe sind zum Teil altruistischer, zum Teil aber auch pragmatischer Natur. Wir dürfen wohl von uns sagen, daß wir New York lieben und uns freuen würden, wenn möglichst viele Menschen diese Kunstwerke in der bedeutendsten kulturellen Einrichtung dieser Stadt bewundern dürfen; wir verhehlen aber auch nicht, daß uns daran liegt, im Falle des Hinscheidens unserer Mutter – sie wird unglücklicherweise nicht jünger – nicht so hohe Erbschaftsteuern auf ihren Kunstnachlaß zahlen zu müssen.»

«Ich verstehe», sagt de Montebello. «Ein reizender kleiner Jade-Elefant», fährt er fort und nimmt ihn in die Hand. «Wirklich allerliebst.»

«Hm», murmelt Nonie.

«Und so», sagt Edwee, «ist es unser Wunsch, als Alleinerben unserer Mutter, die Schenkung möglichst rasch durchzuführen. Es würde meine Schwester und mich zutiefst betrüben, wenn wir mitansehen müßten, wie diese wundervollen Gemälde, die meine Mutter bedauerlicherweise nicht mehr sehen kann, versteigert werden, damit die Steuerforderungen gedeckt werden können.»

«Ja, daß sie nicht mehr sehen kann, ist sehr betrüblich», pflichtet ihm Montebello bei.

«Ich bin sicher, daß Ihnen einige Bilder der Sammlung zusagen, andere hingegen für Sie nicht in Frage kommen.»

«Nun, sie hat einige sehr hübsche Objekte», gibt de Montebello mit unbeteiligter Stimme zu.

«Und damit kommen wir zum Goya», sagt Edwee. «Seit Jahren gilt sein Porträt der Herzogin von Osuna als eine Art Aushängeschild von Mutters Sammlung. Sofern es zu den Gemälden gehört, die Sie gern hätten, liegt uns natürlich daran, sicherzustellen, daß seine

Herkunft zweifelsfrei ist und hinsichtlich seiner Echtheit keine Bedenken bestehen ...»

«Bedenken wegen der Echtheit des Goya?» fragt de Montebello und beugt sich vor. «Halten Sie das für denkbar?»

«Wollen Sie nicht Mr. de Montebello sagen, was Sie gesehen haben, als wir das Bild vor ein paar Tagen gemeinsam begutachtet haben», wendet sich Edwee an John Marion.

«Nun, eigentlich hat Mr. Meyerson es gemerkt», sagt Marion. «Eine wirklich äußerst sonderbare Sache. Ich hab mir doch das Bild in der Vergangenheit schon oft von vorn und auch schon von hinten angesehen und nie irgend etwas Auffälliges daran entdeckt. Aber als wir es neulich von der Wand nahmen, fand sich hinter Berensons Echtheitsvermerk ein Fragezeichen.»

«Die Rückseite des Bildes ist im Lauf der Jahre sehr verstaubt», sagt Edwee, «deswegen hat es früher wohl niemand gesehen.»

«Ein Fragezeichen?» meldet sich Nonie mit Nachdruck. «Was soll das?»

«Statt ‹authentique – B. Berenson› steht da offenbar ‹authentique? – B. Berenson›», sagt Marion.

«Davon hast du mir ja gar nichts gesagt, Edwee!» tut Nonie erstaunt.

«Nein?» gibt dieser zur Antwort. «Ich muß es vergessen haben, meine Liebe.»

«Sonderbar, in der Tat höchst sonderbar», sagt de Montebello. «Ich habe das Bild selbst vor wenigen Wochen untersucht und dabei kein Fragezeichen gesehen.»

«Da war es auf der Rückseite auch noch ganz voll Staub», gibt Edwee erneut zu bedenken.

«Äußerst sonderbar.»

«Aber Sie wissen ja», fährt Edwee fort, «daß Berenson für Duveen häufig auch solche Gemälde als echt erklärt hat, bei denen er Zweifel hatte, vor allem dann, wenn Duveen fürchtete, ohne Berensons Expertise könne ihm ein Abschluß entgehen. Berenson hat sich zwar bemüht, gewissenhaft zu sein, aber manchmal hat ihn Duveen einfach nicht gelassen. Offen gestanden, hatte ich mit Bezug auf unseren Goya schon immer Bedenken – allein schon, weil die Dame die linke Hand so ungeschickt hält und wegen gewisser Schwächen der Maltechnik ...»

«Solche Schwächen sind mir bisher nicht aufgefallen», sagt de Montebello.

«Nun, mich als Kunsthistoriker hat irgend etwas an dem Bild gestört, und als wir dann das Fragezeichen entdeckten –»

«Eigentlich war es Mr. Meyerson», sagt John Marion, an Philippe de Montebello gewendet. «Aber es läßt sich tatsächlich nicht übersehen, wenn man es einmal bemerkt hat.»

«Ehrlich gesagt hätte ich gar nicht viel darauf gegeben, wäre nicht meiner Schwester vor einigen Tagen etwas eingefallen, was sie völlig vergessen hatte. Sie war ja gut mit Berenson bekannt und hat ihn des öfteren auf seinem Landsitz ‹I Tatti› in der Toskana besucht. Nonie, erzähl doch Mr. de Montebello die merkwürdige Unterhaltung, die du damals mit Berenson hattest.»

Das ist ihr Stichwort. Sie beugt sich vor, streicht den Rock ihres neuen Dior-Kleides glatt, faltet die Hände im Schoß und beginnt.

«Es war im Frühjahr 1939», sagt sie. «Ein herrlicher Tag, die Hügel um Settignano leuchteten förmlich. Berenson und seine liebe Mary hatten ein paar gute Freunde zum Mittagessen eingeladen. Damals war ich mit dem Schauspieler Erik Tarcher in zweiter Ehe verheiratet und bin mit ihm von Florenz in einem gemieteten Fiat nach ‹I Tatti› hinausgefahren. Der Tag, ich sagte es schon, war herrlich, aber die Stimmung beim Essen war ein wenig angespannt. Damals begannen die Lichter in Europa auszugehen, und Berenson als Jude machte sich natürlich Gedanken über die beunruhigenden Nachrichten, die man aus Deutschland und Österreich hörte.

Ich sehe alles noch deutlich vor mir. Greta Garbo war da – die liebe Greta mit ihrem Freund George Schlee. Die Herzogin von Windsor, meine Freundin Wallis, war allein gekommen, denn der Herzog war unpäßlich. So etwas hat Wallis nie daran gehindert, unter Leute zu gehen, denn nichts hatte sie lieber. Kennen Sie sie eigentlich, John?»

«Selbstverständlich. Wir haben doch im April für sie die Juwelen verkauft.»

«Ach, natürlich. Wie konnte ich das vergessen!»

«Komm zu deiner Unterhaltung mit Berenson, Nonie», sagt Edwee mit einer Spur Ungeduld in der Stimme.

«Lady Diana Cooper war übrigens auch da, und ihr Mann Duff. Wir waren also neun bei Tisch, gedeckt war für zehn, und ich weiß noch, daß Berenson, er war ein richtiger Schatz, gesagt hat, das Gedeck und der Stuhl für den Herzog von Windsor würden bleiben, genauso wie man an der Seder-Tafel einen Platz für den Propheten Elias freihält. Wallis konnte überhaupt nicht wieder mit Lachen aufhören, so putzig fand sie das!

Nach dem Essen wollte Berenson Greta Garbo seine Kunstbände zeigen. Ich hatte sie natürlich schon x-mal gesehen und bin solange mit Wallis und Diana in den Park hinausgegangen, während Erik, Duff und George mit Mary im Eßzimmer blieben und sich über Politik unterhielten. Bestimmt erinnern Sie sich an Berensons berühmten Park, auf den er schrecklich stolz war. Wir haben uns mit unseren Kaffeetassen auf eine Bank gesetzt, und schon bald ist auch Berenson zu uns gestoßen. Ich hab dann irgend etwas über den herrlichen Tag gesagt. Als ich hinzufügte, wie sehr mich das intensive Grün der Pappeln und Zypressen an die Grüntöne am Ärmel des Kleides der Herzogin von Osuna auf dem Goya meiner Mutter erinnerte, konnte man einen richtig gequälten Ausdruck auf Berensons Gesicht sehen. Er hat mich am Ellenbogen gefaßt und mir zugeflüstert: ‹Sie ahnen nicht, wie sehr ich Duveen gebeten hab, er soll mich nicht zwingen, das Bild für echt zu erklären. Es ist bestimmt eine Fälschung, aber er wollte es unbedingt verkaufen, weil er das Geld brauchte. Wir steckten ja damals mitten in der Weltwirtschaftskrise. Er hat mich darauf hingewiesen, daß auch ich Geld brauchte – und da hatte er bei Gott recht! Ich mußte Arztrechnungen für meine Frau Mary bezahlen und Duveen hat mir gedroht, meine Provisionen nicht auszuzahlen, wenn ich nicht tat, was er von mir verlangte. Und so hab ich dem Teufel Duveen nachgegeben – möge er in der Hölle dafür schmoren! Es ist der schlimmste Betrug, auf den ich mich je eingelassen hab. Können Sie, kann Ihre Mutter mir je verzeihen?›

Ich war natürlich wie vor den Kopf geschlagen; da hat Wallis meine Hand genommen. ‹Erzählen Sie das nicht Ihrer Mutter›, hat sie gesagt. ‹Es würde sie zu sehr schmerzen, und es würde auch dem Ruf unseres lieben Freundes Berenson schaden, wenn bekannt würde, daß er wider besseres Wissen die Unwahrheit gesagt hat. Sagen Sie es Ihrer Mutter nicht, Nonie, um aller Beteiligten willen. Welche Rolle spielt es denn schon? Ihre Mutter ist mit dem Bild glücklich. Lassen Sie sie doch im Glauben, daß es sich um einen Goya handelt.›

Diana hat dann ins selbe Horn gestoßen. ‹Wallis hat recht›, hat sie gesagt. ‹Sie dürfen es ihr nie sagen. Versprechen Sie uns, daß Sie es ihr nicht sagen.› Und so hab ich vor Jahren meinen lieben Freundinnen das Versprechen gegeben und bis auf den heutigen Tag gehalten. Der gute Berenson hat sich mit Tränen in den Augen über mich gebeugt, mich auf die Stirn geküßt und geflüstert: ‹Danke, Nonie, Gott möge dich dafür segnen.›»

«Das also ist der eigentliche Grund für unsere Bedenken», sagt

Edwee nach einer Pause, die er eintreten läßt, um Nonies Bericht wirken zu lassen. «Wir wollen nicht, daß sich das Metropolitan mit einer Fälschung belastet – die Vorstellung, welche Peinlichkeit und welches Aufsehen es erregen würde, wenn sich herausstellte, daß es gleichfalls getäuscht worden ist, wäre uns schrecklich unangenehm. Wir wollten in Ihrem Interesse, daß Sie das erfahren.»

«Sagen Sie», sagt Philippe de Montebello, «hat Berenson irgend etwas über ein Fragezeichen gesagt, das er bei seiner Begutachtung angebracht hat?»

«Er hatte keinen Zweifel daran, daß es sich um eine Fälschung handelt. Er hat gesagt, das Bild sei fraglos gefälscht!»

«Ich verstehe», sagt Philippe de Montebello und erhebt sich. «Sehr interessant. Selbstverständlich würde ich mir das Bild gern noch einmal zusammen mit einem unserer Experten ansehen.»

«Aber natürlich», entgegnet Edwee. «Rufen Sie einfach Mutter an und sprechen Sie einen Termin mit ihr ab. Auch wenn sie möglicherweise so tun wird, als habe sie keine Ahnung, wovon Sie reden, gestattet sie Ihnen bestimmt, sich das Bild noch einmal gründlich anzusehen.»

«Wie war ich?» fragt Nonie, als die beiden anderen fort sind.

«Ich denke», sagt Edwee vorsichtig, «daß wir damit vielleicht durchkommen. Die Sache mit ‹Möge Gott dich dafür segnen, Nonie› war vielleicht eine Spur zu dick aufgetragen, aber sonst ... Doch, du warst ganz ordentlich.»

«Woher stammt das Fragezeichen überhaupt? Ach was, ich will es gar nicht wissen. Ich hab meine Aufgabe erledigt und getan, was ich tun sollte. Wo ist jetzt mein Geld?»

«Du bekommst es demnächst», sagt er.

«Wie lange dauert es noch?»

«Ein paar Tage. So etwas braucht Zeit. Sei nicht so geldgierig, meine Liebe. De Montebello hat übrigens recht: Das ist wirklich ein hübscher Jade-Elefant. Wenn ich es recht bedenke, kommt er mir merkwürdig bekannt vor.»

«Eins verstehe ich nicht, Mimi», sagte ich eines Nachmittags zu ihr, als ich mich im Büro mit ihr unterhielt. «In all den Jahren vor dem Tod Ihres Großvaters und bevor sich zeigte, daß der alte Herr den größten Teil seines eigenen Geldes und das seiner Frau verjubelt hatte, hat Ihr Vater in der Firma gut verdient; ein sechsstelliges

Jahreseinkommen war in den vierziger und fünfziger Jahren ein Haufen Geld. Sie sagen aber, daß Ihre Eltern, als Sie zur Schule gingen, nie Geld zu haben schienen, so daß Sie beispielsweise auf einen Freiplatz angewiesen waren. Wie reimt sich das zusammen?»

«Das habe ich selbst nie verstanden», antwortete sie nachdenklich. «Es ist die große Preisfrage. Wenn Sie hinter die Lösung kommen, teilen Sie sie mir bitte mit.»

«Ihre Großmutter macht die hohen Ansprüche Ihrer Mutter dafür verantwortlich.»

«Unsinn. Sie hatte keine hohen Ansprüche. Wir haben immer sehr einfach gelebt. Mutter hat selbst den Haushalt geführt und selbst gekocht. Sie hat eifrig Rabattmarken gesammelt und in die kleinen Heftchen geklebt, und ihre und meine Kleidung grundsätzlich im Ausverkauf gekauft. In Saus und Braus gelebt haben meine Großeltern.»

«Könnte es sein, daß Ihr Vater ein ... Spieler war?»

«Nicht, daß ich wüßte. Meinen Sie nicht, daß ein Einzelkind so etwas gemerkt hätte? Das einzige, woran ich mich erinnern kann, war, daß er jeden Morgen ins Büro gegangen und abends um sechs zum Essen heimgekommen ist. Meine Eltern haben sich nicht mal Freunde zum Bridge eingeladen. Papa hat nicht getrunken. Meine Mutter war zwar – oder sollte ich sagen – ist Alkoholikerin. Wahrscheinlich hat Oma deswegen über ihr Trinken gesprochen. Aber dafür hätte sie nie im Leben so viel Geld ausgeben können. Kein Mensch kann jeden Monat für zehntausend Dollar Whisky trinken, oder? Die Finanzen meines Vaters waren für mich immer ein Buch mit sieben Siegeln und sind es bis heute geblieben. Auch Brad hat nie verstanden, was dahintersteckte.»

«Ob Ihre Mutter weiß, wohin das Geld gegangen ist?»

Sie zögerte. «Ich denke schon», sagte sie schließlich. «Bestimmt. Aber tun Sie mir einen Gefallen, Jim. Ich möchte zwar keinen Einfluß auf die Art nehmen, wie Sie Ihre Geschichte schreiben wollen, aber ich bitte Sie um einen großen Gefallen. Wenn Sie mit ihr reden, stellen Sie ihr diese Frage nicht. Wie ich Ihnen schon sagte, ist sie Alkoholikerin, wenn auch auf dem Weg der Heilung. Wie Sie bei der Abendeinladung in meinem Haus gesehen haben, ist sie psychisch noch immer ziemlich labil. Diese Frage würde sie völlig aus dem Gleis werfen. Ich weiß das, denn ich habe ihr die Frage selbst gestellt, als ich mit ihr nach Kalifornien geflogen bin, um sie ins Betty-Ford-Center zu begleiten. Es hat bei ihr eine neue Krise ausgelöst. In bezug auf diese Frage ist sie wie eine Bombe mit Zeitzünder. Seien Sie also behutsam, wenn Sie mit ihr reden. Sie versucht jeden Tag in der Gegenwart zu leben. Ziehen Sie sie nicht zu tief in die Vergangenheit hinab.»

«Ich werde mir Mühe geben.»

«Ich verlaß mich auf Sie», sagte sie. «Ich weiß nicht, warum, aber ich traue Ihnen.»

23

Du mußt unbedingt etwas gegen das Trinken deiner Mutter unternehmen», hatte Brad Mimi im Sommer 1960 aufgefordert, im ersten Jahr, als ihr Vater das Unternehmen führte. «Sie hat heute nachmittag bei mir im Büro angerufen. Keine Ahnung, was sie wollte. Bevor ich einen Ton sagen konnte, hat sie mich angebrüllt und beschimpft, so daß ich schließlich auflegte und meiner Sekretärin sagte, sie solle sie nicht mehr durchstellen.»

«Alle haben schon alles probiert», gab Mimi zur Antwort. «Ich hab ihren Schnaps in den Ausguß geschüttet, aber sie hat bessere Verstecke gefunden. Seit ich ihr Kundenkonto bei Sherry-Lehman habe sperren lassen, kauft sie einfach woanders. Wir haben ihr vom Arzt was verschreiben lassen, wovon einem speiübel wird, wenn man trinkt. Sie hat es einfach nicht genommen. Ich hab ihr dringend geraten, zu den Anonymen Alkoholikern zu gehen, aber davon will sie nichts wissen. Es nützt alles nichts.»

«Irgend etwas muß aber geschehen.»

«Was, Brad? Sag's mir.»

«Sie untergräbt ihren Ruf.»

«Der ist ihr egal, merkst du das nicht?»

«Sogar in meiner Kanzlei tuschelt man schon über sie. Die Telefonistinnen wissen natürlich genau, was gespielt wird.»

«Hast du etwa um *deinen* Ruf Angst, Brad?»

«Ich finde einfach, daß du etwas unternehmen solltest.»

«Warum ich?» brach es mit einem Mal aus ihr heraus. «Wieso ist es plötzlich meine Verantwortung?»

«Sie ist nicht *meine* Mutter», sagte er. «Meine Mutter führt sich nicht so auf, sie ist keine Trinkerin.»

«Ach natürlich», entgegnete sie voller Sarkasmus. «Sie ist ja auch eine Dame aus den besten Kreisen von Boston. Darauf läuft es doch hinaus, nicht wahr? Meine Mutter hingegen ist keine Dame, sondern eine betrunkene Schlampe. Willst du mir das klarmachen?»

«Laß es gut sein», sagte er. «Mal sehen, was es im Fernsehen gibt.»

«Nein, ich lasse es nicht gut sein. Ich möchte genau wissen, was du von mir willst.»

«Ich kann einfach nicht verstehen, daß Leute wie ihr glaubt, ihr hättet keinen Einfluß auf euer Leben.»

«Augenblick mal», sagte sie. «Was meinst du mit ‹Leute wie ihr›? Entdecke ich darin einen Anflug von Antisemitismus?»

«Unsinn. Aber man hat mir als Junge beigebracht, daß es für Schwierigkeiten gewöhnlich auch Lösungen gibt, und wenn in einer Familie solche Probleme auftreten, kümmert sich jemand darum. Ich sage lediglich, daß sich niemand um das Trinken deiner Mutter kümmern wird, wenn du es nicht tust. Dein Vater scheint nicht imstande, sie zu bremsen. Es kommt mir ganz so vor, als ob er sich nicht einmal darum bemühte.»

«Er muß sich im Augenblick weiß Gott um wichtigere Dinge bemühen!»

«Dann bleibst eben nur noch du, oder nicht?»

«Ja», sagte sie, «dann bleibe ich. Aber was ist mit dir? Hast du schon mal deine Hilfe angeboten? Ich kann mich nicht erinnern.»

«Wie ich schon gesagt habe, ist sie nicht meine Mutter.»

«Hast du auf andere Weise zu helfen versucht? Jeder in unserer Familie bringt Opfer. Überleg doch nur, was die arme alte Oma alles tut! Sogar Edwee hat Papa Geld geliehen. Und was hast du getan?»

«Er hat ihm kein Geld geliehen, sondern weitere Miray-Anteile gekauft.»

«Das läuft unter den gegenwärtigen Umständen ja wohl auf dasselbe hinaus, nicht wahr? Bargeld, *das* braucht die Firma im Augenblick. Selbst Nonie hat Opfer gebracht. Sie hat ihre Dienstboten entlassen und sieht sich nach einer kleineren Wohnung um. Nur wir haben nichts getan!»

«Wir?»

«Na schön, du. Ich hab kein Geld. Aber dir scheint es doch ganz gut zu gehen. Ich habe allerdings nicht gesehen, daß du jemandem einen Scheck angeboten hättest!»

«Ich verstehe nichts von der Kosmetikindustrie. Ich möchte da nicht hineingezogen werden. Ich muß mich um meinen eigenen Beruf kümmern.»

«Ach natürlich.»

«Und um deinen und meinen Lebensunterhalt.»

«Natürlich. Warum gibst du nicht offen zu, daß du die Kosmetikbranche ein bißchen *gewöhnlich* findest? Sie paßt wohl nicht so recht zu deinem verfeinerten Neuengland-Geschmack und zu dem von all den feinen Herrschaften aus der gehobenen Gesellschaft, mit denen du zu tun hast!»

«Wenn du so scharf darauf bist, deinem Vater zu helfen, warum tust du dann nichts?»

«Was könnte ich tun, außer ihm anzubieten, die Geschäftsführung für ihn zu übernehmen? Das könnte ich übrigens sogar. Ich verstehe einiges von der Branche. Aber ich glaube kaum, daß er diesen Vorschlag gern hören würde. Würde dir das in seiner Situation etwa gefallen?»

«Du könntest irgend etwas unternehmen.»

«Ja, als Verkäuferin zu Macy's gehen! Von mir verlangst du, daß ich was tu, und du? Nein. Ich sag dir, warum du nicht helfen willst, Brad Moore. Weil du ein fischblütiger, kaltherziger Neuengländer bist, ein Yankee mit einem eindrucksvollen Stammbaum, aber wenig Gefühlen. Wir Juden haben zumindest Gefühle. Wir Juden halten wenigstens zusammen und helfen einander, wenn Not am Mann ist! Du und deine puritanische Sturheit! In Wirklichkeit steckt nichts als puritanische Selbstsucht dahinter!»

«Hör mal», sagte er, «wir sollten uns nicht so streiten.»

«Ich glaube, ich kenne den Grund», sagte sie. «Als du mich geheiratet hast, dachtest du, ich würde einen Haufen Geld erben, und jetzt, wo du gemerkt hast, daß nichts daraus wird, hackst du auf meiner Familie herum.»

«Das ist doch Blödsinn, Mimi, und das weißt du auch.»

«Tatsächlich? Ich bin da nicht so sicher. Ich glaube, du hast gemeint, eine Jüdin heiraten ist in Ordnung, solange es eine reiche Jüdin ist. Aber das bin ich jetzt nicht, ich bin im Gegenteil arm, und da sieht die Sache schon ganz anders aus, was? Jetzt fängst du an zu mäkeln und nach Fehlern zu suchen. Nun, entschuldige bitte, daß das Geld, das du eigentlich geheiratet hast, nicht aufgetaucht ist.»

«Das ist doch Blödsinn», sagte er erneut. «Hör bitte auf.»

«Angefangen hast du!» sagte sie. «Ich hab dich bloß gefragt, wie es heute im Büro war, und du hast angefangen, über meine Mutter herzuziehen – und die hab ich nun mal gern!»

«Sie hätte mir beinahe den ganzen Tag ruiniert.»

«Siehst du? Du fängst schon wieder an!»

«Wir stehen alle unter Druck», sagte er. «Das ist mir durchaus klar, und davon, daß wir uns streiten, wird es nicht besser. Weißt du, was ich mir überlegt hab? Vielleicht wäre alles besser, wenn wir ein Kind hätten, meinst du nicht auch? Wollen wir es heute noch mal probieren? Ohne dein ... du weißt schon, was.»

«Ein Kind?» schrie sie. «Bist du verrückt? Willst du ein unschuldiges Kind in die Sache mit reinziehen?»

«Vielleicht würden wir uns dann mehr wie eine Familie fühlen, du und ich, und nicht mehr so sehr an ... an all die anderen Sachen denken.»

«Siehst du? Du hast kein anderes Ziel, als Papas Schwierigkeiten von dir zu schieben. Du willst einfach vergessen, was mit meiner Familie ist. Du willst es nicht sehen, weil du dann nicht daran denken mußt.»

«Überleg es dir, Mimi», sagte er und ergriff ihre Hand. «Laß es uns versuchen –»

«Nein», sagte sie und entzog sich ihm. «Faß mich nicht an. Mit einem Mann, der so kalt ist wie du, will ich nichts zu tun haben.»

Er stand vom Sofa auf und ging zur Tür.

«Wohin gehst du?»

«In den Harvard Club.»

«Gut!» rief sie ihm nach. «Wunderbar. Da gehörst du auch hin! Geh nur in deinen Club – und bleib da. So lange, wie du willst. Von mir aus für immer! Verdammter Scheiß-Yankee!»

Am nächsten Morgen kam er zurück und packte einen Koffer, während sie wortlos zusah.

«Du hast gesagt, ich soll mich melden, wenn ich dich brauch», sagte sie. «Ich glaube, ich brauch dich, weiß aber nicht genau, wofür.» Sie saßen in Michaels Haus am Riverside Drive in seinem großen Wohnzimmer mit der hohen Decke. «Ich hab Angst. Ich weiß nicht, was ich tun soll.»

Er sah sie lange von der Seite her an und sagte nichts.

«Meine Eltern haben mich auf die Schule geschickt», sagte sie, «damit ich was lerne. Ich glaube aber nicht, daß es viel genützt hat. Alle sagen, daß du sehr klug bist. Es heißt –»

«Allmählich wirst du erwachsen», sagte er. «Als ich dich kennenlernte, warst du noch ein kleines Mädchen mit einem zerrissenen Schnürriemen. Dann hast du mir das Herz gebrochen.»

«Ich wäre wohl besser nicht gekommen», sagte sie.

«Doch, ich bin froh darüber.» Er stand auf, durchquerte den Raum und setzte sich neben sie. «Ich glaube, du brauchst einen Freund», sagte er.

Sie betrachtete lange ihre lackierten Fingernägel. «Ja, das... und vielleicht noch was», sagte sie, ihre Worte sorgfältig wählend. «Vielleicht Rat. Du verdienst viel Geld, nicht wahr?»

Er lächelte. «Das kann ich nicht bestreiten.»

«Alle in New York sagen, daß du ein glänzender Geschäftsmann bist.»

Schulterzuckend spreizte er die Hände, als wolle er einen jüdischen Hausierer parodieren. «Man schleppt sich so durchs Leben», sagte er.

«Bitte. Es ist mir ernst. Sag mir die Wahrheit. Ist mein Vater ein guter Geschäftsmann oder nicht?»

«Ach, ich –»

«Früher dachte ich, er wäre einer, jetzt bin ich aber nicht mehr so sicher. Als mein Großvater starb, hab ich versucht, etwas über das Geschäft zu lernen. Schließlich bin ich sein einziges Enkelkind. Eines Tages – wer weiß – könnte ich die Firma vielleicht übernehmen. Aber soweit ich begriffen habe, glaube ich, daß mein Vater einige schwerwiegende Fehler begangen hat. Hinzu kommen all die Prozesse, in denen man ihm nachlässige Unternehmensführung und Schlimmeres vorwirft. Was sagst du dazu?»

Er zog ein finsteres Gesicht. «Ich verstehe nichts vom Geschäft deines Vaters», sagte er. «Ich weiß nur, was ich auf der Straße gelernt hab. Und ich hab die Ohren offen gehalten, weil ich ja am Rand mit deiner Familie in Berührung gekommen bin.»

«Und was hast du da gehört?»

«Nun, wenn ich ehrlich sein soll, nicht viel Gutes. Leute, die sich in der Branche auskennen, sagen, daß eure neue Verkaufsstrategie Selbstmord ist.»

«Ja», meinte sie gelassen. «Das hab ich auch gehört. Ich hab es in den Zeitungen gelesen. Was glaubst du, wie es weitergeht?»

Er spreizte erneut die Hände. «Was weiß ich? Wie lange kann deine Großmutter noch Geld in die Firma pumpen? Irgendwann hat sie keine Immobilien mehr zu verkaufen.»

«Das ist auch so eine Sache. Ich sehe, wie all das Geld von Oma in die Firma geht, aber ich sehe nichts herauskommen. Was passiert mit dem Geld, Michael?»

«Keine Ahnung. Warum fragst du ihn nicht selbst?»

«Ich hab es versucht. Ich wollte mit ihm darüber sprechen, aber er ist zu ... beschäftigt. Außerdem bin ich eine Frau. In unserer Familie haben Frauen noch nie etwas gegolten. Aber ich glaube, wenn ein Geschäftsmann wie du mit ihm von Mann zu Mann spräche, würde er zuhören. Vielleicht könntest du ihm helfen, ihn anleiten. Und außerdem feststellen, was mit Omas Geld passiert.»

«Findest du nicht, daß das eher dein Mann tun müßte?»

«Brad hat ... hat zu viel mit seinem eigenen Beruf um die Ohren», sagte sie. «Er hat Ziele, die mit unserem Familienunternehmen nichts zu tun haben. Außerdem hält er möglicherweise das Kosmetikgeschäft für ein bißchen zu –»

«– jüdisch angehaucht.»

«So ungefähr», sagte sie und senkte den Blick.

«Ihr habt euch wohl deswegen gestritten?»

«Ja. Aber wie wäre es, wenn du versuchtest, mit Papa zu sprechen?»

Mit einem Mal sprang er auf und ging mit großen Schritten in dem weißen Raum auf und ab, die Hände tief in die Taschen gesteckt. «Warum sollte er mit mir sprechen wollen? Warum sollte er sich anhören, was ich zu sagen habe. Ich hab den Mann doch nur ein einziges Mal in meinem Leben gesehen.»

«Er hat großen Respekt vor dem, was du für Oma getan hast.»

«Was könnte ich ihm sagen, ohne mir die Geschäftsbücher anzusehen? Und warum sollte er mich die sehen lassen? Er kann einfach sagen, ich soll mich zum Teufel scheren. Warum sollte er mir auch nur seine Gewinn- und Verlustrechnung zeigen?» Er fuhr fort, auf dem weißen Teppichboden auf und ab zu gehen, mit gespannten Schultern, wie ein Panther oder wie ein Boxer, der seinen Gegner im Ring abtastet. «Nie im Leben wäre er damit einverstanden», sagte er und schlug sich klatschend mit der rechten Faust in die linke Handfläche. «Nie, Mimi. Mit deiner Großmutter sieht das anders aus. Sie könnte Einblick in die Bücher verlangen, sie hat das Recht dazu – aber ich? Nie im Leben.»

«Aber was könnte Oma damit anfangen?» Sie rückte an die Sofakante vor. «Kannst du es nicht zumindest versuchen, Michael?» sagte sie. «Mir zuliebe?»

Ruckartig blieb er mitten im Zimmer stehen, seine dunklen Augen schienen sich zu vergrößern, und ein geheimnisvoller Blick überzog sein Gesicht. Er warf die sandfarbene Strähne zurück, die ihm in die Stirn gefallen war, und das leicht schiefe Lächeln trat allmählich auf sein Gesicht, so daß seine vollkommenen Zähne und die drei Grübchen sichtbar wurden, zwei an den Mundwinkeln und eins am Kinn. Vor Erregung bekam er rote Flecken auf den Wangen, und Mimi faßte sich an die eigenen Wangen, weil sie merkte, daß auch sie rot wurden.

«Nun, wenn du das so sagst, tu ich es natürlich», sagte er. «Dir zuliebe tu ich alles. Für dich will ich alles. Türme – ja, Türme, Minarette, Palasttore, Wälder, Gestade und Inseln, Geschmeide, Perlen und Szepter, und alle kaiserlichen Diamanten. Du sollst Tempel und Moscheen und Springbrunnen haben, Ringe an den Fingern und Glöckchen an den Zehen, Springbrunnen und Wasserfälle und dornenlose Rosen von den Gewürzinseln und ...»

Während er sprach, ging er wieder durch das Zimmer, öffnete und schloß verspiegelte Türen an verschiedenen Einbauschränken.

«Was tust du?» flüsterte sie.

«Ich schalte alles ab, die Stereoanlage, das Telefon, damit wir uns am hellen Nachmittag lieben können.»

«Michael, dazu bin ich nicht hergekommen», sagte sie. Doch noch während sie sprach, begriff sie, daß es nicht der Wahrheit entsprach, denn erneut war die Atmosphäre zwischen ihnen so aufgeladen, wie vor fast drei Jahren schon einmal. Die Elektrizität in der Luft zwischen ihnen war so deutlich zu spüren, daß sie Mimi zu ihm hinzuziehen schien, und ihre Stimme versagte, als sie sprechen wollte. Sie begriff, daß eben das der Grund war, aus dem sie gekommen war, dieser Grund vor allem. Sie hatte sehen wollen, ob es wieder geschah, und alles andere war nur ein Vorwand gewesen – ein ehrenwerter, vergib mir, dachte sie –, und jetzt, da es wieder geschah, wurde sie von einer Begierde nach ihm verzehrt, von dem alles überwältigenden Michael-Gefühl. Seine Augen blitzten, und sie versuchte, seinem Blick standzuhalten, doch seine lächelnden Augen besiegten sie, und sie fühlte sich schwach, aber zugleich auch sehr wohl.

«Ich möchte dich ... glücklich machen», sagte er schließlich.

«Michael, ich –»

Er drückte auf einen Knopf, und die elektrisch betätigten Vorhänge vor der Glaswand schlossen sich lautlos. Nur ein einziger schmaler Sonnenstrahl fiel noch herein, genau auf Mimis Augen, und sie hob die linke Hand, um nicht geblendet zu werden.

«Laß», sagte er. «In deinen Augen tanzen kleine weiße Sterne, wenn die Sonne hineinscheint. Ich möchte mich daran erinnern, wenn du gehen mußt.»

«Die Welt ist so klein geworden», sagte sie.

«Ja, hier sind wir wieder.»

«Es ist also nicht vorbei?»

«Nein.»

«Dürfen wir?»

«Wir dürfen. Wir müssen. Ich muß. Du mußt», sagte er. «Wir dürfen.» Und lautlos trat er auf sie zu, nahm ihre ihm entgegengestreckte Hand und zog sie sanft vom Sofa hoch.

Als es vorüber war, lachte er jugenhaft jubelnd auf. «Ich hab sie wieder gesehen!» sagte er. «Kleine weiße Sterne! Hast du sie auch gesehen, Liebling?»

«Ich glaube, ja.»

«Kleine weiße Sterne!»

Bald darauf schlief er ein. Mimi stand auf, fand im Badezimmer einen weißen Morgenmantel und zog ihn an. Dann öffnete sie seine verspiegelten Türen und Schubladen und berührte, was ihm gehörte: Anzüge, Hemden, Krawatten, Schuhe, zog die Schubladen mit Taschentüchern, Pullovern, Socken und Unterwäsche auf. Mit einem Mal merkte sie, daß er wieder wach war und ihr zusah.

«In deiner Sockenschublade herrscht das reine Chaos», lachte sie.

Er hielt ihr den bloßen Arm hin, und sie ging wieder zu ihm. «Du bist die einzige, die ich je geliebt habe», sagte er. «Das weißt du, nicht wahr? Du bist die einzige, die ich je lieben werde. Zumindest kann ich dich endlich eine Weile für mich haben. Endlich können wir einander für eine Weile haben. So sollte es sein.»

«Ich liebe dich, Michael.»

Hab ich das wirklich gesagt? fragt sie sich jetzt. Es kommt ihr vor, als liege das alles lange zurück, habe in einer ganz anderen Welt stattgefunden. Ihre Beziehung dauerte nur zwei Wochen. Zwei Wochen, denkt sie, in seiner Wohnung am Riverside Drive. Jetzt kommt ihr die Sache irgendwie banal vor. Michael schien in ihr eine hausfrauliche Seite wachzurufen, von deren Existenz sie nichts geahnt hatte. Beispielsweise war ihr seine entsetzliche Unordnung aufgefallen. Seine manisch wirkende Vorliebe für Einbauschränke schien in erster Linie darauf zurückzugehen, daß er damit diese Unordnung vor anderen

Leuten verbergen konnte. Sie brachte seine Anzüge zur Reinigung. Sie putzte seine Schuhe, steckte Spanner hinein und stellte sie in Reih und Glied nebeneinander. Sie hängte seine Krawatten ordentlich auf Krawattenhalter, denn er nahm sie gewöhnlich ab, ohne die Knoten zu lösen. Sie ordnete seine Hemden und Pullover nach Farben und danach, ob sie lang- oder kurzärmlig waren. Sie rollte die Socken paarweise zusammen, räumte seinen Badezimmerschrank auf, warf leere Zahnpastatuben, Rasierschaum- und Deodorantdosen sowie zahlreiche leere Kölnisch-Wasser- und Rasierwasserflaschen fort.

Dann machte sie sich über seinen Kühlschrank her, warf fort, was nach Alter, Art und Geruch nicht mehr näher zu bestimmen war, so unter anderem eine Schublade voll mit etwas, das früher vielleicht einmal Gemüse gewesen sein mochte, jetzt aber eine breiige und verfärbte Masse war. Als sie merkte, daß er kaum regelmäßig aß und meist etwas aus Schnellrestaurants mit nach Hause nahm, vorzugsweise Pizzen und chinesische Gerichte, füllte sie die Speisekammer mit Gesundheitskost, die Gefriertruhe mit tiegefrorenem Gemüse und den Kühlschrank mit frischer Milch, Eiern, Obst und Säften. Er machte sich über ihre Bemühungen lustig, Ordnung in seinen Haushalt und sein Leben zu bringen, und sagte, sie führe sich auf wie «eine typische jüdische *Mame*».

Aber die Entdeckungen und Änderungen dieser zwei Wochen gingen nicht nur in eine Richtung. Wenn sie liebend beieinander waren, nahm er sie mit auf eine Entdeckungsreise zu einem Ziel, das sie nie zuvor gekannt hatte. Er nannte es «kleine weiße Sterne», sie kamen aus einer inneren unerforschten Galaxis.

«Siehst du sie?» fragte er sie.

«Ja... o ja.»

Über Brad hatten sie nicht ein einziges Mal gesprochen.

«Ich gehe morgen zu deinem Vater», sagte er.

«Danke, Liebling.»

«Wollen wir anschließend nach East Orange rüberfahren und uns das Haus ansehen, das ich da baue?»

«Das wäre schön.»

«Gut. Ich hol dich um vier Uhr ab.»

In Henry Meyersons Büro setzte er sich dem Präsidenten der Firma gegenüber an dessen Schreibtisch.

«Es ist schon merkwürdig», sagte Henry Meyerson, «daß Sie um ein Gespräch mit mir nachgesucht haben, denn in den letzten Tagen war ich halb entschlossen, Sie anzurufen und zu bitten, daß Sie vorbeikommen.»

«Tatsächlich?» fragte Michael.

«Ja. Ich denke, daß Sie mir möglicherweise einen einzigartigen Dienst erweisen könnten, Mr. Horowitz.»

«Nun, genau das möchte ich Ihnen anbieten», sagte Michael. «Ihnen so sehr zu Diensten zu sein, wie ich kann.»

«Ich habe von Ihnen gehört», sagte Henry, «als Immobilienmakler und, wenn ich so sagen darf, Baulöwe – einmal von dem abgesehen, was Sie für meine Mutter getan haben.»

«Entschuldigen Sie», sagte Michael, «aber Sie scheinen nicht zu wissen, daß wir einander schon einmal begegnet sind.»

«Wirklich?» sagte Henry und sah verwirrt drein. «Ich bedaure, aber ich erinnere mich nicht –»

«Vor zweieinhalb Jahren bin ich mit Ihrer Tochter zu Ihnen gekommen, um Ihnen zu sagen, daß wir heiraten wollten.»

«Oh», sagte Henry und schüttelte den Kopf, als wolle er ihn von verstaubten Erinnerungen befreien. «Waren Sie das? Es tut mir leid, aber ich ... entschuldigen Sie, damals waren wir alle sehr angespannt. Vieles hat uns zu jener Zeit belastet. Ich bitte um Entschuldigung, daß ich den Namen nicht richtig eingeordnet habe – immerhin ein ziemlich häufiger Name. Und es tut mir auch leid, daß die damalige Zusammenkunft für Sie nicht besonders erfreulich war.»

«Nein, das war sie nicht, in keiner Weise.»

«Nun, solche Dinge erledigen sich langfristig», sagte Henry. «Mimi ist jetzt glücklich verheiratet. Netter Bursche, Brad Moore. Anwalt in Wall Street. Er macht sie sehr glücklich.»

«Ja, Sir, bestimmt.»

«Und Sie – Sie sind inzwischen wohl auch verheiratet?»

«Nein.»

«Nun denn», sagte Henry etwas gequält, «es ist schön, Sie wiederzusehen.»

«Danke, Sir.»

«Ja», sagte Henry, erhob sich, trat ans Fenster und sah hinaus, die Hände in die Taschen gesteckt, wobei er Michael den Rücken zukehrte. «Sie sind Bauunternehmer, Mr. Horowitz.»

«So ist es.»

«Soweit ich gehört habe, sind Sie in erster Linie in New Jersey tätig.»

«Ich hab auch ein Projekt in Manhattan, an der Oberen West Side.»

«Gut. Da wird zur Zeit ja viel gebaut. Das Lincoln Center und so weiter.»

«Ja.»

«Ich nehme an», sagte Henry, «daß Sie als jemand, der mit den Gewerkschaften der verschiedenen Bauberufe zu tun hat, mit Menschen zusammenkommen, die – nun ja, einer Organisation angehören, die man wohl als Cosa Nostra bezeichnet.»

«Ich bin nicht ganz sicher, was Sie damit meinen», sagte Michael zurückhaltend.

«Nun, ich habe gehört, ich meine, gelesen – und Sie sicherlich auch – daß Bauunternehmer oft mit fragwürdigen Gestalten in Berührung kommen, die zumindest indirekt mit der Mafia in Verbindung stehen.»

«Ja, davon habe ich auch gehört. Ich selbst allerdings –»

«Sie kennen niemanden, von dem Sie vermuten, daß er eine Verbindung in die Richtung hat?»

«Nun, man hat so seine Vermutungen. Aber ich versuche natürlich –»

«Sie wissen also zumindest, wer diese Menschen sind. Sehen Sie, Mike – ich darf Sie doch Mike nennen?» fuhr Henry Meyerson fort. «Diese Firma sieht sich zur Zeit einer Vielzahl von Problemen gegenüber, die mit dem Übergang von der alten Geschäftsführung zur neuen zusammenhängen. Die meisten Probleme werden wir lösen können, da bin ich sicher. Aber es gibt eins, das uns immer wieder zu schaffen macht, und es wird sich erst lösen lassen, wenn ein bestimmter Mensch . . . beseitigt ist.»

«Beseitigt?»

«Ja. Er ist eine Geißel der Gesellschaft, und es wäre für alle Beteiligten besser, wenn er beseitigt wäre. Ich habe mir darüber längere Zeit Gedanken gemacht, Mike. Ich versichere Ihnen, daß ich ein Mann von hohen ethischen Grundsätzen bin und nie auch nur erwogen habe, so drastische Maßnahmen zu ergreifen, um einen unerwünschten, ganz und gar wertlosen Menschen aus dem Weg zu räumen, ein Individuum der schlimmsten Art. Aber unter den gegenwärtigen Umständen –»

«Sie wollen also, daß jemand umgebracht wird», sagte Michael.

«Das ist zwar kraß formuliert, aber, nun ja. Und ich dachte mir, daß jemand wie Sie, mit Ihren Verbindungen –»

«Hat der Betreffende einen Namen?»

«Er heißt Nathan Meyerson.»

«Ist er mit Ihnen verwandt?»
«Gewissermaßen ja.»
«Ich will Ihnen etwas sagen, Mr. Meyerson», sagte Michael. «In meinem Geschäft bin ich mit Leuten in Kontakt gekommen, von denen ich vermute, daß sie mit der Mafia zu tun haben – das bestreite ich nicht. Aber ich habe mich stets bemüht, solchen Dingen aus dem Weg zu gehen. Ich möchte nicht mein Geschäft oder meinen Ruf damit beflecken. Immer, wenn ich das Gefühl hatte, daß jemand, mit dem ich zu tun hatte, nicht in Ordnung war, habe ich die Geschäftsbeziehung zu ihm abgebrochen. Auf der Stelle. Ich will von diesen Menschen nichts wissen.»
«Sie könnten mir nicht einmal einen Namen nennen?»
«Ich fürchte nein, Sir.»
«Ich versichere Ihnen, daß Sie helfen würden, die Erde vom schlimmsten Abschaum zu befreien.»
«Es tut mir leid, ich kann Ihnen nicht behilflich sein.»
«Selbstverständlich gäbe es einen finanziellen Anreiz.»
«Davon bin ich überzeugt. Aber es bleibt bei meinem Nein.»
Henry Meyerson wandte sich vom Fenster ab und breitete die Hände aus. «Nun, man kann ja mal fragen», sagte er. «Ich hatte angenommen, Sie könnten mir vielleicht weiterhelfen.»
«Nein», sagte Michael und stand auf. «Ich kann nichts für Sie tun. Höchstens sagen, falls mich jemand fragt, daß ich nichts über einen Mann namens Nathan Rosenblum weiß.»
«Meyerson. Nathan Meyerson.»
«Der Mann, über den ich heute in Ihrem Büro mit Ihnen gesprochen habe, heißt Nathan *Rosenblum*. Sollte mich jemand fragen, ob wir heute über einen gewissen Meyerson gesprochen haben, werde ich sagen, nein, er hieß Rosenblum. Verstehen Sie? Ich tue das für Sie, Meyerson, und für Ihre Tochter.»
«Auf Dauer könnte es für Mimi von großem Nutzen sein, wenn die Sache aus der Welt geschafft würde.»
«Das lassen Sie mich beurteilen», sagte Michael.

Sie hatte an jenem Nachmittag in East Orange nichts besonders Auffälliges an ihm wahrgenommen, außer, daß er ungewöhnlich schnell zu sprechen schien. Sie gingen über die Baustelle; das Grundstück seines Neubauprojekts bestand einstweilen hauptsächlich aus aufgeworfenen Erdhügeln, zwischen denen schwere Baumaschinen standen.

«Das hier wird ein mit Platten belegter Innenhof», sagte er, «und von da geht es ins verglaste Gartenzimmer. Dahinten ist das Schwimmbecken und da drüben der Tennisplatz. Die Plätze können auch beleuchtet werden, weil es in Sichtweite keine Nachbarn gibt, die sich beschweren könnten. Tennisplätze müssen von Norden nach Süden laufen, hast du das gewußt? Damit niemand gegen die Sonne spielen muß. Schon erstaunlich, was man alles lernt, wenn man reich wird...»

«Du hast mir noch nicht gesagt, wie es heute nachmittag bei meinem Vater war», sagte sie, nachdem er ihr ausführlich die geplante Innengestaltung des Hauses erläutert hatte.

«Nicht gut», gab er zur Antwort und wich ihrem Blick aus. «Er wollte mir seine Bücher nicht zeigen. Natürlich ist das sein gutes Recht. Aber ohne die kann ich mir keinen Eindruck verschaffen und auch nichts sagen.»

«Oh», rief sie aus und versuchte ihre Enttäuschung zu verbergen. «Immerhin vielen Dank, daß du es versucht hast.»

«Weißt du was?» sagte er. «Er hat nicht mal mehr gewußt, wer ich bin.»

Sie ging wieder hinaus, wo tief eingegrabene schlammige Spuren die spätere Auffahrt markierten. «In der Garage ist Platz für vier Wagen», erläuterte er, «und sie ist natürlich heizbar.»

«Es wird ein wunderschönes Haus, Michael», sagte sie. «Du solltest eine Frau mit hineinnehmen.»

Er sagte nichts.

«Könnte ich das sein, Michael?»

Sein Blick verfinsterte sich, und er schob sich die sandfarbene Strähne aus der Stirn. Schließlich sagte er: «Setz dich einen Augenblick, Mimi.» Er wies auf zwei Arbeitsböcke. «Ich muß dir was sagen.»

Sie setzten sich, und er sagte: «Es geht nicht, Mimi! Aus mehreren Gründen geht es nicht. Erstens bin ich verrückt nach dir. Ich glaube, das weißt du. Das war vom ersten Augenblick an so, und wahrscheinlich wird es immer so sein. Aber das will ich eigentlich gar nicht sagen, sondern daß du deine Wahl getroffen hast, und ich glaube, du hast dir den richtigen Mann ausgesucht. Wie alt bist du? Zweiundzwanzig? Du hast das ganze Leben noch vor dir, und die Welt ist herrlich. Es gibt auf ihr viele wunderschöne und großartige Dinge und Orte, und du möchtest nicht den Rest deines Lebens mit einem Burschen wie mir verbringen. Unterbrich mich nicht, hör mir zu.

Und ich? Ich bin mal hier, mal da und weiß jetzt schon, daß mich auch dieses Haus hier nicht lange halten wird. Ich bin zu unruhig, zu ehrgeizig. Ich bin nicht solide, Mimi. Dein Mann ist solide. Ich brauchte eine Frau, die sich um mich kümmert, hinter mir herräumt. Du brauchst einen Mann, der sich um dich kümmert. Genau so einen hast du geheiratet. Du wußtest, was du tatest.

Laß mich dir noch was sagen, Kindchen. Ich bin Jude, und du bist Jüdin, aber da ist ein Unterschied, und das hat dein Opa auch begriffen. Dein Mann ist ein *Goj*, und für jemand wie dich ist das wichtig. Er kann dich mit an Orte nehmen und dir Dinge zeigen, die du mit mir nie im Leben kennenlernen würdest. Ich schäme mich nicht, Jude zu sein, aber ich sag dir, in dieser Welt ist es besser, ein *Goj* zu sein. Das ist einfach so, und jeder mit einer Spur Verstand gibt es auch zu. Wenn das Leben wie ein Würfelspiel ist, haben die *Gojim* die besseren Aussichten und deshalb ist der Mann, den du geheiratet hast, für dich besser als ich. Außerdem hat er Klasse und Stil – wie du, deswegen brauchst du auch so einen Mann. Ich? Ich hab keinen Stil und keine Klasse. Ich bin einfach ein ungehobelter Bursche – vielleicht ehrlich, aber ungehobelt. Der Kerl, den du geheiratet hast, wird dir ein schönes Leben bieten. Ich will dich nicht mit mir durchs Leben schleppen. Eine alteingesessene Familie aus Neuengland, hat es in der Zeitung geheißen – das Feinste vom Feinen. Er kann dir das bieten, ich nicht. Jetzt hör mir gut zu, Kindchen, denn ich sag dir, was du tun sollst. Du rufst ihn im Harvard Club an –»

«Woher weißt du, daß er sich da aufhält?»

«New York ist ein Dorf, Mimi. Jeder, der jemand ist, weiß, wo sich jeder andere aufhält, der jemand ist. Du rufst ihn also da an und sagst ihm, daß dir leid tut, was du gesagt oder getan hast und weswegen er ausgezogen ist. Bitte ihn ganz aufrichtig um Verzeihung. Sag ihm, daß du ihn liebst, ihn zurückhaben möchtest und er wieder nach Hause kommen soll – fall von mir aus vor ihm auf die Knie und fleh ihn an! Denn eins will ich dir über den Kerl sagen, den ich nie gesehen habe. Er ist *stolz*. Das sind die *Goijm* alle. Ich meine, ich bin auch stolz, zu sein, wer ich bin, aber er ist noch stolzer. Gib eine richtige Vorstellung, Mimi, schmeichle seinem Stolz, sprich sein Ehrgefühl an, seine Würde, sein Pflichtgefühl. Sag ihm, daß er zurückkommen soll, weil du ohne ihn nicht leben kannst. Er tut es, denn – ob du es glaubst oder nicht – ich kenne den Burschen sehr gut, den ich nie gesehen hab. Wenn er dich nicht liebte, wenn du seinen Stolz nicht verletzt hättest, wäre er nicht in seinen Club gezogen.

Tu das für mich, Mimi. Falls du mich liebst, tust du es. Wenn du möchtest, daß ich dich achte, tu es, denn ich weiß, daß es für dich das einzig Richtige ist. Du brauchst jemand, der in den Harvard Club gehört – keinen Luftikus wie mich. Ach, Kindchen, Kindchen, es ist so schwer, auf Wiedersehen zu sagen.» Sie sah, daß ihm Tränen in den Augen standen.

Wie sie vor seinem unfertigen prunkvollen Haus saß, inmitten der Erdhaufen, aus denen ein Park werden sollte, einen Augenblick lang kam ihr das eigene Leben so zerstört und unwirklich vor wie dies zerstörte unfertige Gelände, das fast wie eine Mondlandschaft wirkte. Sie dachte: Wie kann ich zulassen, daß mir erneut jemand auf diese Weise weh tut? Er. Noch einmal er. Fest schloß sie die Augen, ballte die Hände zu Fäusten und schickte ein heißes Versprechen und ein Gebet zum Himmel empor: *Lieber Gott, wenn es dich gibt, ich verspreche dir, ich laß nie wieder zu, daß mir jemand so weh tut, solange ich lebe.*

Dann stand sie auf. «Wir fahren jetzt besser zurück», sagte sie und strich sich den Jeansrock glatt.

Ohne ein Wort zu sagen, kehrten sie in seinem Wagen in die Stadt zurück. Es schien nichts mehr zu geben, was gesagt werden mußte.

War ich das? fragt sie sich jetzt. War ich vor beinahe 27 Jahren das naive junge Ding? Wir können nie dorthin zurückkehren, das ist sicher. Die Vergangenheit ist zu nah an der Gegenwart, und sie liegt gleichzeitig zu lange zurück. Wir können nicht erneut ins Leben rufen, was vorbei ist.

Damals war sie noch nicht einmal zwei Jahre verheiratet gewesen, und vielleicht hatte Michael recht, vielleicht war es zu früh, diese Ehe zu beenden. «Überleg es dir», hatte er gesagt, «du bist kein Kind mehr.» Ja, sie war wütend und verletzt gewesen und hatte gedacht: dem zeig ich's. Ich zeig ihm, daß ich imstande bin, diese Ehe zu führen. Eines Tages wird er zurückkommen, und es wird ihm leid tun, daß er sich so aufgeführt hat. Jetzt, denkt sie, ist er zurückgekommen und will mich wiederhaben. Jedenfalls sagt er das. Aber er kann mich nicht mehr auf diese Weise verletzen, das ist vorbei.

Sie und Brad hatten als Hochzeitsdatum den 10. Oktober 1958 festgelegt. Ihre Mutter war in ihr Zimmer gekommen und hatte mit besorgtem Blick gefragt: «Hast du dir auch den Kalender genau angesehen?»

«Wozu?»

«Nun, ich meine, bist du sicher, daß das Datum ... in Ordnung ist?»

«Selbstverständlich. Es ist ein Freitag, und das paßt uns beiden sehr gut.»

«Aber ich meine doch – es sind noch vier Monate bis dahin. Hast du deinen Kalender genau angesehen, ob alles paßt?»

«Ob *was* paßt, Mutter?»

«Ach Mimi, ich spreche von *deinem* Kalender. Du weißt doch, was ich meine. Deine Hochzeitsnacht – er wird doch – du solltest dir deinen Kalender genau ansehen. Damit das Datum auch paßt.»

«Das Datum paßt, Mutter», sagte sie.

Das war das Äußerste, was sie von ihrer Mutter je zum Thema Liebe, Ehe oder über die Tatsachen des Lebens erfahren hatte.

Kann man denn, hatte sie sich gefragt, während sie an jenem Nachmittag nach New York zurückfuhren, ebenso leicht den einen lieben wie einen anderen? Sie wußte lediglich, daß es für eine Frau wichtig war, sogar sehr wichtig, jemanden zu lieben. Eine Frau lebt für die Liebe. Ohne sie ist das Leben sinn- und wertlos. Das hatten alle Mädchen gesagt, mit denen sie in Miss Hall's Schule näheren Kontakt hatte. Kann man denn zwei Menschen gleichzeitig lieben? fragte sie sich. Vielleicht, beantwortete sie sich selbst die Frage. Vielleicht. Warum eigentlich nicht?

So jung war ich damals, denkt sie jetzt.

Zwei Monate nach Brads Rückkehr in ihre gemeinsame Wohnung hatte sie gemerkt, daß sie schwanger war. «Das wird uns enger aneinander binden», sagte Brad, als sie es ihm mitteilte.

24

Sag mir, was du davon hältst, Badger», sagt Mimi jetzt, während sie mit ihrem Sohn und ihrem Werbeleiter Mark Segal im Büro beisammensitzt. «Sollen wir unsere Aktionärsversammlung vor oder nach der offiziellen Vorstellung abhalten?» Bis zu der auf den siebzehnten September festgelegten offiziellen Vorstellung des neuen Parfüms sind es nur noch zehn Tage.

«Auf jeden Fall danach», sagt Badger. «Leos sieben Nichten und Neffen haben Einladungen bekommen, und wir schicken jedem von ihnen, der kommen will, einen Wagen mit Chauffeur. Sechs haben bereits zugesagt. Wenn auch die siebte Einladung angenommen wird, haben wir gewonnen. Wir werden die Leo-Verwandten als unsere eigentlichen Ehrengäste behandeln und sie allen Berühmtheiten vorstellen. Hab ich dir schon gesagt, daß auch Brooke Astor kommen will? Außerdem Barbara Walters und ihr Mann, wie heißt er noch –»

«Liz Taylor höchstwahrscheinlich auch», läßt sich Mark Segal vernehmen. «Ich hab heute morgen mit ihrem Presseagenten gesprochen und gesagt, wir fänden es schön, wenn sie sich zeigen würde, ‹um die Konkurrenz zu beschnuppern›. Er findet die Idee prima. Auch wenn ihr unser Parfüm nicht gefallen sollte, wäre Liz für eine Schlagzeile gut, die unseren Namen herausstellt.»

«Ja», fährt Badger fort. «Die Leo-Verwandten werden also all diesen Leuten vorgestellt. Die meisten von ihnen scheinen ein eher stilles Leben zu führen und werden von dem rauschenden Fest, das wir ihnen am siebzehnten bieten, bestimmt begeistert sein. Sie werden natürlich auch uns alle kennenlernen, und von uns – und vor allem von der Firma, deren Mitinhaber sie sind – beeindruckt sein. Unmittelbar nach dieser Super-Vorstellungsfete berufen wir dann die Aktionärsversammlung ein. Falls sie teilnehmen – und ich wette, sie kommen –, sind sie von dem Galaabend noch ganz berauscht.»

«Du setzt voraus», sagt Mimi bedächtig, «daß die Vorstellung ein Erfolg wird. Und was ist, wenn das Gegenteil der Fall ist?»

«Na hör mal!» ruft Badger aus. «Du hältst einen Fehlschlag für möglich? Denkt nicht jeder von uns im Augenblick an einen Volltreffer? Wir haben viel zu viel Zeit und Geld aufgewendet, als daß wir an etwas anderes denken dürften. Dafür ist es viel zu spät.»

«Er hat recht», sagt Mark. «Wir müssen uns jetzt alle auf einen Erfolg konzentrieren.»

«In meiner Vorstellung geistert immer noch das Wort ‹Granatapfel› herum», sagt Mimi. «So ein Debakel könnte jederzeit wieder passieren. Das wissen wir alle.»

«Mutter, die Sache ist tot und begraben. Das war einfach eine andere Zeit.»

«Hier ist die erste Pressemitteilung über die Vorstellung. Sie geht morgen raus», sagt Mark und gibt beiden ein Exemplar davon:

Wohltätigkeitsgala
zur Einführung des neuen Parfüms «Mireille»

Über tausend führende Persönlichkeiten aus der Geschäfts- und Modewelt, dem Showgeschäft und der Gesellschaft werden am Abend des 17. September im Ballsaal von New Yorks Hotel Pierre bei Champagner und Kaviar zusammenkommen, um die Vorstellung des aufregenden neuen Parfüms «Mireille» des Kosmetikunternehmens Miray zu feiern.

Alle Einnahmen dieses Galaabends, der vollständig von Miray finanziert wird, fließen der Öffentlichen Bibliothek der Stadt New York zur Neuanschaffung von Büchern zu.

Unter den Gästen, die bereits zugesagt haben, befinden sich Mr. Vincent Astor, Diana Vreeland, Steve Martin, Victoria Principal, Mr. und Mrs. Robert Redford, Ricky und Ralph Lauren, Mr. und Mrs. Donald J. Trump, Michael Horowitz...

«Michael Horowitz will kommen?» fragt Mimi.

«Er hat zwei Eintrittskarten zu je tausend Dollar gekauft», sagt Mark.

«Badger, was meinst du dazu?»

«Wir können ihm nicht gut verbieten, daß er auf diese Weise für die Öffentliche Bibliothek spendet.»

«Du hast recht. Trotzdem ... es gefällt mir nicht.»

Sie lesen weiter. «Mysteriöses ‹Narbengesicht› wird bei der Mireille-Gala auftreten», liest Mimi laut und sagt, «ich dachte, wir lassen ihn aus dem Spiel.»

«Lesen Sie bitte weiter», entgegnet Mark.

In Mode- und Kosmetikkreisen kursieren seit einer Weile Gerüchte über den gutaussehenden blonden Mann, der in Zeitschriften, Zeitungen und im Fernsehen für das aufregende neue Parfüm «Mireille» wirbt, das die Firma Miray im Laufe dieses Monats auf den Markt bringen wird. Die Webekampagne stützt sich auf ein «Mireille-Paar», stellvertretend für «Mireille», das Parfüm für die Dame und «Mireille», ein Eau de Cologne für den Herrn. Es ist bekannt, daß das neunzehnjährige Fotomodell Sheila Shearson die «Mireille-Frau» verkörpert, aber schon lange wird gerätselt, wer sich hinter dem «Mireille-Mann» verbirgt. «Er kommt mir bekannt vor», sagt Jessica Rayford von der Werbeagentur Young & Rubicam, «und ich hab das Gefühl, daß er auch schon für uns gearbeitet hat. Doch diese entstellende, aber irgendwie auch faszinierende Narbe auf der linken Wange hab ich noch bei keinem Fotomodell gesehen.»

Alle Spitzenleute aus Werbung und Kosmetikbranche fragen sich: «Handelt es sich um ein Fotomodell mit einer echten Narbe, oder ist diese «Narbe» das Werk des Kosmetikgiganten Miray?

Die Gäste der am 17. September im New Yorker Hotel Pierre stattfindenden Galaveranstaltung zugunsten der Öffentlichen Bibliothek der Stadt New York werden den wirklichen «Mireille-Mann» erleben.

«Ach», sagt Mimi, «das fände ich aber enttäuschend. Mir wäre es lieber, er würde nicht auftreten und die Leute müßten noch ein paar Wochen raten – zumindest so lange, bis sich die Werbung allen eingeprägt hat. Finden Sie nicht auch, Mark?»

«Immer mit der Ruhe», antwortet er. «Stellen Sie sich jetzt einmal vor, es ist der siebzehnte, und wir sind im Pierre. Gegen sieben treffen die Gäste allmählich ein. Cocktails werden serviert, das Programm fängt an. Alle bekommen eine Probe von ‹Mireille›, und der Duft schwebt im Raum.» Er macht eine entsprechende Handbewegung. «Um acht geht das Licht aus, der Bühnenvorhang teilt sich, die riesige Projektionswand kommt runter, und wir zeigen die ersten drei Werbefilme von jeweils dreißig Sekunden. Pause, donnernder Beifall. Das Licht geht wieder an, aber stark gedämpft. Das ist der Augenblick, in dem die legendäre Mimi Meyerson aus den Kulissen tritt. ‹Meine Damen und Herren›, sagt sie, ‹Freunde und Konkurrenten. Ich darf vorstellen ... die Mireille-Frau!› Sheila tritt auf, dreht sich ein- oder zweimal um die eigene Achse und verbeugt sich. Applaus. Dann sagt Mimi: ‹Und der Mireille-Mann›. Das Licht geht wieder ganz aus, und ein einziger Spot ist auf den Bühnenvorhang gerichtet. Jetzt entschuldigen Sie mich einen Augenblick, ich muß mich fertigmachen.»

Er wendet ihnen den Rücken zu, holt etwas aus seiner Aktentasche und setzt es sich aufs Gesicht. Dann dreht er sich um: er trägt eine glatte, weiße Kunststoffmaske mit Augenlöchern, deren Umriß sich unregelmäßig über die linke Gesichtshälfte verlängert.

«Großer Gott!» ruft Mimi aus. «Was ist denn das?»

«Ich gebe zu, daß ich nicht so gut aussehe wie der hübsche Gordon», sagt Mark, «und der rote Bart paßt auch nicht besonders gut zum Ganzen.»

«Aber was um alles in der Welt ...»

«Es ist Michael Crawfords Maske aus *Das Phantom der Oper*, und wenn sich unser maskierter Dirk Gordon verbeugt, ertönt dazu die Titelmusik aus dem Stück.»

«Wunderbar, Mark!» ruft Mimi aus. Sie springt auf, läuft zu ihm hin und gibt ihm einen Kuß.

«Klasse, Mark!» sagt Badger und schüttelt ihm die Hand.

Fünf volle Arbeitstage sind seit der Besprechung mit John Marion und Philippe de Montebello vergangen, ohne daß Nonie etwas von ihrem Bruder Edwee gehört hätte. Verschiedentlich hat sie ihn anzurufen versucht, ist aber immer nur bis zu seinem Diener Tonio vorgedrungen, der erklärte, ihr Bruder könne nicht ans Telefon kommen. Jetzt versucht sie es anders. Sie hat Gloria vorgeschlagen, mit ihr in La Grenouille zu essen. «Es ist Zeit, daß wir einander besser kennenlernen, meine Liebe», hat sie gesagt. Nonie will endlich wissen, woran sie ist.

«Und wie geht es Edwee?» fragt sie, nachdem sie ihre Getränke bestellt haben. «Ich hab ihn ein paarmal zu erreichen versucht, krieg aber immer nur seinen Diener ans Telefon.»

«Ich soll Edwee entschuldigen, Mimi. Er fühlt sich in letzter Zeit so elend und ist sogar zu schwach, um ans Telefon zu gehen. Ich soll dir sagen, daß er dich in ein paar Tagen anruft, sobald es ihm besser geht.»

«Ach, natürlich», sagt Nonie, «jetzt fällt es mir wieder ein. Ihm ist ja morgens immer so übel.»

«Eigentlich auch nachmittags. Wirklich.»

«Er hat mir euer kleines Geheimnis verraten, meine Liebe.»

«Nanu?» fragt Gloria mit weit geöffneten Augen. «Dabei hat er mir eingeschärft, niemandem etwas zu verraten. Wenn er es dir schon selbst gesagt hat, können wir ja ruhig darüber reden.»

«Wie aufregend für euch.»

«Ja», kichert Gloria, «das finde ich auch. Es ist ganz neu für mich.»

«Überleg nur, ein völlig fremder Mensch.»

«Ich komm mit Fremden gut zurecht», entgegnet Gloria. «Alle sagen, daß ich gewöhnlich schnell mit Leuten in Kontakt komme.»

«Das wirst du bestimmt tun», sagt Nonie, obwohl sie nicht genau versteht, was Gloria damit meint. Inzwischen sind die Getränke gekommen, Nonie hebt ihr Glas und sagt: «Zum Wohl – und herzlichen Glückwunsch euch beiden.»

«Ich muß noch eine Menge zum Anziehen einkaufen», sagt Gloria.

«Soweit ich gehört hab, kommt man in den ersten Monaten ganz gut zurecht, wenn man einfach die Nähte ein bißchen ausläßt.»

«Aber ich *will* nicht zunehmen», sagt Gloria.

«Das wird sich nun mal nicht vermeiden lassen, meine Liebe.»

«Sicher, Edwee und ich essen häufig auswärts, und es gibt da natürlich eine ganze Menge guter Restaurants. Vielleicht nehm ich doch ein bißchen zu, ich hoffe aber nicht.»

«Du mußt unbedingt darauf achten, was du ißt.»

«Ich weiß. Aber vor allem ist wichtig, was ich anziehe. Ich muß mir noch alle möglichen Sommersachen besorgen.»

«Sommersachen?» Nonie zählt an ihren Fingern nach. «Mal sehen. Jetzt haben wir September. Wann ist es denn so weit? Wahrscheinlich doch im Juni.»

«Es kann jeden Tag sein. Vielleicht schon nächste Woche.»

«Nächste Woche? Willst du damit sagen –»

«Deswegen hab ich doch so viel zu tun! Gleich nachher muß ich los und alles mögliche einkaufen. Ich hoffe nur, daß die Leute da ein bißchen Englisch sprechen.»

«Wo?» Dann begreift Nonie, daß sie und Gloria aneinander vorbeireden. Nach ihrem Glas greifend, fragt sie: «Meine Liebe, wovon sprichst du eigentlich?»

«Von Edwees und meinem kleinen Geheimnis. Belize.»

«Belize?»

«Eine bezaubernde tropische Insel vor der südamerikanischen Küste. Wir werden dort ein himmlisches Häuschen haben, gleich am Strand.»

«Ach so», sagt Nonie, «ihr verreist.»

«Ich bin ja so aufgeregt, Nonie. Ich war noch nie im Ausland.»

Nonie atmet tief ein. «Und wie lange wollt ihr bleiben?» fragt sie.

«Hat dir Edwee nicht gesagt, daß wir für immer dahin ziehen? Das ist ja so –»

«Nun», meint Nonie und betrachtet angelegentlich die kleinen Bläschen, die in ihrem Perrier-Glas aufsteigen. «Genaue Einzelheiten hat er mir nicht mitgeteilt.»

«Es ist wegen seiner Gesundheit», sagt Gloria. «Der Arzt hat ihm geraten, ein tropisches Klima aufzusuchen, weil es ihm dort viel besser gehen wird.»

«Edwee war noch nie im Leben krank!»

«Seine Ärzte sagen – na ja, jedenfalls wartet er auf einen bestimmten Brief, irgendeine geschäftliche Sache, und dann geht es los! Ich hoffe, du kommst uns mal besuchen.»

«Mir hat er gesagt, daß du ein Kind bekommst.»

Wieder kichert Gloria. «Ach, das war falscher Alarm. Aber wir versuchen es weiter. Er möchte so gern einen Sohn haben, damit der Name Meyerson weitervererbt wird.»

«Belize also», sagt Nonie. Sie greift nach ihrem Glas, führt es aber nicht zum Mund, aus Angst, daß ihre Hand zu heftig zittert. Mit einem Blick auf die Uhr sagt sie rasch: «Gloria, wäre es schlimm, wenn wir es für heute bei diesem gemeinsamen Gläschen bewenden lassen und nicht zum Essen bleiben? Mir ist gerade eingefallen, daß ich einer Bekannten versprochen hab, sie um halb zwei am Flughafen abzuholen, und jetzt ist es schon viertel nach eins. Du hast ja auch noch all deine Besorgungen zu erledigen. Macht es dir schrecklich viel aus?» Sie ruft einem vorbeikommenden Kellner zu: «Bitte zahlen!»

Edwee ist an diesem Morgen bester Laune. Er kommt sich richtig jugendlich vor, während er die Madison Avenue entlanggeht und prüfend in einem Schaufenster nachsieht, ob die frische rote Nelke in seinem Knopfloch richtig sitzt. Die Welt ist herrlich, denkt er.

Der Brief, den er heute morgen von Philippe de Montebello bekommen hat, war genau das, was er erhofft hatte – nun, beinahe. «Lieber Mr. Meyerson», begann er.

Am Donnerstag nachmittag habe ich mit vier Mitarbeitern, von denen zwei ausgewiesene Kenner der spanischen Malerei aus Goyas Zeit sind, Ihre Mutter aufgesucht und das Porträt der Herzogin von Osuna einer erneuten Prüfung unterzogen. Sowohl meine Goya-Experten wie auch ich sind von der Echtheit des Bildes überzeugt und einhellig zu dem Ergebnis gekommen, daß das mysteriöse «Fragezeichen», das sie hinter Berensons Unterschrift entdeckt haben, später von fremder Hand hinzugefügt worden sein muß.

Andererseits hält man es im Museum angesichts dessen, was Ihre Schwester über das Gespräch berichtet, das sie mehrere Jahre nach dem Erwerb des Gemäldes durch Ihre Mutter mit Mr. Berenson geführt hat, wie auch angesichts dessen, daß zumindest von einer Seite Zweifel an der Echtheit des Gemäldes angemeldet worden sind, für ratsam, von dem äußerst großherzigen Angebot Ihrer Mutter keinen Gebrauch zu machen, und wir hoffen, mit unserer Entscheidung Ihre Mutter oder Sie selbst nicht zu enttäuschen.

Es braucht nicht eigens betont zu werden, daß ich es mit Rücksicht auf das fortgeschrittene Alter und gewisse damit einhergehende gesundheitliche Beeinträchtigungen Ihrer Mutter unterlassen werde, ihr die genauen Gründe für unseren Entschluß zu nennen, um sie nicht unnötig zu belasten. Ich werde ihr heute in einem Brief mitteilen, daß das Museum ihr Angebot zu schätzen weiß, es aber leider nicht annehmen kann, weil Goyas Werk zum einen hier bereits hinreichend vertreten ist und zum anderen auch Versicherungskosten, Platzbedarf und so weiter eine Rolle spielen.

Mit freundlicher Empfehlung
Philippe de Montebello

Als Edwee seine Mutter an jenem Vormittag angerufen hatte, schien auch sie ungewöhnlich fröhlich zu sein und überraschend bereitwillig, ihn zu empfangen, als er sagte, er müsse etwas mit ihr besprechen. «Du kannst gern vorbeikommen», sagte sie munter. «Wir haben uns ja schon ewig nicht gesehen. Ich bin den ganzen Morgen im Hause.»

Während ihn der Aufzug zum zwanzigsten Stock hinaufbringt, pfeift er leise vor sich hin.

«Komm rein, Edwee!» ruft seine Mutter, als er klingelt. «Es ist offen.» Als er eintritt, blähen sich die Stores vor den geöffneten Fenstern weit ins Wohnzimmer hinein. Dort sitzt seine Mutter im Sessel und wartet auf ihn.

Bei seinem Eintritt beginnt Itty-Bitty zu bellen, duckt sich wie zum Angriff und knurrt ihn an. Doch in der Sekunde, da Edwee aus der Diele ins Wohnzimmer seiner Mutter tritt, bleibt er wie angewurzelt stehen. «Wo ist es?» keucht er.

«Wovon sprichst du, mein Junge?»

«Der Goya! Wo ist er?»

«Was für ein Goya?»

«Da!» kreischt er und weist auf die leere Stelle an der Wand. «Genau da hat das Bild gehangen! Es war immer da! Was hast du damit gemacht, Mutter?»

«Du weißt doch, daß ich nichts sehen kann», sagt seine Mutter. «Ich verstehe nicht, wovon du redest, Edwee.»

«Was hast du mit deinem Goya getan, Mutter?»

«Auf einmal mußt du gar nicht mehr stottern. Es ist reine Willenssache, siehst du», entgegnet sie. «Setz dich. Möchtest du eine Tasse Tee?»

«Verdammt noch mal – was hast du mit dem Goya gemacht?»

«Fluch nicht, Edwee. Es gehört sich nicht. Wovon redest du?»

«Von deinem Goya! Wo ist er?»

«Goya?» sagt sie nachdenklich. «Meinst du den Maler? Von dem hatte ich nie ein Bild. Ich hab zwar vor Jahren mal erwogen, eins zu kaufen, es mir dann aber überlegt. Neulich war Mr. Montecarlo aus dem Museum hier. Er hat meinen Monet bewundert, meinen Cézanne, mein kleines Stilleben von Renoir, meine Tänzerinnen von Degas – aber von einem Goya hat er kein Wort gesagt.»

«Mutter, du lügst! Das zieht bei mir nicht! Das Bild hat genau da gehangen!»

«Nun, wenn da etwas war, muß es auch noch da sein, denn aus dieser Wohnung ist nichts fortgekommen, seit ich eingezogen bin. Bestimmt meinst du was anderes, denn einen Goya hatte ich nie.»

«Ich meine nichts anderes!»

«Vielleicht das kleine Renoir-Stilleben? Wie du weißt, bin ich alt und kann nichts sehen.»

«Ich glaube schon, daß du sehen kannst!» sagt er. «Und du weißt genau, wovon ich rede! Wo ist es, du Rabenaas?»

Seine Mutter steht vom Sofa auf, reckt sich zu voller Höhe und wendet ihm das Gesicht zu: «Wenn du hergekommen bist, um gemein und widerwärtig zu mir zu sein, Edwee», sagt sie, «möchte ich nicht weiter mit dir reden. Dann kannst du gleich wieder gehen.» Sie dreht sich rasch um, geht auf ihre Schlafzimmertür zu, öffnet sie, schlägt sie vernehmbar krachend ins Schloß und schiebt den Riegel vor.

Er läuft hin und hämmert mit den Fäusten gegen die Tür. «Wo ist mein Goya?» schreit er. «Was hast du mit ihm getan, du selbstsüchtiges, widerwärtiges altes Miststück! Ich laß dich in ein Pflegeheim bringen!»

«Verschwinde, Edwee», kommt ihre Stimme hinter der Tür hervor, «verschwinde, bevor ich dich an die Luft setzen lasse.»

Er hämmert weiter gegen die Tür. «Miststück! Miststück! Ich hasse dich!»

«Wenn du dich nicht anständig aufführen kannst, rufe ich den Wachdienst!»

Er lehnt sich gegen die Tür. Auf dem Boden hockt, ganz nah, noch immer Itty-Bitty, knurrt, kläfft ihn an und versucht gleichzeitig, nach ihm zu schnappen und ihm auszuweichen. Doch Edwee ist rascher und packt das Hündchen am Halsband und am Schwanz. Während es sich aufjaulend wehrt und ihn zu beißen versucht, tritt er ans offene Fenster und schleudert das Tier hinaus.

In der plötzlichen Stille, die jetzt eingetreten ist, verläßt Edwee Meyerson rasch die Wohnung seiner Mutter.

Er ist längst weit fort, als etwa zehn Minuten später George vom Empfang Oma Flo Meyerson anruft, um ihr die schreckliche Nachricht mitzuteilen.

25

*H*eute hatte ich endlich Gelegenheit, mit deinem Onkel Edwee zu sprechen», sagt Brad.

«Ach ja?» gibt Mimi zurück. Einen Augenblick lang weiß sie nicht mehr so recht, worüber er mit Edwee hatte sprechen wollen. Sie sitzen wie meist vor dem Abendessen mit einem Cocktail im Wohnzimmer. «Ich hab ganz vergessen, worum es ging.»

«Um sein unverhohlenes Interesse an deinem Fotomodell – wie hieß der Bursche noch?»

«Dirk Gordon.»

«Ich mach mir um Edwee ein bißchen Sorgen, Mimi.»

«Inwiefern?»

«Nun, er war seelisch noch nie besonders... stabil. Bei meinem Gespräch mit ihm heute hab ich mich gefragt, ob er wohl den Verstand verloren hat.»

«Ehrlich?»

«Jedenfalls ist er mir äußerst irrational vorgekommen. Er hat fast hysterisch gejammert, Oma Flo hätte den Goya vor ihm versteckt.»

«Wahrscheinlich ist das Bild im Metropolitan Museum. Sie hat es denen vermacht, und die werden es abgeholt haben.»

«Er stellt die Sache anders dar. Er will einen Brief bekommen haben, in dem das Museum ihm mitteilt, man wolle das Bild dort nicht. Er behauptet, auch deine Großmutter hätte einen solchen Brief bekommen.»

«Sonderbar. Ich hatte gedacht, die wären so scharf auf den Goya, daß sie notfalls über Leichen gehen würden, um ihn zu kriegen.»

«Jedenfalls ist das Bild aus der Wohnung verschwunden, wie Edwee sagt, und er möchte, daß wir – eigentlich du – es wieder herbeischaffen. Er sagt, es gehört ihm.»

«Lächerlich. Es hat schon immer Oma gehört. Das weiß jeder. Außerdem hab ich jetzt Wichtigeres zu tun, als mir den Kopf darüber zu zerbrechen, wo Omas Goya sein könnte.»

«Genau das hab ich ihm auch gesagt. Darauf hat er angefangen zu drohen.»

«Er droht?»

«Ja, und zwar behauptet er, ein Porno-Videoband zu besitzen, auf dem dein Fotomodell, dieser Gordon, eine Rolle spielt. Er will es der Öffentlichkeit übergeben, wenn du ihm nicht hilfst, das Bild für ihn herbeizuschaffen. Er meint, ein Skandal könnte deiner Werbekampagne für ‹Mireille› abträglich sein.»

Einen Augenblick lang schweigt Mimi, dann sagt sie: «Ich verstehe. Heißen Dank, Onkel Edwee. Das hat mir gerade noch gefehlt.»

«Könnte er dir tatsächlich Schwierigkeiten machen?»

«Nun, der Zeitpunkt könnte nicht schlechter gewählt sein. Was soll ich deiner Ansicht nach tun, Brad?»

«Ich habe mir Verschiedenes durch den Kopf gehen lassen», sagt er. «Immerhin ist es denkbar, daß er lügt. Vielleicht hat er völlig den Verstand verloren. Wir sollten aber vorsichtshalber die Möglichkeit ins Auge fassen, daß er etwas hat. In dem Fall könnten wir gerichtliche Schritte unternehmen, Anzeige wegen Erpressung erstatten. Das aber würde öffentliches Aufsehen erregen und außerdem Zeit kosten. Wie lange dauert es, bis deine Werbekampagne richtig auf Touren kommt?»

«Etwa zehn Tage.»

«Wir könnten ihn auffordern, uns das Band zu zeigen – oder ihm helfen festzustellen, wo der verdammte Goya ist, denn das will er ja. Wir könnten es auch einfach darauf ankommen lassen und gar nichts tun.»

«Was würdest du sagen?»

«Ich hab ihm mitgeteilt, ich sei nicht bereit, seine Drohungen ernst zu nehmen, solange ich das Band nicht gesehen habe.»

«Und wie hat er darauf reagiert?»

«Er hat aufgelegt.»

«Na bitte. Er blufft.»

«Möglich. Wir werden sehen.»

Sie sitzen eine Weile schweigend da, während es im Zimmer dunkler wird. Schließlich macht Mimi Licht. «Nun, jedenfalls vielen Dank, Liebling, daß du dich nicht nur bemühst, mir zu helfen», sagt sie schließlich, «sondern auch diese Typen erträgst, aus denen meine Familie zu bestehen scheint. Die prächtigen Meyersons! Wir sind schon ein ziemlich übler Haufen, was?»

«Es hat sich gelohnt», sagt er leicht lächelnd.

«Meinst du das im Ernst, Liebling?» Von fern hört man das Telefon, und bald darauf erscheint Felix in der Tür. «Mr. Michael Horowitz für Sie, Ma'am.»

«Es ist gut, ich komme.» Sie steht auf und geht in die Bibliothek, um den Anruf entgegenzunehmen.

«Michael», sagt sie, «nett, daß du zurückrufst.»

«Hallo, Kindchen. Tut mir leid, daß ich dich zu Hause störe, aber meine Sekretärin hat gesagt, es sei wichtig.»

«Das hatte ich ihr auch gesagt», erklärt sie. «Ich wollte dich um einen Gefallen bitten.»

«Das klingt ja ganz so, als wärst du etwas besserer Laune als beim letzten Mal, wo ich dich gesehen hab.»

«Bin ich aber nicht.»

«Schieß los. Was liegt an?»

«Ich hab gesehen, daß du Eintrittskarten zu meiner Veranstaltung gekauft hast.»

«So ist es.»

«Darf ich fragen, warum?»

«Ich dachte, es könnte ganz amüsant sein», sagt er. «Und außerdem ist es doch für einen guten Zweck.»

«Sonst steckt nichts dahinter? Bitte sag mir die Wahrheit, Michael. Wir wollen ehrlich miteinander sein. Das waren wir früher doch auch. Immerhin hast du Aktien unserer Firma aufgekauft und einigen meiner Verwandten angeboten, deren Anteile zu übernehmen. Du arbeitest auf eine unfreundliche Übernahme hin, stimmt's? Man munkelt in der Branche schon, daß demnächst bei Miray was passiert. Es gibt Leute, denen die Kursentwicklung unserer Aktien aufgefallen ist, und man stellt uns Fragen. Es dauert nicht mehr lange, und die Wirtschaftsjournalisten bekommen Wind von der Sache. Wenn es erst so weit ist, hast weder du noch ich mehr Einfluß auf das, was sie veröffentlichen. Tu mir einen Gefallen, Michael. Gib mir zumindest Gelegenheit, meinen Aktionären einen Gegenvorschlag zu unterbreiten, bevor du an die Öffentlichkeit gehst. Es hat doch früher ein gewisses Maß an Anstand im Geschäftsleben gegeben.»

«Immer wieder sprichst du von Übernahme, Mimi. Ich habe dir schon einmal gesagt: Ich kaufe Miray-Aktien, weil ich sie für eine gute Investition halte. Aus demselben Grund kaufe ich zum Beispiel auch International Harvester. Sollte davon euer Kurs gestiegen sein, ist das zwar gut für mich, aber doch auch für euch, oder nicht?»

«Michael, ich glaube dir einfach nicht. Bitte sei aufrichtig. Niemand kann etwas dagegen haben, wenn du meine Firma übernehmen willst. Aber bitte benutze meine Vorstellungsfeier nicht als eine Art öffentliches Forum, um deine Absichten anzukündigen. Das würde ich als sehr unfreundlich und wenig anständig auffassen.»

«Ich wollte als Privatmann hingehen», sagt er mit gekränktem Tonfall. «Einfach so. Es war nicht meine Absicht, irgendwelche Ankündigungen zu machen.»

«Ist das wahr? Versprichst du das? Im Mittelpunkt dieser Vorstellung muß mein neues Parfüm stehen – und die Anzeigenkampagne dafür. Außerdem die Bibliothek. Das ist der Zweck des Ganzen. Aber keinesfalls darf Michael Horowitz mit seinen Plänen im Mittelpunkt stehen, ganz gleich, wie sie aussehen.»

«Sieh mal», sagt er, «du bist die Gastgeberin. Wenn mich jemand nicht dabei haben will, bleib ich weg. Damit ist der Fall für mich erledigt. Ich verschenk meine Karten einfach.»

«Schon deine bloße Anwesenheit könnte die Gerüchte nähren, Michael. Die Presse wird da sein. Man könnte dir Fragen stellen.»

«Glaubst du denn, ich wüßte nicht, wie man mit den Leuten fertig wird? Aber ich wiederhole: wenn es dir nicht paßt, daß ich komme, bleib ich eben weg. Ich gehe nirgendwo hin, wo man mich nicht haben will, Kindchen.»

«Ich kann dich nicht hindern zu kommen, Michael. Ich möchte nur, daß alles nach Plan läuft.»

«Das ist auch mein Wunsch. Alles soll nach deinem Plan laufen. Offen gestanden enttäuschst du mich.»

«Wieso?»

«Hast du wirklich geglaubt, ich würde deinen Galaabend für meine Zwecke umfunktionieren, auf die Bühne springen, mir das Mikrofon schnappen und sagen, ‹meine Damen und Herren, vor sich sehen Sie den nächsten Präsidenten der Firma Miray›? Wenn du glaubst, ich wäre imstande, dir so was anzutun, verstehst und kennst du mich nicht, und das würde mich betrüben.»

«Aber Michael, es ist doch nur–»

«Ich würde dir nie an den Karren fahren, Mimi. Ich dachte, das wüßtest du. Ich wollte nur hingehen, weil ich dachte, es müßte schön sein, dich bei der Arbeit zu sehen. Das war der einzige Grund. Weißt du noch, wie ich dir vor vielen Jahren gesagt habe, daß meiner Ansicht nach nur du die Firma führen könntest? Ich hatte mir immer eingebildet, das hätte dich dazu veranlaßt, es auch zu tun, und ich hätte sozusagen dazu beigetragen, daß du die Art Frau geworden bist, die du jetzt bist. Deswegen wollte ich kommen: ich wollte dir zusehen. Nur darum ist es mir gegangen. Ehrlich.»

«Aber, weißt du –»

«Hab ich nicht versucht, dir und deiner Familie aus der Patsche zu helfen? Hast du das alles vergessen? Ich hab immer gedacht, du merkst, daß mir dein Wohl am Herzen liegt, und wenn es nur um einen gerissenen Schuhriemen ging.»

Während sie überlegt, ob er ihr mit dieser Erinnerung an früher geleistete Dienste deutlich machen will, daß sie ihm einen Gefallen schuldet, fragt sie: «Und was ist mit Opas Tagebüchern? Warum enthältst du mir die vor? Doch wohl, um mich unter Druck zu setzen?»

Vom anderen Ende der Leitung kommt ein hörbares Seufzen. «Die verdammten Tagebücher», sagt er. «Was sollte ich wohl mit denen? Ich wollte einfach verhindern, daß dir ein paar nicht sehr nette Sachen weh tun, die du da drin finden würdest. Das war alles, und das hab ich dir auch gesagt. Wenn du sie unbedingt haben willst, kriegst du sie. Ich laß sie gleich morgen zusammenpacken und dir ins Büro schikken.»

«Nun, Michael, in dem Fall –»

«Du solltest wissen, daß ich nach dem Grundsatz lebe, ein Mann, ein Wort. Ich hätte nicht gedacht, daß du so wenig von mir hältst, Mimi. Das schmerzt.»

«In dem Fall komm doch bitte, Michael. Außerdem bitte ich um Entschuldigung für das, was ich gedacht habe.»

«Nein, jetzt macht mir die Sache keinen Spaß mehr, Kindchen.»

«Bitte. Ich möchte, daß du kommst.»

«Nein, nein ...»

«Bitte, komm. Es tut mir leid.» Sie merkt, daß sie jetzt genau das Gegenteil ihrer vorigen Position vertritt.

«Daß du denken konntest, ich würde auf die Bühne steigen und –»

«Das denke ich doch gar nicht.»

«Nun, ich überleg's mir. Immerhin hast du mir ziemlich weh getan.»

Sie legt auf und fragt sich im stillen: Hat er mich wieder hinters Licht geführt? Mich in eine Falle gelockt?

Im Wohnzimmer sieht Brad aus dem Fenster, eine Hand tief in der Hosentasche, in der anderen das Cocktailglas. Einen Augenblick lang ist sie versucht, neben ihn zu treten, sich bei ihm einzuhängen und mit ihm gemeinsam zuzusehen, wie es immer dunkler wird und die Lichter an der West Side aufflammen. Aber etwas hält sie davon ab, und statt dessen setzt sie sich auf eins der doppelsitzigen Sofas, das von einer Lampe beschienen wird.

«Was wollte Horowitz?»

Es kommt ihr so vor, als betone er den Namen auf eigentümliche Weise, so daß er beinahe wie «Horrorwitz» klingt, der Spottname, den seine Feinde Michael angehängt haben.

«Er kann eigentlich sehr nett sein», sagt sie, «und die Leute um den Finger wickeln. Wie ein kleiner Junge.»

«Deswegen ist er ja ein so guter Geschäftsmann. Was hat Oma Flo immer über ihn gesagt? Daß er in der Wüste Gobi Regenschirme verkaufen könnte? Ach was – der Kerl könnte vor dem Vatikan Kondome verkaufen.»

Kondome, denkt sie. Wie eins deiner gebrauchten Kondome. Sie sagt: «Ist dir klar, wieviel für mich bei dieser Produktvorstellung auf dem Spiel steht, Brad?»

«Bestimmt eine ganze Menge.»

«Fünfzig Millionen Dollar.»

«Das ist viel Geld.»

«Die Sache steigt am siebzehnten, nächsten Donnerstag. Kommst du?»

«Ich werde mich bemühen.»

«Neulich ist in meinem Büro etwas Merkwürdiges passiert. Wir sind die Vorbereitungen für den Abend durchgegangen, und Mark Segal hat einige von ihm vorbereitete Pressemitteilungen vorgelegt. In einer davon heißt es, du und ich würden an dem Abend als Gastgeber auftreten. Ich hab gesagt, daß du vielleicht nicht kommen kannst, und Marks Antwort darauf war: ‹Nun, es spielt eigentlich keine Rolle›. Ich finde das etwas überspitzt, aber er denkt nun mal an nichts anderes als an seine Öffentlichkeitsarbeit. Ich möchte dir sagen, daß es doch eine Rolle spielt, Brad. Für mich spielt es sogar eine große Rolle. Ich möchte unbedingt, daß du dabei bist.»

«Nun, ich werde mich wirklich bemühen.»

Dann sagt sie: «Es war eine Frau.»

«Was war eine Frau?»

«Ich hab dir doch gesagt, daß dauernd jemand anruft und auflegt. Als du neulich in Minneapolis warst, hab ich abgenommen und mich gemeldet. Am anderen Ende hab ich ein leises Stöhnen gehört. So stöhnt nur eine Frau. Sie hat dann aufgelegt.»

«Aha.»

«Hast du eine Ahnung, wer uns das antun könnte, Brad?»

Das Gesicht immer noch zum Fenster gewandt, sagt er: «Ja.»

Er dreht sich zu ihr um, doch da sein Gesicht im Schatten liegt, kann sie seinen Ausdruck nicht erkennen. «Hast du je einen Fehler gemacht, Mimi?» fragt er sie.

«Selbstverständlich.»

«Nun, ich hab vor etwa drei Monaten auch einen gemacht und mich mit einer anderen Frau eingelassen. Sie ist Sekretärin bei einem unserer Mandanten. Sie heißt –»

«Bitte nicht den Namen», sagt sie rasch. «Hast du eine Affäre mit ihr, Brad?»

«Die Sache ist vorbei. Sie hat nicht lange gedauert. Ich hab ihr das auch klarzumachen versucht, aber sie erhebt Ansprüche, will, daß ich sie heirate. Sie hat mich immer wieder angerufen, im Büro und hier. Sie ist sogar in die Kanzlei gekommen und hat gedroht, zu uns in die Wohnung zu kommen. Vor ein paar Tagen hat sie in der Wall Street auf mich gewartet und sich mit mir in eine Taxe zu drängen versucht. Manchmal sitzt sie auf einer Bank da drüben und sieht her. Ich hab gerade aus dem Fenster geschaut, um zu sehen, ob sie wieder da ist.»

«Und?»

«Gott sei Dank, nein.»

«Liebst du sie, Brad?»

«Nein. Sollte ich das je geglaubt haben, ist das nicht mehr der Fall.»

«Ist sie … schwanger?»

«Das behauptet sie, aber ich bin sicher, daß es nicht der Wahrheit entspricht. Wir haben immer … Maßnahmen ergriffen. Sie lügt bestimmt.»

Mimi versucht, Haltung zu bewahren, obwohl sie das Gefühl hat, den Boden unter den Füßen zu verlieren. «Wie unangenehm das für dich sein muß!»

«Ja.» Dann sagt er: «Sieh mal, Mimi, es war ein Fehler, das geb ich zu. Ich hab ihr das auch gesagt, und auch, daß ich sie nicht heiraten werde und sie nie wiedersehen will. Ich hab ihr gesagt, daß ich dich liebe und nicht die Absicht habe, mich scheiden zu lassen – außer natürlich, du möchtest das jetzt, wo du alles weißt. Ich hab ihr gesagt, wenn sie ein Schreiben vorlegen kann, in dem ihr Arzt bestätigt, daß sie schwanger ist, werde ich für eine Abtreibung aufkommen. Da sie das nicht getan hat, bin ich sicher, daß sie lügt. Ich hab ihr klargemacht, daß ich auf keinen Fall über dieses Angebot hinausgehe. Was mich betrifft, ist sie aus meinem Leben gestrichen. Aber sie gibt nicht auf.»

«Ich verstehe», sagt Mimi. Sie steht rasch auf und fährt sich mit den Fingern durchs Haar. «Ich sehe, daß du die ganze Sache gründlich durchdacht hast», sagt sie. «Wie üblich hast du in deiner juristischen Methodik an alles gedacht – sogar an eine Bescheinigung ihres Arztes! Alles hast du bedacht, nur nicht, was ich bei der Sache empfinden könnte. Das ist dir nicht in den Sinn gekommen. Willst du wissen, wie ich mir vorkomme? Wie ein mißbrauchter Gegenstand, schmutzig und mißhandelt. Aber vielleicht müßte ich mir ein Schreiben meines Arztes besorgen, in dem steht, daß ich dich hasse, um dich von dem zu überzeugen, was ich empfinde.»

«Hast du dir je überlegt, wie ich mich fühle?» entgegnet er leise.

«*Du*! Bin denn ich davongelaufen, hab *ich* dich betrogen und Lügen darüber verbreitet, wo ich zu Mittag esse? Mir sagst du, ihr hättet von der Firma aus ein Essen in der Stadt, und am selben Tag seh ich dich mit ihr beim verliebten *tête à tête* im Le Cirque. Hältst du mich eigentlich für blöd? Ich hab sogar einen Brief von ihr gefunden.»

«Was für einen Brief?»

«Leuchtend blaues Briefpapier mit dem Monogramm *R*. Viele alberne gelbe Gänseblümchen drumrum. Kommt dir das bekannt vor? Er hat in der Tasche eines Anzugs gesteckt, den du zur Reinigung geben wolltest. Glaubst du, ich hätte da nicht gewußt, was los war? ‹Du hast mir oft gesagt, daß du mich liebst und daß deine Ehe unglücklich ist› hat sie geschrieben, aber ich nehme an, daß du alles sehr geschickt gehandhabt hast – bis sie beschlossen hat, dir die Daumenschrauben anzulegen, weil sie glaubte, du könntest sie im Bett ein bißchen satt bekommen haben!»

«Ich gebe zu, daß ich mich bemüht habe, sie nicht unnötig vor den Kopf zu stoßen.»

«Natürlich! Es darf keinesfalls eine Szene geben, das wäre gar nicht schön. Nur keinen Eklat oder gar einen Prozeß oder öffentliches

Aufsehen – wie stündest du sonst vor dem Ausschuß in Albany da, der dich vielleicht für Senator Miller auf den Schild heben will? So etwas muß natürlich unter allen Umständen verhindert werden. Ts. Ts. ‹Fehltritt eines Senatskandidaten?› Nur das nicht! Sonst hast du an nichts gedacht, nichts anderes hat dir Kopfzerbrechen bereitet als die Frage, wie du deine Haut retten kannst! Aber was du *mir* damit antust, darüber hast du dir keine Gedanken gemacht!»

«Davon spreche ich doch gar nicht», sagt er. «Nur davon, wie es mir in den letzten zwei Jahren ergangen ist.»

«Zwei Jahre?! Ich dachte, du hättest gesagt, daß es vor drei Monaten angefangen hat. Oder war auch das wieder eine Lüge?»

«Zwei Jahre – während ich versucht habe, eine Ehe zu führen, und du nichts anderes im Kopf hattest und über nichts anderes reden konntest als ein neues Parfüm.»

Felix erscheint erneut an der Tür. «Das Essen ist aufgetragen, Ma'am», sagt er.

«Ich fühle mich ein wenig fiebrig», sagt sie, «und gehe nach oben. Mr. Moore ißt allein zu Abend.»

Felix nickt und senkt den Blick.

Oben in ihrem Schlafzimmer schließt sie von innen ab und wirft sich aufs Bett. Ihre Augen sind trocken. Auf keinen Fall werde ich weinen, denkt sie. Ich will nicht. Sie dreht den Kopf ein wenig zur Seite, und während sie still daliegt, stürmen ihr die Gedanken durch den Kopf. Ich hab eine Szene gemacht, denkt sie. Ich hatte mir vorgenommen, nie eine Szene zu machen, aber jetzt hab ich doch eine gemacht. Und wenn schon. Wieso mußte er auch diesen ungünstigsten aller Zeitpunkte wählen, um mir das zu sagen, auch wenn ich es schon wußte? Ja, du hast einen glänzenden Zeitpunkt gewählt, mir das zu sagen! Edwee und ein Band mit pornografischen Aufnahmen. Kondome. Abtreibung. Dreck, Schlamm, Schmutz und noch mehr Schmutz. Granatapfel, fauler Apfel, Schmutz, der madendurchsetzt in meinem Lagerhauskeller verrottet. Mama, Papa, ich, Badger, ein Mann mit einer falschen Narbe und ein Mann mit törichten Grübchen und einem Lächeln, alles falsch und verrottet bis ins Mark. Wie, wenn ich dir sagte, daß Badger nicht dein Sohn ist, sondern seiner, daß ich es jetzt genau weiß? Aber an so was darf ich jetzt nicht denken, mahnt sie sich.

Ich muß an die öffentliche Vorstellung von «Mireille» am siebzehnten denken, an das wunderbare und berauschende Parfüm, das meinen Namen trägt, und an die wunderbare und berauschende

Feier, mit der «Mireille» der Welt vorgestellt werden soll. Auf nichts anderes kommt es jetzt an. Das ist im Augenblick das Wichtigste in meinem Leben. Es gibt auf der ganzen Welt nichts Wichtigeres. Diese Vorstellungs-Gala ist Freude und Gelächter, Champagner und Kaviar, schöne Männer und Frauen, die sich eigens dafür herausgeputzt haben, lippenstiftrote Rosen auf weißen Tischtüchern, ein Flakon mit «Mireille» an jedem Platz. Diese Feier soll alle anderen in den Schatten stellen. Schönheit – das ist mein Geschäft: Schönheit, Parfüm.

Und sie denkt: Hab ich gerade gedacht, daß ein Fest alles ist, worauf es mir im Augenblick ankommt? Schönheit? Parfüm?

An dem Galaabend wird sie sich entscheiden, ihre Wahl treffen. Falls Brad nicht kommt, wird sie das als Zeichen nehmen. Falls Michael kommt und sich einwandfrei aufführt, wie er es ihr versprochen hat, wird sie auch das als Zeichen nehmen. Diese Vorzeichen werden ihr den Weg weisen. Es wird ein schöner Weg sein.

Mit einem Auge sieht sie, daß einer der Leuchtknöpfe am Telefon neben ihrem Bett aufglimmt. Ein Anruf. Er glimmt wieder auf und dann ein drittes Mal. Offenkundig ist jemand angewiesen worden, nicht abzunehmen. Sie sieht dem blinkenden Gelb zu und zählt mit, sechsunddreißig, siebenunddreißig, achtunddreißig, neununddreißig...

Das Telefon wird die ganze Nacht klingeln.

Unvermittelt nimmt sie den Hörer auf und brüllt hinein: «Laß uns zufrieden, dreckige Hure!»

Dann unterbricht sie die Verbindung mit der Fingerspitze und läßt den Hörer neben dem Apparat liegen.

Sie betet, daß sie nicht wieder den Traum hat. Dann kommt er: der Schatten, der an der Windschutzscheibe vorbeifliegt, das Aufkreischen ihrer Mutter. Nur, daß sie nicht träumt. Sie ist hellwach.

26

Dein Vater ist tot», hatte ihre Mutter am Telefon gesagt, und ihre Stimme hat dabei seltsam gelassen geklungen, so teilnahmslos und distanziert, als mache sie eine nicht besonders interessante Aussage über das Wetter. Das war im April 1962 gewesen.

«Tot?» hatte Mimi aufgeschrien, «wie ist das passiert?» Sie dachte, die Belastung, unter der ihr Vater gestanden hatte, könnte einen Herzanfall ausgelöst haben.

«Ich weiß noch nichts darüber», hatte ihre Mutter mit derselben fernen Stimme gesagt. «Die Polizei ist jetzt in der Wohnung. Mimi, geh bitte hin und sieh nach, was getan werden muß.»

«Die Polizei!»

«Ja. Ich wollte deinen Vater anrufen, und ein Polizist hat abgenommen. Sie hatten ihn gerade gefunden. Kannst du hingehen? Ich komme so bald wie möglich.»

«Wo bist du denn?»

«Irgendwo in den Bergen. Ich bin gestern, nein, vorgestern, mit der Bahn hier angekommen, in... Dann hatte Mimi gehört, wie ihre Mutter jemanden fragte: ‹Wie heißt das hier?› Also. Ich bin hier in Cohoes im Staat New York», sagte sie. «Nicht weit von Saratoga. Ich ruf aus einer Telefonzelle an. In meinem Motelzimmer ist kein Telefon. Kannst du mir helfen, Kind?»

«Was tust du denn *da*, Mutter?»

«Dein Vater und ich hatten vor ein paar Tagen eine kleine, nun... eine kleine Meinungsverschiedenheit. Ich brauchte einen Tapetenwechsel, um zur Ruhe zu kommen. Ich bin zum Bahnhof gegangen, hab den erstbesten Zug genommen und bin in irgendeiner Stadt ausgestiegen, die mir gefiel. Ich wollte hier eine Weile allein sein. Draußen schneit es jetzt ...»

«Hast du wieder getrunken, Mutter?»

«Ein bißchen – ein bißchen flüssigen Mut. Mimi, hast du nicht gehört, was ich gesagt hab? Dein Vater ist tot!» Jetzt erst schien ihre Stimme eine Empfindung widerzuspiegeln. «Bitte, geh zur Wohnung hinüber und sieh, was die Polizei will. Sie haben mir alle möglichen schrecklichen Fragen gestellt. Ich komm, so schnell ich kann. Mit dem Zug um –» Der Rest war unverständlich.

In der elterlichen Wohnung trat ihr an der Tür ein junger Polizeibeamter entgegen. «Sind Sie eine Verwandte des Verstorbenen?» fragte er.

«Seine Tochter. Ich möchte bitte zu ihm.»

«Das geht leider nicht. Sie würden ihn auch gar nicht sehen wollen, Ma'am.»

«Wie kommen Sie darauf?»

«Er hat sich 'ne Kugel in den Kopf gejagt.»

Sie spürte, wie ihr Körper schwer gegen den Türrahmen sackte.

«Sieht nach 'nem klaren Fall von Selbstmord aus», sagte er. «Er war wohl allein. Es gibt keine Hinweise auf 'nen Einbruch oder darauf, daß sich jemand mit Gewalt Zutritt verschafft hätte. Ein Nachbar hat den Schuß gehört und auf der Wache angerufen. Wir haben Ihren Vater ins Leichenschauhaus gebracht, da müssen noch 'n paar Untersuchungen gemacht werden.»

«Wo war er, als es passiert ist?»

«Wollen Sie sehen, wo wir ihn gefunden haben?»

Sie nickte.

«Ich warne Sie. Es ist alles voll Blut.»

Sie folgte dem jungen Mann durch die Diele zum Badezimmer am Ende der Wohnung.

«Wollen Sie bestimmt da rein, Ma'am?» fragte er und sah sie zweifelnd an. «Es riecht auch ziemlich schlecht da drin.»

Sie nickte erneut.

Er hielt ihr die Badezimmertür auf. «Hier haben wir ihn gefunden.» Er wies auf die Wanne.

Sie warf einen kurzen Blick in den Raum und wandte sich dann rasch ab, weil sie spürte, wie ihr übel wurde.

«Eine kleine Meinungsverschiedenheit», hatte ihre Mutter gesagt. War das ein Grund, sich so etwas Schreckliches anzutun?

«Haben Sie irgendeine Mitteilung gefunden?» fragte sie, als sie wieder im Wohnzimmer waren.

«Nichts. Welchen Grund könnte Ihr Vater Ihrer Ansicht nach gehabt haben, sich das Leben zu nehmen? Hatte er Feinde?»

«Nein. Ja. Ich weiß nicht.»

«Geschäftliche Schwierigkeiten?»

«Das kann man wohl sagen. Brauchen Sie mich noch für etwas?»

«Man wird Sie morgen bitten, den Verstorbenen im Leichenschauhaus zu identifizieren. Die Witwe ist wohl außerhalb?»

«Meine Mutter ist auf dem Weg zurück nach New York.»

Sie verabschiedete sich, und erst am Aufzug begann ihr Vater für sie wirklich zu sterben. Er starb erneut, als sie die Haustür öffnete und in das helle Sonnenlicht auf die Straße hinaustrat, noch einmal, als sie ihren Arm hob, um eine Taxe herbeizurufen, und immer wieder, bis sie in ihrer Wohnung war. Als sie in jener Nacht in Brads Armen lag, schüttete sie ihm ihr Herz aus, vertraute ihm ihre schrecklichen Selbstzweifel an, machte sich Vorwürfe.

«So darfst du nicht denken, Mimi», sagte er. «Keiner von uns beiden hätte das verhindern können.»

«Ich glaube doch», schluchzte sie.

Ein Lichtschimmer wurde an der Schlafzimmertür sichtbar, und dann sah man im Schein des Dielenlichts den kleinen Badger hereintappen, der sich die Augen rieb und sagte: «Mama? Papa?»

«Komm, mein Junge», sagte Brad und klopfte auf die Bettdecke. «Es ist alles in Ordnung.» Er hob den Kleinen zu sich ins Bett. «Alles ist in Ordnung», sagte er noch einmal. «Möchtest du heute Nacht bei uns schlafen, Badger? Deine Mama und dein Papa haben dich sehr lieb.»

Vier Tage später war die kleine Gruppe von Angehörigen nach der denkbar schlichten Beisetzungsfeier von Mimis Vater in George Wardells Büro zusammengekommen. Diesmal waren sie nur zu fünft: Mimi, Brad, Nonie, Edwee und Alice. Oma Flo hatte es nicht über sich gebracht, an der Testamentseröffnung teilzunehmen; sie war auch nicht zum Begräbnis ihres Erstgeborenen, ihres Herzblatts, gekommen. Zu sehr hatte sein Verlust sie mitgenommen. Mimi fällt ein, was sie damals gedacht hat: wir werden immer weniger.

Das Testament wurde verlesen. Es umfaßte kaum eine Seite, war einfach und kurz wie die Beisetzungsfeierlichkeit. Ihr Vater hatte es allem Anschein nach knapp einen Monat vor seinem Tod umformuliert und gründlich vereinfacht. Ein Drittel seines Nachlasses fiel an seine Witwe, die übrigen zwei Drittel an Mimi. Andere Erben waren nicht vorgesehen.

«Natürlich gibt es zahlreiche Schwierigkeiten», sagte George Wardell mit tiefem Aufseufzen, als er die Verlesung beendet hatte, «über die sich wohl jeder von Ihnen im klaren ist. Alles hängt vom Ausgang verschiedener Prozesse ab, die Ihre Verwandten gegen Sie angestrengt haben. Wir müssen damit rechnen, daß der Nachlaß noch eine ganze Weile Gegenstand juristischer Auseinandersetzungen bleibt. Damit stellt sich die Frage: Was soll aus der Firma Miray werden, die jetzt keinen Geschäftsführer mehr hat? Es ist wirklich bedauerlich.»

Zuerst sagte niemand etwas.

«Mr. Moore»,wandte sich George Wardell an Brad, «haben sie irgendwelche Vorschläge?» Offenkundig hielt er ihn als Anwalt am ehesten für fähig, eine Art von Führerschaft in der Familie zu übernehmen.

Brad pfiff leise vor sich hin. «Ist das Unternehmen zahlungsunfähig?» fragte er schließlich.

«Ich fürchte, ja», sagte George Wardell. «Leider sehe ich keine andere Lösung, und daher scheint es mir unumgänglich, mit Ihrer aller Einwilligung für Miray Konkurs anzumelden. Das ist äußerst betrüblich, aber zur Zeit würde wohl im ganzen Land kein Mann bereit sein, an die Spitze dieses Unternehmens zu treten.»

«Kein Mann im ganzen Land?» fragte Mimi.

«Nun, vielleicht übertreibe ich da ein wenig», gab George Wardell zurück. «Sagen wir, niemand, der bei klarem Verstand ist, würde sich das Unternehmen in seinem gegenwärtigen finanziellen Zustand aufhalsen wollen.»

«Und wie wäre es mit einer Frau?» fragte Mimi gelassen.

«Was soll das?» mischte sich ihre Tante Nonie mit Schärfe in der Stimme ein. «Wovon redest du überhaupt? Was für eine Frau?» Nonie trug nach wie vor von Kopf bis Fuß Schwarz und hatte einen Schleier vor dem Gesicht.

«Ich», erklärte Mimi.

«Laß die Albernheiten», sagte Nonie. «Du verstehst doch gar nichts vom Geschäft. Außerdem mußt du dich um deinen kleinen Jungen kümmern.»

«Augenblick mal», sagte Brad und beugte sich vor. «Wir wollen uns anhören, was sie zu sagen hat.» Daraufhin deckte er Mimi mit Fragen ein, und obwohl sie schwierig zu beantworten waren, würde sie ihm auf alle Zeiten dankbar dafür sein, daß er sie gestellt hatte. Er hatte sie als erster ernst genommen.

«Was würdest du als allererstes tun», fragte er, «wenn du die Firma leiten müßtest?»

«Ich würde die Produkte wieder im oberen Marktsegment einführen, in den Kosmetikboutiquen und den Fachabteilungen der großen Kaufhäuser.»

Trotz der bedrückenden Situation machte es ihr Spaß, ihm diese und eine ganze Anzahl weiterer Fragen zu beantworten, und sie redete sich geradezu in Feuer. Mit Nachdruck sagte sie: «Ich habe nicht bloß tatenlos herumgesessen, während Vater die Firma geleitet hat, sondern die Branche gründlich studiert und viel darüber gelesen. Was wir zu verkaufen haben, ist in erster Linie ein Modeartikel, und die Mode ändert sich ständig. Jede neue Modesaison muß zugleich eine neue Kosmetiksaison sein. Im einen Jahr liegt das Schwergewicht vielleicht auf den Lippen, im nächsten auf den Augen, dann auf Haartönungen. Ich habe eine ganze Menge Ideen, die ich gern ausprobieren würde.»

«Und womit würdest du das alles finanzieren?» bohrte Brad weiter. Damit war er bei der Kernfrage angekommen.

«Ich würde mir in der Wall Street eine junge und ehrgeizige Gruppe von Bankleuten suchen, die bereit sind, das Risiko zu tragen, mit Miray an die Börse zu gehen.»

Ihre Begeisterung riß sie förmlich mit.

«Ich würde notfalls», sagte sie, «selbst mit einem kleinen Tablett in den Kosmetikboutiquen und Kaufhäusern durch die Gänge gehen und den Kundinnen Proben übergeben. Ich habe auch noch eine andere Idee: ein Geschenk für jede Kundin. Wer einen Lippenstift für zehn Dollar kauft, bekommt ein dazu passendes Fläschchen Nagellack umsonst – oder einen Lidschatten oder einen Augenbrauenstift. Das hat noch keiner gemacht. Es ist im Grunde nur eine neue Art, die bisher übliche Probenverteilung zu gestalten, mit dem Unterschied, daß die Kundin erst etwas kaufen muß, bevor sie die kostenlose Probe bekommt. Das müßte klappen. Den Einkäufern und Geschäftsführern wäre es bestimmt recht, weil das Kundschaft anlocken würde. Im Lauf der Zeit werden sie mir dafür größere und bessere Ausstellungsmöglichkeiten geben und ich ihnen kostenlose Proben für ihre

Frauen und Freundinnen. In dem mir zugewiesenen Bereich würde ich dann den Kundinnen zeigen, was sie für ihre Schönheit tun können, natürlich kostenlos. Ich würde ihnen zum Beispiel sagen, welche Farben am besten zu ihrem Teint und zu ihrer Haar- und Augenfarbe passen und so weiter. Es würde natürlich harte Arbeit kosten, bis ich so weit wäre, daß Frauen ganz automatisch Kosmetik und Miray gleichsetzen.»

«Und dann?» Brad schien mit nichts zufrieden.

«Dann», sagte sie lächelnd, «würde ich immer wieder etwas Neues auf den Markt bringen. In dieser Branche ist Neuheit das A und O – alles muß neu und immer wieder neu sein!»

«Lachhaft», sagte Nonie. «Willst du damit sagen, daß du deinen süßen kleinen Jungen aufgeben würdest, um all das zu tun? Einfach lachhaft. Alice, sie möchte dein einziges Enkelkind im Stich lassen!»

«Niemand läßt Badger im Stich, Nonie», wies Brad sie zurecht. Dann sagte er: «Ich denke, wir sollten Mimi die Chance geben, zu zeigen, ob sie es kann.»

«Ja», sagte sie. «Laßt mich ein Jahr lang machen, wartet einfach ab, was ich in der Zeit erreiche.»

So hatte alles begonnen.

In der *New York Times* vom 3. Juni stand zu lesen:

EINE ZÜNDENDE NEUE IDEE

Kleine Grüppchen von Kundinnen sammelten sich heute an einer bestimmten Kosmetik-Theke bei Saks an der Fifth Avenue. Dort wurde das neu aus der Taufe gehobene Kosmetikprogramm namens «Mireille» präsentiert. Begeistert waren die Kundinnen, als sie merkten, daß sie für jedes Mireille-Produkt, das sie kauften, ein weiteres mit nach Hause nehmen durften – kostenlos. Diese Neuerung in bezug auf die altbewährte Probenverteilung im Kosmetikgeschäft war auch noch in anderer Hinsicht einzigartig, denn es gab nicht etwa ein winziges Pröbchen, das gerade für eine oder zwei Anwendungen genügt, sondern eine normale Verpackung.

Der Markenname «Mireille», der genauso ausgesprochen wird wie Miray (die Herstellerfirma) ist zugleich der Vorname der neuen Geschäftsführerin des Unternehmens Mireille «Mimi» Meyerson, Enkelin des Firmengründers. Die Saks-Kundinnen hatten heute doppelten Grund zur Freude, denn es gab nicht nur kostenlose

Proben, sie lernten auch die reizende vierundzwanzigjährige Chefin selbst kennen. Miss Meyerson, das sollte nicht unerwähnt bleiben, ist eine blendende wandelnde Werbung für ihre verschiedenen Schönheits- und Hautpflege-Erzeugnisse.
«Benutzen Sie diese Produkte schon *immer*?» fragte eine Besucherin sie. «Seit ich groß genug war, um in einen Spiegel zu sehen», erwiderte Miss Meyerson lächelnd.
Spieglein, Spieglein an der Wand, wer ist die Schönste im ganzen Land? Die Kundinnen bei Saks schienen das heute genau zu wissen.

«Etwas für Ihre Frau oder eine gute Freundin?» fragte sie den Mann im dunklen Anzug, der im belebten Kaufhaus zu ihr an die Theke trat.

«Ich hab keine Frau, aber eine gute Freundin», antwortete er.

«Welche Haarfarbe?»

«Blond», sagte er.

«Dann wird ihr bestimmt dieser Farbton gefallen», begann sie und griff nach einem Lippenstift.

«Genau wie bei dir. Augen wie poliertes Silber.»

Sie hob den Blick und erkannte Michael.

«Du wirst ja rot, Kindchen», sagte er und zwinkerte ihr zu.

«Ich bin sicher, daß all diese Presseberichte gut für uns sind», sagte sie an jenem Abend beim Essen zu Brad, «aber die Liquiditätslage der Firma macht mir immer noch Sorgen. Schließlich bedeutet jede kostenlose Probe, die wir abgeben, eine Verkaufseinbuße.»

«Was ist mit deiner Absicht, an die Börse zu gehen?»

«Sind meine Zahlen gut genug, um jemanden zu finden, der das übernimmt?»

«Warum probierst du es nicht einfach?» fragte er. «Es gibt Anlage-Beratungsfirmen und Anleihegaranten, die auf so etwas spezialisiert sind. Klopf doch einfach mal bei Goldman, Sachs & Co. an. Die sind für so etwas die beste Adresse.»

«Kennst du da jemand, Brad?»

«Leider nein. Aber ich weiß, daß der alte Lazarus Goldman nach wie vor das Sagen hat. Er ist jetzt weit über siebzig, aber in seiner Hand laufen alle Fäden zusammen. Du kannst ja mal mit ihm reden.»

«Das werde ich tun», sagte sie einfach.

«Das einzige, was ich außerdem über ihn weiß, ist, daß es auf der ganzen Welt keinen Witwer gibt, der mehr trauert als er. Seine Frau ist vor ein paar Jahren gestorben, und er baut ihr einen Gedenkschrein nach dem anderen.»

An jenem Abend hatte sie sich das *Who's Who* vorgenommen und nachgelesen, was über Lazarus Goldman darin stand. Seine Frau, eine geborene Fannie Beer, hatte ihm fünf Kinder geboren. Die letzte Eintragung lautete: «Stifter (1960) des Fannie-Beer-Gedächtnisflügels von New Yorks Mount Sinai Hospital.»

Da kam ihr plötzlich eine undeutliche Erinnerung, und sie las den Absatz noch einmal sorgfältig durch. Ihr Großvater, Adolph Meyerson, hatte 1955 zur Feier des 40. Hochzeitstags mit Fleurette Guggenheim ein Album mit ihren gesammelten Hochzeitsfotos drucken lassen und allen Angehörigen ein Exemplar davon geschenkt. Sie hatte ihres zuvor nur flüchtig durchgesehen und suchte es jetzt eifrig heraus. Sie nahm das schwere, in Leder gebundene Buch vorsichtig aus seinem Schuber.

Rasch blätterte sie die Seiten durch. Zuerst kamen Aufnahmen mit den Eltern des Brautpaares. Danach einige Fotos mit dem steif posierenden Brautpaar: Adolph Meyerson mit seinem bekannten Knebelbart und Oma Flo mit einem Schleier vor dem Gesicht. Sie sah in ihrem mit Rosen und Bändern verzierten Hochzeitskleid, dessen lange Schleppe ihr um die Knöchel drapiert war, unglaublich jung aus – beinah wie ein kleines Mädchen.

Es folgte eine mit «Unsere Brautführer» überschriebene Abteilung – ernsthaft dreinblickende Herren im Cut mit hohem steifem Kragen sowie Fotos, auf denen «Unsere Brautjungfern» zu sehen waren. Dort fand Mimi, was sie gesucht hatte.

Jetzt saß sie im Gebäude Exchange Place 43 dem großen Lazarus Goldman gegenüber, der seinem altmodischen Zylinderschreibtisch den Rücken zukehrte. Er saß in Hemdsärmeln und mit Ärmelhaltern in einem Bürosessel mit Drehgestell. Eine Hängelampe mit grünem Schirm beschien grell seinen runden Kahlkopf. Es roch nach Staub und alten Papieren, und sein Büro sah aus, als habe sich dort seit mindestens fünfzig Jahren nichts verändert. Selbst das Telefon war noch ein altes Modell, bei dem man den Hörer abnahm, ans Ohr hielt und in eine auf der Holzplatte befestigte Muschel sprach, und in einer Ecke des Raumes ratterte immer wieder ein Börsenticker von ähnlich ehrwürdigem Alter los. Als Mimi ihr Anliegen vortrug, blieb Goldmans Gesicht ausdruckslos.

«Auch für Herren», sagte sie, «möchte ich Kosmetikartikel auf den Markt bringen. Ich bin fest davon überzeugt, daß das einschlägt, denn da sich unsere Kultur zunehmend an der Jugend orientiert, wird den Herren-Kosmetika die Zukunft gehören, auch wenn die meisten bisher der Ansicht waren, ein richtiger Mann benutze dergleichen nicht, höchstens ein Homosexueller.»

«Ach, diese weibischen Typen», knurrte er.

Mimi ließ eine kleine Pause eintreten, dann fuhr sie fort: «Unsere Forschung hat doch gezeigt, daß sich immer mehr Männer – zuweilen heimlich mit dem Parfüm ihrer Frau betupfen – einfach, weil sie ein bißchen besser riechen wollen. Daher möchte ich eine Duftnote entwickeln, von der sich Männer angesprochen fühlen. Der Markt für Schönheitsprodukte mit Duftnote ist da, Mr. Goldman. Ich möchte Ihnen noch eins dazu sagen. Obwohl der Markt nie größer war als heute, kaufen lediglich sechsundfünfzig Prozent der männlichen Bevölkerung überhaupt Kosmetikerzeugnisse im weitesten Sinn. Auf die übrigen vierundvierzig Prozent habe ich es abgesehen.»

Goldman drückte die Zeigefinger gegeneinander, ließ sich mit seinem Drehsessel nach hinten kippen und hob den Blick zum grünen Schirm seiner Deckenlampe. Mehrere Minuten lang schwieg er. Dann fragte er: «Wie alt sind Sie?»

«Siebenundzwanzig», sagte sie, wobei sie ein wenig aufrundete.

«Und sie behaupten also, im tiefsten Inneren sind alle Männer Schlappsäcke.»

«Nein, Mr. Goldman. Ich sage nur, unsere Untersuchungen haben gezeigt, daß Männer in den Produkten, die sie verwenden, eine angenehmere Duftnote haben wollen. Mit dem richtigen Namen versehen, würden sie diese auch kaufen.»

Er machte eine Handbewegung. «Wir haben kürzlich, übrigens mit Erfolg, für General Motors ein Projekt auf die Beine gestellt», sagte er. «Sie würden mir aber doch recht geben, Miss Meyerson, wenn ich sage, daß zwischen Ihrem Unternehmen und General Motors Welten liegen – Welten.»

«Die Sache hat aber große Zukunftsaussichten, Mr. Goldman.»

«Meinen Sie? Wie kommen Sie darauf? Die Kosmetikbranche ist den Launen der Mode unterworfen, die Autoindustrie nicht. Egal, wie die Mode in diesem oder im nächsten Jahr aussieht – Autos werden Amerikaner immer kaufen.»

«Und Kosmetika», sagte sie.

«Außerdem ist die Konkurrenz in Ihrer Branche sehr groß. Es gibt nur vier große Autohersteller in Amerika, aber Dutzende und Aberdutzende von kleinen Kosmetikklitschen, wie Ihre Firma eine ist.»

«Miray war einmal groß. Ich werde den Namen wieder groß machen.»

«Tatsächlich? Wieso sind Sie Ihrer Sache eigentlich so sicher?»

«Ich denke, daß ich habe, was dazu erforderlich ist!» Sie beugte sich vor, um ihre Worte zu betonen.

«Ach ja?» Er schüttelte langsam den Kopf. «Nein», sagte er. «Das glaube ich nicht. Es gibt mehrere Gründe, die gegen einen Erfolg Ihres Unternehmens sprechen. Erstens ist Ihrem eigenen Eingeständnis nach die Kapitalbasis schwach.»

«Deswegen bin ich ja zu Ihnen gekommen – Sie sollen mir helfen, die zu verbessern.»

Er hob die Hand. «Lassen Sie mich bitte weiterreden», sagte er. «Es gibt mindestens drei weitere Bedenken. Ich will sie Ihnen sagen. Sie sind jung, unerfahren und eine Frau. Diese drei Faktoren zusammen sagen mir, daß Sie nicht imstande sein werden, im harten Wettbewerb der amerikanischen Kosmetikindustrie zu bestehen.»

«Also heißt Ihre Antwort nein», sagte sie.

Goldman nickte. «So ist es», sagte er.

«In dem Fall», sagte sie, nach ihrer Aktentasche und ihrer Handtasche greifend, «brauche ich Ihre Zeit nicht länger zu beanspruchen. Selbstverständlich bin ich enttäuscht, und ich denke, daß Sie einen Fehler machen, aber ich werde mich mit Ihnen nicht darüber streiten. Allerdings habe ich Ihnen noch etwas mitgebracht.» Sie legte die Aktentasche auf ihren Schoß, ließ die Schlösser aufspringen und zog einen großen braunen Umschlag heraus. «Vielleicht möchten Sie das gern haben.»

Goldman nahm den Umschlag entgegen, öffnete ihn und saß dann eine ganze Weile schweigend da und sah auf das bräunliche Foto. Dann flüsterte er: «Großer Gott... Fanny. Fanny. Woher haben Sie das?»

«Ihre Frau war eine der Brautjungfern bei der Hochzeit meiner Großeltern», sagte sie. «Die Hochzeit fand neunzehnhundertfünfzehn statt.»

«Neunzehnhundertfünfzehn... in dem Jahr habe ich sie kennengelernt», sagte er, und sie glaubte, im Lampenlicht Tränen in seine Augen treten zu sehen. «Großer Gott, war sie schön.»

«Ja», sagte sie. »Sie war eine außergewöhnlich schöne junge Frau.

Deswegen dachte ich, Sie würden das Foto gern haben. Und ich denke, daß ich mit einer gewissen Berechtigung über die Schönheit von Frauen sprechen kann, denn das ist mein Geschäft, Mr. Goldman –» Sie setzte sich erneut hin.

Aus dem *Wall Street Journal* vom 24. August 1962:

MIRAY GEHT AN DIE BÖRSE

Wie heute gemeldet wurde, wird die seit 1912 im Familienbesitz befindliche Miray Corporation im nächsten Monat erstmals Aktien ausgeben. Die Emission erfolgt durch Goldman, Sachs & Co., die auch die Anlagegarantie übernehmen.
Das Unternehmen, das in der Kosmetikbranche lange einen hochgeachteten Namen besaß, stellt eine große Produktpalette von Haar-, Nagel- und anderen Schönheitspflegeprodukten her. In den letzten Jahren allerdings waren die Umsätze deutlich zurückgegangen. Man hat den Grund dafür im Vertriebskonzept des jüngst verstorbenen Präsidenten, Henry Meyerson, gesehen, der mit den ursprünglich ausschließlich in Spezialitäten-Boutiquen erhältlichen Miray-Erzeugnissen den Massenmarkt hatte erobern wollen. Dieser Versuch, über den es in der Branche widerstreitende Meinungen gab, gilt als gescheitert.
Überdies trägt das Unternehmen, dessen Anlagevermögen auf über $ 30 000 000 geschätzt wird, schwer an einer von Branchenkennern als «besorgniserregend» bezeichneten Schuldenlast, die Henry Meyersons «einfallsloser» Unternehmensführung zugeschrieben wird.
Allerdings ist es durchaus denkbar, daß sich das Blatt wendet. Nach dem Tod ihres Vaters im April hat Mireille («Mimi») Meyerson, 24, die Enkelin des Unternehmensgründers Adolph Meyerson, die Zügel in die Hand genommen. Sie gilt als äußerst einfallsreich und durchsetzungskräftig. Sie hat den Entschluß gefaßt, den Erzeugnissen ihrer Firma unter dem neuen Namen «Mireille» einen Platz im gehobenen Marktsegment zurückzuerobern, und auf sie gehen bereits mehrere Vertriebserneuerungen zurück, die durchaus den Eindruck erwecken, als lasse sich mit ihrer Hilfe das angestrebte Ziel erreichen. In Finanzkreisen betrachtet man aufgrund von Mimi Meyersons geschickten Vertriebsentscheidungen das Unternehmen mit neuem Interesse.

Ein Ausgabekurs für die neue Miray-Aktie wurde noch nicht festgelegt, doch wird er vermutlich bei etwa fünfundzwanzig Dollar pro Stück liegen...

«Großartig! Du hast es geschafft!» rief Brad aus. Er schleuderte die Zeitung in die Luft, zog Mimi aus ihrem Sessel und tanzte mit ihr durch das Zimmer, wobei er stets aufs neue wiederholte: «Du hast es geschafft! Du hast es geschafft!»

«Wir haben es geschafft», sagte sie. «Gemeinsam! Ohne deinen Hinweis auf Lazarus Goldman wäre ich nie so weit gekommen.»

«Wir wollen feiern! Laß uns in der Stadt zu Abend essen und tanzen gehen. Wie wär's mit dem Rainbow Room?»

«Nicht im Rainbow Room», sagte sie rasch. «Da gibt es mir zu viele... Touristen.»

«Du darfst bestimmen», sagte er. «Der Abend gehört dir!»

Noch am selben Abend beschlossen sie, daß der einzige passende Name für Mimis neue Herrenserie – bestehend aus Rasierwasser, Shampoo, Haarfestiger und Seife – «Elegance» by Mireille war.

Aus Philip Dougherty's Kolumne vom 10. September 1962:

FARBFERNSEHEN SETZT NEUE MASSTÄBE IN DER WERBUNG

Jetzt, da in mehr amerikanischen Haushalten als je zuvor ein Farbfernseher steht und die Farbqualität immer besser wird, entdecken auch solche Anzeigenkunden das Medium Fernsehen, die es bisher links liegen ließen. Zu ihnen gehören die Nahrungsmittel- und Kosmetikindustrie.

«Vom Fernsehen haben wir bisher nichts wissen wollen, weil Lebensmittel in Schwarzweiß einfach schrecklich aussehen», sagte George Kalisher von General Foods. «Doch seit die Farbqualität der Empfangsgeräte deutlich besser geworden ist, lassen sich Lebensmittel auf sehr ansprechende Weise präsentieren.» Auch die Kosmetikbranche, für die eine genaue Farbwiedergabe einen hohen Stellenwert besitzt, hat sich bis vor kurzem auf den Hochglanzseiten der Zeitschriften wohler gefühlt als im Fernsehen. Doch weil die Farbqualität inzwischend deutlich verbessert wurde, sind einige Unternehmen auf das neue Medium eingeschwenkt. Beispielsweise hat Revlon die Finanzierung der beliebten Quiz-

Serie *Pack mich, wenn du kannst* übernommen und das Quiz-As Fürst Fritz von Maulsen mit einem Jahresgehalt von $ 50000 verpflichtet, regelmäßig in der Sendung aufzutreten. Vor allem aber wird die Firma Miray mit ihrer neu auf den Markt gekommenen Produktreihe «Mireille», zu der auch eine Herrenserie gehört, das Fernsehen als Werbeträger nutzen. Die Firma plant für den Herbst eine große Fernseh-Werbekampagne in den gesamten Vereinigten Staaten.

27

Natürlich ging nicht alles so schnell und war auch nicht so einfach, wie es hier dargestellt wird. In der Zeit nach Adolph Meyersons Tod gab es in der Kosmetikbranche drei marktbeherrschende Giganten: die Unternehmen Elizabeth Ardens, Helena Rubinsteins und Charles Revsons. Ich hatte das Vergnügen (sofern das der richtige Begriff ist), alle drei Firmeninhaber persönlich kennenzulernen. Ihrem Wesen und Verhalten nach hätten sie nicht unterschiedlicher sein können. Miss Arden, wie sie sich stets nennen ließ, war eine alterslose Schönheit mit einer Haut wie Milch und Blut, die sich in Auftreten und Sprechweise wie eine Dame aus alter adliger Familie gab, obwohl sie sich von ganz unten hochgearbeitet hatte.

Zur Welt gekommen war sie als Florence Graham in der Wildnis Kanadas und hatte ihren Namen aus den Titeln zweier ihrer Lieblingsbücher gewählt: *Elizabeth und ihr deutscher Garten* sowie *Enoch Arden*. Nach dem Abbruch einer Ausbildung als Krankenschwester war sie mit sechstausend Dollar, die sie sich von einem Bruder geliehen (und die sie ihm, wie man munkelte, nie zurückgezahlt) hatte, nach New York gekommen, um einen Schönheitssalon zu eröffnen. «Wenn ich die Menschen schon nicht gesund machen konnte, wollte ich sie wenigstens schön machen», soll sie einmal gesagt haben. Zutritt in die Welt der High-Society von Amerika hatte sie mit Hilfe ihres Rennstalls Blue Grass erlangt, dessen Pferde, wie sie immer wieder erklärte, täglich mit der von ihr hergestellten Hautcreme Ardena eingerieben wurden. Es war indessen bekannt, daß sie trotz ihres patrizischen Gehabes und ihrer feinen Sprechweise zu einer kreischenden Megäre werden konnte, wenn die ihr täglich vorzulegenden Umsatzzahlen keinen Gewinn auswiesen.

Helena Rubinstein, die sich grundsätzlich mit «Madam» anreden ließ, war in jeder Hinsicht anders. Klein, pummelig und mit ausgeprägtem polnischen Akzent, war es ihr gelungen, nach Zwischenstationen in Australien, Paris und London kurz vor dem Ersten Weltkrieg als immens reiche Frau in New York einzutreffen. Da sie Banken mißtraute, trug sie stets eine schwarze Tasche voller Geldscheinrollen bei sich, die nach dem Nennwert der Noten sortiert waren und von einem Gummiband zusammengehalten wurden. Als sich die Verwaltung eines Hauses in der Park Avenue dagegen sperrte, daß sie die über drei Stockwerke gehende Dachgeschoß-Maisonettewohnung erwarb, weil man keine Juden im Haus haben wollte, kaufte Madam Rubinstein einfach das gesamte Gebäude und bezahlte es bar. Stets hatte sie Sorge, die Gäste bei ihren Abendeinladungen äßen nicht genug, und so schob sie auch mit den Worten «Essen Sie, essen Sie» von ihrem eigenen Teller etwas auf meinen.

Dann war da noch Charles Revson.

Eines Nachmittags zu Beginn des Frühjahrs 1963 klingelte in Mimis Büro das Telefon. Da sie damals noch alle Aufgaben im Büro selbst erledigte, nahm sie ab und meldete sich. «Hier spricht Charlie», sagte eine kratzige Männerstimme.

«Charlie, wer?»

«Charlie Revson.»

«Ach, Mr. Revson», sagte Mimi.

«Charlie», knurrte er. «So nennen mich meine Freunde. Sagen Sie auch Charlie. Hören Sie, Süße, wir beide haben ein Problem. Wir müssen miteinander reden.»

«In Ordnung», sagte Mimi.

«Erstens müssen Sie begreifen, daß für mich die Firma und mein Leben ein und dasselbe sind. Ich hab sie praktisch aus dem Nichts aufgebaut. Mit dreihundert Dollar hab ich in einer Garage in Boston angefangen. Die Firma Revlon ist ausschließlich mein Werk. Kapiert? Mir hat mein Alter sie nicht auf einem Silbertablett überreicht.»

«Mir eigentlich auch nicht», entgegnete Mimi.

«Ist ja auch egal, Süße. Ich hab lange schwer schuften müssen, um bis dahin zu kommen, wo ich bin. Jetzt sieht es ganz so aus, als ob Sie sich auf mein Gebiet vordrängen wollten. Das kommt nicht in Frage. Verstanden?»

«Eigentlich nicht», sagte Mimi, obwohl sie ziemlich sicher war, was er meinte.

«Ich spreche von Gebietsabgrenzungen, Süße. Saks gehört Revlon, und Bloomingdale, Bendel und Magnin's ebenfalls. Ich hab mich schwer ins Zeug gelegt, in die Läden reinzukommen, und wer sich da breitmachen will, kriegt es mit mir zu tun. Kapiert, Süße? Das ist *mein* Gebiet.»

«Nun, immerhin herrscht in unserem Land freies Unternehmertum», begann Mimi.

«Unsinn. Wenn ich das nur höre – freies Unternehmertum. Schon mal was von ‹wer zuerst kommt, mahlt zuerst› gehört? Ich war der erste, und deshalb gehören mir Saks und die anderen. Klar? Meine Ansprüche sind älter als Sie.»

«Es tut mir leid, Mr. Revson – aber –»

«Charlie, hab ich gesagt. Räumen Sie mein Gebiet, und wir sind die besten Freunde.»

«Es tut mir leid, aber wenn Saks bereit ist, meine Erzeugnisse zu verkaufen, werde ich mir nicht selbst Steine in den Weg legen.»

«Ich will Ihnen mal was sagen», erklärte er mit drohendem Unterton, «keiner treibt ungestraft Schindluder mit Charlie, begriffen? Wenn du glaubst, daß ich ruhig zuseh, wie sich 'ne hergelaufene Gesellschaftszicke mein Gebiet unter den Nagel reißt, hast du dich schwer geschnitten, Süße.»

«Ich bin nicht das, was Sie als Gesellschaftszicke bezeichnen, Mr. Revson», sagte sie.

«Hören Sie zu», sagte er. «Ich hab andere Sorgen, als mit Ihnen rumzuquatschen. Kommen wir zur Sache. Was wollen Sie für Ihren Laden?»

«Ich bedaure, aber meine Firma steht nicht zum Verkauf.»

«Blödsinn. Ich hab gefragt, wieviel Sie dafür wollen?»

«Sie können meine Firma nicht kaufen.»

«Man kann jeden kaufen. Also, wieviel?»

«Ich habe nein gesagt, und dabei bleibt es.»

Nach einem kurzen Schweigen sagte er: «Na, dann passen sie mal gut auf. In dieser Stadt ist nicht genug Platz für uns beide. Verstanden? Ich hab ein freundliches Angebot gemacht, und Sie wollen nicht. Nun, wenn Ihnen ein Kampf lieber ist, den können Sie haben. Aber wissen Sie auch, wer dabei gewinnt? Ich. Charlie Revson läßt sich nicht von einem hergelaufenen Weibsstück seinen Markt kaputtmachen. Wissen Sie, was ich tu? Ich puste Sie weg. Sie werden schon sehen. Es wird Ihnen noch leid tun, daß Sie mein Angebot nicht angenommen haben.»

Zornbebend legte Mimi auf. Doch während sie sich allmählich vom Schock ihrer ersten Begegnung mit dem bekanntermaßen ruppigen und despotischen Charles Revson erholte, stieg eine Erinnerung in ihr auf. Sie überlegte kurz, dann nahm sie den Hörer wieder auf und wählte die Nummer der Zentrale des Revlon-Konzerns.

Nachdem sie sich durch eine beträchtliche Anzahl von Vorzimmern hindurchgekämpft hatte, wobei sie jedesmal sagen mußte, wer sie war, was sie wollte und daß Mr. Revson der Zweck ihres Anrufs bekannt sei, bekam sie den großen Mann endlich an den Apparat.

«Ja», fragte er.

«Charlie, ich bin's, Mimi», sagte sie.

«Aha. Sie haben es sich also anders überlegt. Kluges Kind.»

«Eigentlich nicht», sagte sie. «Ich wollte Sie an etwas erinnern.»

«Ja?»

«Die Fernseh-Quizsendung *Pack mich, wenn du kannst*, die Sie finanziell unterstützen und bei der Fürst Fritz von Maulsen auftritt.»

«Was soll mit der sein?»

«Wie stünde Revlon da, wenn bekannt würde, daß Seine Köngliche Hoheit die Antworten vor der Sendung erfährt? Ich sag Ihnen das, weil mir Ihr Wohl am Herzen liegt, Charlie.»

Ein längeres Schweigen trat ein, und einen Augenblick lang glaubte Mimi, die Verbindung sei unterbrochen. Dann sagte Charles Revson laut und vernehmlich: «Miststück.»

Hochbefriedigt legte sie wieder auf.

Als nächstes rief sie Senator Willoughby in Washington an. Der alte Herr war ein guter Freund ihres Großvaters gewesen. «Onkel Bucky», sagte sie, als sie zu ihm durchgestellt worden war. «Es wird gemunkelt, ein paar Pack-mich-Quizsendungen im Fernsehen seien getürkt. Das würde bedeuten, daß die Zuschauer betrogen werden. Vielleicht möchte sich der Kongreß mit dieser Sache beschäftigen. Es könnte für dich doch ganz interessant sein, da du dich im Herbst zur Wiederwahl stellen willst...»

Als sie an jenem Abend nach Hause kam, merkte Brad gleich, daß etwas Besonderes vorgefallen sein mußte. «Du strahlst übers ganze Gesicht und siehst so selbstzufrieden aus wie eine Katze, die eine Maus gefressen hat», sagte er. «Was gibt's?»

Sie lachte und berichtete ihm über ihre Telefonate mit Charlie Revson.

Er pfiff leise durch die Zähne. «Weißt du was?» sagte er. «Ich hab den Eindruck, daß du deine Sache tatsächlich großartig machst.»

«Und ich», gab sie zurück, «glaub zum erstenmal seit Papas Tod wirklich, daß ich es schaffen kann!»

«Ich hab immer daran geglaubt», sagte er.

Im Verlauf der vom Willoughby-Ausschuß gegen Ende des Jahres durchgeführten Untersuchungen mußte Fürst Fritz von Maulsen beschämt eingestehen, daß man ihm einen großen Teil der Antworten auf die Fragen zu abgelegeneren Wissensgebieten vor der Sendung zusteckte und daß all sein Grimassieren und nachdenkliches Brauenrunzeln, das zeigen sollte, wie sehr er sich um die Lösung bemühte, und das beim Publikum so gut ankam, mit Hilfe eines Schauspiellehrers einstudiert worden war. Die Unternehmensführung der Firma Revlon, die das Programm finanzierte, gab sich alle Mühe, sich von diesen Machenschaften im Zusammenhang mit der Sendung zu distanzieren, dennoch schien allen Beteiligten – auch Mr. Revson – das Ergebnis des Ausschusses äußerst peinlich zu sein, und die Sendung wurde abgesetzt.

Fürst Fritz von Maulsen verlor auf diese Weise eine lukrative Anstellung, die ihm immerhin fünfzigtausend Dollar im Jahr eingebracht hatte.

Wie schon an anderer Stelle erwähnt, bezeichnete die Kosmetikbranche Mimi als «Visionärin». In Wirklichkeit gingen alle von ihr eingeführten Neuerungen auf gründliches Nachdenken und einen nicht unbeträchtlichen Forschungsaufwand zurück. Beispielsweise steuerte sie das Unternehmen im Oktober 1963, als sie erst seit einem guten Jahr an dessen Spitze stand, mit einer ihrer berühmten Aktennotizen in eine völlig neue Richtung.

MIRAY CORPORATION

Interne Mitteilung

An:	alle Mitarbeiter
Von:	MM
Betrifft:	Augen

Ich kann mich gut erinnern, wie mein Großvater Adolph Meyerson immer sagte, daß unser Geschäft ohne Neuheiten nicht leben kann. «Wenn ein Hersteller so tun muß, als hätte er etwas Neues zu bieten, steht es schlecht um ihn», waren seine Worte. Gerade jetzt habe ich den Eindruck, einem völlig neuen Trend auf der Spur zu sein.
Wie Sie alle wissen, ist mein Großvater mit Nagellack in diese Branche eingestiegen. Danach hat er dazu passende Lippenstifte herausgebracht, und noch später Gesichts- und Haarpflegemittel. Den im vorigen Jahr vorherrschenden blassen Tönen war – Gott sei Dank – kein langes Leben beschieden, und ich glaube, daß das Pendel jetzt in die Gegenrichtung ausschlägt. Revlon soll an einem bräunlichen Lippenstiftton arbeiten, zu dem ein blaßbraunes Make-up gehört, und ein französischer Hersteller steht angeblich im Begriff, einen Lippenstiftton mit der Bezeichnung ‹Café Noir› auf den Markt zu bringen, der nicht nur wie Kaffee aussieht, sondern auch so schmeckt. Aber ich nehme an, daß der Hang zu dunkleren Tönen nicht beim Lippenstift aufhören, sondern sich im Gesicht der Frauen aufwärts bewegen wird – hin zu den *Augen*. Insbesondere habe ich mir Aufnahmen angesehen, die Brigitte Bardot über die Jahre hinweg auf dem Weg zu einem bedeutenden Filmstar zeigen. Ihr hervorstechendster Makel sind ihre zu großen Lippen. Um davon abzulenken, hat sie, oder wer auch immer sich um ihr Make-up kümmert, die Augen jeweils kräftig betont. Während Lidschatten gewöhnlich nur auf dem oberen Augenlid aufgetragen wird, färbt sie ihre Augen bis hinauf zu den Brauen damit ein.
Bei einer Modenschau in Los Angeles ist neulich sogar ein Mannequin mit schwarzem Lidschatten über und *unter* den Augen und ein anderes mit rotem Lidschatten ober- und unterhalb der Augen auf den Laufsteg gekommen. Vieles davon mag Effekthascherei sein, aber ich vermute, daß das Auge zumindest während der nächsten Jahre im Mittelpunkt der Schönheitsbemühungen der Frauen stehen wird.
Ich habe unsere Chemiker aufgefordert, eine vollständige Serie von Erzeugnissen für das Augen-Make-up zu entwickeln – Augenbrauenstifte, Lidschatten, Goldpuder, Augenglanz, Wimperntusche, falsche Wimpern usw. Außerdem setze ich eine Prämie von zehntausend Dollar für Mitarbeiter aus, die etwas erfinden, womit sich Wimperntusche sauberer und leichter auftragen läßt als bisher.

Kurzer geschichtlicher Abriß der Augenkosmetik

Schon vor mindestens sechstausend Jahren wurde Augen-Make-up benutzt. Beispiele finden wir im alten Ägypten, aber auch im übrigen Nahen Osten, auf dem gesamten indischen Subkontinent sowie im Rom der Antike. Dem Volksglauben nach diente die Bemalung um die Augen herum zur Abwehr des ‹bösen Blicks›. Wer einem anderen ins Auge blickt, sieht, wie sich das eigene winzige Abbild in der dunklen Pupille des Gegenübers widerspiegelt. Das Wort geht auf das lateinische *pupilla* zurück, was soviel wie «Püppchen» bedeutet. Man glaubte sich einen anderen Menschen damit, daß man ihm scharf in die Augen sieht, in einer Art Übertragung gleichsam aneignen zu können. Da dunkle gemalte Ringe um die Augen aber das Sonnenlicht absorbieren und so Spiegelungen im Auge vermindern, streichen sich Football- und Baseballspieler vor dem Spiel schwarze Creme ins Gesicht.

Auf diese Aktennotiz Mimis ging es zurück, daß sich Miray in den sechziger Jahren auf dem Gebiet der Augenkosmetik besonders hervortat, und sie wurde der Ausgangspunkt für Mark Segals Karriere. Da ihm ein automatisch wirkendes Verfahren zum Auftragen von Wimperntusche eingefallen war, stieg er vom Boten in der Abteilung inner- und außerbetriebliche Post (wo er die Aktennotiz als erster las) bis zu Mimis Werbeleiter auf.

Auf diese erste Aktennotiz Mimis folgten noch viele weitere, und sie alle trugen zu ihrem ständig steigenden Ruhm und Ansehen in der Kosmetikbranche bei.

28

Jetzt steht in einer Ecke von Mimis Büro der große Karton mit den Tagebüchern ihres Großvaters, der heute morgen gebracht wurde: einunddreißig säuberlich numerierte Bände, von denen jeder ein Jahr umfaßt. Die Eintragungen beginnen im Jahr 1910 und enden ziemlich abrupt im Oktober 1941. Warum Opa wohl mit einem Mal nichts mehr hineingeschrieben hat, überlegt sie. Er ist doch erst achtzehn Jahre später gestorben.

Das meiste Material – da muß sie Michael recht geben – ist nicht besonders aufregend. Beispielsweise hatte ihr Großvater in den frühen Tagebüchern seinem jüngeren Bruder ziemlich viel Raum gewidmet. Die Eintragung vom 4. Juli 1910 lautete etwa:

> Nationalfeiertag! Große Parade in New York, an der Spitze der Bürgermeister. Mußte arbeiten, das Haus 5570 Mosholu Parkway streichen. Leo hat sich den ganzen Tag zu drücken versucht – wollte frei haben. Und mehr Geld! Mit ihm kann man nicht arbeiten. Immer stöhnt er und will auf der faulen Haut liegen...

Dann nahm sie sich das Jahr 1916 vor, um zu sehen, was ihr Großvater über die Geburt ihres Vaters aufgeschrieben hatte:

> Mein Stammhalter! 17. Juli 1916
> Der erste einer ganzen Reihe von Söhnen. Auf mir ruht Gottes Segen! Ein schöner, kräftiger, gesunder Junge von acht Pfund. Flo geht es gut, sie stillt ihn selbst. Mit meiner Beurteilung ihrer

Eignung zur Mutterschaft hatte ich recht: kräftige Hüften, ein breites Becken, darauf kommt es bei einer Frau an. Wir haben ihn Henry genannt, zu Ehren meines Vaters Hermann. Gott sei seiner Seele gnädig...

Anschließend blätterte Mimi weiter zurück bis zum Jahr 1912, in dessen Verlauf es zu dem Ereignis gekommen war, das ihrer aller Leben verändert hatte.

16. März 1912

Leo ist ein Dummkopf! Er hat zu viel Festiger in die rote Farbe für Mrs. Spitzbergs Küche geschüttet. Das Zeug ist so zäh, daß es fast auf dem Pinsel trocknet. Es ist unbrauchbar, hat Leo gesagt und wollte alles wegschütten – für zwei Dollar Ware! Augenblick, hab ich gesagt, ich hab eine Idee! Laß uns das als Nagellack verkaufen!

20. März 1912

Habe aus einer Firmenauflösung eine Kiste mit 20 Fläschchen aufgekauft. Kosten: $ 10. Werde sie aus unserem 20-Liter-Eimer füllen, auf jedes einen Zettel mit der Aufschrift «Feueralarm – rasch trocknender Nagellack» kleben und sie auf der Straße für 10 Cent das Stück verkaufen. Es müßte einen hübschen Gewinn abwerfen!

3. April 1912

Mrs. Goldman, 3065 Grand Concourse, findet «Feueralarm» so großartig, daß sie mehr davon für ihre Tochter haben möchte – unsere erste Nachbestellung!

7. Mai 1912

Levy's Drugstore will «Feueralarm» vertreiben. Meint, wir sollten mit dem Verkaufspreis auf 15 Cent raufgehen. Hab heute noch mehr Fläschchen bestellt und rühre einen neuen Posten Lack an...

6. Juli 1912

Dieser Leo! Überall erzählt er herum, er hätte den rasch trocknenden Lack «erfunden»! Der und Erfinder! Was für ein Ganew!

Unwillkürlich fragte sie sich, was ihr Großvater wohl über ihren Besuch in seinem Büro im Frühjahr 1957 in sein Tagebuch geschrieben hätte, als sie ihm mitteilte, daß sie Michael heiraten wollte. Aber die Tagebucheintragungen hörten früher auf. Während sie die Bände vor- und rückwärts durchblätterte, stieß sie auf eine Eintragung vom April 1941, die zeigte, was er empfunden haben mußte. Auf der Seite stand unter der Überschrift

Unpassende Mitglieder dieser Familie

1. Leo
2. Nate
3. Alice!!!!
4. Naomi (gelegentlich)
5. Anderer Sohn (leider)

Kann zwar nicht sagen, daß selbst fehlerlos, habe aber nie Ungehöriges oder Unpassendes getan. Stolz darauf. Muß dafür sorgen, daß neues Enkeltöchterchen gut heiratet, einen passenden Mann bekommt. Nie zu früh, sich darum zu kümmern. Daran denken: im Lauf der Jahre Augen offen halten, ob der Richtige auftaucht. Bei Ehemann usw. keinen Fehlgriff tun, ganz gleich, wie viele Herzen dabei gebrochen werden. Gibt es im Leben Schlimmeres als gebrochene Herzen? Ja. Gebrochene Versprechen.

«Liebe ist eine Prüfung unseres Beharrungsvermögens und unseres Charakters», hatte er ihr in jenem Sommer nach Europa geschrieben.

Schließlich las sie einige der jüngsten Eintragungen.

1. August 1941

Leo weiß, wo ich die Tagebücher aufbewahre, muß besseres Versteck finden. Er könnte sie gegen uns verwenden! Aber wo? *Leo muß weg!* Muß Plan verwirklichen, um ihn endgültig loszuwerden! Sofort!

Dann wandte sie sich der letzten Eintragung zu, in mancher Hinsicht die geheimnisvollste von allen.

Henry hat von Flo Geld «geliehen»! Dahintergekommen, als ich ihre eingelösten Schecks durchgegangen bin. $ 50000! Wozu? Henry verdient *reichlich*! Was ist der Grund? Nicht Leo. Leo ist *ausgezahlt*! Nate? Kann Henry so *dumm* sein? Alles Beweismaterial ist vernichtet! Muß heute abend mit Flo darüber sprechen. Sie ist zu weich mit ihm – morgen früh werde ich mit Henry darüber reden. Das muß *aufhören*! Diese verdammte Alice!

Mit dieser Eintragung enden die Tagebücher ihres Großvaters. Natürlich steht darin noch vieles, was sie noch nicht gelesen hat, aber jetzt ist es Zeit für ihre Besprechung mit Tante Nonie, die weit wichtiger ist. Den Tagebüchern wird sie sich später wieder zuwenden.

«Miss Naomi Meyerson ist eingetroffen», sagt Mimis Sekretärin.

«Gut. Führen Sie sie bitte herein.»

Mit den Worten «Liebste Mimi» rauscht Nonie in einem roten Trigère-Kostüm ins Büro. «Wie schön, dich zu sehen!» Mimi erhebt sich, und die beiden Frauen küssen einander auf die Wange.

«Du siehst gut aus, Tante Nonie», sagt Mimi und versucht einen gleichmütigen und familiär-freundlichen Ton in ihre Stimme zu legen. Die Sache wird für sie nicht einfach sein, denn so sehr sie sich stets bemüht hat, sie hatte die jüngere Schwester ihres Vaters nie wirklich leiden können. Deshalb, und weil sie Spannungen befürchtet, hat sie mich gebeten, bei dieser Zusammenkunft nicht anwesend zu sein, und mir versprochen, später darüber zu berichten.

«Danke», sagt Nonie und faßt nach dem Kragen ihrer Kostümjacke. «Diese Farbe hab ich eigens dir zuliebe ausgewählt: lippenstiftrot. Wohin soll ich mich setzen? Ach nein, nicht dahin – wie wäre es mit dem Sofa hier?» Sie nimmt Platz und beginnt ihre roten Handschuhe Finger auf Finger auszuziehen. Dann schlägt sie die Beine übereinander und sagt: «Es kommt mir vor, als hätte ich dich ewig nicht gesehen, liebe Mimi. Wie geht es eigentlich der lieben Alice?»

«Sehr gut», gibt Mimi leichthin zur Antwort.

«Das ist ja großartig», entgegnet Nonie eine Spur zu überschwenglich. «Wirklich schade, daß Alice und ich einander nie richtig nahegekommen sind. Vermutlich ist es der große Altersunterschied.»

Mimi lächelt und muß daran denken, daß Mutter und Tante beinahe gleichalt sind. Nahegekommen bist du ihr deswegen nicht, denkt sie, weil man dir jahrelang eingetrichtert hat, daß du meine Mutter verachten mußt, da weder sie noch sonst jemand für euren kostbaren Henry gut genug war. «Vermutlich», sagt sie laut. «Ich wollte mit dir sprechen, Tante Nonie, weil –»

«So also hast du Papas Büro hergerichtet», sagt Nonie und sieht sich um. «Es gefällt mir. Wirklich. Es ist ganz im Stil der neuen Welle, nicht wahr? Chintz soll ja wieder im Kommen sein. Was ist das da?» sagt sie, auf den Stapel Tagebücher weisend.

«Ach, ein paar antiquarische Bücher, die ich vielleicht kaufen möchte.»

«Sammelt ihr jetzt auch alte Bücher? Ich dachte, ihr interessiert euch für Chelsea-Porzellan. Nun, ihr könnt euch leisten zu sammeln, wonach euch der Sinn steht. Du und Brad, ihr habt ja genug Geld. Ich war immer nur die arme Verwandte, wie du weißt.»

«Das ist einer der Gründe, warum ich mit dir sprechen wollte, Tante Nonie», sagt Mimi und versucht erneut, einen Anfang zu finden.

Nonie reckt ihr Kinn in die Luft, als balanciere sie eine Vogelfeder auf der Nasenspitze. «Weißt du», sagt sie, «ich hab immer gedacht, daß ich ohne weiteres an dem Tisch sitzen könnte, wo du jetzt sitzt – wenn ich damals schnell genug gewesen wäre, bevor du dir die Sache zugeschanzt hast.»

Mimi beschließt, nicht auf diese Bemerkung zu reagieren, und quittiert sie lediglich mit einem freundlichen Lachen.

«Im Ernst. Ich hätte das Unternehmen spielend leiten können.»

«Bestimmt, Tante Nonie. Aber hättest du das auch gewollt? Es gibt eine ganze Reihe von Dingen, die einem Kopfschmerzen bereiten. Jetzt gerade beispielsweise –»

«Ich freu mich riesig auf das Fest am siebzehnten. Ich komm ganz bestimmt zu deiner Produktvorstellung, und ob du es glaubst oder nicht, Mutter kommt auch. Sie bringt sogar ihre Freundin Rose Perlman mit. Ich hab ihr klarzumachen versucht, daß es für sie nicht interessant ist, weil sie doch die Fernsehwerbung sowieso nicht sehen kann, aber sie hat gesagt: ‹Ich kann sie hören! Ich sitz die ganze Zeit vor dem Fernseher und hör mir an, was sie bringen.› Ist sie nicht zum Piepen?»

«Sicher. Was ich wollte –»

«Und weißt du, was sie noch tut? Immer, wenn sie sich vor dem Zubettgehen auszieht, schaltet sie den Apparat ab. Sie meint, die Leute im Fernsehen könnten sie sehen.»

«Ach –»

«Aber bestimmt hast du mich aus einem wichtigeren Grund kommen lassen, als um mit mir über Mutter zu reden. Es ist eine große Ehre für mich – die sprichwörtlich arme Verwandte –, ins Präsidentenbüro der Miray Corporation eingeladen zu werden! Du willst doch nicht etwa meinen Rat bei etwas, meine Liebe?»

«Weniger den», sagt Mimi und beugt sich vor, «als deine Unterstützung, Tante Nonie.»

«Ach du meine Güte. Wer hätte das gedacht. Nun, sag mir, was ich für dich tun kann, meine Liebe.»

«Ich hab mit allen Familienmitgliedern gesprochen», sagt Mimi, «die im Besitz von Miray-Aktien sind, einschließlich der Leo-Verwandten, die ich nie zuvor gesehen hatte.»

«Das sollen ja äußerst unangenehme Menschen sein.»

«Nun, es gibt solche und solche», sagt Mimi mit leichtem Schulterzucken. «Mir geht es um eine Einigung – ich möchte, daß alle Angehörigen einstimmig einen Plan billigen, an dem ich mit Badger arbeite und der uns alle betrifft.»

«Aha», sagt Nonie zurückhaltend.

«Wir haben Grund zu der Annahme, daß sich jemand bemüht, unsere Firma zu übernehmen, und zwar Michael Horowitz. Er besitzt bereits mehr als vier Prozent unserer Aktien und hat sich auch an die Leo-Verwandten herangemacht und ihnen ein verlockendes Angebot für ihre Aktien unterbreitet.»

«Aha», sagt Nonie immer noch zurückhaltend.

«Badger will die Firma in eine Personalgesellschaft zurückverwandeln. In dem Fall hätte Mr. Horowitz das Nachsehen, und die Firma wäre wieder vollständig im Besitz der Familie.»

«Und wie soll das bitte schön vor sich gehen?»

«Genau umgekehrt wie damals, als ich nach Papas Tod die Firma an die Börse gebracht habe – mit einem Unterschied. Statt die Aktien, die nicht im Familienbesitz sind, zurückzukaufen, was uns Millionen kosten würde, beabsichtigen wir, eine Aktienzusammenlegung durchzuführen. Dabei gäbe es beispielsweise für jeweils tausend alte Aktien eine neue. Wer weniger als tausend Aktien besitzt, würde in bar abgefunden. Dieses Verfahren hat einen weiteren Vorteil. Da wir davon überzeugt sind, daß wir auf diese Weise die Zahl der Miray-Aktionäre auf weniger als dreihundert drücken können, unterlägen wir nicht länger den Vorschriften der Wertpapier- und Börsenkommission. Allein das würde uns Jahr für Jahr viel Geld sparen, was teils in die Entwicklung neuer Produkte fließen und teils dazu dienen könnte, den verbleibenden Gesellschaftern eine höhere Dividende zukommen zu lassen. Ist dir so weit alles klar, Tante Nonie?»

«Und was hätte ich davon?» fragt diese. «Alles, was ich besitze, steckt in der verdammten Familienstiftung. Ich komm nie an das Kapital ran. Selbst wenn du die Ausschüttung verdoppeln würdest, was du bestimmt nicht tust, wär ich nach wie vor die arme Verwandte, nicht wahr? Wie viele Aktien besitze ich eigentlich? Ich hab mir die Auszüge nie angesehen, weil ich das Ganze ohnehin nicht durchschaue.»

«Etwa zweihundertfünfzigtausend.»

«Hab ich das richtig verstanden: wenn du jetzt diese Zusammenlegung machst, von der du redest, hätte ich statt zweihundertfünfzigtausend Aktien nur noch lächerliche zweihundertfünfzig? Das ist in meinen Augen kein gutes Geschäft.»

«Sie besäßen immer noch denselben Wert, Tante Nonie.»

«Nein, das gefällt mir nicht», sagt Nonie. «Ich bin dagegen. Du kannst sagen, was du willst, ich bin dagegen. Auch wenn du für diesen Plan eine einstimmige Unterstützung haben willst, mit mir kannst du nicht rechnen.»

«Und warum nicht, Tante Nonie?»

«Aus grundsätzlichen Erwägungen. Mir wirst du mit der Sache nicht gerecht. Nichts, was diese Firma in bezug auf mich getan hat, ist mir je gerecht worden. Ich bin auch dagegen, weil ich weiß, daß mein älterer Bruder Henry nicht damit einverstanden gewesen wäre. Er war einfach entsetzt über die Art, wie ich im Testament unseres Vaters behandelt worden bin.»

«Dein großer Bruder Henry war auch mein Vater», sagt Mimi.

«Nun, ich hab ihn sehr viel länger gekannt als du, und sehr viel besser. Ich weiß, daß er über den Plan entsetzt wäre. Noch dazu, wo es Badgers Plan ist. Ich wundere mich, daß du überhaupt auf ihn hörst, Mimi. Er ist ja nicht mal ein echter Meyerson.»

«Aber Tante Nonie – das ist nicht recht von dir.»

«Heißt er etwa nicht Moore? Ihm liegt das Wohl unserer Familie nicht am Herzen, wenn du mich fragst.»

«Nun», sagt Mimi rasch, «da bin ich anderer Ansicht. Aber du solltest noch etwas bedenken.»

«Was?»

«Sofern die Sache gelingt, würden wir das Unternehmen nicht nur umorganisieren, sondern auch umbenennen – beispielsweise in Miracorp oder dergleichen. Wenn wir dann vollständig neue Aktien für ein vollständig neues Unternehmen ausgeben (ich habe diesbezüglich unsere Anwälte gefragt), würden Opas Stiftungen damit aufgelöst.»

Begierig rückt Nonie auf dem Sofa nach vorn. «Aufgelöst?» fragt sie.

«Ja. Beispielsweise gilt die Stiftung, die er für dich errichtet hat, nur für Anteile an dem Unternehmen, das damals existierte. Sofern du Aktien am neuen Unternehmen erwirbst, hätten die damit nichts mehr zu tun.»

«Heißt das, sie würden mir gehören? Ohne Einschränkung?»

«So ist es.»
«Wieviel wäre mein Anteil wert?»
«Rund zwölfeinhalb Millionen Dollar», sagt Mimi.
«Und ich kann damit tun, was mir beliebt?»
«Ja, sie würden in dein privates Portefeuille wandern.»
«Unter diesen Umständen ... stellt sich die Sache natürlich ganz anders dar. Mit zwölfeinhalb Millionen Dollar wäre ich endlich frei!» Dann fragt sie: «Und was sagt Edwee zu dem Vorhaben?»
«Ich habe ihn noch nicht darauf angesprochen. Mit ihm treffe ich am Montag zusammen. Ich wollte erst wissen, wie du dazu stehst.»
«Nun, wenn damit die verdammte Stiftung aufgelöst wird, bin ich natürlich dafür», sagt Nonie. «Aber erwarte nicht, daß ich Edwee dazu überrede, Mimi. Er und ich, wir ... vertragen uns im Augenblick nicht besonders gut.»
«Ach? Wieso denn nicht?»
«Er wollte etwas haben, und ich hab ihn dabei unterstützt. Jetzt kann er es aber nicht bekommen und ist mit allen böse.»
«Sollte das etwas mit Omas Goya zu tun haben?» fragt Mimi freundlich.
Nonie antwortet einen Augenblick lang nichts, dann erklärt sie: «Alles, was ich dir jetzt sagen kann, ist, daß Edwee und ich einen Vertrag hatten – einen rechtsgültigen Vertrag mit einem Zeugen. Ich hab meine Verpflichtung erfüllt, und Edwee versucht sich jetzt der seinen zu entziehen.»
«Nun, das geht nur euch beide was an», sagt Mimi und läßt die Sache auf sich beruhen.
«Aber wenn dein Vorhaben gelingt, spielt es keine Rolle mehr! Dann hab ich alles, was ich brauche. Was glaubst du, wie lange es dauern kann, bis ich an das Geld komme?»
«Du hättest es nicht in bar, sondern nach wie vor in Form von Geschäftsanteilen, und die lassen sich bei einer Familien-AG schwieriger veräußern als an der Börse notierte Aktien.»
«Aber ich könnte sie doch als Sicherheit für ein Darlehen nehmen, oder nicht? Bei zwölfeinhalb Millionen Dollar würde man mir doch sicher ... fünf Millionen geben?»
«Ich wüßte nicht, was dagegen spräche. Es sind ja deine Anteile.»
«Mehr brauche ich nicht zu wissen. Wann ist es soweit?»
«Nach der Produktvorstellung findet eine Aktionärsversammlung statt. Ihr werdet alle benachrichtigt, und wir stimmen dann ab.»
«Nun, auf *meine* Stimme kannst du zählen», sagt Nonie.

«Jetzt, wo du mir alles erklärt hast, bin ich dafür. Man denke nur, eine ganz neue Firma! Miracorp – der Name gefällt mir, Mimi.»

«Bitte behandle die Sache als streng vertraulich. Es darf noch nichts davon an die Öffentlichkeit gelangen.»

«Ich werde schweigen wie ein Grab. Du kennst mich ja. Allerdings wäre da noch etwas.»

«Ja?»

Nonie zögert. Es kostet sie Überwindung, ihre Nichte um einen Gefallen zu bitten, und sie ist sicher, daß Mimi das auch weiß. Ihr war schon immer klar, daß Mimi sie nicht besonders gut leiden mochte. Vielleicht liegt das daran, denkt Nonie bisweilen, daß wir einander so ähnlich sind. Wir sind beide so ehrgeizig, klug und schön. In uns beiden leben Adolph Meyersons Blick für geschäftliche Möglichkeiten fort, sein intuitives Erfassen von Situationen, sein Durchhaltevermögen und sein Mut. Der einzige Unterschied, denkt sie, ist der, daß Mimi Glück hatte und ich nicht. Bei allem im Leben ist Glück entscheidend. Ob man Glück hat oder nicht, davon hängen Erfolg und Mißerfolg ab. Mimi hatte immer Glück, und ich nie. Jetzt aber beginnt sich das zu ändern. Sie spürt es.

«Meinst du», setzt Nonie an, «ich könnte später, wenn die Firma umgewandelt und neu aufgebaut ist, einen Posten in der Geschäftsleitung bekommen?»

«Ein großartiger Einfall, Tante Nonie», sagt Mimi. «Ich finde schon lange, daß es an der Unternehmensspitze mehr Frauen geben sollte.»

Nonie legt die Hände ineinander. «Ach, Mimi!» ruft sie aus. «Ich hab ja immer gewußt, daß du ein Schatz bist! Und Badger auch! Wie genial ihr beide seid! Einfach genial!»

Mimi tritt auf Nonie zu und nimmt sie mit leuchtenden Augen fest bei der Hand.

«Weißt du was, Tante Nonie», sagt sie. «Mir kommt da gerade ein ganz verrückter Gedanke!»

«Nämlich, meine Liebe?»

«Daß du und ich nach all diesen Jahren tatsächlich Freundinnen werden könnten! Ist das möglich?»

«Sie entgleitet mir, Flo», sagt Brad zu seiner Schwiegermutter. «Ich spüre, wie sie mir entgleitet.»

«Wer?» fragt Oma Flo ihren Besucher.

«Mimi», sagt er. «Ich wollte, daß du das als erste erfährst, für den Fall, daß zwischen uns beiden was passiert. Ich hatte immer den

Verdacht, daß nicht ihr Großvater hinter der Europareise gesteckt hat, auf der ich sie kennengelernt habe, sondern du.»

«Da hast du aber mal recht», entgegnet Oma Flo. «Das war in der Tat mein Einfall. Das arme Kind war damals fürchterlich verstört, als aus ihrer Romanze mit dem anderen, wie heißt er noch, nichts wurde. Sie hat mir schrecklich leid getan.»

«Nun, es sieht so aus, als ob es mit unserer Ehe nicht mehr klappte, so ungern ich das sag. Und ich hab gedacht, ich müßte dir das mitteilen.»

Eine Weile sitzt Oma Flo schweigend in ihrem Sessel. Ihr Mund bewegt sich wortlos, ihre Augen sind in die Ferne gerichtet. Dann sagt sie: «Nun, es wäre nicht die erste Scheidung in dieser Familie – denk an Nonie. Liebst du Mimi denn noch?»

«Natürlich.»

«Du hast doch nicht etwa um andere herumscharwenzelt?»

Er betrachtet seine Hände. «Doch», sagt er leise.

«Da hast du's», sagt sie. «Eine Frau wie Mimi will nichts von einem Mann wissen, der Weibergeschichten hat. Da muß ich meinen Adolph loben – Weibergeschichten hatte er nie. Falls aber doch, war er so klug, dafür zu sorgen, daß ich nicht dahinterkam. Das ist die andere Sache. Einer Frau macht es weniger aus, wenn ihr Mann eine Geliebte hat, solange sie nichts davon erfährt. Was ich nicht weiß, macht mich nicht heiß. Aber wenn sie dahinterkommt – dann aufgepaßt! Vor allem einer Frau wie Mimi tut das weh.»

Brad nickt schweigend.

«Möchtest du sie halten?»

«Ja», sagt er.

«Sag mir», fährt sie übergangslos fort, «bist du je meinem Freund Dr. Sigmund Freud begegnet?»

«Nein.»

«Er ist eigentlich sogar weitläufig mit uns verwandt», sagt sie. «Über die Bernays ist er mit uns verschwägert. Er hat immer bei Adolph und mir logiert, wenn er in New York war. Aber ich glaube, jetzt lebt er wieder irgendwo in Europa.»

«Ich war der Ansicht, daß Sigmund Freud schon seit einer Reihe von Jahren tot ist», sagt er freundlich.

«Tatsächlich? Nun, alle Leute haben gemeint, er wäre so klug, und er wüßte alles über das Gehirn und die Gefühle. Aber wenn du mich fragst, der Mann war nicht annähernd so klug, wie sie ihn immer hingestellt haben.»

«Wieso nicht?»

«Das will ich dir sagen. Er wohnte bei Adolph und mir, als wir das Haus an der Madison Avenue hatten. Er war ja des öfteren hier in Amerika, um Vorträge zu halten, an denen seine Zuhörer merken sollten, wie klug er war. Und eines Abends habe ich ihn nach dem Abendessen gefragt: ‹Vetter Sig, wenn du so klug bist, kannst du mir sagen, was *Liebe* ist?› Er hat mich mit seinem eigentümlichen Blick angesehen und zur Antwort gegeben: ‹Es gibt keine Definition der Liebe.› Wie findest du das?»

«Nun», sagt er zurückhaltend, «gibt es denn eine?»

Sie schlägt sich auf die Knie und sagt: «Natürlich gibt es eine, und das hab ich ihm auch gesagt. ‹Lieben heißt opfern.›»

«Aha», setzt Brad an, «muß das Opfer nicht... gegenseitig sein? Muß es nicht von beiden kommen?»

«Unsinn! Wenn du anfängst, so zu denken, gehen die Schwierigkeiten schon los. Ein Opfer ist, was der Name sagt, und es bedeutet, für einen anderen etwas aufzugeben. Es hat nichts mit ‹wie du mir, so ich dir› zu tun. Im Gegenteil, genau da fangen die Schwierigkeiten an. Opfern bedeutet, daß du für den Menschen, den du liebst, etwas aufgibst, was *dir* wichtig ist. Es ist etwas, was *du* tust – ganz gleich, was der andere macht. Wenn jemand was aufgibt, was ihm wichtig ist, und erwartet, daß dann der andere was aufgibt, was ihm wichtig ist, ist das kein Opfer, sondern Schachern, und das funktioniert bei der Liebe nicht. So einfach ist das.»

«Opfern also», sagt er.

«Merk dir das, wenn du Mimi wirklich liebst und sie tatsächlich halten willst. Und vergiß nicht, es braucht kein großes Opfer zu sein. In neun von zehn Fällen genügt schon ein kleines.»

29

Können wir miteinander reden?» fragt Brad sie. «Über das, was mit uns beiden ist, wie es weitergehen soll?» Es ist Sonntag morgen, und sie sitzen am Frühstückstisch im Haus 1107 an der Fifth Avenue. Zum ersten Mal seit zwei Tagen sprechen sie miteinander.

«Ja, ich glaube, es ist Zeit dafür», sagt sie und legt ihren Pampelmusenlöffel auf einen der Chelsea-Teller, dessen Rand mit Pampelmusenstücken bemalt ist.

«Ohne Temperamentsausbrüche? Einfach wie zwei reife Erwachsene, zwei intelligente, verheiratete Menschen mittleren Lebensalters?»

«Ach je, sind wir schon so alt? Wahrscheinlich hast du recht. Vielleicht ist das ein Teil der Schwierigkeiten.»

«Ich will mit einer Erwachsenenfrage beginnen», sagt er. «Du hast mich aus deinem Schlafzimmer ausgesperrt. Willst du mir damit etwas klarmachen? Denkst du an ... Scheidung?»

Sie betrachtet ihren Tellerrand. «Offen gesagt, nein», sagt sie. «Jedenfalls nicht zur Zeit. Ich denke an ein Dutzend verschiedener Dinge, aber Scheidung gehört noch nicht dazu.»

«Sag mir, woran du denkst, Mimi.»

«Ach, an diese Chelsea-Teller», sagt sie abwesend. «Wie wir sie gekauft haben in dem kleinen Laden an der Lexington Avenue. Du hast sie als erster gesehen.»

«Ich erinnere mich. Ich glaube, ich hatte den Laden entdeckt und du die Teller.»

«Nein, es war –», sie seufzt. «Ist ja egal. Jedenfalls sind sie hübsch. Der Haken bei einer Scheidung ist, daß so manches zu Bruch geht. Wir müßten die Sammlung aufteilen.»

«Nein, sie gehört dir, Mimi.»

«Aber ich glaube nicht, daß ich sie möchte. Es ist etwas, das wir gemeinsam haben. Weißt du noch, das Hotel in Südfrankreich?»

«Welches Hotel?»

«In der Nähe von Béziers. Die Kommode in unserem Zimmer hatte fünf Schubladen. Du hast darauf bestanden, daß ich drei bekomme, und ich wollte, daß du drei nahmst. Wir haben so darüber gestritten, daß wir während des ganzen Abendessens kein Wort miteinander gesprochen haben. Allerdings weiß ich noch, daß der Wein gut war. Irgendwie erinnert mich diese Unterhaltung an damals. Aber wir wollen über die Zukunft sprechen und nicht über die Vergangenheit.»

Mehrere Minuten lang herrscht Schweigen zwischen ihnen. Mimi schiebt sich eine Haarsträhne aus dem Gesicht, erhebt sich langsam und tritt an den Kamin, auf dessen Umrandung die beiden rosa Sèvres-Vasen stehen. Mit einer Fingerspitze fährt sie den winzigen Spuren auf der Glasur der einen Vase nach, an denen sich erkennen läßt, daß sie repariert worden ist. «Und diese Vasen», sagt sie. «Wer bekäme die, die Badger zerbrochen hat?»

«Woran denkst du noch?» fragt er. «Du hast gesagt, es gäbe ein Dutzend Dinge.»

«Zum Beispiel daran, wie gern ich hier ans Fenster gegangen bin und auf den Park und den See hinuntergeschaut habe. Jetzt kann ich das nicht mehr, weil ich Angst habe, daß sie dasitzt und zu unserer Wohnung heraufschaut.»

«Ich glaube, sie hat endlich begriffen», sagt er. «Seit drei Tagen sind keine Anrufe und Drohungen mehr gekommen. Auch keine Anzeichen von ihren Gehsteigpatrouillen auf der anderen Straßenseite.»

«Aber bist du sicher, daß sie nicht wiederkommt?»

«Natürlich nicht», sagt er.

«Und wie kann ich das Gebäude verlassen, ohne mit gesenktem Blick so schnell wie möglich in meinen Wagen zu springen, damit ich sie ja nicht sehe? Ich komme mir im Augenblick wie eine sonderbare Gefangene im eigenen Haus vor. Ich habe den Eindruck, daß sie mir meine Freiheit genommen hat, daß ich unter einer seltsamen Art Hausarrest stehe, mir selbst nicht mehr gehöre, weil ein Teil von mir ihr gehört. Das denke ich.»

«Und was noch?» beharrt er.

«Ich denke auch, wie gekränkt ich neulich abends war – als du gesagt hast, du hättest in den letzten beiden Jahren versucht, eine Ehe zu führen, während ich ein neues Parfüm entwickelte. Das hat weh getan, Brad. Vor Jahren habe ich mir geschworen, mir nie wieder von einem Mann so weh tun zu lassen.»

Er sagt nichts.

«Weißt du, ich denke auch, du verstehst nicht, was ich mit der Firma vorhabe, und auch das schmerzt – mehr als alles, was zwischen dir und mir geschehen ist.»

«Das stimmt nicht, Mimi. Ich habe stets deinen Ehrgeiz bewundert.»

«Ehrgeiz?» sagt sie und betrachtet aufmerksam das Muster der Risse auf der Vase. «Ich habe das nie als Ehrgeiz angesehen. Ehrgeiz bedeutet in meinen Augen den Wunsch nach Geld, Macht oder Ruhm. Das wollte ich nie, obwohl ich vermute, daß ich es zum Teil erreicht habe.»

«Was dann?»

«Ich glaube, ich habe mich immer als Nothelferin angesehen», sagt sie leise. «Ich hab immer versucht, Dinge in Ordnung zu bringen. Als kleines Mädchen hab ich mir dauernd überlegt, wie ich die Ehe meiner Eltern glücklicher machen könnte. Nach Papas Tod wollte ich die Firma übernehmen, um die Erinnerung an ihn von jedem Makel zu befreien. Es hieß, er hätte ein kränkelndes Unternehmen übernommen und zugrunde gewirtschaftet. Ich wollte beweisen, daß er etwas hinterlassen hatte, das sich zu bewahren lohnte, und ich wollte auch, daß Mutter zu ihrem Recht kam, denn als er starb, ging es ihr schlechter als je in ihrem Leben. Was wäre aus ihr geworden, wenn die Firma Bankrott gemacht hätte? Ich wollte auch, daß Oma Flo zu ihrem Recht kam. Immerhin hatte Opa sie um ihr Vermögen gebracht, und ich wollte dafür sorgen, daß sie es zurückbekam. Ich wollte wohl sogar Nonie und Edwee, ja, der ganzen Familie ihr Recht werden lassen.»

«Und all das hast du erreicht», sagt er.

«Jetzt möchte ich, daß Badger zu seinem Recht kommt. Er wird die Firma eines Tages übernehmen, und ich habe den Ehrgeiz, sie ihm in möglichst gutem Zustand zu übergeben. Dazu soll uns dieses – dieses Parfüm verhelfen, von dem du gesprochen hast. Ja, es ist nur Parfüm. Als wir vor zwei Jahren begonnen haben, das Produkt zu entwickeln, geschah es eher spielerisch. Aber mit einem Mal ist die Sache entsetzlich wichtig geworden, Brad. Alles steht oder fällt mit dem Erfolg oder Mißerfolg dieser Duftnote. Mit der Anzeigenkampagne – der Mann mit der Narbe – haben wir ein enormes Risiko auf uns genommen. Wenn uns die Öffentlichkeit dabei nicht folgt und das Parfüm ein Fehlschlag wird … nun, dann könnte auch Badgers Plan fehlschlagen, aus dem Unternehmen eine Familien-Aktiengesellschaft zu machen. In dem Fall aber wären wir nach wie vor ein Ziel für Übernahmespekulanten, und wenn wir die Firma verlören, wäre das das Ende für mich, Badger und alle, mit denen wir zusammengearbeitet haben – das Ende von allem, was wir fünfundzwanzig Jahre lang getan haben. Verstehst du, warum mit einem Male alles, was am Donnerstag abend im Pierre und in den Wochen danach geschieht, für mich, Badger und uns alle so schrecklich wichtig geworden ist? Unsere Konkurrenz würde uns mit Wonne scheitern sehen. Aber wir wollen den Erfolg um jeden Preis!»

«Das verstehe ich durchaus», sagt er. «Aber ich glaube, ich verstehe nicht, wo da mein Platz ist.»

Sie zögert. «Du hast aber einen», sagt sie, «zumindest habe ich das immer angenommen. Ich war der Ansicht, daß ich dich als Ausgleich für meine seelische Gesundheit brauche, wegen deines logischen Juristenverstandes und deiner Solidarität. Unsere Branche ist verrückt. Nichts darin gehorcht der Logik. Ich habe es immer als wohltuend empfunden, nach Feierabend zu dir nach Hause zurückzukehren – und dort mein Gleichgewicht wiederzufinden. Daher glaubte ich auch, daß wir eine gute Ehe führten. Bei dem, was ich im Beruf tue, herrscht das reine Chaos, bei deiner Arbeit sind Ordnung, Folgerichtigkeit und eine gewisse Rangfolge die leitenden Prinzipien. Wir schienen einer dem anderen einen Ausgleich zu bieten und standen, da wir beide erfolgreich waren, nicht in Konkurrenz zueinander. Und ich fand das … ganz hübsch. Aber jetzt bin ich meiner Sache nicht mehr so sicher.»

«Wegen dem, was ich getan habe, meinst du?»

«Nein, nicht deswegen. Ich wußte schon seit einer ganzen Weile über deine Freundin Bescheid. Viel mehr schmerzt mich, was du kürzlich abends gesagt hast. Weißt du, Brad, ich glaube, du findest die Branche, in der ich arbeite, ein bißchen … frivol, oberflächlich, für deinen Geschmack nicht vornehm genug. Immerhin bist du ein prominenter Anwalt von der Wall Street, der ein Amt im Senat und vielleicht sogar im Obersten Gerichtshof anstrebt. Und ich … nun, hat man mich nicht auf dem Titelblatt von *Time* ‹Herrscherin im

Reich der Schönheit› genannt? Ist eine solche Frau die richtige Gattin für einen Senator oder einen Richter am Obersten Gerichtshof? Das hast du dich vermutlich in letzter Zeit wiederholt gefragt. Meine Branche kommt dir vielleicht ein bißchen zu ... jüdisch vor? Schließlich war sie vorwiegend in jüdischen Händen, mit Ausnahme von Miss Arden – und nicht mal bei ihr bin ich sicher. Wer seinen Namen von Graham in Arden ändert, kann ihn vorher ohne weiteres aus Goldstone in Graham geändert haben. Was am meisten schmerzt, Brad, ist die Vorstellung, daß dir mein Erfolg etwas peinlich sein könnte.»

Er sieht ihr offen in die Augen. «Das ist von vorn bis hinten Unsinn. Du bist die Frau, die ich geheiratet habe, und die Frau, die ich liebe. Ich würde dich weder anders noch weniger lieben, wenn du Müllkutscherin wärest.»

Sie wirft ihm einen kurzen Blick zu, sieht wieder aufmerksam die rosa Sèvres-Vase an und fährt erneut mit der Fingerspitze den Sprüngen nach.

«Und ich glaube, du weißt auch, daß es Unsinn ist», sagt er. Dann fragt er: «Warst du mir je untreu, Mimi?»

Sie sagt nichts und betrachtet die reparierte Vase noch aufmerksamer.

«Wer war es Mimi?»

«Es spielt keine Rolle», sagt sie. «Es ist lange her, und die Umstände waren gänzlich anders.» Doch während sie das sagt, begreift sie, daß weder die seither verstrichene Zeit noch die sonstigen Umstände viel zu bedeuten haben.

«Inwiefern?»

«Du warst in den Harvard Club gezogen. Mein Vater hatte entsetzliche Schwierigkeiten, meine Mutter war ständig betrunken. Mir kam es vor, als würde ich von einem Augenblick auf den anderen den Boden unter den Füßen verlieren, und ich hatte Angst. Ich wußte nicht, wohin, mußte mich auf jemanden stützen.»

«Du hast mich angerufen und mich gebeten zurückzukommen. Du hast gesagt, du brauchst mich.»

«Das stimmte auch.»

«Neulich abends hast du gesagt, du brauchtest mich bei deiner Vorstellungsfeier. Wenn das noch immer der Fall ist, werde ich kommen.»

«Danke, Brad. Mir ist klar, daß du es nur wegen des äußeren Scheins tust, aber mit dem steht und fällt unser Geschäft.»

«Es war Michael Horowitz, nicht wahr?» sagt er.

Sie schließt die Augen, und zwei Tränen treten heraus.

«Ich hab dir längst verziehen», sagt er.

Es ist Montag. Ihr Onkel Edwee sitzt in ihrem Büro, und sie hat versucht, ihm die Vorzüge einer Umwandlung des Unternehmens in eine Personalgesellschaft klarzumachen, doch er scheint gänzlich andere Dinge im Kopf zu haben. Sein Aussehen entsetzt sie, und beim Hereinkommen hat sie ihn kaum erkannt. Er ist unrasiert und sieht aus, als habe er lange nicht gebadet, und seine sonst makellose Frisur ist ein wirres Durcheinander. Das Seidenhemd steht am Kragen offen, und die Krawatte sitzt vollständig schief. Zwar trägt er einen seiner Maßanzüge aus englischem Kammgarn, aber der ist so zerknittert, daß man meinen könnte, er habe darin geschlafen. Anfänglich hatte Mimi vermutet, er stehe unter einer Art Schock, wie Brad vermutet hatte. Vielleicht hatte er getrunken oder Drogen genommen, denkt sie. Oder will er mir irgendein Theater vorspielen? Wenn er den Mund auftut, stottert er schlimmer als je zuvor.

«M-m-mir doch egal, was du mit deiner v-v-verdammten F-F-Firma anstellen w-w-willst», brüllt er und schlägt mit der Faust auf ihren Schreibtisch. «M-m-mich interessiert nur, was aus dem G-G-Goya meiner M-M-Mutter gew-w-w-orden ist!»

«Lieber Onkel Edwee», sagt sie freundlich und versucht ihn zu beruhigen. «Ich habe keine Ahnung. Warum fragst du sie nicht?»

«Hab ich ja p-p-probiert. S-s-sie hat sich einfach hinter ihrer S-s-senilität versteckt. Das ist alles Theater, genau wie ihre angebliche B-B-Blindheit. Sie kann ebenso g-g-gut sehen wie du und ich. Geh doch bitte ins C-C-Carlyle und stell fest, was sie mit dem B-B-Bild gemacht hat.»

«Wieso ich? Ich habe mit ihrer Kunstsammlung nichts zu tun.»

«Du bist aber die einzige, die Einfluß auf sie hat. Du bist Henrys Tochter. Er war immer ihr Liebling.»

«Vielleicht hat sie das Bild für eine Ausstellung ausgeliehen, immerhin gehört es ihr. Sie kann damit tun, was sie will. Ich habe kaum das Recht, mich da einzumischen.»

«K-k-kann sie n-n-nicht! Wenn es sonst keiner will, steht es mir zu. Nonie will es nicht, und M-M-M-Montebello auch nicht.»

«Nanu?» sagt Mimi. «Ich dachte, er sei schon seit Jahren dahinter her, wie derTeufel hinter der armen Seele, und Oma war ja auch bereit, es dem Museum zu schenken.»

«Er w-will es nicht, weil es eine F-f-fälschung ist! Er hat es mir in einem B-B-Brief geschrieben.»

«Tatsächlich? Aber warum regst du dich dann so auf? Einem gefälschten Goya brauchst du doch nicht nachzuweinen.»

«Ich will ihn aber! Ich hab ihn immer gewollt. In meinem Arbeitszimmer hab ich schon einen P-P-Platz dafür reserviert!»

«Und wenn du jemanden beauftragst, noch eine Fälschung herzustellen? Das kann doch so teuer nicht sein.»

«Ich will keine *andere* Fälschung! Ich will *die*!»

«Also ich finde, die Sache solltest du mit Oma klären. Ich möchte damit nichts zu tun haben.»

«Heißt das, du weigerst dich?»

«Ja. Ich habe einfach nicht die Zeit, mich damit zu beschäftigen.»

Er sitzt ihr lange gegenüber, sieht sie an, sagt nichts. «Wenn das alles ist, Onkel Edwee ...», setzt sie an.

Er wendet den Blick von ihr ab. «Hast du in letzter Zeit mit Brad gesprochen?» fragt er.

«Natürlich. Jeden Tag.»

«Hat er dir gesagt, was ich hab?»

«Er hat etwas erwähnt», sagt sie leichthin. «Irgendeine Art Film. Ich hab nicht besonders darauf geachtet.»

«Es ist eine Videokassette», sagt er. »Auf dem Band sieht man, wie Mr. Gordon, dein junges Fotomodell, mit einer Frau ... und einem anderen Mann Fellatio sowie frontalen und analen Verkehr praktiziert.»

«Ja, es ist traurig, wozu sich diese jungen Fotomodelle hier in New York oft hergeben müssen, um genug zum Essen zu haben. Man macht es ihnen sehr schwer, in ihrem Beruf vorwärtszukommen.»

«Aber könnte das nicht für deine Anzeigenkampagne ... ein bißchen ... unangenehm sein? Dein Mireille-Mann und solche ... Dinge? Wenn ich das nun an die Öffentlichkeit brächte?»

«Schon möglich», sagte sie und klopft leicht mit einem Bleistift auf die Tischplatte. «Um das zu entscheiden, müßte ich das Band sehen.»

«Das wirst du noch früh genug! Willst du Gordon nicht in den neuen Fernsehspots bei der Vorstellung am Donnerstag abend zeigen? So stand es in der Einladung.»

«Das stimmt.»

«Und was ist, wenn ich das Band vorher an die Öffentlichkeit gebe und die Presse davon erfährt?»

«Nun, schlimmstenfalls müßten wir mit einem anderen jungen

Mann ein paar neue Spots drehen. Diese jungen Fotomodelle reißen sich um solche Aufträge. Er war ohnehin nur einer von mehreren, die in die Endausscheidung gekommen waren.»

«Würdest du dabei nicht einen Haufen Geld verlieren? Ich hab mal in der *Times* gelesen, daß ein Fernsehspot von einer halben Minute fast eine Million Dollar kostet.»

«Das kommt in etwa hin. Aber solange es nur um Geld geht... Unter Umständen müßte ich dann eben ein- oder zweimal die Dividende ausfallen lassen –»

«Untersteh dich! Davon leben wir schließlich! Das würdest du nicht wagen.»

«Meinst du?» sagt sie lächelnd. «Mein lieber Onkel Edwee, du scheinst zu vergessen, daß ich Präsidentin dieses Unternehmens bin.»

«Und wo bleiben wir Aktionäre? Ich –»

Sie lacht. «Keine Sorge, ich hab nur gespaßt. Deine kostbare Dividende wird dir nicht entgehen. Es kostet die Firma keinen roten Heller, ein paar Spots neu zu drehen. Gegen derlei sind wir versichert.»

«Versichert?»

«Was hast du denn gedacht? Unsere Verträge enthalten die auch bei Film- und Fernsehverträgen übliche sogenannte Wohlverhaltensklausel. Sollte Mr. Gordon gegen sie verstoßen haben, und nach dem, was du berichtest, ist das vorstellbar, kommt unsere Versicherung für alle Schäden auf. Laß dir also darüber keine grauen Haare wachsen.»

«Wieso ich? Es geht um dich! Was ist denn jetzt mit meinem Videoband?»

«Nun, wie dir Brad wohl schon gesagt hat, sind wir nicht bereit, deine Drohung ernst zu nehmen, solange wir es nicht gesehen haben. Bring es doch einfach mal vorbei. Wir haben hier die technischen Möglichkeiten, es abzuspielen. Wenn es tatsächlich so saftig ist, wie du sagst, gibt es bestimmt ein paar Leute, denen du damit einen Gefallen tun würdest!»

Er springt auf. «Der Teufel soll dich holen!» schreit er. «Dafür wirst du mir büßen! Du wirst es schon sehen! Das wird dir noch leid tun! Wenn du mir nicht bis Donnerstag abend den Goya meiner Mutter besorgst, wird dir das sehr leid tun!»

«Tu mir bitte einen Gefallen, lieber Onkel Edwee», sagt sie, «laß deinen Anzug bügeln und kümmere dich etwas um dein Aussehen. So abgerissen läuft man schon lange nicht mehr herum – das ist seit den fünfziger Jahren aus der Mode.»

Er stürmt durch ihr Büro auf die Tür zu.
«Grüß mir die kleine Gloria!» ruft sie ihm nach, während er mit langen Schritten hinauseilt und die Tür ins Schloß krachen läßt.
Mimi atmet tief durch.

30

Jetzt ist es sechs Uhr am Montagabend. Die Sekretärin ist gegangen, und Mimi liest, allein in ihrem Büro, die Tagebücher ihres Großvaters. Aus ihnen schält sich das Bild des strengen alten Herrn heraus, an den sie sich aus lange zurückliegenden Jahren erinnert.

7. Januar 1940

Schwierigkeiten mit Edwin in seiner Schule in Florida. Ein gewisser Collier hat es mit lauter Jungen in Edwins Alter! Schlimmer als Fagin in Oliver Twist! Warum buchtet man diesen Kerl nicht ein? Angeblich fehlen klare Beweise. Edwin viel zu jung, um zu verstehen, worum es dabei geht. Er ist jetzt wieder in der Schule. Werde ein Auge auf ihn haben.

18. Januar 1940

Schon wieder ist Edwin aus der Schule fortgelaufen, und wieder hat man ihn bei Collier aufgegriffen. Wie bringt dieser Abschaum der Menschheit es fertig, nicht ins Gefängnis zu kommen? Hab ja schon immer gewußt, daß Polizei in Florida korrupt ist. Gott sei Dank kein öffentliches Aufsehen. Zwar ist Edwin noch minderjährig, doch könnte so etwas seine Aussichten auf das Präsidentenamt später zunichte machen. Haben wir den Jungen womöglich zu früh ins Internat gegeben? Neue Schule für ihn in Massachusetts gefunden. Nicht so weit von zu Hause und außer Reichweite von Collier. Könnte den Dreckskerl mit bloßen Händen erwürgen…

23. Januar 1940

Hab die Sache mit Bloomingdale's ohne öffentliches Aufsehen erledigt. Naomis Arzt sagt, sie tut das nur, wenn sie sich unter Druck gesetzt fühlt. Schuld ist wohl ihre überstürzte Heirat und noch überstürztere Scheidung. Zum Kuckuck, wenn sie einen anständigen Mann heiraten, bei ihm bleiben und mir die Enkel schenken würde, die ich brauche, um weiterzumachen, müßte sie sich nicht unter Druck gesetzt vorkommen!

26. Januar 1940

Schon wieder Ärger mit Edwin. Ist aus seiner neuen Schule in Massachusetts ausgerissen und mit dem Bus nach Florida gefahren. Natürlich zu diesem Collier! Würde am liebsten strafrechtlich gegen den Halunken vorgehen, das aber gäbe einen Skandal. Oh, Edwin, was ist nur mit dir? Beginne zu verzweifeln. Junge wird heute mit der Bahn nach New York zurückgeschickt. Muß neue Schule mit strenger Zucht für ihn finden; die Leute in Massachusetts wollen ihn nicht mehr – ungünstiger Einfluß auf die anderen. Hab mir gestern Flo vorgenommen; sie ist schuld. Hat aus ihm ein Muttersöhnchen gemacht.

Außerdem ist Mimi auf Eintragungen gestoßen, in denen es um gewisse zwielichtige Gestalten inner- und außerhalb der Firma geht, die Leo ohne Wissen oder Billigung ihres Großvaters eingestellt zu haben schien. In den Tagebüchern heißen sie «Leos Freunde», und immer häufiger findet sich der Satz *Leo muß weg*, wie in den nachstehenden Einträgen, die sich über einen Zeitraum von zweieinhalb Jahren erstrecken:

5. Februar 1939

Verdammter Leo! Hab ihn mir heute wegen seiner Freunde vorgeknöpft, die in seinem Auftrag der Firma «helfen». Er hat mir ins Gesicht gelacht und erklärt, das gehöre zu normalen Geschäftsgepflogenheiten, und jeder tue das. Der Narr! Diese seine Freunde sind nichts als Tiere und haben keine Achtung vor Menschenleben. Sie könnten uns zugrunde richten, wenn etwas davon bekannt würde. Muß mir überlegen, wie ich Leo und seine Freunde weg bekommen kann.

27. Mai 1939

Es ist nicht zu fassen! Heute kam Leo und wollte für seinen Sohn Nate eine bessere Stelle als Henry, weil Nate ein paar Jahre älter ist. Hab Leo gesagt, er soll sich zum Teufel scheren. Er ist ein Ganove, aber Nate ist schlimmer. Leo behauptet immer noch, daß er den schnell trocknenden Nagellack erfunden hat. Wo wäre er ohne mich? Suche nach Möglichkeiten, ihn aus der Firma zu bekommen.

12. September 1940

Jetzt sagt mir Alice schon, wie ich mein Unternehmen leiten soll! Zum Teufel mit ihr! Sie ist heute zu mir gekommen, natürlich betrunken, und hat lauter Sachen über Leo und seine Freunde erzählt, die ich schon wußte. Ist Henry ein Trottel? Auf keinen Fall hätte er Alice etwas davon sagen dürfen, denn im Suff kann sie den Mund nicht halten. Eine Frau hat sich nicht in die Angelegenheiten ihres Mannes einzumischen. Das hab ich ihr auch gesagt. Eine Frau kann nicht einfach am Arbeitsplatz ihres Mannes auftauchen und dies und jenes verlangen. Warum bleibt Alice nicht zu Hause und kümmert sich um die Kleine? Sie macht nichts als Ärger. Ich hab Henry schon vor der Hochzeit gesagt, sie würde Ärger machen, und ich hatte recht. Hab sie weggeschickt und ihr gesagt, ich will sie nie wieder sehen. Übertrieben? Henry schien das nicht zu finden, als ich ihm sagte, was war. Hat nur den Kopf hängenlassen. Ich weiß, daß ihm Alice das Leben zur Hölle macht...

2. Oktober 1940

Hab heute angefangen, meinen Plan zu verwirklichen. *Leo muß weg*. Muß sehr vorsichtig vorgehen, denn er ist zwar dumm, aber ein zäher Brocken...

27. November 1940

Plan, um Leo loszuwerden

1. Schritt: Er bekommt keine Aktennotizen mehr. Wird das im Lauf der Zeit von selbst merken.
2. Schritt: Seine Telefonleitungen bis auf eine abklemmen lassen. Zeitfaktor siehe oben. Zentrale soll alle Anrufe an mich geben.
3. Schritt: Sein Büro »kotzgrün« streichen lassen, wenn er nicht da ist. Zeitfaktor wie oben.
4. Schritt: Namensschild von seiner Tür entfernen und verschwinden lassen. Stahltür anbringen, damit er kein neues anschrauben

kann. Zeitfaktor wie bisher, aber Abstände zwischen einzelnen Schritten verkürzen.
5. Schritt: Seine Sekretärin entlassen. Am selben Tag die letzte Telefonleitung kappen. Zentrale anweisen, daß Anrufern gesagt wird, er sei nicht mehr in der Firma tätig.
6. Schritt: Ihn im «Gründergemälde» übermalen lassen. Beginn der Aktion: 2. Januar 1941.
Plan gestern abend Flo vorgelesen. Er gefällt ihr. Hat ein paar Vorschläge beigesteuert (z. B. Namensschild).

Es folgen die Eintragungen für die Daten, an denen die jeweiligen Schritte durchgeführt worden waren.

7. Januar 1941

Leo ist so blöd, daß es knallt. Er hat eine ganze Woche gebraucht, bis er merkte, warum er keine Aktennotizen mehr bekommt. Jetzt rennt er auf den Gängen hinter den Boten her und versucht, ihnen welche zu entreißen! Hab das Flo gestern abend erzählt. Sie hat sich vor Lachen gekugelt ...

1. März 1941

Heute Leos Telefonleitungen abgeklemmt. Es hat fast den ganzen Tag gedauert, bis er es begriffen hat. Er tobt! Wollte zu mir, aber Jonesy hat ihn nicht vorgelassen. Hab den Privataufzug direkt zum Wagen genommen, um ihm aus dem Weg zu gehen. Die anderen im Büro haben Lunte gerochen und machen begeistert mit, denn auch sie hassen ihn. Ich glaube, Henry weiß, daß was vor sich geht, obwohl ich ihm nichts vom Plan gesagt hab. Er ist in letzter Zeit viel besser gelaunt, ansprechbarer. Vielleicht Wirkung der klaren Worte an Alice. Vielleicht hackt sie jetzt weniger auf ihm herum ... Ich danke meinem Schöpfer für Henry! Über den anderen verzweifle ich förmlich ...

4. April 1941

Gestern abend dritten Schritt durchgeführt. Hab den Auftrag gegeben, Leos Büro nach Feierabend in der scheußlichsten Kotzfarbe zu streichen, die sich auftreiben ließ, und zusätzlich seinen Teppich zerreißen und das große Sofa raustragen zu lassen. Als er heute morgen gekommen ist, waren die Anstreicher noch bei der Arbeit. Er hat wie ein Derwisch geheult und wollte wissen, wieso sie sein

Büro so verschandeln. Die Männer haben einfach gesagt, «Firmenauftrag, Sir» und weitergemacht. Jetzt rennt er in den Korridoren hin und her, brüllt jeden an, den er sieht, und alle genießen es. Er versucht, mich am Telefon oder in meinem Büro zu erreichen, kommt aber nicht durch. Ha!

5. Mai 1941

Gestern hat Leos Büro eine Stahltür bekommen. «Brandschutzvorschriften», hat man ihm gesagt. Beim Austausch der Türen ist dann sein Namensschild «verlorengegangen». Er hat sich ein neues besorgt und es heute morgen eine geschlagene Stunde lang auf die Stahltür zu nageln versucht und geflucht, weil nichts daraus wurde. Das hätte ich zu gerne gesehen!

17. Mai 1941

Habe gestern Personalabteilung angewiesen, Leos Sekretärin zu entlassen. Seine letzte Telefonleitung ist abgeklemmt. Leo heute merkwürdig still. Den ganzen Tag war kein Laut von ihm zu hören. Es heißt, er sitzt einfach in seinem Büro und starrt vor sich hin. Ob er etwas im Schilde führt? Oder hab ich es endlich geschafft? Schön wär's. Jedenfalls werde ich ihn noch eine Weile schmoren lassen, bis ich ihm den «Gnadenstoß» versetze!

Während Mimi das Tagebuch für das Jahr 1941 durchblättert, stößt sie auf einen eingeklebten vergilbten Ausschnitt aus der *New York Times* vom 4. Juni.

Fahrerflucht nach tödlichem Unfall mit Fussgänger an der Fifth Avenue

Passanten sahen gestern am frühen Nachmittag voll Entsetzen, wie an der Kreuzung der Fifth Avenue und der 54. Straße ein Auto in eine die Straße überquerende Fußgängergruppe raste und mit unverminderter Geschwindigkeit in Richtung Norden weiterfuhr. Während bei einem Unfallopfer im Krankenhaus nur noch der Tod festgestellt werden konnte, kamen die anderen mit geringfügigen Verletzungen davon.

Obwohl buchstäblich Dutzende von Menschen Zeugen des Un-

falls wurden, konnte die Polizei keine klare Beschreibung des Wagens oder des Fahrers bekommen. Während Einigkeit darüber zu herrschen schien, daß es sich um eine Limousine des Typs Lincoln Zephyr Baujahr 1939 oder 40 handelt, gehen hinsichtlich der Farbe die Ansichten auseinander. Allgemein hieß es jedoch, am Steuer habe eine junge Frau zwischen 25 und 30 mit einer Art Matrosenhut gesessen. Andere Zeugen wollen neben ihr ein kleines Kind gesehen haben. Hinsichtlich des Kennzeichens weichen die Angaben voneinander ab, doch soll es sich um ein Fahrzeug mit New Yorker Nummernschild handeln.
«Wir suchen», sagt Walter O'Malley von der Polizei, «einen dunklen Lincoln Zephyr Baujahr 1939 oder 1940, dessen Nummernschild ein G als dritten Buchstaben sowie eine Drei und mindestens eine Eins enthält.»
Die Unfallstelle wurde von der Polizei eine Stunde lang gesperrt.

Unter dem Datum des folgenden Tages war ein weiterer Ausschnitt aus der *New York Times* eingeklebt:

Opfer des Fahrerfluchtunfalls identifiziert

Die Polizei gab heute bekannt, daß es sich bei dem am Dienstag nachmittag an der Fifth Avenue ums Leben gekommenen Fußgänger um Larry J. Elkins, 39, handelt, einen Lehrer aus Utica, N. Y., der sich mit seiner Frau während der Ferien in New York aufhielt. Sie machte zum Zeitpunkt des Unfalls einen Einkaufsbummel und wollte ihren Mann im Hotel wieder treffen. Mr. Elkins hinterläßt zwei Söhne von 13 und 9 Jahren.
Bisher ist es noch zu keiner Festnahme gekommen, doch erklärte Polizeichef O'Malley: «Wir verfolgen mehrere vielversprechende Spuren und sind sicher, schon sehr bald eine Verhaftung vornehmen zu können.»
Überfahren wurde Mr. Elkins von einer dunklen Limousine (schwarz, dunkelgrün oder dunkelblau) vom Typ Lincoln Zephyr, Baujahr 1939 oder 1940 mit New Yorker Kennzeichen, an deren Steuer eine junge Frau von Mitte zwanzig oder Anfang dreißig saß, die einen weißen Hut getragen haben soll.

Am nächsten Tag fand sich wieder eine Eintragung in der Handschrift ihres Großvaters; seine Worte wirkten schroffer als sonst.

> Meine schlimmsten Befürchtungen bestätigt. Heute morgen kam Henry zu mir ins Büro. Habe ihm gesagt, ich werde alles erledigen. Alice reist sofort nach Bar Harbor ab. Dienstboten dort haben ihre Instruktionen. Um alles andere muß man sich kümmern. Sie ist Henrys Verhängnis und Fluch. Hab ihm das gesagt, und auch, daß wir uns zum letzten Mal mit Leos Freunden einlassen. Ganz gleich, was passiert.

Was hatte ihre Großmutter an jenem Abend in Mimis Haus gesagt? «Sie hat mal einen Mann umgebracht. Stand alles in Adolphs Tagebuch.» Mit einem Gefühl der Verzweiflung denkt Mimi: das also meinte Oma, nicht Papas Tod. Ach, Mutter, Mutter, denkt sie – warst du das? Die hübsche Dame mit dem großen weißen Hut? Ist der je in einem meiner «Träume» aufgetaucht? Sie kann sich nicht erinnern, aber die dunkle Gestalt, die an der Windschutzscheibe vorbeiflog, mußte dann wohl der Mann gewesen sein, und die Schreie stammten vielleicht gar nicht von ihrer Mutter, sondern von ihm oder den Umstehenden. Allmählich wird das Bild deutlich: Sie begreift, warum sie ihren Großeltern nie etwas über ihren Freiplatz sagen durfte, warum nie genug Geld im Haus war, ihre Eltern die Verschwörerblicke miteinander tauschten, ständig miteinander stritten, warum sie in dem ärmlichen Haus an der 97. Straße leben mußten und immer Spannung und Elend in der Luft lagen. Jetzt wird ihr klar, warum ihre Mutter trank. Wie Oma Flo gesagt hatte – es stand alles in Adolphs Tagebuch.

Sie blättert um und findet einen weiteren Ausschnitt aus der *Times*.

Fahrerflucht Fifth Avenue – Fahrzeug vermutlich gefunden

> Aus Polizeikreisen verlautet, daß der Wagen aufgefunden worden ist, mit dem am Dienstag an der Ecke Fifth Avenue, Ecke 54. Straße ein Mensch getötet und weitere leicht verletzt wurden, während die Fahrerin mit unverminderter Geschwindigkeit das Weite suchte.

Auf eine im Hafengebiet am Ende der 23. Straße aufgefundene schwarze Limousine vom Typ Lincoln Zephyr, Baujahr 1940, paßt die von Augenzeugen gegebene Beschreibung. Motorhaube und rechter vorderer Kotflügel sind stark eingebeult, und Untersuchungen haben ergeben, daß die eingetrockneten Blutreste an Motorhaube und Windschutzscheibe mit der Blutgruppe des Opfers, Larry J. Elkins aus Utica, N. Y., identisch sind.
Das Fahrzeug trug übermalte Kennzeichen mit der Nummer HLG-031, was ebenfalls zu den Angaben der Augenzeugen paßt. Zwar ist unter der Nummer im Staat New York kein Fahrzeug zugelassen, doch ist es der Polizei gelungen, die Herkunft des Luxuswagens zu ermitteln: er wurde im April dieses Jahres in einer Werkstatt in Brooklyn gestohlen. Fingerabdrücke im Innern ließen sich nicht feststellen.
«Daß es sich um ein gestohlenes Fahrzeug handelt, erschwert unsere Nachforschungen», teilte Polizeichef Walter O'Malley heute der *Times* mit. «Wir sind aber entschlossen, den Täter zu finden, und verfolgen verschiedene Spuren.»

Mimi überlegt rasch, daß ihre Mutter kaum ein gestohlenes Auto mit übermalten Nummernschildern gefahren haben dürfte. Falls sie aber nicht die Fahrerin war – warum hätte dann ihr Großvater diesem Unfall in seinem Tagebuch so viel Platz und Aufmerksamkeit eingeräumt? Sie blättert langsam weiter, findet aber in den nächsten Wochen keine weiteren Hinweise. Statt dessen stößt sie unter dem 9. August auf nachstehende Eintragung:

Habe heute 6. und letzten Schritt meines Planes durchgeführt und Leo in mein Büro kommen lassen. War für ihn seit 1. Schritt nicht mehr zu sprechen. Jonesy hat ihn mit breitem Lächeln hereingeführt (sie weiß, was gespielt wird!). Leo sah schmaler und blasser aus als sonst. Hat mir die Hand hingehalten und dann das Porträt «Die Firmengründer» gesehen. Es ist nicht wiederzuerkennen. Titel heißt jetzt «Der Firmengründer». Die Leute sagen immer: «Es ist widerlich, wenn ein erwachsener Mann weint». Das fand ich nicht. Ich fand es herrlich. Leo hat geschluchzt wie ein Säugling und mich gefragt: «Wie kannst du deinen eigenen Bruder so behandeln?» Ich hab sinngemäß gesagt: «Mach dir nichts vor, Leo, du bist hier in dieser Firma unten durch. Dich braucht keiner mehr. Du bist erledigt. Es ist aus und vorbei. Räum den Schreibtisch in deinem Büro aus, dann geh und komm nie wieder. Ich weiß alles über dich und deine Machenschaften. Es ist alles schriftlich festgehalten. Jetzt verschwinde.» Heute abend feiere ich das mit Flo im ‹21›.

Eine Woche später allerdings, am 15. August, schien sich Adolph Meyerson in bezug auf seinen Bruder immer noch Sorgen zu machen.

> Und wenn sich Leo zurückschleicht und die Tagebücher findet? Zu gefährlich. Werde an allen Türen die Schlösser wechseln lassen – und an allen Schränken. Überlege, ob ich einen Mauertresor mit Zahlenschloß für diese hier bestelle.

Und dann stößt Mimi unter dem 27. August auf eine weitere Eintragung, die wohl auf den Unfall und darauf anspielt, daß Leo immer noch einen unheilvollen Einfluß auf die Familie auszuüben schien und ihr Großvater seinen Bruder nach wie vor fürchtete, obwohl dieser nicht mehr in der Firma war.

> Leo hat bezüglich Alice begriffen – oder glaubt es. Hat Henry gedroht. Zu mir kommt er nicht! Hat wohl Angst. Henry war heute morgen bei mir, zitterte richtig. Schrieb ihm Scheck über $ 100 000, Leos Forderung. Ist es wohl wert, wenn Leo nur die Klappe hält. Hab Henry gesagt, mehr gibt es nicht. Leo hat keinerlei Beweise, stützt sich auf Vermutungen. Polizei hat Fall zu den Akten gelegt. Die Sache ist erledigt.

Dann folgen nur noch zwei interessante Eintragungen.

> 20. September 1941
>
> Heute Mauertresor mit Zahlenschloß bestellt. Ein Monat Lieferzeit.

Während Mimi geistesabwesend in den leeren Seiten nach der letzten Eintragung vom 10. Oktober, in der es hieß, daß ihr Vater von seiner Mutter Geld geliehen habe, blättert, fällt ihr ein Stück Papier zwischen zwei Seiten auf. Sie nimmt es heraus, sieht, daß es ein Brief ist, und liest ihn. Der Name im Briefkopf kommt ihr entfernt bekannt vor.

The Kettering Play School
24 East 39th Street, New York

Nathan Meyerson, Esq.
1 West 72nd Street
New York 23

20. Juni 1941

Sehr geehrter Herr Meyerson,
auf Ihre Anfrage teilen wir Ihnen mit, daß Ihre Nichte Mireille am 3. Juni wie immer um 14.30 Uhr von ihrer Mutter abgeholt wurde.

Mit freundlichen Grüßen
Edith Kettering
(Schulleiterin)

Der 3. Juni war der Tag, an dem es um 14.45 Uhr zu dem Unfall gekommen war.

Mit einem Mal merkt Mimi, daß sie nicht allein im Zimmer ist. Sie fährt leicht zusammen und hebt den Blick.

«He, Kindchen», sagt er.

«Wie bist du reingekommen?» ruft sie aus.

«Durch die Aufzugtür», sagt er. «Niemand außer dir ist im Haus, aber alle Türen stehen offen.»

«Woher wußtest du, daß ich hier bin?»

«Als ich die Straße entlanggekommen bin, hab ich Licht gesehen und mir überlegt, daß du vielleicht hier in deinem Eckbüro sitzt und die Tagebücher liest.»

«Merkwürdig.»

«Was soll merkwürdig sein?»

«Nun, erst hat Brads Freundin auf der anderen Straßenseite vor unserem Haus patrouilliert, und jetzt beobachtest du mein Büro.»

«Nicht die Spur. Ich hab nur zufällig Licht gesehen. Ich bin nicht so schlimm wie die gute Mrs. Rita Robinson, Kindchen.»

«Sie ist also verheiratet.»

«Lebt aber getrennt. Vermutlich glaubt sie, daß sie mit Bradford Moore einen dickeren Fisch an Land ziehen kann. Was dagegen, wenn ich mich setz?» Ohne ihre Antwort abzuwarten, läßt er sich auf das Sofa fallen, tritt sich die Gucci-Schuhe von den Füßen und legt sich der Länge nach hin. Mit einem Blick auf den Tagebuchstapel auf ihrem Schreibtisch fragt er: «Na, alles gelesen?»

«Ja.»

«Ich hab dir ja gesagt, du würdest unangenehme Dinge darin finden, aber du hast es nicht anders gewollt.»

«Ich verstehe nur nicht alles, Michael. Welche Rolle hat beispielsweise Nate Meyerson bei der Geschichte gespielt?»

«Kannst du dir das nicht denken, Mimi? Als Leos Sohn war er wahrscheinlich über die Art, wie dein Großvater seinen eigenen Bruder behandelt hatte, ebenso erbittert wie Leo selbst. Nicht Leo war der Erpresser, der eigentliche Schurke im Stück hieß Nate.»

«Was wußte er denn?»

«Ich kann nur spekulieren und stell es mir ungefähr so vor», sagt er, den Blick zur Decke gerichtet. «Deine Mutter hat seinerzeit einen schwarzen Lincoln Zephyr, Baujahr 40 gefahren, dessen Kennzeichen ziemlich ähnlich dem war, an das sich die Zeugen erinnerten. Sie hat dich an dem Tag vom Kindergarten abgeholt. Wie alt warst du da? Drei? Erinnerst du dich an irgendwas? Wahrscheinlich nicht.»

«Ich hab manchmal einen Traum. Darin kommt ein Auto vor, meine Mutter kreischt, etwas Dunkles fliegt an der Windschutzscheibe vorbei.»

«Sie hat dich im Kindergarten abgeholt, ist mit dir in die Stadt gefahren und hatte den Unfall. Vielleicht war sie betrunken. Auf jeden Fall ist sie weitergefahren. Mies. Ich nehme an, daß dein Vater die Zusammenhänge als erster durchschaut hat – aufgrund der Angaben zum Nummernschild. Ein Blick auf den Zustand des Wagens hatte ihm dann gezeigt, wie die Dinge standen. Vielleicht hat er deine Mutter darauf angesprochen, und sie hat den Unfall zugegeben und deinen Vater um Hilfe gebeten. Jedenfalls hatte er große Angst und ist gleich am nächsten Tag zu deinem Vater gegangen. Das steht im Tagebuch.»

«Ja.»

«Dein Großvater hat deine Mutter auf die einzige Weise rausgepaukt, die er kannte: mit Hilfe der Leute, die er in seinem Tagebuch ‹Leos Freunde› nannte. Er hat sie nach Bar Harbor geschickt, wo man die Dienstboten anwies zu sagen, daß sie schon seit längerer Zeit dort war, womit sie sich zum Unfallzeitpunkt mehrere hundert Kilometer von New York entfernt aufgehalten hätte. Inzwischen haben sich Leos Freunde ans Werk gemacht, übermalte Nummernschilder von einem ähnlichen Wagen angeschraubt, der in Brooklyn gestohlen worden war, den Wagen auf die West Side gefahren und ihn da stehengelassen, damit ihn die Polizei finden konnte.»

«Und was hat Nate mit der Sache zu tun?»

«Ich denke mir, daß er mit seinem Vater die Köpfe zusammengesteckt hat, nachdem er als zweiter durchschaut hatte, was gespielt wurde. Er und Leo haben doch bestimmt gewußt, was deine Eltern für einen Wagen fuhren und möglicherweise auch seine Nummer gekannt. Leo hat deinem Vater als erster die Daumenschrauben angelegt und seine hunderttausend gekriegt. Aber Nate ist auf die Idee gekommen, brieflich in deinem Kindergarten anzufragen, ob du da warst, und er hat bekommen, was er wollte: einen schriftlichen Beleg dafür, daß deine Mutter an dem Tag in New York gewesen war und sich eine Viertelstunde vor dem Unfall nur wenige Straßen von der Unfallstelle entfernt aufgehalten hatte. Damit konnte er deinen Vater in den nächsten zwanzig Jahren immer wieder erpressen.»

Ein Schauer überläuft sie. «Und ich war sogar daran beteiligt, nicht wahr? Ich, zumindest der Kindergarten, habe an der Zerstörung meines Vaters mitgewirkt. Sie haben mich benutzt. Großer Gott, jetzt fällt mir noch etwas ein.»

«Was?»

«Wie alt war ich damals? Drei? Ich kann mich erinnern, daß jemand – vielleicht eins von Omas Dienstmädchen, das sich um mich kümmerte – immer wieder zu mir gesagt hat, ‹wenn dich jemand fragt, seit wann du in Maine bist, mußt du sagen ‹Mama und ich sind seit meinem Geburtstag hier in Omas Haus.› Ich erinnere mich, daß ich das immer wieder sagen mußte. Ich hab am 24. Mai Geburtstag. Bestimmt sollte ich auf diese Weise meiner Mutter ein Alibi verschaffen.»

«Sieht ganz so aus.»

«Ach, Michael, das ist alles so entsetzlich.»

«Nun, ich hatte dich gewarnt», sagt er.

«Aber wie konnte Nate das jahrelang tun? Es hieß doch, die Polizei hätte den Fall zu den Akten gelegt. Gibt es nicht so etwas wie Verjährung?»

«Nicht bei Tötungsdelikten. Die Staatsanwaltschaft hätte den Fall jederzeit wieder aufrollen können, und sie können es heute noch. Das war Nate offenbar bewußt, und er hat es deinem Vater vermutlich nachdrücklich klargemacht.»

«Meinst du im Ernst, der Fall könnte auch jetzt noch zur Verhandlung kommen?»

Den Blick zur Decke gerichtet, sagt er: «Ja, auch jetzt noch. So sind die Gesetze in diesem Land nun einmal.»

«Großer Gott», sagt sie.

Er sieht zu ihr hin. «Ich halte es nicht für wahrscheinlich», sagt er. «Immerhin liegt die Sache sechsundvierzig Jahre zurück, und es wäre verdammt schwer, nach so langer Zeit überhaupt noch Zeugen aufzutreiben. Die meisten sind vermutlich tot oder nicht mehr auffindbar. Aber rein theoretisch ließe sich der Fall wieder aufrollen – mit allen negativen Begleiterscheinungen.»

«Meine Mutter wäre dem nie gewachsen.»

«Später, irgendwann im Herbst 1941, hat Nate oder Leo, wenn nicht beide, auf die eine oder andere Weise die Tagebücher deines Großvaters an sich gebracht, in denen all die anderen belastenden Hinweise stehen – das Datum der Abreise deiner Mutter nach Bar Harbor und so weiter. Sie sind im Haus von Nates Tochter Louise Bernhardt wieder aufgetaucht.»

«Meinst du, sie hat das alles gelesen?»

«Keine Ahnung. Aber ich habe einen Verdacht, wer ihren Vater auf dem Gewissen hat.»

«Wer?»

«Dein Vater.»

«*Was?*»

«Erinnerst du dich an den Tag, als ich 1961 mit dir nach East Orange gefahren bin, um dir mein neues Haus zu zeigen? Da war ich doch bei deinem Vater im Büro gewesen, um zu sehen, ob ich ihm bei der Rettung der Firma behilflich sein könnte. Ich hab dir damals nicht alles erzählt, worüber ich mit ihm an jenem Tag gesprochen hab. Er hat mich gefragt, ob ich durch meine Beziehungen zu Leuten vom Bau Kontakt zur Mafia hätte. Er wollte einen gewissen Nathan Meyerson aus dem Weg geschafft haben. Es war ihm durchaus ernst damit. Ich hab ihm gesagt, daß ich ihm dabei nicht helfen könnte. Daß man 1962 Nate im Saw Mill River fand, ist wohl ein Hinweis darauf, daß es ihm endlich gelungen war, jemand aufzutreiben, der das für ihn erledigte.»

«Großer Gott», sagt sie.

«Und kaum eine Woche nach dem Mord an Nate hat sich dein Vater erschossen.»

«Meinst du, da besteht ein Zusammenhang?»

«Bestimmt.»

«Aber warum nur? Es wird immer schlimmer. Warum hätte sich Vater eine Kugel durch den Kopf schießen sollen, selbst wenn er hinter dieser abscheulichen Tat gestanden hat?»

«Was wissen wir denn von seinen Empfindungen? Vielleicht konnte er nicht damit leben, daß ihm das Blut seines Vetters an den Händen klebte. Außerdem kann ihn eine ganze Reihe anderer Dinge bedrückt haben. Du mußt zugeben, daß es davon mehr als genug gab. Möglicherweise kennt niemand außer deiner Mutter den wahren Grund.»

«Sie war damals nicht in der Stadt. Sie sagt, sie hätte fort gemußt, um etwas Ruhe zu finden.»

«Kann ich mir denken. Dabei hat dein Großvater zeit seines Lebens getan, was er konnte, um ihr zu helfen – auch wenn er keine hohe Meinung von ihr hatte. Wenn es darauf ankam, hat er für seine Angehörigen alle Hebel in Bewegung gesetzt. Deswegen hab ich ja meine Meinung über ihn geändert. Er war nicht *nur* schlecht. Er hat sich um euch alle gekümmert.»

Sie schweigt einen Augenblick und sagt dann: «Aber ist nicht vieles von dem, was du da sagst, Spekulation? Niemand weiß genau –»

«Nun, laß mich dir was sagen, was keine Spekulation ist», sagt er. «Ich hab jemand zur Straßenverkehrsbehörde geschickt und in alten Akten nachsehen lassen. Auf den Namen Alice Meyerson, 66. Straße, war 1941 ein schwarzer Lincoln Zephyr mit dem Kennzeichen KIG-013 zugelassen. Die Nummer ähnelt der, an die sich die Unfallzeugen damals erinnerten, zum Verwechseln. Man darf also vermuten, daß die Polizei kurz vor einer Festnahme stand, als dein Großvater dich und deine Mutter nach Maine schickte. Und noch etwas hab ich rausgekriegt. Gegen Ende des Sommers hat sie wieder einen Lincoln Zephyr in New York angemeldet, der zuvor in Maine zugelassen war. Dein Großvater hat, wie du siehst, keine Kosten und Mühen gescheut, um die Haut deiner Mutter zu retten und die Spuren zu verwischen. Nur mit Nate hatte er nicht gerechnet.»

«Aber das ist ja nicht das Schlimmste, was? Das Schlimmste ist wohl das, was meine Eltern einander angetan haben. Ich dachte immer, Oma und Opa hätten sie zugrunde gerichtet. Aber jetzt ... jetzt ist alles klar. Sie haben sich gegenseitig gerichtet. Konnte mir denn nicht einer von beiden etwas sagen, als ich alt genug war, um es zu verstehen? Ich hätte vielleicht helfen können. Vielleicht hätte es ihnen schon geholfen, daß jemand ihre Last mittrug. Jetzt ist alles zu spät.»

«Da ist noch was», sagt er. «Vielleicht fühlst du dich etwas besser, wenn du das erfährst.» Er greift in die Tasche und gibt ihr die Fotokopie eines Zeitungsausschnitts. «Er stammt aus der *Utica Gazette* vom 15. Oktober 1941.»

Sie liest:

Anonymer Wohltäter bedenkt Hinterbliebene

Die in der Oak Street 37 in Utica wohnhafte Betty Lee Elkins bekam heute von einem anonymen Wohltäter aus New York eine Postanweisung über $ 50 000. Mrs. Elkins ist die Witwe des beliebten Mathematiklehrers der Oberschule von Utica, Larry J. Elkins, der am 3. Juni bei einem Verkehrsunfall in New York ums Leben kam und zwei Söhne hinterlassen hat, Mark, 13, und Dustin, 9. Die Fahrerin, die Unfallflucht begangen hatte, wurde bisher nicht ermittelt.

In einem Begleitbrief heißt es: «Ich habe aus der Zeitung von dem schrecklichen Verlust erfahren, den Sie erlitten haben, und möchte Ihnen mein Beileid aussprechen. Da ich selbst Kinder habe und mir klar ist, was Schule und Ausbildung kosten, habe ich den Betrag so bemessen, daß Ihre beiden kleinen Jungen davon das College besuchen können. Selbstverständlich dürfen Sie das Geld so verwenden, wie es Ihnen richtig erscheint.» Der in Manhattan abgestempelte Brief trug keine Unterschrift.

«Ich bin einfach überwältigt», sagte Mrs. Elkins der *Gazette*. «Alle hier waren so liebenswürdig – ich habe Karten, Beileidsschreiben, Geschenke und Blumen bekommen. Und jetzt das. Mir fehlen einfach die Worte.»

Mrs. Elkins erklärte, sie beabsichtige, das Geld auf den Namen ihrer Söhne anzulegen, um es später für den vom anonymen Spender genannten Zweck zu verwenden, nämlich deren Ausbildung am College.

«Ich bin sicher, daß dieser Wohltäter dein Vater war», sagt Michael, «zumal der Betrag genau dem entspricht, den er sich in jenem Monat von deiner Großmutter geliehen hat. Er hat getan, was er konnte, um das Unrecht wieder gutzumachen.»

«Und jetzt?» fragt sie. «Wahrscheinlich sollte ich all die Tagebücher einfach vernichten. Ich kann meiner Mutter damit unmöglich gegenübertreten.»

«Was du jetzt tust», sagt er, immer noch auf dem Rücken liegend. «Da hätte ich einen Vorschlag. Erst mal mußt du am Donnerstag abend deine Gala hinter dich bringen. Willst du immer noch, daß ich komme? Das habe ich nämlich vor. Am Freitag verdrücken wir uns dann, du und ich. Schüttle nicht den Kopf, Kindchen, hör lieber zu. Wir fliegen mit meinem Jet über das Wochenende nach Palm Beach.

Warst du da schon mal im September? Es ist wirklich die beste Zeit. Die Saison hat noch nicht angefangen, wir wären die einzigen. Du kannst dir gar nicht vorstellen, wie friedlich es da jetzt ist. Genau das brauchst du jetzt auch: Abstand von all dem hier, Frieden, Ruhe und nichts zu tun. Leg dich einfach faul in die Sonne. Ich geh mit dir segeln. Wir können Wasserski fahren oder auf der Terrasse sitzen, dem Rauschen der Palmen zuhören und den Duft der Jasminblüten einatmen. Du hast in letzter Zeit zu viel durchgemacht. Was hast du denn schon? Einen Mann, der dich betrügt – bestimmt nicht zum ersten und nicht zum letzten Mal. Eins sag ich dir, falls du mich heiraten würdest, dich würde ich nie betrügen.»

«Willst du damit sagen, ich soll mich von Brad scheiden lassen und dich heiraten?»

«Er hat dir doch bestimmt die Scheidung angeboten, oder etwa nicht? Ich möchte dich für mich haben, Mimi. Du weißt, daß ich alles auf der Welt habe, was ich je haben wollte – nur dich nicht. Ich hab dir gesagt, ich wollte der reichste Mann in New York werden, und jetzt heißt es, ich bin es. Aber was ich immer mehr als alles andere gewollt habe, warst du.»

Sie sieht ihn aufmerksam an. «Vor vielen Jahren gab es eine Zeit, da hätte ich ja gesagt», gibt sie zurück. «Erinnerst du dich an den Tag in East Orange, als du mich weggeschickt hast? Damit hast du mir entsetzlich weh getan. Ich glaube, ich hab mich nie wieder so verletzt und zurückgewiesen gefühlt wie an dem Nachmittag. Erwartest du, daß ich das je vergesse? Jedesmal, wenn ich dich sehe, gibt es mir einen Stich ins Herz, und ich muß an diesen Schmerz denken.»

«Damals war alles anders», sagt er, «alles stand gegen uns – deine Familie, die Situation deines Vaters. Jetzt liegen die Dinge anders. Wir beide sind nicht mehr die Menschen, die wir zu jener Zeit waren. Wir sind reich, unabhängig und frei, und wir lieben einander immer noch. Damals warst du auf deinen Brad angewiesen und brauchtest ihn. Das ist jetzt nicht mehr der Fall. Komm also mit mir. Nur für ein paar Tage. Entscheidend ist, daß wir einander neu kennenlernen können. Laß uns spüren, daß wir beieinander sind. Es gibt so vieles, worüber wir reden könnten. Wir haben vieles gemeinsam, wovon niemand was weiß. Erinnerst du dich, wie ich sagte, ich wollte, daß du Türme bekommst – Türme, Moscheen, Minarette und Wasserfälle? Nun, auf meinem Besitz in Palm Beach gibt es Türme, Minarette und sogar einen Wasserfall. Komm mit mir. Ich setz dich in einen Märchenturm, und jeden Abend steige ich über eine goldene

Treppe zu dir empor.» Er lächelt. «Wir können natürlich auch über das Geschäft reden, wenn uns danach ist – beispielsweise über Badgers Plan, aus eurer Firma wieder eine Familien-AG zu machen.»

«Woher weißt du das?» schreit sie auf.

«Ich hab es dir schon einmal gesagt, Mimi: New York ist ein Dorf. Die Leute reden.»

«Weißt du eigentlich *alles* über mich?»

«Ich geb mir Mühe, am Ball zu bleiben», sagt er.

«Ach so», entgegnet sie angriffslustig. «Jetzt durchschaue ich dein Spiel. Du willst die Tagebücher und den Brief gegen mich verwenden. Wahrscheinlich hast du alles fotokopiert! Sogar meine arme siebzigjährige Mutter, die jetzt die schwierigste Phase ihres Lebens durchmacht, würdest du benutzen, mich zu erpressen, damit du bekommst, was du haben willst. So ist es doch, nicht wahr? Ich hätte es mir längst denken müssen! Natürlich! Du machst vor nichts halt – und dabei hätte ich fast ja gesagt, wäre fast deiner Einladung gefolgt!»

Er richtet sich langsam auf, setzt sich hin und stellt die in Socken steckenden Füße auf den Boden. «Ach, Mimi, Mimi», sagt er. «Was ist nur aus dir geworden? Du solltest mal hören, was du so sagst. Du traust keinem Menschen mehr über den Weg, meinst, alle haben es auf dich abgesehen. So kannst du nicht weiter durchs Leben gehen, Mimi. Jeder braucht einen Menschen, dem er traut. Was ist nur mit dir passiert? Was ist aus dem kleinen Mädchen mit dem zerrissenen Schuhriemen geworden? Hat die Branche aus dir eine Art Ungeheuer gemacht?»

Wortlos sieht sie ihn finster an.

Er klopft auf das Sofa neben sich. «Komm her, Kindchen», sagt er. «Setz dich einen Augenblick zu mir. Ich möchte ein bißchen von der alten Mimi mit den Augen wie poliertes Silber sehen. Laß die Firmenchefin Feierabend machen. Komm ruhig, ich tu dir nicht weh. Setz dich zu Papa und laß dir erklären, wie ich mir die Sache denke.»

Zögernd steht sie auf, geht zu dem Sofa hinüber und setzt sich in gewisser Entfernung von ihm. «Ich bin sehr müde», sagt sie.

«Natürlich. Aber so ist es doch schon besser, nicht wahr? Vielleicht ist das der Männlichkeitswahn in mir, aber ich kann nicht vernünftig mit einer Frau reden, wenn zwischen ihr und mir ein Schreibtisch steht. Jetzt will ich dir sagen, was wir tun werden. In diesen Tagebüchern stecken Ungeheuer, Dämonen, die ausgetrieben werden müssen, und dazu gibt es nur eine einzige Möglichkeit. Wir werden die kleinen Teufel vernichten und die Tagebücher eins nach dem anderen den Flammen übergeben. Ihr habt hier im Haus doch sicher eine Verbrennungsanlage? Meist ist die Klappe für so was in einem Wandschrank neben dem Aufzugschacht. Hinein damit, und die Dämonen sind aus der Welt geschafft. Teufelsaustreibung durch Feuer. Aber vorher –»

«Ja?»

«Gib mir deine Hand.» Sie hält ihm die Rechte hin. «Nein, die andere», sagt er. «Vorher drehen wir die Uhr zurück, in eine Zeit, als wir noch nichts von den Dämonen wußten. Weißt du noch, wie sie es früher in den Filmen gemacht haben? Erst fallen die Kalenderblätter rückwärts über die Leinwand, dann fällt das Herbstlaub, es schneit, und man ist wieder in der schlichten kleinen Hütte, in der alles angefangen hat.» Sacht, aber entschlossen zieht er ihr die Ringe ab – einen nach dem anderen: den Verlobungsring mit dem Rubin, den rubin- und diamantbesetzten Trauring und die beiden mit den gleichen Steinen besetzten kleineren Erinnerungsringe.

«Bitte nicht», sagt sie und versucht ihm ihre Hand zu entziehen.

«Nur für ein Weilchen», sagt er und legt sie auf das Tischchen. «Jetzt bist du nackt», sagt er. «Wenn ich deinen wirklichen Verlobungsring hier hätte, würde ich ihn dir anstecken. Wo hast du ihn, Mimi?»

«Zu Hause ... in meiner Schmuckschatulle.»

«Dann muß es eben so gehen», sagt er, führt ihren bloßen Finger an die Lippen und küßt ihn. «Ach, mein Gott», sagt er, «ich liebe dich so sehr. Wie hab ich mich bemüht, dich zu vergessen. Es hat nichts genützt.»

«Wir dürfen nicht –» setzt sie an.

«Doch.»

«Nein, nein», wiederholt sie, während sie schon merkt, wie das Zimmer um sie herum zu einem wogenden Meer wird, das sie mit seiner Strömung erfaßt hat, einer warmen, dunklen Gezeitenströmung voll Einsamkeit und Begierde. Seine Lippen liegen jetzt auf ihren, zwischen ihren Brüsten, und seine Hände liebkosen sie kundig dort, wo es sie am meisten erregt. «Michael!» ruft sie mit einem Mal aus, von einem wilden Orgasmus überrascht.

«Siehst du?» sagt Michael. «Es hatte von Anfang an so sein sollen. Nein, mach das Licht noch nicht aus. Erst möchte ich dich ganz sehen, von Kopf bis Fuß. Ich möchte dich vollständig sehen. Ach, wird das herrlich ... wunderbar ...»

Später sagt er: «Kleine weiße Sterne.»

«Weiße... Sterne. Was haben wir getan, Michael?»

«Getan? Was wir all die Jahre hindurch hätten tun sollen. Hast du sie auch gesehen?»

«Was?»

«Die kleinen weißen Sterne. War es für dich nicht ebenso herrlich wie früher?»

«Mm», sagt sie träumerisch. «Mm.»

«Heißt das ‹mm ja› oder ‹mm nein›?»

«Mm», sagt sie erneut und denkt, herrlich, einfach herrlich. Wie früher, wie es war und wieder sein wird, immer. Sie war sich vorgekommen wie auf Flügeln, Flügel, die sich spannten und sie forttrugen. Dorthin. Einen Augenblick lang war sie dort. Aber jetzt sind die Flügel wieder zusammengefaltet, sie ist wieder hier, in diesem Raum, wo ihre Ringe in einer kleinen Reihe auf dem Tischchen liegen.

«Ich möchte es aus deinem Mund hören.»

Aber wie kann sie ihm sagen, daß es nicht genau dasselbe war? Kann etwas ebenso wunderbar scheinen, wie es früher war? Nichts ist genauso, nichts ist ganz so wunderbar, nicht einmal dann, wenn man die Uhr zurückdrehen könnte, nachdem die Jahre ihre unvorhersehbare Ernte gehalten haben. «Brad weiß von uns», sagt sie.

«Gut.»

«Wieso sagst du gut?»

«Das macht es leichter, wenn du ihm sagst, daß du ihn verläßt, um mich zu heiraten.»

«Tu ich das?»

«Ja.»

«Ach, Michael.»

«Natürlich. Alle Hindernisse, die uns im Wege standen, sind jetzt beiseite geräumt.»

«Hindernisse...»

«Dein Großvater, die Schwierigkeiten deiner Eltern. Dann der Mann, den du geheiratet hast. Sie existieren alle nicht mehr.»

«Und Brad?»

«Der hat doch seine Freundin. Er kann keine Ansprüche mehr auf dich geltend machen. Jetzt sind wir frei, können tun, was wir immer tun wollten.» Zärtlich berührt er ihre Brustwarzen, und sie spürt an ihrem Oberschenkel sein Glied erneut anschwellen. «Ach, wir haben so viel nachzuholen», sagt er und gleitet mühelos erneut in sie.

«Sag mir», flüstert er, während er tiefer und kräftiger in sie eindringt, «war es bei ihm je so? Hat es sich je so angefühlt? Sag es mir ... sag es mir, Mimi. Sag mir, was ich schon immer von dir hören wollte. Sag, was ich mein halbes Leben lang hören wollte. Sag mir, daß du ihn nie geliebt hast, Mimi. Nie. Sag es mir!»

Doch plötzlich kommen ihr die Tränen, und sie schluchzt, während ihre Körper eng aneinandergepreßt sind. «Ich kann nicht. Bitte, verlang nicht, daß ich das sag, Michael.»

So jedenfalls, stelle ich mir vor, ist es geschehen, als er in ihr Büro gekommen ist. Womit ließe sich sonst erklären, daß am nächsten Morgen noch die vier Ringe auf dem Tischchen lagen, was sonst hätte der Grund für ihren verwirrten Blick sein können, als sie sie dort sah, rasch aufnahm und sie sich wieder ansteckte?

Ich entnahm es dem schuldbewußten Blick, mit dem sie die Fotos ansah, die in silbernen Rahmen auf ihrem Schreibtisch stehen: Brads Porträt und Badger stolz im weißen Tennisdreß.

Am selben Abend, erfuhr ich später, telefonierte Oma Flo Meyerson eifrig. «Alice?» sagte sie zu ihrer verblüfften Schwiegertochter, die in den fünfundzwanzig Jahren seit Henrys Tod höchstens einmal im Jahr einen Anruf von Oma Flo bekommen hatte, mit dem diese sie daran erinnerte, daß sie Henrys Grab schmücken sollte. «Alice?»

«Ja, Flo. Was kann ich für dich tun?»

«Ich glaube, es ist höchste Zeit, daß der Streit zwischen uns beiden begraben wird. Ich will dir auch sagen, warum. Es gibt zwei Gründe, und beide haben mit Mimi zu tun. Wir müssen zu ihr stehen, du und ich. Ich höre über den netten Mr. Greenway dies und jenes, und daher weiß ich mehr, als man auf den ersten Blick sieht, auch wenn ich blind bin. Wir haben uns über den Aktienmarkt unterhalten. Mir gefällt der Aufschwung der Aktienkurse in letzter Zeit überhaupt nicht. Er hat nicht den richtigen Geruch, und ich glaube nicht, daß er von Dauer ist. Sicher gibt es einen großen Börsenkrach, wie neunundzwanzig, und ich denke, in vier oder fünf Wochen könnte es soweit sein. Mr. Greenway glaubt, daß ich recht haben könnte. Er müßte das eigentlich wissen. Er arbeitet für die Zeitschrift *Fortune*, in der es ja um nichts anderes als um Geld und Aktien geht. Was ich dir sage, ist deshalb wichtig, weil Mimi einen Plan hat. Sie will die Firma wieder in Privatbesitz bringen, und ich finde, wir sollten sie dabei unterstützen, denn wenn der Börsenkrach kommt und die Firma in

Privathand ist, wie Mimi das möchte, würden wir praktisch nichts spüren, weil wir ja nicht mehr an der Börse wären. Aber dazu müssen wir rasch handeln und alle so stimmen, wie Mimi es vorschlägt. Sie weiß nichts davon, aber ich hab die Telefonnummern aller Leo-Verwandten und werd sie alle anrufen und ihnen dasselbe sagen wie dir.

Das ist der eine Grund, warum ich dich anrufe. Der andere ist persönlicher Natur. In Mimis Leben gibt es noch einen Mann. Woher ich das weiß? Sagen wir einfach, daß ich ihn rieche. Seit ich nicht mehr sehen kann, rieche ich die Dinge besser, und ich rieche auch Situationen. Jedenfalls gibt es in ihrem Leben einen anderen Mann. Eigentlich hat es ihn schon immer gegeben, aber er ist jetzt wieder aufgetaucht und schnüffelt um sie rum. Ich rieche, daß es gerade jetzt passiert, während ich mit dir spreche. Sie wird sich entscheiden müssen, und du und ich müssen zu ihr stehen und dafür sorgen, daß sie die richtige Wahl trifft. Schließlich ist sie nicht nur dein Fleisch und Blut, sondern auch meins. Wir müssen also eine gemeinsame Front bilden und dafür sorgen, daß sie sich richtig entscheidet. Einigkeit macht stark – stimmt's? Also laß uns den alten Streit begraben, Alice, und dafür sorgen, daß Mimi richtig wählt. In einer Familie muß man zusammenhalten.»

Jetzt ist es Dienstag morgen und das Büro summt vor Aktivität. Bis zum Fest am Donnerstag abend muß noch so viel erledigt werden, und alle, bis hinunter zu den Botenjungen, machen begeistert mit. Menschen kommen und gehen in Mimis Büro, jeder mit einem anderen Anliegen.

«So sehen die Rosen aus, die geliefert werden sollen. Stimmt der Farbton?»

«Ich hab dem Mann *so* gesagt, daß Sie an der Decke goldene Girlanden haben wollen, und jetzt hängen die silberne auf!»

«Der Agent von Liz Taylor ist am Apparat. Sie hat fast vierzig Fieber!»

«Ihre Großmutter auf Amt drei!»

«Meine Großmutter?» Mimi nimmt den Hörer ab. «Ja, Oma Flo», sagt sie.

«Wahrscheinlich hast du mit deinen Vorbereitungen für das Fest viel zu tun», sagt ihre Großmutter, «aber ich muß mit dir reden, und es ist ziemlich wichtig.»

«Ja, Oma.»

«Du und dein Mann, ihr sollt so gewisse Schwierigkeiten haben», sagt sie.

«Wie kommst du darauf?»

«Ein Vögelchen hat es mir erzählt», sagt ihre Großmutter. «Es heißt, daß er dich betrügt. Das geht nicht, Mimi.»

«Oma, gerade jetzt habe ich –»

«Einen Augenblick noch. Hör mich zu Ende an. Eine Frau darf nicht zulassen, daß ihr Mann sie betrügt. Ich hätte das nie geduldet, und du darfst es dir auch nicht gefallen lassen. Hör auf den Rat einer alten Frau, Mimi, laß ihn sausen. Das ist das einzige, was du tun kannst, um dein Gesicht zu wahren. Er taugt einfach nichts. Ein Mann, der dich betrügt, ist nicht gut genug für dich. Mein Adolph hätte mich nie zu betrügen gewagt, denn er wußte, ich hätte ihn schon beim kleinsten Versuch sofort fallenlassen. Das aber konnte er sich nicht erlauben, denn er war auf mein Geld angewiesen. Du bist aber nicht auf das Geld deines Mannes angewiesen, Mimi. Also laß ihn sausen, und sieh dich nach dem Richtigen um. Ich wüßte auch schon, wer dafür in Frage käme. Weißt du noch, wie du in den jungen Horowitz verliebt warst? Nimm ihn! Er ist nicht verheiratet – und er ist reich! Ich glaube, du weißt, daß er mein altes Haus in Palm Beach gekauft hat, und wer das unterhalten kann, muß sehr reich sein! Warum heiratest du ihn nicht? Ich wette, er würde sofort ja sagen. Außerdem sieht er mit seinen Grübchen und seinem Lächeln niedlich aus. Zumindest fand ich das, als ich noch sehen konnte, und so sehr wird er sich nicht verändert haben. Laß also deinen betrügerischen Mann sausen und nimm Horowitz. Er ist weit und breit der beste, Mimi, und den besten verdienst du. Dieser Horowitz ist wie Champagner! Warum solltest du dich mit *vin ordinaire* zufrieden geben, wie dein Betrüger Brad einer ist? Nun, zumindest wirst du darüber nachdenken?»

«Flo, ich bin entsetzt. Ich weiß nicht, was ich sagen soll», sagt Rose Perlman, als ihr Oma Flo von diesem Gespräch berichtet. «Wie kannst du Mimi raten, den netten Mann aufzugeben, von dem es heißt, daß er für Senator Millers Amt vorgesehen ist? Ich muß mich sehr über dich wundern!»

«Und ich mich über dich, Rose», sagt Oma Flo. «Du mit deiner Bildung und allem! Habt ihr auf eurer höheren Schule eigentlich nie was über die Menschennatur gelernt? Weißt du nicht, was passiert, wenn eine Frau einer anderen vorschreibt, was sie tun soll? Vor allem, wenn eine Frau wie ich das einer wie Mimi vorschreibt? In neun von zehn Fällen tut sie das Gegenteil. Das liegt in der Natur des Menschen.»

«Hoffentlich hast du recht», sagt Rose Perlman mit einer Stimme, die nicht besonders überzeugt klingt.

«Natürlich hab ich recht. Mimi denkt, ich bin nicht richtig im Kopf. Aber manchmal ist es gut, wenn die Leute glauben, daß man nicht richtig im Kopf ist.»

31

»Die Überschrift gefällt mir überhaupt nicht«, sagt Mimi zu Mark Segal. Es ist Mittwoch. Morgen wird die Vorstellungsgala des Parfüms «Mireille» stattfinden. Sie sitzen in ihrem Büro, und die Überschrift des Artikels in der *Times* heißt: «IST HÄSSLICHKEIT DAS GESCHÄFT DER HERRSCHERIN IM REICH DER SCHÖNHEIT?»

«Lassen Sie die Leute doch», sagt Mark. «Hauptsache, sie reden über uns. Die Überschrift sichert uns die Aufmerksamkeit der Leser, und der Artikel ist gar nicht schlecht. Lesen Sie ihn ruhig.»

Mimi liest:

Erinnern Sie sich noch an den Mann mit der Augenklappe aus der Werbung für Hathaway-Hemden? Eine neue Variante dieses Themas ist der geheimnisvolle Mann mit der Narbe, der demnächst für «Mireille» werben wird, das neue hochkarätige Parfüm von Miray. Ähnlich wie man sich in der Werbebranche – und der Öffentlichkeit – monatelang den Kopf darüber zerbrochen hat, ob das Hathaway-Fotomodell seine Augenklappe tatsächlich brauchte (das war nicht der Fall), fragen sich jetzt die Zeitungsredakteure und Fernsehleute, die mit diesen Anzeigen und Werbespots für «Mireille» zu tun haben, was es mit der scheußlichen Narbe auf sich hat, die die linke Wange des ansonsten blendend aussehenden Mireille-Mannes entstellt. Hat er sie sich bei einem Duell eingehandelt, oder wurde sein Gesicht durch die kunstvolle Anwendung von Kosmetik, wovon man bei Miray schließlich eine ganze Menge versteht, absichtlich «verhäßlicht»?

Bisher hat sich Mireille (Mimi) Meyerson, die attraktive Präsidentin des Unternehmens, weder zu der Frage geäußert noch den Namen des Fotomodells preisgegeben, sondern lediglich durchblicken lassen, daß die Gäste des Galaabends, den sie am Donnerstag für «Mireille» gibt, den Mireille-Mann sehen werden. (Leute, die es wissen müßten, sagen allerdings, man solle nicht damit rechnen, daß an der ausverkauften Vorstellungsfeier Fragen beantwortet werden.)

«Sind wir wirklich ausverkauft, Mark?»

«Ja.»

«Was ist mit Liz Taylor?»

«Falls sie doch kommt, können wir sie bestimmt noch irgendwo reinquetschen, meinen Sie nicht auch?»

«Ich weiß immer noch nicht recht, was ich anziehen soll», sagt sie.

«Ich würde rot empfehlen», sagt er, «lippenstiftrot, unsere Haus-Farbe. Am besten was von einem amerikanischen Modeschöpfer, meinen Sie nicht auch? Das macht sich immer gut.»

«Als ich dich kennenlernte», hatte sie ihrem Mann vor Jahren gesagt, «war ich – ähnlich wie du – dabei, mich innerlich von einer Beziehung zu lösen. Auch wenn das Körperliche darin keine Rolle gespielt hatte, war sie doch sehr stark und intensiv gewesen. Bei dieser ersten Liebe habe ich mich schwach gefühlt, beinahe krank. Es ist mir vorgekommen, als sei ich unfähig zu handeln und hätte keinen eigenen Willen. Ich habe mich hilflos und schwach gefühlt, war nicht imstande, klar zu denken, es war, als beherrschte eine Kraft außerhalb meines Lebens meinen Körper und meinen Geist. Auch die Liebe, die ich für dich empfinde, ist sehr stark, trotzdem ist alles anders – es ist eine andere Art von Liebe, bei der ich mich stark fühle, den Eindruck habe, Herrin meiner Entschlüsse zu sein. Du hast mir etwas Wirkliches gegeben, etwas, woran ich mich halten kann. Es ist einfach eine andere Art der Liebe. Eine bessere, glaube ich.»

Sie lagen im Sand am Strand von St. Jean de Luz in der Sonne. Es war ihre Hochzeitsreise.

«Gibt es verschiedene Arten der Liebe? Bestimmt. Man kann Menschen auf so viele unterschiedliche Weisen lieben. Obwohl ich diesen Jungen geliebt habe, gab es an ihm etwas, dessen ich nicht sicher sein durfte. Ich glaube nicht, daß es eine gute Ehe geworden wäre – nicht nur, weil meine Angehörigen mit ihm nicht einverstanden waren. Er hatte etwas Wildes, Ungebärdiges und Vorwärtsstürmendes an sich und war geradezu beängstigend ehrgeizig. Vielleicht hat das dafür gesorgt, daß ich mir schwach und unfähig vorkam. Wenn er fortging, war ich nie sicher, ob er wiederkam, wußte nie, ob er nicht inzwischen eine bessere fand. Wenn du fortgehst, sag ich mir: er kommt bald wieder. Vielleicht liegt es auch einfach daran, daß ich damals noch so jung war und nicht glauben mochte, daß jemand mit einem so unverschämten Selbstbewußtsein wirklich und wahrhaftig einen Menschen wie mich lieben konnte. An deiner Liebe zu mir habe ich keine Sekunde gezweifelt. Irgendwie gibst du mir die Möglichkeit, an mich zu glauben. Verstehst du, was ich meine?

Ich will dir erklären, wie ich das sehe. Als ich mit meinen Eltern in der Wohnung an der 97. Straße gewohnt habe, stand vor dem Fenster meines Zimmers, das auf einen Lichtschacht ging, eine Robinie. Diese Bäume sind ein wahres Unkraut. Sie gedeihen in jedem Klima und auf jedem Boden. Niemand kann sie ausrotten, denn wenn man einen abhaut, wachsen gleich mehrere wieder nach. In einem Winter ist mir aufgefallen, daß ein einziges kleines Blättchen nicht fallen wollte, nachdem der Baum sein Laub verloren hatte. Es saß immer an derselben Stelle und hielt sich den ganzen Winter hindurch am Zweig. So komme ich mir bei dir vor – du bist mein kräftiger, zäher Zweig, und ich bin dein kleines Blatt, das nicht loslassen will. Empfindest du auch so, Brad? Daß wir aneinander festhalten müssen, wie das Blatt am Zweig, ganz gleich, welcher Wintersturm daran rüttelt?»

Sie weiß nicht mehr, was er damals geantwortet hatte, als sie in der Sonne lagen und er anfing, weiche Sandberge auf ihren Körper zu häufen.

Jetzt wendet sie ihm den Rücken zu, damit er ihr den Reißverschluß zuzieht.

«Wie fühlst du dich?» fragt er. «Aufgeregt? Nervös?»

«Ich habe schreckliche Angst vor diesem Abend», sagt sie. «Letzte Nacht hab ich ausgerechnet von Granatapfel geträumt. Ach Brad, beinah hätte ich meine Glücksbeschwörung vergessen – küß mich bitte auf die linke Schulter.»

Er drückt ihr flüchtig die Lippen auf die Schulter, und als er den Blick hebt, begegnen sich ihre Augen kurz im Spiegel.

«Nun, was meinst du?» fragt sie ihn, während er sie ansieht. Das Oberteil ihres karmesinroten Kleides aus Seide und Wolle fällt locker um den Oberkörper und geht in einen wadenlangen Rock über, der an den Hüften eng anliegt und unten glockig schwingt. Sie trägt die

Haare zu einem silbrig schimmernden Zopf geflochten. Da sie Dutzende winziger Teerosenknospen hat miteinflechten lassen – denn Rosen sind das Leitmotiv des Abends – besteht ihr Schmuck lediglich aus zwei kleinen Rubin-Ohrringen und den Diamant-Rubin-Ringen, die sie stets an der linken Hand trägt.

«Wie wunderschön du bist», sagt er.

Während sich die Gäste allmählich im Ballsaal des Hotels Pierre einfinden, fällt mir unwillkürlich auf, wie ungezwungen sich Mimi bewegt. Sofern sie Angst hat, zeigt sie das nicht. Sie geht von einem der Gäste zum anderen und lenkt die Aufmerksamkeit dabei auf die Besucher. Sie sollen Glanz verbreiten – wie sich das gehört, denn viele von ihnen sind bedeutende Medienstars.

Kaum zu glauben, daß die Feier dieses Abends der krönende Glanzpunkt von zwei Jahren Planung und Arbeit ist. Mitarbeiter aller wichtiger Modezeitschriften sind gekommen, Vertreter der *Times* und andere Blätter der Tagespresse. Sie alle notieren eifrig, wer da ist und was die Damen tragen.

Einige Gäste haben ihre Geschenkflakons geöffnet und betupfen sich die Handgelenke mit dem Parfüm, das zum Preis von hundert Dollar pro Unze auf den Markt kommen soll. «Es hat beinahe etwas *Wildes*», sagt Diana Vreeland zu Mimi, «es riecht ursprünglich und erdverhaftet. Ich muß an Gebirgsschluchten denken, an Dschungelgewässer, an schwingende Lianen, an Sarongs und – ja – an Vulkane!»

«Danke, liebste Diana.»

Selbstverständlich weiß Mimi, daß das alles Unsinn ist. Niemand kann ein Parfüm in einem Raum voller Menschen beurteilen, in dem alle möglichen Gerüche in der Luft hängen: der Duft der roten Rosen auf den Tischen, die Parfüms der Damen, der Geruch der Speisen, die von den rotbefrackten Kellnern aufgetragen werden, der alkoholischen Getränke von der Bar und der von Zigaretten. Ob das Parfüm wirklich Erfolg hat, wird sich später zeigen, doch der Erfolg seiner Einführung hängt ausschließlich vom Verlauf des heutigen Abends ab, davon, ob sich die Gäste amüsieren.

Der Saal ist jetzt ein Meer wogender Menschenleiber, und die Kellner wieseln mit ihren vollen Tabletts zwischen den Gruppen und Grüppchen umher.

«Das in dem grünen Kleid ist Alice Meyerson, Mimis Mutter.»

«Ich muß sagen, so gut hat sie schon lange nicht ausgesehen. Sie hat ja immer entsetzlich getrunken.»

Mit einem Mal richtet sich die Aufmerksamkeit aller auf den Eingang, wo es zu einem kleinen Gedränge kommt, während Jacqueline Onassis in Rot und Schwarz hereinrauscht. So kommt es, daß Gloria Vanderbilt am Arm von Bobby Short – der später spielen wird – den Saal nahezu unbemerkt betritt, denn fast alle Reporter haben sich auf die einstige Gattin von Präsident Kennedy gestürzt.

Der Champagner fließt in Strömen, und der Geräuschpegel im Saal steigt.

An ihrem Ecktisch fragt Oma Flo Meyerson ihre Freundin: «Ist das dahinten nicht Edwee? Was treibt er?»

«Ja, das ist er.» Dann fragt Rose Perlman verblüfft: «Aber Flo! Kannst du wieder sehen?»

«Natürlich nicht. Aber ich kann ihn riechen. Ich erkenne alle meine Kinder am Geruch.»

«Er scheint etwas mit dem Mann am Projektor zu besprechen.»

Unversehens sieht sich Mimi der Frau gegenüber, die im Le Cirque neben Brad gesessen hat. Sie gibt ihr die Hand. «Guten Abend. Ich bin Mimi Meyerson.»

«Rita Robinson.»

«Mein Mann hat mir von Ihnen erzählt.»

Die Augen der anderen verengen sich. «Sie glauben wohl, daß Sie gewonnen haben?»

«Gewonnen? Ich wußte gar nicht, daß wir uns über etwas streiten. Sie sind sehr hübsch. Ich kann verstehen, was an Ihnen ihn angezogen hat.»

«Hat? Und was, wenn es noch immer so ist?»

«Außerdem finde ich gar nicht, daß Sie aussehen, als ob Sie ein Kind bekämen, meine Liebe.» Damit überläßt sie Rita Robinson unvermittelt sich selbst. «Sie ist da», flüstert Mimi ihrem Mann zu.

«Schon gesehen», sagt Brad mit finsterer Miene.

«Wußtest du, daß sie kommen würde?»

«Natürlich nicht. Ist es sehr schlimm für dich?»

«Ich hab ihr gesagt, daß sie sehr hübsch ist. Du hast einen guten Geschmack, Brad.»

Erneut entsteht Unruhe am Saaleingang, und wieder feuern die Reporter ihre Blitze ab, während Elizabeth Taylor mit einer ins Haar geflochtenen Diamantkette hereintritt. «Wir sind ein wenig überrascht, Sie zu sehen, Miss Taylor», sagt einer der Reporter.

Schlagfertig antwortet sie: «Ich mußte doch die Konkurrenz mal beschnuppern.»

Man lacht höflich. Alle sind sich einig, daß es hochanständig von ihr ist, zu Mimis Gala zu erscheinen.

Edwee Meyerson sitzt wieder bei seiner Frau Gloria am Tisch, und als seine Schwester Nonie vorbeikommt, faßt er sie am Arm. «Wo ist mein Goya?» zischelt er.

«Wo ist mein Geld?»

«Sag mir, wo er ist, und du kriegst es.»

«Wann fliegt ihr beiden eigentlich nach Belize? Ich dachte, ihr wärt schon weg.»

Er schleudert ihr wütende Blicke zu.

«Entschuldige», sagt sie, «ich möchte nur schnell Liz guten Tag sagen.»

Während sie fortgeht, packt Edwee unter dem Tisch Gloria beim Handgelenk und drückt es so kräftig, daß sie vor Schmerz leise aufschreit.

«Weiß sie das von dir?»

«Du tust mir weh!» sagt sie. «Sie wußte es schon.»

Die Unterhaltung im Saal wird lebhafter. Weitere Gäste kommen, alte Bekannte begrüßen einander, Reiche und Berühmte beglückwünschen sich gegenseitig zu ihrem Reichtum und ihrer Berühmtheit.

Michael Horowitz hebt sein Champagnerglas, als er Mimis ansichtig wird und bildet mit den Lippen die beiden Wörter «Palm Beach».

Punkt halb acht nickt Mark Segal zu Mimi hinüber. Sie steigt die Stufen zu der kleinen Bühne empor und tritt ans Mikrofon. Die Lichter im Raum werden dunkel, ein rosa Suchscheinwerfer erfaßt Mimi. Die Gespräche verstummen.

«Ich verspreche Ihnen, daß keine Reden gehalten werden», beginnt sie, «aber ich möchte Ihnen allen doch sagen, wie glücklich ich bin, daß Sie kommen konnten. Dieser Abend ist für mich aus mehreren Gründen ein großes Ereignis. In allererster Linie, weil wir heute abend für die Bibliothek fast eine Dreiviertelmillion Dollar zusammenbekommen haben. (Beifall.) Das Geld soll zur Anschaffung neuer Bücher verwendet werden. Außerdem bin ich glücklich darüber, daß Sie alle, die das ermöglicht haben, als erste mein neues Parfüm – auf das ich verständlicherweise ein klein bißchen stolz bin – ausprobieren können. (Wieder wird geklatscht und vereinzelt «Hört, hört!» gerufen.) Doch besonders glücklich bin ich aus einem ganz persönlichen Grund. Bekanntlich hat 1912 mein Großvater Adolph Meyerson, dessen Witwe Fleurette Meyerson da drüben sitzt – Oma, würdest du mal aufstehen? (Oma Flo steht auf und verbeugt sich) – mit seinem Bruder Leopold unsere Firma gegründet. Vor vielen Jahren haben sich die beiden zerstritten, was einigen von Ihnen möglicherweise ebenfalls bekannt ist – warum, weiß allerdings niemand mehr genau.» (Gelächter.)

«Frauengeschichten!» sagt Oma Flo laut. Das Gelächter schwillt an.

«Auf jeden Fall führte dieser Streit», fährt Mimi fort, als die allgemeine Heiterkeit schließlich nachläßt, «bedauerlicherweise zu einer tiefen Spaltung der Familie – zwischen den Kindern und Enkeln Leopold Meyersons auf der einen und denen seines Bruders Adolph auf der anderen Seite. Heute abend sind, und darüber freue ich mich zutiefst, zum erstenmal nach nahezu einem halben Jahrhundert sämtliche Nachkommen meines Onkels Leopold – die ich alle erst kürzlich kennengelernt habe – bei uns. Wir sind erneut eine vereinte Familie. (Starker Beifall.) Ich werde sie jetzt einzeln aufrufen und vorzutreten bitten, damit ich sie Ihnen vorstellen kann. Da ist zunächst meine Kusine Louise Meyerson Bernhardt mit ihrem Gatten Dick ...»

Einer nach dem anderen treten die Verwandten vor, so wie Mimi sie aufruft, bis sie einen kleinen Halbkreis vor der Bühne bilden.

«Ich danke euch allen, daß ihr gekommen seid», sagt Mimi.

«Ich hätte nie geglaubt, daß ich das noch erlebe», läßt sich Oma Flo mit ihrer lauten Stimme vernehmen. «Und ich mußte neunundachtzig werden, bis es so weit war.» (Gelächter.)

«Noch einigen Menschen bin ich zu großem Dank verpflichtet», fährt Mimi fort. «Da ist einmal mein Werbeleiter Mark Segal, der die kurze Vorführung vorbereitet hat, die Sie gleich sehen werden. Sie ist wirklich sehr kurz, das verspreche ich.» Sie weist auf Mark. «Dann mein Sohn Brad Moore junior, Verkaufsleiter unseres Unternehmens. Und schließlich mein wunderbarer Gatte, Brad Moore senior.» Sowohl Brad als auch Badger treten vor und verbeugen sich leicht, während Beifall aufrauscht. «Wir sind», sagt Mimi, «eine große, glückliche Familie. Ich danke allen.» Mit einem Lächeln tritt sie beiseite und verläßt unter stürmischem Beifall rasch die Bühne.

Jetzt wird es im Saal ganz dunkel, und die große Projektionswand kommt von der Decke herab. Musik ertönt, auf der Leinwand blitzt Sonnenlicht über dem Wasser des Sundes von Long Island vor einem Yachthafen. Eine junge Frau im weißen Kleid winkt, ein Segelboot mit einem jungen blonden Mann am Steuer kommt ins Bild.

JUNGE FRAU: «Du hast dich verspätet!»

JUNGER MANN: «Der Wind! Ich mußte kreuzen.»

Während ihr der junge Mann das Gesicht zuwendet, wird die große Narbe in seinem sonst makellosen Gesicht erkennbar. Man hört im Dunkel des Ballsaals förmlich, wie die Zuschauer den Atem anhalten. Der junge Mann macht das Boot fest, streckt die Hand aus und hebt die junge Frau zu sich ins Boot hinab.

JUNGER MANN: «He! Was ist das! Du riechst ja ganz neu!»

Der Werbefilm geht weiter und endet mit dem Satz, der vor dem sonnenbeschienenen Wasser über die Leinwand wandert: *Mireille ... das Parfüm, das verzaubert!*

Dann wird der zweite Film gezeigt, in dem sich der junge Mann von seinem Pferd herabbeugt und die junge Frau mühelos zu sich in den Sattel hebt. Wieder spürt man die Betroffenheit aller, als dabei die Narbe sichtbar wird.

Ein bekannter Werbemann flüstert Mimi zu: «Von Parfüm verstehe ich ja nichts, aber ich kann Ihnen sagen, die Werbung ist Spitze!»

Der dritte Spot spielt im Inneren eines großen Herrenhauses. Das Mireille-Paar begegnet sich auf dessen geschwungener Treppe: sie geht hinauf, er kommt ihr aus dem Schatten von oben entgegen.

Im Beifallsgeprassel tritt Mimi erneut ans Mikrofon. «Und nun», sagt sie, «möchte ich Ihnen zwei Menschen vorstellen, die Sie in den nächsten Monaten hoffentlich des öfteren sehen werden: die Mireille-Frau und den Mireille-Mann.» Die Titelmusik erklingt genau aufs Stichwort.

Mimi kehrt an ihren Platz zurück, und auf der Bühne tritt Sheila Shearson in dem weißen Kleid auf, das sie im letzten der drei Filme trug. Sie geht zur Bühnenmitte, macht im Scheinwerferlicht einen tiefen – und zu Mimis Erstaunen diesmal einwandfreien – Knicks, und kehrt nach zwei Drehungen in die linke Kulisse zurück.

Jetzt wird die Musik etwas lauter, und der Mireille-Mann tritt im Smoking von rechts auf. Als ihn der Scheinwerfer erfaßt, ist zwar sein kanarienfarbener Haarschopf unverkennbar, doch ebenso unverkennbar ist die unheimliche weiße Maske aus New Yorks großem Bühnenerfolg *Das Phantom der Oper*.

Während Dirk sich verbeugt, geht das Mireille-Motiv in das aus *Das Phantom der Oper* über.

Natürlich wird der Einfall beklatscht, aber wie nicht anders zu erwarten, hört man auch Laute der Enttäuschung, und vereinzelt wird gerufen «Maske runter!» Doch nach seiner Verbeugung geht Dirk Gordon, die weiße Maske vor dem Gesicht, nach rechts ab.

Eigentlich sollte es jetzt im Saal wieder hell werden, aber statt dessen verlischt auch der rosa Suchscheinwerfer, und auf der Projektionswand wird es erneut lebendig. Mark Segal beugt sich verblüfft vor und sagt leise: «Was soll das! Die Vorführung ist vorbei!»

Undeutliche Bilder werden sichtbar. Der Film ist körnig, die Beleuchtung schlecht, aber man kann nackte Gestalten sehen, die sich hin und her winden, als kopulierten sie. Man hört keinen Laut, nichts ist deutlich, nicht einmal die Gesichter, aber es scheint sich um zwei Männer und eine Frau zu handeln – allerdings könnte man auch eine der allem Anschein nach männlichen Gestalten mit langem silbrigen Haar für eine Frau halten. Wenn der eine Mann, überlegt Mimi, Dirk Gordon ist, müßte der silberhaarige Onkel Edwee sein. In dem Fall wäre die Frau Gloria! «Brad», stößt sie hervor, «wir müssen das unbedingt sofort abbrechen!»

«Laß nur, das ist in Ordnung», sagt dieser gelassen.

Die schlecht erkennbaren Gestalten winden sich und zucken noch einige Augenblicke, dann ist nichts mehr zu sehen. Verwirrt und wortlos sitzen die Zuschauer da, wissen offensichtlich nicht, was das Ganze soll.

Rasch geht Brad Moore ans Mikrofon und sagt mit breitem Lächeln: «Und das, meine Damen und Herren, ist der Kommentar meiner Gattin zu Calvin Klein und seinem Parfüm ‹Obsession›.»

Der erste, der den auf ihn gemünzten Scherz begreift, ist Calvin Klein selbst, der New Yorker Modepapst. Lachend klatscht er in die Hände und ruft: «Toll, Mimi! Meine Werbeleute könnten das auch nicht besser!»

Jetzt tritt sie ans Mikrofon. «Eins hat mein Mann zu sagen vergessen», sagt sie. «Sie sind *großartig*, Calvin. Sehen Sie nur mein Kleid. Von Ihnen! Nichts kommt zwischen mich und Calvin Klein.»

Jetzt lacht und jubelt der ganze Saal. Das Licht geht an, Bobby Short spielt rasch eine muntere Weise, die rotbefrackten Kellner machen sich flink wieder an die Arbeit und füllen Champagnergläser nach.

«Danke, Liebling», flüstert Mimi Brad zu. «Woher hattest du nur –»

«Eins hab ich in bezug auf deine Branche erfaßt», sagt er. «Man muß ausgeschlafen sein, sonst sieht man schon sehr schnell einmal verdammt alt aus.»

Mehr zu sagen, bleibt keine Zeit, denn unvermittelt findet sich Mimi im Mittelpunkt einer immer größer werdenden Menschenmenge. Alle wollen ihre Hand fassen, ihr ein Küßchen geben, sie beglückwünschen und loben. Einer von ihnen ist der Kosmetikeinkäufer von Bergdorf's. Er möchte das neue Parfüm exklusiv für New York im Kaufhaus an der Fifth Avenue verkaufen dürfen. «Nur ein halbes Jahr, Mimi», bittet er.

«Stellen Sie meiner Frau ein ganzes Schaufenster zur Verfügung?» fragt Brad. «Zur Fifth Avenue hin?»

«Aber Brad, du kniest dich ja richtig in die Sache rein!» flüstert sie ihm erstaunt zu.

Jetzt drängen sich Fotografen und Reporter der Modepresse um sie. Man hält ihr Mikrofone vor, und Blitze flammen rund um sie auf.

«Bitte lächeln, Miss Meyerson...»

«Hier, Miss Meyerson...»

«Von wem stammt Ihre Frisur, Miss Meyerson?»

«Ist der geheimgehaltene Bestandteil des Parfüms eine besondere Rosenessenz? Ich hab noch nie so viele Rosen in einem Raum gesehen!»

Während es im Saal um sie herum immer lauter wird und Bobby Short passenderweise auf die getragene Melodie von «Rosen aus dem Süden» übergeht, begreift Mimi, daß ihre Einführungsgala ein Erfolg ist.

In der *New York Post* vom folgenden Tag schreibt Susie Knickerbocker über das Ereignis:

EIN VERGNÜGLICHER ABEND MIT ÜBERRASCHUNGEN

«Es war hinreißend», sagte Diana Vreeland über das Ereignis, das gestern abend fünfhundert Angehörige der New Yorker Schickeria im Hotel Pierre zusammenführte. Anlaß war die Vorstellung des neuen Parfüms aus dem Hause Miray, «Mireille», von dem man schon so viel gehört hatte. Unter den Anwesenden sah man Brooke Astor, Jacqueline Onassis, Blaine und Robert Trump, Gloria Vanderbilt, Ricky und Ralph Lauren usw.

Verschiedene kleine Überraschungen gaben dem Abend eine besondere Würze.

Überraschung Nr. 1: in einer Wolke aus weißem Chiffon trat Elizabeth Taylor auf, die gerade von ihrer Tournee zurück ist, auf der sie im ganzen Land für ihre eigene Parfümmarke «Passion»

geworben hat. Und was konnte Ihre königliche Hoheit Liz dazu veranlassen, eine Veranstaltung zu besuchen, die der Werbung für die Konkurrenz diente? «Ich wollte die mal beschnuppern», sagte sie. War sie dazu unter dem Gewicht all ihrer Diamanten überhaupt imstande? Nun, sie hat es jedenfalls versucht.
Überraschung Nr. 2: die Vorstellung der drei Fernsehspots für «Mireille», die ab nächste Woche landesweit ausgestrahlt werden. Der spannende Augenblick kommt, wenn das überaus maskuline Fotomodell den Kopf dreht und man auf einer Wange eine entstellende Narbe sieht. Die Frage, die sich Branchenkenner schon lange stellen, heißt: hat er wirklich eine Narbe, oder verdankt er sie der kosmetischen Kunstfertigkeit des Hauses Miray? Man hatte die Gäste der gestrigen Vorstellung mit dem Versprechen geködert, sie würden den richtigen «Mann mit der Narbe» sehen.
Überraschung Nr. 3: sie bekamen ihn auch zu Gesicht – aber nicht ganz, denn der geheimnisumwitterte Mann trat mit Michael Crawfords unheimlicher weißer Maske aus *Das Phantom der Oper* auf. Damit ist die Frage nach wie vor ungeklärt. Soweit man hört, bekommt Mr. X für seine Aufgabe einen siebenstelligen Betrag.
Überraschung Nr. 4: riß den Saal förmlich mit. Das Licht ging aus, und dem Publikum wurde eine irrsinnig komische Parodie von Calvin Kleins gewagter Werbung für sein Parfüm ‹Obsession› geboten, bei der Männlein und Weiblein im Adams- und Evaskostüm allerlei Buntes trieben. Raffinierterweise war die Aufnahme unscharf und so körnig wie ein Amateur-Videoband, so daß sich die Gäste nicht nur fragten, wer was mit wem und wie anstellte, sondern auch, wer wohl die Beteiligten sein mochten.
Wenn man bedenkt, daß Calvin und Kelly Klein mitten im Saal saßen, war das ziemlich gewagt. Doch als Mimi Meyerson, die Präsidentin der Firma Miray, ans Mikrofon trat und betonte, daß ihr hinreißendes Abendkleid (als hätte man es sich nicht denken können!) von Calvin Klein stammte, hörte er auf zu schmollen. Überhaupt ist er ein wirklicher Herr. «‹Mireille› ist ein wunderbares Parfüm», sagte er. «Möglicherweise nicht ganz so aufregend wie ‹Obsession› – aber viel fehlt nicht.» Und das war natürlich Überraschung Nr. 5. Zum erstenmal in der Geschichte der Kosmetikindustrie, in der die Konkurrenten gewöhnlich mit Zähnen und Krallen aufeinander losgehen, haben wir erlebt, daß erbitterte Rivalen Nettes über den jeweils anderen sagten!
Eine weitere Überraschung machte das halbe Dutzend voll. Vor

langen Zeiten gerieten sich die Gründer der Firma Miray, die Brüder Adolph und Leopold Meyerson über irgend etwas in die Haare. (Mimi ist Adolphs Enkelin, daran sieht man, wie lange die Angelegenheit zurückliegt.) Seither ging ein Riß durch die Familie. Doch gestern abend brachte Mimi unter dem Einfluß von «Mireille – das Parfüm, das verzaubert», wie es genannt wird – selbst ein Zauberkunststück zustande: gemeinsam begrub man das Kriegsbeil. Alle weitverstreuten Angehörigen der Familie waren nach einem halben Jahrhundert erbitterten Streits in Frieden und Eintracht beisammen. Wenn das kein Grund zur Freude ist.

«Großer Gott, da hat sie uns doch tatsächlich ihre ganze Spalte gewidmet!» staunt Mark Segal.

«Nun, es sieht ganz so aus, als hätte Mimi wieder einen Treffer gelandet», sagt Oma Flo Meyerson zu ihrer Freundin Rose Perlman, nachdem ihr diese den Bericht aus der *Post* vorgelesen hat. Die beiden haben sich zum Mittagessen in ihrem Lieblingslokal getroffen. «Ich nehme *tomate surprise*», sagt sie. «Das ist hier immer recht gut. Natürlich kann nichts je Schrafft's wirklich ersetzen, aber Altman's kommt ihm am nächsten.»

«Wenn es mit Thunfischfüllung ist», sagt Rose Perlman, «nehm ich es auch.»

«Ich fand übrigens», sagt Oma Flo, «daß man die nackten Leute in dem Film durchaus erkennen konnte. Ich hätte schwören können, daß einer von den Männern Edwee war.»

«Aber Flo!» sagt Rose Perlman und legt verblüfft die Zeitung auf den Tisch. «Deine Augen werden ja besser! Wie konntest du in dem Film *überhaupt* jemand erkennen?»

«Ich hab Edwee nicht gesehen», sagt Oma Flo ungeduldig, «sondern gerochen, wie immer.»

«Du kannst ihn sogar in einem Film riechen?»

«Natürlich. Wieso nicht? Er roch schon immer so – ein bißchen nach Gemüsesuppe. Mein kleiner Henry hingegen hatte den süßesten Geruch von der ganzen East Side. Schon wenn ich an ihn denke, steigt er mir in die Nase.»

«Also wirklich, Flo, du bist bemerkenswert!»

«So ist das, wenn man blind wird. Alle anderen Sinne schärfen sich.»

Die Kellnerin kommt, um die Bestellung entgegenzunehmen.

«Wir wollen von der *tomate surprise* nicht zu sehr überrascht werden», sagt Oma Flo. «Sie ist doch mit Thunfischfüllung, nicht wahr?»

«Ja, Ma'am ...»

«Da wir gerade von Edwee sprechen», sagt Rose Perlman, nachdem die Kellnerin gegangen ist, «was hast du eigentlich mit deinem Goya gemacht?»

«Ich hab ihn Nonie geschenkt.»

«Wieso das?»

«Sie hat mir gesagt, Edwee hätte vor, das Gemälde als Fälschung hinzustellen, obwohl es keine ist, nur um es selbst zu kriegen. Da hab ich es einfach ihr gegeben. Die Arme ist in Adolphs Testament wirklich zu kurz gekommen, und das Unrecht wollte ich wieder gutmachen. Falls Mimis Plan mit der Umwandlung der Firma klappt, hat Nonie endlich auch eigenes Geld. Aber da ich sie bei einigen ihrer früheren geschäftlichen Unternehmungen ... unterstützt hab, mach ich mir über ihr neues Vorhaben Sorgen, und ich mag auch den Geruch des Mannes nicht, mit dem sie sich zusammentun will. Sie hat im Geschäft und bei Männern immer nur Pech gehabt. Ich fürchte, er wird sie wieder das letzte Hemd kosten. Aber man kann sich ihr nicht in den Weg stellen, wenn sie mit dem Kopf durch die Wand will. Das Bild ist eine ganze Menge wert, und ich hab es ihr sozusagen als Versicherung gegeben, falls es mit ihrem neuen Geschäft wieder schiefgeht. Das hab ich ihr auch klipp und klar gesagt.»

«Hoffentlich war das richtig», meldet Rose Perlman Bedenken an.

«Wieso?»

«Edwee und seine Schwester sind doch sowieso schon wie Hund und Katz. Wird es dadurch nicht schlimmer?»

Oma Flo seufzt auf. «Ich will dir was sagen, Rose», sagt sie, «damit du Edwee besser verstehst. Ich hab das noch keinem Menschen gesagt.»

«Ja?»

«In meiner Familie spukt in jeder Generation etwas herum, was man das ‹schlimme Guggenheim-Gen› nennen könnte. Es taucht mal hier und mal da auf. Meine Kusine Peggy hatte es auch. Du weißt ja, was für ein Irrwisch sie war. Sie war mit so vielen Liebhabern gleichzeitig zusammen, daß sie nicht von ferne geahnt hat, wer die Väter ihrer Kinder waren! Auch Onkel Bob hatte das schlimme Guggenheim-Gen. Er ist derjenige, der an einem Herzanfall gestorben ist, als er vor dem Haus seiner Geliebten in Washington aus dem Taxi stieg – es ist damals durch alle Zeitungen gegangen. Er war wirklich ein Tunichtgut. Bei Abendeinladungen hat er den Frauen vorn ins Kleid gegriffen und gesagt: ‹Ich will nur sehen, was für eine BH-Größe Sie haben.› Außerdem war da noch Onkel Bill. William Guggenheim war total plemplem. Er war sein eigener Doppelgänger – ehrlich! Er hatte zwei Namen, und wenn man ihm auf der Straße begegnete, wußte man nie, welcher von beiden er gerade war. Manchmal hat er sich William Guggenheim und dann wieder Gatenby Williams genannt. Als William Guggenheim war er ein sehr frommer Jude, der eifrig den Talmud lernte, um Rebbe zu werden. Wenn er sich aber in Gatenby Williams verwandelte, wurde er zum glühenden Antisemiten und erklärte, er habe die Endlösung gefunden, auf die Hitler so erpicht war! Er hat als Gatenby Williams auch ein Buch geschrieben, und zwar über William Guggenheim. Darin beschreibt er, wie sich dieser mit all den anderen reichen Juden zusammentut, um die Welt in seine Gewalt zu bringen und alle Christen zu vernichten. Er war wirklich verrückt, Rose. Du siehst, obwohl es in der Familie viel Geld gab, ist immer wieder das schlimme Guggenheim-Gen durchgebrochen und hat allen schwer zu schaffen gemacht. Und so hab ich mir die Sache mit Edwee immer erklärt: Bestimmt hat er es auch, und niemand kann was dagegen tun. In gewisser Hinsicht muß ich mir selbst natürlich Vorwürfe machen, denn er hat es schließlich von mir geerbt.»

Rose Perlman betrachtet eine Weile schweigend das Gesicht ihrer alten Freundin und sagt dann leise: «Hast du nicht gesagt, daß dein Sohn in deiner Wohnung war, als deine arme kleine Itty-Bitty den ... den Unfall hatte? Könnte er nicht –»

Oma Flo greift sich an die Kehle. «Nein», ruft sie aus, «sag das nicht! Natürlich hab ich die Möglichkeit erwogen, aber ich darf den Gedanken nicht zulassen, daß mein eigener Sohn so was fertigbrächte, mein eigen Fleisch und Blut – ein armes, unschuldiges Tierchen, das keinem ein Leid antun konnte und für jeden nichts als liebevolle, freundliche Gedanken hatte. Ich könnte es nicht überleben, wenn ich einen solchen Verdacht in mir zuließe. Außerdem hab ich jetzt eine neue Itty-Bitty. Du mußt unbedingt vorbeikommen und sie kennenlernen. Es ist ein so wunderbares liebes und verspieltes Tierchen. Sie hat einen kleinen Gummiball, und wenn ich ihn ihr hinwerfe, bringt sie ihn und legt ihn mir in die Hand. Ganz reizend! Weißt du, Rose, das ist wichtig, wir müssen stets daran denken, daß alles ersetzbar ist, was wir in diesem Leben bekommen – alles, Rose, nur nicht das Leben selbst. Das liegt in Gottes Hand. Wenn wir das nächste Mal gemeinsam essen, mußt du zu mir kommen und meine neue Itty-Bitty kennenlernen. Wir können uns ja in der Wohnung was servieren lassen.»

«Gern, Flo», sagt Rose Perlman.

«Weißt du, ich erklär mir die Geschichte so: Es war ein warmer Tag, alle Fenster in meinem Wohnzimmer standen offen, und ich hatte einen Sessel dicht an das Fenster geschoben, um von der frischen Luft was abzukriegen. Dann ist Edwee gekommen und hat mir die Hölle heiß gemacht. Itty-Bitty konnte ihn noch nie leiden und hat ihn angebellt. Schließlich hat Edwee es so weit getrieben, daß ich mich in meinem Schlafzimmer eingeschlossen hab, um Ruhe vor ihm zu haben. Er hat gegen die Tür gehämmert, und Itty-Bitty hat weiter gebellt. Dann hat er aufgehört, und Itty-Bitty hat nicht mehr gebellt. Sicherheitshalber bin ich noch eine Weile dringeblieben, bis ich annahm, daß Edwee wirklich weg war, und als ich schließlich rauskam, war Itty-Bitty nirgends zu sehen. Aber da stand der Sessel so nahe am offenen Fenster. Ich nehme an, daß das liebe Hündchen angenommen hat, ich hätte es aus meinem Leben ausgesperrt. Wie das arme Tier so schrecklich deprimiert und mutterseelenallein da draußen war, ist es wohl auf den Sessel gesprungen, hat das offene Fenster gesehen... und ist rausgesprungen. So stell ich mir das jedenfalls vor. Oh», sagt sie und tastet mit der Hand auf dem Tisch umher. «Ich hab gehört, wie jemand einen Teller vor mich hingestellt hat, und ich rieche Thunfisch. Das muß unsere *tomate surprise* sein.»

«Bist du mir gefolgt?» fragt sie ihn. Sie wartet an der Ecke Fifth Avenue und 59. Straße darauf, daß die Fußgängerampel auf Grün springt, und er ist wie aus dem Nichts neben ihr aufgetaucht.

«Natürlich», sagt er.

«Ich gehe an solchen Abenden oft zu Fuß nach Hause.»

«Ich weiß.»

«Weißt du eigentlich alles?»

«Was glaubst du wohl? Selbstverständlich.»

Die Ampel wird grün, und sie überqueren die Straße. «Als von dir kein Laut über Palm Beach kam, dachte ich, ich versuch es noch mal», sagt er.

Sie gehen die Fifth Avenue entlang.

«Gleich kommt er», sagt er.

«Wer?»

«Der Schlittschuhteich... weißt du nicht mehr?»

«Doch.»

«Wollen wir ihn uns ansehen?»

«Von mir aus.»

An der nächsten Ampel überqueren sie die Straße und gehen in den Park. «Genau hier war es», sagt er, «auf der Bank hier.»

«Bist du sicher? War es nicht –?»

«Es war die. Bestimmt. Wollen wir uns einen Augenblick setzen?»

«Die Lehne ist kaputt.»

«Wir können auch eine andere nehmen.»

«Meinetwegen.»

Der Schlittschuhteich ist einfach wieder ein Teich. Auf der von einem leichten Westwind gewellten Wasserfläche treiben ein paar frühe Herbstblätter. Zwei Möwen gehen auf ihr nieder und fangen an, sich zu putzen.

«Das bedeutet Sturm», sagt sie. «Immer, wenn es Sturm gibt, kommen die Möwen vom Atlantik herüber. Sie sind wie ein Barometer. Es ist hübsch, auf diese Weise daran erinnert zu werden, daß New York am Meer liegt. Hast du gemerkt, wie der Wind gedreht hat?»

«Ja.»

«Und sieh nur: ein Kaninchen.»

«Wo?»

«Dahinten.» Sie zeigt hin.

«Ach ja. Weißt du, ich hab mir immer schon überlegt, wie schade es ist, daß man den Park nicht bebauen kann. Hochhäuser, Atriumhäuser. Man könnte ein Vermögen damit verdienen.»

Sie sieht ihn rasch an und merkt, daß es ihm nicht ernst damit ist.

«Nun», sagt er schließlich, «ich vermute, ich kenne deine Antwort.»

«Ja, das denke ich auch, Michael.»

«Nur eins sag mir noch», sagt er. «Hast du mich je geliebt?»

«Ja. Schrecklich. Wußtest du das nicht? Es war geradezu unerträglich. Und ...»

«Und was?»

«Auf eine bestimmte Weise liebe ich dich immer noch und werde dich vermutlich immer lieben.»

«Aber ihn liebst du mehr.»

«Es geht nicht um das Wie-sehr, sondern mehr um das Wie, nehme ich an. Es gibt nun einmal verschiedene Arten der Liebe. Das dürfte dir bekannt sein.»

«Dann ist seine Liebe also besser.»

«Nicht einmal das. Es ist einfach ... ich meine, sieh doch, wie wir hier sitzen, zwei nicht mehr junge Menschen –»

«Für mich siehst du immer noch wie achtzehn aus.»

«Ich hab damals gesagt, ich bin neunzehn.»

«Das war gelogen.»

«Wußtest du das?»

«Na klar.»

«Und du siehst für mich auch noch genauso aus wie früher», sagt sie. «Aber im Inneren sind wir nicht mehr die, die wir damals waren. Ich glaube, du weißt es auch. Und für mich – nun, ich könnt es vermutlich nicht ertragen, zu der Art von Liebe zurückzukehren, die ich für dich empfunden habe. Sie war zu ... nun ja, strapaziös. Ich will nicht sagen, daß ich bedaure, was damals war, denn das stimmt nicht.»

Der Wind wird stärker, und ein Geruch nach Regen liegt in der Luft. «Ich will dir sagen, wie es war», sagt sie. «Vor drei Jahren war ich mit Brad auf einer Safari in Afrika. Zehn Tage lang täglich acht Stunden Querfeldeinreiten durch die Massai Mara, über Flüsse, Berge und Felsgestein, im unbequemsten Sattel, den ich je hatte. Es war herrlich inmitten der Herden von Tieren, aber am dritten Tag habe ich mich gefragt, ob ich je wieder würde gehen können, ohne zu hinken! Ich möchte dieses Erlebnis gegen nichts eintauschen, aber ich möchte es um nichts in der Welt noch mal tun. So ist es auch mit dir. Ich möchte das nicht noch einmal erleben, obwohl ich weiß, daß ich es könnte, denn ich war in den letzten Wochen gefährlich nahe dran.»

«Tatsächlich?»

«O ja. Ich mußte mich zwingen, so zu denken wie Brad, wie ein Anwalt. Du weißt ‹einerseits ... andererseits›.»

«Eine kalte Art zu denken.»

«Nein, nicht kalt. Aber ich habe mir überlegt, auf der einen Seite ist da die Gefahr und die Spannung mit einem Mann, den ich vor Jahren verzweifelt geliebt, aber nie wirklich gekannt habe, in unerforschtes Gelände davonzulaufen; auf der anderen Seite steht das Erlebnis der Kameradschaft mit meinem Mann. Ja, Michael, das ist es, eine kameradschaftliche Beziehung. Wir haben viel miteinander durchgemacht, er und ich. Ich bin seit neunundzwanzig Jahren mit ihm verheiratet – habe fast ein halbes Leben in diese Ehe investiert. Diese Jahre sind für mich eine sehr wertvolle Investition, und die möchte ich nicht abschreiben. Ich möchte im Gegenteil alles daransetzen, sie zu retten. Das hat nichts mit Kälte zu tun, denn es geht um Ehe und Liebe. Verstehst du, was ich sage?»

«Ich glaube schon», sagt er. «Aber eins möchte ich dir doch sagen. Du bist selbst der Ansicht, daß du mich nie sehr gut gekannt hast. Ich hab nicht etwa Aktien von eurer Firma gekauft, weil ich die übernehmen wollte, sondern weil ich dich wollte.»

Sie lacht leise. «Eine merkwürdige Methode.»

«Immerhin ist es gelungen, damit deine Aufmerksamkeit auf mich zu lenken – oder nicht?»

«Absolut. Aber bist du sicher, daß dabei nicht auch Rachegefühle mit im Spiel waren? Wegen der Art, wie dich Opa vor vielen Jahren behandelt hat?»

«Nun, vielleicht ein bißchen», gibt er zu und betrachtet seine Handrücken. «Aber eins möchte ich dir sagen: dein Plan, die Firma wieder in eine Familien-AG umzuwandeln, ist erstklassig. Miray wäre für einen Übernahme-Hai ein gefundenes Fressen. Ich an deiner Stelle würde das unbedingt durchziehen. Wenn ihr das macht, kann euch kein Mensch an die Karre fahren.»

«Die Idee stammt von Badger, nicht von mir.»

«Alles, was ich wirklich wollte, warst du», sagt er, «und er.»

«Über Badger möchte ich mit dir nicht reden. Er ist ein erwachsener Mann, der mit allem allein fertig werden kann. Nur so viel: möglich, daß du sein Vater bist, aber er wird immer Brad Moores Sohn sein, sofern du den feinen Unterschied erkennen kannst.»

«Ja, ich glaube.»

«Und falls du je zu irgendeinem Menschen was anderes sagst, werde ich es bis zu meinem Tode abstreiten.»

«Das würde mir nicht im Traum einfallen, Mimi.»

«Gut, dann –» Die beiden Möwen auf dem Schlittschuhteich haben Gesellschaft bekommen, und der vom Herbstlaub gedämpfte Schein der Nachmittagssonne zeichnet ein buntes Muster auf die Wasserfläche.

«Du kennst mich wohl wirklich nicht besonders gut», sagt er, «wenn du annehmen kannst, daß ich je einen solchen Anspruch erheben könnte. Ich glaube, du hast mir nie getraut.»

«Damit kannst du recht haben.»

«Ich war für dich also wie ein rauher Ritt durch Afrika?»

«Ja, mein Lieber, unbedingt.» Und bist es nach wie vor, denkt sie.

Er lacht. «Aber mir bleibt als Erinnerung ein zerrissener Schuhriemen von deinem Schlittschuh», sagt er.

«Und mir ein Ring.»

«Wie ich ihn dir gegeben hab, hast du geweint.»

«Weil es der schönste Ring war, den ich je gesehen hatte. Er ist es nach wie vor.»

Er steht auf und atmet tief ein. «Ich begleite dich noch ein Stück», sagt er, und sie steht ebenfalls auf.

An der Straße sagt er einfach: «Mach's gut. Vergiß mich nicht.»

«Du hast mir mal gesagt, ich würde dich nie vergessen. Das stimmt.»

«Nun, bis dann, Kindchen», sagt er und zwinkert ihr ein wenig zu.

‹Bis dann, Kindchen›, denkt sie, und dann: soll unser Abschied so unterkühlt vor sich gehen? Ist das für ihn alles, einfach ‹mach's gut› und ‹bis dann›? Hat ihm das alles nicht mehr bedeutet? Dann fällt ihr ein, daß Michaels Art immer ein wenig lässig und oberflächlich war. Ein Mann, der sie bat, seine Frau zu werden, bevor er auf den Gedanken kam, ihr zu sagen, daß er sie liebte.

«Es hätte mit uns beiden nie und nimmer geklappt», sagt sie, im Bewußtsein dessen, damit nichts Bedeutendes zum Abschied zu sagen, «weil wir uns nie die Mühe gemacht haben, die Dinge zu Ende zu denken.»

Er zuckt lediglich mit den Schultern, dreht sich um und geht in Richtung Süden davon. Nach einem Augenblick dreht auch sie sich um und geht langsam in Richtung Norden.

Ach ja, selbst unser Abschied wirkt sorglos. Aber er hat sich an meine Tränen damals erinnert. Und ich weiß noch, wie sehr ich ihn geliebt habe. Sie spürt den ersten Regentropfen auf der Wange. Es ist mit Sicherheit Regen und nicht etwa eine Träne, das ist sie bereit zu beschwören.

Hab ich wieder zugelassen, daß er mir weh tut? fragt sie sich. Lieber Gott, wenn es dich gibt, ich habe geschworen, daß ich das nie wieder zulassen will. Doch diesmal kann es nicht weh tun, denn es war meine eigene Entscheidung. Und zugleich wird mir dieser Schmerz immer fehlen.

Sie setzt ihren Weg fort.

Nach einigen Schritten bleibt sie stehen, dreht sich um und sieht seiner entschwindenden Gestalt nach. Zu dieser Tageszeit sind im nördlichen Teil der Fifth Avenue kaum Menschen unterwegs, und auf diesem Stück beschatteten Gehweg sind Michael und sie allein. Hätte er mir nicht zum Abschied einen Kuß geben müssen? Verdiene ich nicht zumindest das? Müßte er sich nicht jetzt umdrehen und sehen, wie ihm mein Blick folgt? Im Film täte er es. Sie sieht die Szene förmlich vor sich. Er wendet sich um, sieht sie dort stehen, wie sie dem Davongehenden nachsieht, und die Liebenden laufen unter den Bäumen im gedämpften Spätnachmittagslicht aufeinander zu, um den letzten Kuß zu tauschen, während ihnen der kühle Wind von der See seinen Segen erteilt.

Aber so ist es nicht, er wendet sich nicht um und wird es auch nicht tun.

Bleib stehen, gebietet sie ihm mit den Augen. *Bleib stehen, sieh dich nach mir um. Ich bin jetzt eine der berühmtesten Frauen in New York, und ich war bereit, mich dir hinzugeben. Das zumindest verdiene ich. Bleib stehen, sieh dich nach mir um.*

Aber er weigert sich, ihr zu gehorchen, und entfernt sich statt dessen immer weiter von ihr weg, die Hände tief in den Hosentaschen vergraben.

Sie sieht vor ihrem inneren Auge,wie er die widerspenstige Locke sandfarbenen Haars aus der Stirn wischt und den Unterkiefer entschlossen vorstößt. Als ihr Blick wieder klar ist, erkennt sie, daß der Gehweg leer ist. Michael ist fort. Sie wendet sich erneut nach Norden, heimwärts.

Das alles liegt beinahe eineinhalb Jahre zurück. Die Umwandlung der Firma Miray in eine Familien-Aktiengesellschaft ging ohne Schwierigkeiten vonstatten, denn eine Mehrheit der Aktionäre stimmte dafür, einschließlich der Leo-Verwandten und Michael Horowitz, der selbst nicht an der Aktionärsversammlung teilnahm, aber sein Stimmrecht delegiert hatte. Das Unternehmen Miracorp wurde offiziell am 15. Oktober 1987 gegründet, wenige Tage vor dem Kurssturz an der Wall Street, den Oma Flo vorausgesagt hatte. Als Familien-AG blieb es vom Zusammenbruch des Aktienmarktes verschont.

Nonie hat sich mit dem Geld, das jetzt ihr gehört, im Devisenhandel etabliert, und Roger Williams ist ihr Teilhaber. Die Firma heißt Meyerson & Lahniers. Sie beschäftigt mehrere Angestellte, und es scheint ihr sogar in diesen für Finanzgeschäften ungünstigen Zeiten glänzend zu gehen. Der Devisenhandel ist eine nervenzehrende Tätigkeit, bei der Schnelligkeit das A und O ist, aber dafür lassen sich damit auch beträchtliche Nettogewinne erzielen – auch wenn es nicht achttausend Dollar pro Minute sind. Zwar heißt niemand im Unternehmen Lahniers, aber es ist in New York nichts Ungewöhnliches, daß Firmen mit jüdischem Namen aus psychologischen Gründen einen nichtjüdisch klingenden hinzunehmen, und der Name Lahniers, den Nonie auf gut Glück dem Telefonbuch entnommen hat, klingt genau richtig. Roger Williams wollte aus irgendeinem Grund seinen Namen nicht in der Firmenbezeichnung haben, obwohl er den größten Anteil am Erfolg des Unternehmens hat. Gerüchteweise heißt es, seine Vergangenheit sei nicht ganz sauber, und manche flüstern sogar hinter vorgehaltener Hand, sein wirklicher Name sei gar nicht Roger Williams, aber niemand weiß genaues.

Man munkelt auch, daß er und Nonie vielleicht trotz des deutlichen Altersunterschiedes zu heiraten beabsichtigen; andere wollen wieder wissen, Roger Williams sei bereits verheiratet, und seine Frau wohne in Oklahoma City. Aber da gebe ich nur weiter, was die Leute so reden. Merkwürdig ist schon, daß Roger Williams keine Interviews gibt und sich nie fotografieren läßt. Nonie, die Auftritte in der Öffentlichkeit genießt, ist für die Pressearbeit zuständig.

Das Geheimnis um die Identität des Mireille-Mannes und die Echtheit oder Unechtheit seiner Narbe wurde beinahe bis ans Ende der Werbekampagne gewahrt. Gerade, als das Interesse der Leute an der Sache nachließ, gab Mark Segal die Identität Dirk Gordons preis und ließ wissen, die Narbe sei ein weiterer Beleg für die Kunst der Kosmetik. Damit gelangte «Mireille», das bekanntlich inzwischen im Pantheon erstklassiger amerikanischer Parfüms einen Stammplatz hat, noch einmal in die Medien.

Beide Fotomodelle aber waren am Ende der Werbekampagne erledigt – Opfer der Abnutzung, wie ihnen jeder hätte voraussagen können. Vielleicht hat das auch jemand getan, aber gewöhnlich hört der Mensch nur auf das, was er hören will. Verblüffenderweise hat Sheila Shearson ihr Geld klüger angelegt als ihr Kollege und es in Immobilien an der East Bronx investiert. Im Januar hat sie einen Zahnarzt aus Forest Hills geheiratet, und dort gehören die beiden zur High-Society.

Dirk Gordon hat trotz seiner Weltläufigkeit weniger gut gewirtschaftet. Nachdem er irgendwo gelesen hatte, alleinstehende Menschen träfen am ehesten in Bars oder Waschsalons zusammen, beschloß er, gemeinsam mit einem Freund alles Geld, das sie besaßen, in eine Kombination aus Bar und Waschsalon mit dem Namen ‹Waschbar› zu stecken. Das Unternehmen erwies sich als krasser Fehlschlag, und Dirk hat dabei sein gesamtes Vermögen verloren. Als ich zuletzt von ihm hörte, war er Verkäufer für Coca Cola, es kann auch Pepsi Cola gewesen sein. Von Zeit zu Zeit erkennt ihn noch jemand, aber für die Werbebranche kommt er nicht mehr in Frage – er ist ausgebrannt.

Oma Flo entschlief an Weihnachten, und der Artikel, der in der *Times* über sie erschien, hatte die Überschrift: MEYERSON-SIPPE VERLIERT GELIEBTE MATRIARCHIN MIT 90 JAHREN.

Wurde sie geliebt? Nun, von einigen schon, denke ich ... Und eine Matriarchin war sie bestimmt.

Bei Oma Flos Beerdigung füllte eine ungeheure Menschenmenge den großen Hauptraum der Synagoge Emanu-El. Niemand hätte gedacht, daß sie so viele Freunde und Bewunderer hatte. Alle Angehörigen – vier Meyerson-Generationen – waren gekommen und füllten die vordersten Reihen: Mimi, Brad und Badger saßen nebeneinander; einige Plätze weiter sah man Edwee Meyerson mit ausdruckslosem Gesicht; Nonie, die still weinte und den Arm ihres Freundes und Teilhabers, Mr. Williams', fest umklammert hielt; Oma Flos Freundin Rose Perlman sowie Alice mit trockenen Augen und dem Anflug eines triumphierenden Lächelns, wie mir schien; außerdem alle Leo-Nachkommen.

Das gesamte Personal des Hotels Carlyle, das ganz in der Nähe liegt, hatte für zwei Stunden frei bekommen, damit es an der Beisetzungsfeier teilnehmen konnte, und alle waren gekommen, mit Scharen anderer Menschen, die im Lauf der Jahre von Oma Flo große und kleine Wohltaten empfangen hatten, auch wenn sie sie nur flüchtig gekannt haben mochten.

Rabbi Sobel hielt die Trauerrede. «Fleurette Meyerson», hörten wir ihn sagen, «war zwar klein von Gestalt, aber groß, was Mut, Herz und Wohltaten betrifft, groß im Geist der *Zedaka*, der Rechtschaffenheit, groß in Humor und Witz. Auch wenn sie in den letzten Jahren kaum noch etwas sah, trug diese Tochter Israels ihr Leiden ohne Bitterkeit und ohne zu klagen. Sie hatte die Gabe ...»

Während der Rabbi sprach, eilte etwas kleines Schwarzes aus einer der hinteren Bänke über den polierten Marmorboden des Mittelgangs dorthin, wo Oma Flos blumenbedeckter Sarg stand. Es war Itty-Bitty, die Harry, Omas Lieblings-Nachtkellner, unter der Jacke eingeschmuggelt hatte.

Das Tier schnüffelte ein- oder zweimal am Sarg, legte sich daneben auf den Boden und jaulte leise.

Von seinem Lesepult aus sah Rabbi Sobel, was geschah, und ließ eine kurze Pause eintreten. Dann fuhr er fort: «Sie hatte die Gabe, große und kleine Herzen anzurühren.»

Aus den Reihen der Trauergäste war ein leises Lachen hörbar.

Itty-Bitty lebt jetzt bei Badger und seiner reizenden jungen Frau

Conny. Ja, Badger hat vor etwa einem halben Jahr geheiratet. Insgeheim war er schon seit längerem mit der jungen Dame befreundet. Zwar überraschte Mimi die Mitteilung von der Eheschließung, aber sie verträgt sich mit ihrer Schwiegertochter glänzend. Das junge Paar erwartet im Herbst Nachwuchs. Bedeutet das, daß Miray auch in der fünften Generation von einem Meyerson geleitet wird? Natürlich kann niemand in die Zukunft blicken, und eine solche Kontinuität ist in Familienunternehmen ziemlich selten, aber vorgekommen ist es schon.

Edwee und Gloria hingegen haben sich kurz nach dem Ende der hier berichteten Ereignisse scheiden lassen. Zuerst wehrte sich Edwee dagegen, doch als Gloria drohte, einige seiner abwegigen sexuellen Praktiken öffentlich preiszugeben, willigte er ein und sie bekam eine ordentliche Abfindung. Außerdem war sie so klug gewesen, die Verletzungen fotografieren zu lassen, die er ihr bei einem häuslichen Nachspiel zur «Mireille»-Gala im Pierre zugefügt hatte. «Laß immer Fotos machen, selbstverständlich in Farbe», rät sie jetzt weiblichen Bekannten in ähnlicher Lage. «Und immer am zweiten Tag, nachdem er dich verprügelt hat, denn dann sieht es am eindrucksvollsten aus. Ich sag dir gern, wer besonders naturgetreue Farbaufnahmen macht.»

Mimi habe ich in letzter Zeit sehr wenig gesehen. Sie hat in den letzten Monaten einen immer größeren Teil ihrer Aufgaben an Badger abgetreten, vielleicht, weil sie sich auf ihren Rückzug aus der Unternehmensführung vorbereitet, wahrscheinlich aber, weil sie dort nur noch die Rolle der erfahrenen Beraterin spielen will. Und natürlich hält sie sich als Gattin eines Senators häufig in Washington auf, auch wenn sie sich bei weitem noch nicht aus den Geschäften der Miracorp zurückgezogen hat.

Daß ich sie nur selten sehe, ist zum Teil auf meinen eigenen Entschluß zurückzuführen. Man könnte sagen, es geschah, um meinen Seelenfrieden zu bewahren. Als ich dachte, sie würde Brad aufgeben, hatte ich die verrückte Vorstellung, daß Mimi und ich vielleicht – aber nein, ich glaube, darüber sage ich lieber nichts.

Während der Kongreßferien geht sie gewöhnlich mit Brad auf Reisen, und von Zeit zu Zeit schickt sie mir eine Postkarte, wie beispielsweise vor einigen Wochen aus St. Jean de Luz in Südfrankreich, wo sie im Herbst 1958 mit Brad auf Hochzeitsreise gewesen war.

Vor wenigen Tagen bin ich ihr zufällig auf der Straße begegnet, als sie aus einem der Porzellanläden östlich der Park Avenue kam. Sie hatte sich gerade einige mit Hummerscheren verzierte Chelsea-Teller angesehen, wie sie sagte, weil sie ein Geschenk zu Brads 55. Geburtstag suchte. Sie fragte mich, wie ich mit meinem Buch vorankäme. «Ganz gut», gab ich zur Antwort.

«Vergessen sie nur nicht die Lektion mit der Sèvres-Vase», sagte sie. «Dinge, die im Kampf gelitten haben, sind einfach interessanter», und sie gab ihr perlendes Lachen von sich.

Dann warf sie mir eine Kußhand zu und war verschwunden. Sie ist immer noch eine Frau, nach der sich die Leute umsehen, wenn sie über die Straße geht, ob wegen ihrer Haltung, ihrer ungewöhnlichen Augen, ihrer Frisur oder des Gesamteindrucks, den sie ausstrahlt. Jedenfalls sah ich, wie sich zahlreiche Köpfe – von Männern und Frauen – nach ihr umdrehten, als sie davoneilte.

Einen Augenblick lang überlegte ich, was sie wohl mit ihrem Ratschlag beim Abschied gemeint haben mochte. Sie wollte mir damit wohl sagen, daß Liebe und Fürsorge eine angeschlagene Ehe ebenso retten können wie zu Bruch gegangenes Porzellan.

Inzwischen hat die eroberungssüchtige Mrs. Rita Robinson ihre Bemühungen eingestellt und sich, soweit ich weiß, auf eine andere Beute verlegt. In New York geht das Leben weiter, vielleicht noch mehr als anderswo.

Nach dem, was ich in den Zeitungen über Michael Horowitz lese, verdient er munter weiterhin viel Geld, und mit jedem erfolgreich abgeschlossenen Projekt nehmen seine Zukunftspläne großartigere Dimensionen an. Eben hat er angekündigt, er wolle auf einem großen ehemaligen Eisenbahngelände an der oberen West Side eine richtige Stadt in der Stadt errichten, mit Theater, Stadion, Einkaufszentren, Luxuswohnungen in Hochhäusern und Bürotürmen, und um das Maß vollzumachen, das höchste Gebäude der Welt, von dem aus man von hier bis Philadelphia sehen kann, über hundert Kilometer weit. Bisweilen habe ich den Eindruck, daß bei Männern wie ihm, Geld und Geschäftemachen wie eine Droge sind und er um so mehr verdienen muß, je mehr er hat. Bestimmt hat er bereits jetzt sehr viel mehr Geld, als er je ausgeben kann. Manchmal frage ich mich auch, ob nicht ein Versuch, Mimi nach so vielen Jahren zurückzugewinnen, einfach darin begründet lag, daß sie für ihn einen Abschluß bedeutete, der ihm nicht gelungen war. Außerdem frage ich mich – da er nicht zum Ehemann geschaffen zu sein scheint – ob er über ihren Verlust zutiefst betrübt war oder nicht insgeheim ein bißchen froh darüber, daß es nicht geklappt hatte. Vielleicht war ihm klar, daß er ein Mensch ist, der ihrem Herzen zwar einen gewissen Sommer bereiten kann, aber nicht imstande ist, alle vier Jahreszeiten zu bestreiten. Wer weiß?

Seine Konkurrenten wie seine Feinde – und davon gibt es viele –, all die Leute, die ihn «Michael Horrorwitz» nennen, sagen, sein Sturz könne nicht mehr lange auf sich warten lassen. Bisher ist nichts davon zu sehen. Er steigt höher und höher, und wenn er oben angekommen ist...

Er und Badger haben einander vor zwei Monaten ganz zufällig kennengelernt, als sie im Country Club von Westchester aus nebeneinanderliegenden Duschkabinen traten. Der Jüngere wandte sich, die Haare mit dem Handtuch trocknend, nach rechts, und der Ältere, der dasselbe tat, nach links. Beinahe wären sie mit den bloßen Schultern und Ellbogen aneinander gestoßen. Es besteht in der Tat eine gewisse äußerliche Ähnlichkeit zwischen ihnen, auch wenn Badger einige Zentimeter größer ist als Michael Horowitz.

«Oh, Entschuldigung.»

«'tschuldigung.»

Während Badger einen Schritt zurück tat, begriff er als erster; er merkte, wer der Ältere war. «Sie sind sicher Michael Horowitz», sagte er.

«Ja.»

«Badger Moore.»

Die beiden nassen Männer schüttelten einander mit so viel Würde die Hand, wie sie unter den Umständen aufzubringen vermochten.

«Ich wußte gar nicht, daß Sie hier auch Mitglied sind», sagte Badger. Sofort merkte er, daß es hochnäsig klang. So hatte er es nicht gemeint.

«Ja, heutzutage nehmen die sogar so Typen wie mich auf. Übrigens wollte ich damals Ihre Firma nicht übernehmen.»

«Nun, jetzt spielt es ja keine Rolle mehr.»

«Sie nehmen es mir also nicht übel?»

«In keiner Weise.»

«Gut», sagte Michael und fügte dann zu Badgers Überraschung hinzu: «Ich würde Sie gern besser kennenlernen, und mich mit Ihnen anfreunden.»

Einen Augenblick überlegte Badger, ob Michael Horowitz vielleicht homosexuell sei, verwarf den Gedanken aber rasch als unpassend. «Na klar», sagte er freundlich. «Wir könnten ja mal zusammen essen gehen.»

«Mit Vergnügen.»

«Rufen Sie mich doch einfach an.»

«Bestimmt.»

Erneut schüttelten sie einander die Hand, dann suchte jeder seine Kabine auf, um sich umzuziehen.

Soweit ich weiß, ist aus dem Treffen bisher noch nichts geworden.

Der einzige Mensch, den ich mit den Tagebüchern, die Mimi mir übergeben hatte, zu verletzen fürchtete, war ihre Mutter. Schließlich beschloß ich, Alice Meyerson mitzuteilen, was ich wußte.

Sie sagte: «Es war ohne Frage der entsetzlichste Augenblick meines Lebens. Ich hab damals den Wagen in der Garage versteckt, weil ich hoffte, daß der Alptraum dann aufhören würde. Aber Henry hat am nächsten Morgen den Bericht über den Vorfall in der Zeitung gelesen und ist am Abend zur Garage gegangen, um sich den Wagen anzusehen. Dann ist er nach oben gekommen und hat gefragt: ‹Warst du das?› und ich hab gesagt: ‹Ja – ja, o Henry, hilf mir!› Am nächsten Tag ist er dann zu seinem Vater gegangen, und der hat die Sache in Ordnung gebracht, wobei ihm Onkel Leos Freunde geholfen haben. Ich wurde mit Mimi nach Maine geschickt, und die Dienstboten bekamen eingeschärft, daß sie sagen sollten, wir wären schon den ganzen Sommer da gewesen, seit Mimis Geburtstag, damit ich ein Alibi hatte. Alle möglichen Leuten mußten geschmiert werden, Nummernschilder und Fahrzeuge sind ausgetauscht worden, und es hat ganz so ausgesehen, als ob alles in Ordnung wäre.

Aber dann hat Leo Lunte gerochen, und ich bin sicher, daß er die Tagebücher gestohlen hat. Mit dem, was er wußte, hat er Henry erpreßt, und später hat Leos Sohn Nate weitergemacht. Er hatte einen Brief, mit dem er beweisen konnte, daß ich zum Zeitpunkt des Unfalls nicht in Maine, sondern in New York war. Jahrelang haben die beiden uns erpreßt. Zuerst war es nicht so schlimm, aber ihre Forderungen wurden im Lauf der Jahre immer unverschämter. Da wir uns einmal darauf eingelassen hatten, konnten wir die Sache auch nicht beenden. Nate hat zu Henry gesagt: ‹Daß ihr bezahlt, beweist ja wohl, daß Alice schuldig ist.› Nach Leos Tod hat Nate allein weiterkassiert. Es wurde schlimmer als je zuvor. Er hat uns bis aufs Blut ausgesogen, so lange, bis wirklich nichts mehr da war.

Dann ist Henry 1962 eines Abends nach Hause gekommen und hat zu mir gesagt: ‹Nate sind wir los› oder was in der Art, und ich hab ihn gefragt, wie er das meinte. Er hat gesagt: ‹Ich hab ihn umbringen lassen.› Ich hab ihn angeschrien – ich war damals betrunken, weiß aber genau, was ich gesagt habe: ‹Ich kann nicht mit einem Mann leben, der mir so etwas antut! Denn *mir* wirfst du ja vor, daß das Blut eines Mannes an meinen Händen klebt, und jetzt ist es auch noch das von einem anderen. Immer habt ihr *mir* die Schuld für alles zugeschoben, du und deine Familie.› Ich bin dann mit nichts als meiner Handtasche aus dem Haus gerannt, zu Fuß zum Grand-Central-Bahnhof, das sind ein paar Kilometer, und mit irgendeinem Zug losgefahren. Ich wußte nicht mal, wohin ich fuhr. Ich hab im Speisewagen getrunken und getrunken und bin schließlich irgendwo ausgestiegen. In der Nähe war ein Motel mit einer Bar. Ich hatte keine Ahnung, wo ich war, aber ich bin geblieben. Ich weiß nicht, wie lange ich da war, aber während meiner Abwesenheit hat Henry – getan, was er getan hat. Und natürlich nur, um mir noch mehr Schuld aufzuladen.»

«Könnte der Fall wieder aufgerollt werden?» fragte ich sie.

Sie lächelte. Es kam mir fast trotzig vor. «Wissen Sie was», sagte sie, «das ist mir gleich. Die das getan hat, war eine ganz andere Frau. Ich kenne sie nicht, weiß nicht mal mehr, wer sie war. Es ist, als wäre sie gestorben. Diese andere Frau konnte der Wahrheit nicht ins Auge sehen. Ich kann mich jetzt der Wirklichkeit stellen – sogar dieser. Da ich das weiß, bin ich stärker und meiner selbst sicherer. Die Wirklichkeit ist nämlich, daß ich *keine* Schuld hatte, an nichts von all dem.»

Ich fragte sie, wie sie das meine.

«Nun, ein Teil der Schuld liegt bei Adolph und Flo, wegen der Art, wie sie Henry und mich behandelt haben. Der wirkliche Täter war der Alkohol. Nicht ich hab an jenem Nachmittag den Wagen gefahren, sondern der Alkohol. Sie sehen also, wenn der Fall je wieder aufgerollt würde, hätte ich eine unangreifbare Verteidigung. Nicht schuldig, Euer Ehren! Ich habe sogar Entlastunszeugen. Mein Therapeut hat mir klar gemacht, daß mich keine Schuld trifft. Wenn Sie das in Ihren Bericht schreiben, und das tun Sie hoffentlich, hilft es Mimi vielleicht zu begreifen, wer der wahre Verbrecher war, so daß sie mich etwas besser versteht. Sie hat mich, mein eigentliches Ich, nie so richtig geschätzt.»

Ich habe meinen Artikel für *Fortune* nicht geschrieben, besser gesagt, nicht so, wie ihn die Herausgeber wollten. Sie hatten an einen Bericht gedacht, in dem die Art und Weise geschildert wird, wie sich Unternehmen gegenseitig das Leben zur Hölle machen, pikante Hintergrundgeschichten aus der Glitzerwelt der kosmetischen Industrie. Ich sollte zeigen, wie der alte Adolph Meyerson zur Einführung eines neuen Lippenstiftes und Nagellackes die Büros von Miray in einen pentagonähnlichen Lageraum zu verwandeln pflegte, im Unterschied zu Mimis eher lockerem und persönlichem Führungsstil. Mir ist aufgegangen, daß ich statt dessen über verschiedene Arten der Liebe geschrieben habe: die Liebe, die Adolph für Flo und auf seine Weise für seine Kinder empfand; Omas Liebe zu Henry und der langen Kette von Itty-Bittys; Henrys Liebe zu Alice; Nonies Liebe zu Geld und Macht; Edwees Liebe zu Goyas Herzogin von Orsuna; Mimis Liebe zu Brad und Badger, aber auch die zu Michael und dessen Liebe zu ihr. Und sofern es einen gemeinsamen Nenner für all diese verschiedenen Arten von Liebe gibt, findet er sich im Gleichnis vom Leben als Baum, bei dem die Liebe die Kraft ist, die das Blatt am Zweig hält.

An der Columbus Avenue liegt unmittelbar nördlich der 72. Straße eine Bar, die ich gern aufsuche. Mein Vater pflegte zu sagen: «Alle Bars sind gleich, der Unterschied liegt in der Persönlichkeit des Mannes hinter dem Tresen», und genau der Mann gefällt mir an dieser Bar. Er ist ein dicker, freundlicher Amerikaner, dessen Bauch hüpft, wenn er lacht. Er heißt Alejandro, aber alle rufen ihn Al. Ich war neulich dort, trank einen Whisky, tauschte mit Al Geschichten aus und sagte dann: «Ich möchte Sie was fragen. Sie leben vom Schnaps. Sind die Schnapsbrenner unseres Landes schuld an den Alkoholikern?»

Er lachte. «Wissen Sie was», sagte er, «Trinker sind die größten Lügner der Welt.» Er legte seine großen Hände flach auf die Theke. «Und noch größere Lügner», fuhr er fort, «sind sie, wenn sie nüchtern sind.»

Wir lachten beide.

Weder ist diese Bar ein Ort noch Al ein Mensch, den man auch nur von ferne mit den Meyersons in Verbindung bringen würde. Doch während ich dort saß, fielen mir zwei ältere Leute an einem Tisch in der hintersten Ecke des Raumes auf. Sie hielten sich bei den Händen und sahen einander tief in die Augen. Die Szene war nicht ohne einen gewissen Zauber und eine gewisse bittere Süße, und ich nahm zuerst an, es handle sich um ein älteres Liebespaar, das sich heimlich traf. Man ist nie zu alt, um sich zu verlieben, überlegte ich und sagte es auch zu Al, der die beiden gleichfalls gesehen hatte. Als sich meine Augen besser an das Schummerlicht gewöhnt hatten, merkte ich, daß es sich bei dem Pärchen um Nonie Meyerson und ihren Bruder Edwee handelte. Also trat ich an ihren Tisch, um sie zu begrüßen.

Im Verlauf des Gesprächs, das sich daraus ergab, erfuhr ich den Grund für das selige Leuchten auf ihren Gesichern: Nonie hatte gerade Edwee den Goya geschenkt. Sie hatte sich nie etwas aus alter Kunst gemacht, erklärte sie, und schon gar nicht aus der des achtzehnten Jahrhunderts. Gegenstände aus dieser Zeit paßten überhaupt nicht zu ihrer nüchtern-sachlichen High-Tech-Einrichtung. Sie hatte das Bild nicht einmal in ihrer Wohnung aufgehängt. Überdies empfand sie, da ihr Unternehmen in der Pine Street so erfolgreich war, nicht das Bedürfnis nach der Art von Versicherung, als die ihre Mutter das Gemälde vorgesehen hatte. Jetzt gehört es ihm, und sie fühlte sich wesentlich besser.

Das überraschte mich so sehr, daß ich gar nicht fragte, wie sie auf einen Ort wie Al's Bar verfallen war, um ihrem Bruder diese Entscheidung mitzuteilen. Wenn man bedenkt, wie Edwee mit ihr umgesprungen war, war es doch von ihrer Seite eine Geste, die man nur – nun – großherzig nennen kann.